고등학교 한국사
평가문제집

최준채 | 윤영호 | 김용석 | 이동욱
정의진 | 한슬기 | 김용천 | 손석영
신유준 | 조상혁 | 양현승

KB132496

금성출판사

교재 사용
매뉴얼

2015 개정 고등학교 한국사 교과서 학습을 돕는 평가문제집입니다. 교과서의 핵심 개념
과 자료들을 이해하기 쉽게 정리하고 내신, 수능, 논술 모두를 대비할 수 있는 문제들을 수
록하여 학습의 효율성을 높이도록 구성하였습니다.

체계적으로
교과서 핵심 개념 정리하기

❶ 학습 계획표

스스로 학습 일정을 세우고 학습이 끝난 날짜를
점검하며 자기 주도 학습을 할 수 있도록 구성하
였습니다.

❷ 교과서 개념 정리

교과서의 핵심 개념을 알차게 정리하였습니다.
핵심 내용에는 형광펜 표시를, 설명이 필요한 곳에
는 친절한 주석을 삽입하였습니다. 시험 빈출 자료
와 형성 평가를 위한 간단한 문제들로 기초를 다질
수 있어요.

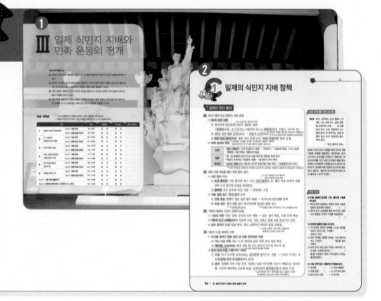

내신 만점을 위한
문제 유형 익히기

학교 시험에 주로 출제되는 다양한 유형의 문제로
구성하였습니다. 강화된 서술형 문제로 사고력을
키워 내신 만점을 공략해 보세요.

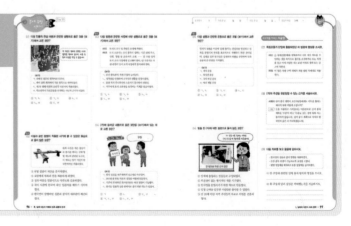

수능 대비를 위한
기출 지문 활용하기

최근 수능에 출제되었던 지문을 활용하여 내신과 수능 모두를 대비하도록 구성하였습니다. 기출·활용·서술형 문제를 통해 기출 지문을 정복할 수 있습니다.

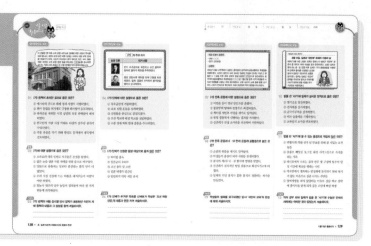

통합형 문제로
대주제 학습 마무리하기

❶ 대주제 마무리하기

대주제 전체를 정리할 수 있도록 각 주제 내용을 통합한 문제들을 준비하였습니다.

❷ 비판적 사고 기르기

대주제별로 구성한 논술 문제로 오늘날 강조되고 있는 비판적 사고력과 글쓰기 능력을 기를 수 있도록 하였습니다.

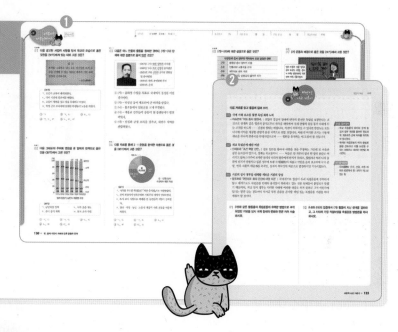

문제 이해력을
높이는 정답과 해설

정답과 오답에 대한 친절하고 꼼꼼한 해설로 문제 이해력을 높입니다. 이를 통해 유사 문제 및 응용 문제도 대비할 수 있어요

차례

Ⅰ 전근대 한국사의 이해

Ⅱ 근대 국민 국가 수립 운동

Ⅲ

일제 식민지 지배와
민족 운동의 전개

Ⅳ

대한민국의
발전

I 전근대 한국사의 이해

이번 대주제에서는

♣ 전근대 여러 국가의 사회 구조, 경제 제도 등을 설명할 수 있다.

♣ 전근대 여러 국가의 문화를 학문과 사상 및 종교를 중심으로 이해할 수 있다.

♣ 대외 관계의 변화를 국내 및 동아시아 국제 정세의 변화와 관련지어 설명할 수 있다.

♣ 전근대의 사회 구조, 사회 제도, 경제생활 및 경제 제도의 변화를 파악할 수 있다.

학습 계획표

• 자신의 일정에 맞게 계획을 세워보고, 실제 학습일을 적어 봅시다.
• 학습을 마무리한 후 얼마나 학습 목표를 달성하였는지 스스로 점검해 봅시다.

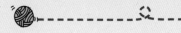

고대 국가의 지배 체제

1 선사 문화의 전개

1 구석기 시대와 신석기 시대의 생활 모습

(1) 생활 모습

	구석기 시대(약 70만 년 전~)	신석기 시대(B.C. 8000년경~)
도구	뗀석기(주먹 도끼, 슴베찌르개) 등	간석기, 토기(빗살무늬 토기 등), 가락바퀴, 뼈바늘 등
식량	사냥, 채집	농경, 목축 시작(사냥, 채집 병행)
생활	사냥감을 따라 이동 생활	정착 생활
거주	동굴, 막집 등	강가, 바닷가의 움집 등
사회	무리 사회	씨족과 부족 형성(평등 사회)

(2) 변화 배경: 구석기 시대가 끝날 무렵 기후가 따뜻해지며 자연환경 변화 → 인류는 도구와 생활 양식을 바꾸어 달라진 자연환경에 적응

2 초기 국가의 형성

1 청동기와 철기의 보급

(1) 청동기의 보급

① 만주 지역에서는 기원전 20세기~기원전 15세기경, 한반도 지역에서는 기원전 10세기 이후 청동기 사용(비파형 동검 등)

② 농경의 발달(반달 돌칼 등) → 빈부 차이, 계급 사회 형성(고인돌)

③ 막강한 권력과 경제력 지닌 정치 세력 등장 → 하늘의 자손임을 주장
└• 천손 사상이라고 일컫는다.

(2) 철기의 보급

① 기원전 5세기경 만주와 한반도 일대에 철기 문화 보급

② 농업 생산력 향상, 인구 증가

③ 철제 무기의 사용 → 부족 간 전쟁 증가, 정치 세력의 통합 활발히 전개

2 고조선의 성립과 정치적 변천

(1) 성립과 특징

① 청동기 문화를 기반으로 만주와 한반도 지역에서 형성 [자료 콕콕 ❶]

② 단군(제사장) + 왕검(정치적 우두머리) → 제정일치 사회로 추측

③ 사유 재산을 보호하기 위한 법률 제정 → 「8조법」
└• 현재 전체 조항이 전해지지는 않는다.

(2) 정치적 변천

① 중국 진·한 교체기에 많은 유이민이 고조선에 유입 → 위만이 고조선의 준왕을 몰아내고 왕위 차지(기원전 194) → 위만 왕조 성립

② 위만 왕조는 철기 문화 기반으로 세력 확장, 중국과 한반도 남부 사이에서 중계 무역으로 이익 획득

③ 한이 위만 왕조 공격 → 1년여 동안 저항, 지배층 내분으로 멸망(기원전 108)

고조선 관련 문화 범위
ꞏ 비파형 동검
ꞏ 탁자식 고인돌

중국 측의 기록에 따르면, 고조선은 기원전 7세기경 산동반도에 위치한 제와 교역하였다. 이를 통해 고조선이 중국과 인접한 만주와 한반도 서북부 지역에서 발전한 나라임을 추측할 수 있다. 특히 이 지역에서 출토되는 비파형 동검과 탁자식 고인돌 등을 통해 고조선의 문화의 범위를 짐작할 수 있다.

개념 체크

1 다음 설명이 맞으면 ○표, 틀리면 ×표를 해 보자.

(1) 신석기 시대 사람들은 농경과 목축을 통해서만 식량을 확보하였다. (　　)

(2) 청동기 시대에는 빈부의 차이가 생기고 계급 사회가 형성되었다. (　　)

2 빈칸에 알맞은 말을 써 보자.

(1) 단군왕검이라는 명칭을 통해 고조선이 (　　　　　) 사회였음을 추측할 수 있다.

(2) 고조선에 유입된 유이민을 모아 세력을 키운 (　　　　)은/는 준왕을 몰아내고 왕위에 올랐다.

(3) 위만 왕조는 중국과 한반도 남부 사이에서 (　　　　　)(으)로 이익을 얻었다.

3 서로 관련 있는 내용끼리 연결해 보자.

(1) 구석기 시대 • 　　• ㉠ 계급 사회
(2) 신석기 시대 • 　　• ㉡ 무리 사회
(3) 청동기 시대 • 　　• ㉢ 씨족 형성

3 여러 나라의 성립과 특징

(1) 성립: 한은 옛 고조선의 영토에 군현 설치하여 지배 → 이 시기를 전후로 한반도 지역에 철기 문화를 바탕으로 여러 나라가 출현

(2) 초기 국가의 정치적 특징 ┌→ 여러 소국 중에서 강력한 힘을 가지고
   연맹체를 주도하는 국가를 이야기한다.

① 여러 소국이 맹주국을 중심으로 결합한 연맹체적 성격을 나타냄.

② 초기 국가의 왕은 족장들의 독자성 인정, 족장들은 일종의 자치권 보유

(3) 초기 국가의 특징과 사회 모습 `자료 콕콕 ❷`

부여	• 만주 쑹화강 유역 평야 지대에서 출현 • 마가·우가·저가·구가 등이 사출도 지배
고구려	• 압록강 중상류 산간 지대에서 등장 • 계루부 중심으로 5개 부족이 국가 운영, 제가 회의 실시, 서옥제
옥저	• 함경도 지역에 성립 • 왕이 없고 읍군·삼로가 통치, 민며느리제
동예	• 강원도 북부 지역에 성립 • 왕이 없고 읍군·삼로가 통치, 읍락 단위 공동체 강조한 책화 시행
삼한 (마한,변한,진한)	• 한반도 중남부에 성립 • 마한 목지국의 지배자가 삼한 대표

---

3 중앙 집권 국가의 성립과 정복 전쟁의 전개

1 중앙 집권화를 위한 삼국의 노력

(1) 삼국(고구려, 마한의 백제, 진한의 신라), 주변 국가들을 정복하며 영역 확장

(2) 족장들의 독자성 약화, 삼국은 국왕 중심 중앙 집권적 고대 국가로 변화

(3) 중앙 관제 마련, 관등제 정비(족장 세력이 중앙 귀족으로 전환, 기존 세력 크기에 따라 관등 부여함으로써 특권적 지위 보장)

(4) 국가를 운영하는 기준으로 율령 반포

(5) 국왕 중심의 지배 이념 확립 위해 불교와 유학 수용

(6) 중앙 행정 기구와 지방 제도 정비, 지방관 파견(촌의 실무는 촌주가 담당)

2 정복 전쟁을 통해 세력을 확장한 삼국

고구려	• 고국천왕(2세기 후반): 부족적 전통의 5부를 행정적 성격으로 개편 • 4세기 초 중국 분열을 틈타 만주와 대동강 유역까지 영토 확장 • 4세기 중엽 선비족의 전연, 백제의 공격을 받는 등 위기에 처함.
백제	• 고이왕(3세기 중엽): 관등제, 관복제 도입 • 근초고왕(4세기 중엽): 마한 복속, 고구려에 승리 • 침류왕(4세기 후반): 불교 수용
신라	• 건국 초기에는 박, 석, 김의 세 성씨가 돌아가며 왕위 계승 • 내물마립간(4세기 말): 김씨의 왕위 세습권 확립
가야	낙동강 하류에 금관가야를 중심으로 연맹 형성(전기 가야 연맹)

자료 콕콕 ❷ 초기 국가의 법률

• (고조선에서는) 다른 사람을 죽인 자는 즉시 죽이고, 남에게 상처를 입힌 자는 곡물로 배상하게 한다. 도둑질을 한 자는 재산을 몰수하고 노비로 삼으며, 용서를 받고자 하는 자는 1인당 50만 전을 내게 한다.

– 『한서』, 「지리지」

• (부여에서는) 형벌이 엄하고 각박하여 사람을 죽인 자는 사형에 처하고, 그 집안 사람을 노비로 삼는다. 도둑질을 하면 (도둑질한 물건의) 12배를 변상하게 하였다.

– 『삼국지』, 「위서 동이전」

『한서』, 『삼국지』와 같은 중국의 역사서에는 만주와 한반도의 초기 국가가 법을 만들어 사회 질서를 유지하였다고 기록되어 있다. 그중 가장 대표적인 국가가 고조선과 부여이다. 고조선과 부여는 타인의 노동력 또는 사유 재산에 손실을 가한 정도에 따라 형벌을 달리 적용하였다. 또한 "노비로 삼는다."라는 조항을 통해 당시 고조선과 부여가 계급 사회를 이루었다는 사실을 확인할 수 있다. 이외에도 두 국가의 법률을 통해 가부장적인 고대 사회의 모습도 살펴볼 수 있다.

개념 체크

1 다음 설명이 맞으면 ○표, 틀리면 ✕표를 해 보자.

(1) 읍군과 삼로라고 불린 우두머리가 삼한의 각 읍락을 통치하였다. ( )

(2) 백제의 근초고왕은 고구려를 공격하여 승리를 거두었다. ( )

2 빈칸에 알맞은 말을 써 보자.

(1) 부여에서는 마가, 우가, 저가, 구가 등이 ( )을/를 다스렸다.

(2) 4세기 후반 백제의 ( )은/는 불교를 수용하였다.

(3) 신라에서는 ( ) 때 김씨의 왕위 세습권이 확립되었다.

3 서로 관련 있는 내용끼리 연결해 보자.

(1) 옥저 • • ㉠ 책화

(2) 동예 • • ㉡ 서옥제

(3) 고구려 • • ㉢ 민며느리제

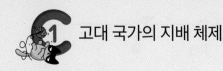

3 한강 유역을 놓고 경쟁한 삼국

고구려	• 소수림왕(4세기 후반): 불교 수용, 태학 설립, 율령 반포 • 광개토 대왕(5세기): 만주 대부분 차지, 한강 이북 차지(백제 공격), 신라에 원군 파병 → 내정 간섭 강화 • 장수왕(5세기): 평양 천도(427), 남진 정책 추진, 남한강 유역 진출
백제	• 고구려의 침입으로 수도 한성 함락 → 웅진 천도, 신라·가야와 동맹 강화 • 무령왕(6세기): 지방 22담로에 왕족 파견, 지방 통제 강화 • 성왕(6세기): 사비(부여) 천도, 국호 남부여로 개칭, 신라 진흥왕과 연합하여 한강 유역 회복했으나 곧 상실
신라	• 5세기 초 고구려(광개토 대왕)의 도움으로 가야·왜 연합 세력 격퇴 → 고구려의 간섭에 백제와의 동맹 강화 등 자립 노력 • 지증왕(6세기 초): 국호 신라로 개칭, 지배자의 칭호를 마립간에서 왕으로 변경, 우산국(울릉도) 점령 • 법흥왕(6세기): 병부 설치, 율령 반포, 관등제 시행, 불교 공인, 금관가야 정복 • 진흥왕(6세기): 한강 유역 차지(북한산비), 대가야 정복, 함경도 지방까지 영토 확장(황초령비, 마운령비) 자료 콕콕 ❸
가야	• 고구려(광개토 대왕)의 침공으로 금관가야 쇠퇴 → 대가야 중심 후기 가야 연맹 형성 • 신라 법흥왕에게 금관가야 멸망, 진흥왕에게 대가야 멸망

자료 콕콕 ❸ 6세기 신라의 영역 확장

→ 신라의 진출 방향
■ 진흥왕 이전의 신라 영토
■ 진흥왕 때 신라 최대 영역
▲ 진흥왕 순수비

고구려 / 백두산 / 마운령비 / 황초령비 / 평양 / 안변 / 동해 / 우산국 복속 512 / 황해 / 북한산비 / 신라 / 독도 / 백제 성왕 전사 554 / 단양 신라 적성비 / 대가야 복속 562 / 사비 / 관산성(옥천) / 금성 / 대가야 / 청녕비 / 금관가야 / 백제 / 금관가야 복속 532

신라는 6세기에 지증왕, 법흥왕, 진흥왕을 거치면서 통치 체제를 정비함으로써 성장의 발판을 마련하였다. 이를 바탕으로 지증왕 대에는 우산국, 법흥왕 대에는 금관가야를 정복하였으며, 진흥왕 대에는 대가야를 멸망시키고 한강 유역을 차지하였다. 진흥왕은 적극적인 영토 팽창 정책의 일환으로 함경도 부근까지 진출하여 신라의 최대 영역을 이루었다.

4 삼국 통일 이후의 정치적 변화

1 신라의 삼국 통일

(1) 고구려와 수·당의 전쟁
  ① 6세기 말 중국을 통일한 수가 고구려 공격 → 고구려, 수의 침략 격퇴(살수 대첩)
  ② 수 멸망 후 당이 고구려 침공 → 고구려, 당군 격퇴(안시성 전투 등)

을지문덕을 중심으로 한 고구려군이 청천강 유역에서 수의 대군을 격퇴한 전투이다.

(2) 나당 연합군 결성: 백제의 공격으로 위기에 몰린 신라와 당이 동맹 체결
(3) 백제·고구려의 멸망: 연합군에 백제(660)·고구려(668) 멸망
(4) 부흥 운동의 전개: 백제, 고구려 일부 유민이 각지에서 부흥 운동 전개 → 실패
(5) 나당 전쟁: 당의 한반도 전체 지배 야욕 표출 → 신라의 항전 → 신라, 매소성·기벌포 등에서 대승, 당을 몰아내고 대동강 이남 지역 차지(676)

2 발해의 건국과 영토 확장

(1) 발해의 발전

대조영	고구려인과 말갈인을 이끌고 동모산에서 발해 건국(698)
무왕	당과 대립하며 영토 확장
문왕	외교적으로 당, 신라와의 대립 관계 개선
선왕	말갈족 대부분 복속, 요동 진출, 신라와 접경(해동성국)

(2) 고구려 계승: 성곽·고분 등의 문화 계승, 일본 외교 문서에 '고려' 국호 사용

개념 체크

1 다음 설명이 맞으면 ○표, 틀리면 ×표를 해 보자.
(1) 광개토 대왕은 평양으로 수도를 옮겨 남진 정책을 추진하였다. (   )
(2) 신라는 매소성·기벌포 전투에서 당군을 격퇴하였다. (   )

2 빈칸에 알맞은 말을 써 보자.
(1) 고구려의 공격으로 (   )이/가 쇠퇴하자, 대가야를 중심으로 새로운 연맹이 형성되었다.
(2) 대조영은 고구려인과 말갈인을 이끌고 (   )에서 발해를 건국하였다.
(3) 성곽, 고분 등의 여러 특징을 통해 발해가 (   ) 문화를 계승하였음을 알 수 있다.

3 서로 관련 있는 내용끼리 연결해 보자.
(1) 지증왕 • • ㉠ 우산국 점령
(2) 법흥왕 • • ㉡ 대가야 정복
(3) 진흥왕 • • ㉢ 율령 반포

3 통일 신라와 발해의 통치 체제 정비

(1) 통일 신라의 통치 체제 정비

중앙	• 유학 교육 기관인 국학 설치 → 실무 관료 양성 • 집사부 중심으로 행정 관서와 관직 체계 정비 • 관료전 지급, 녹읍 폐지, 녹봉 지급 → 귀족의 경제 기반 약화 도모　자료 콕콕 ❹
지방	전국을 9주로 나누고 교통·군사상 요충지에 5소경 설치

(2) 발해의 통치 체제 정비

충·인·의·지·예·신의 유교 덕목을 관서의 명칭으로 정하였다.

중앙	• 당의 문물을 수용하면서 통치 체제 정비 • 당의 3성 6부 제도 수용 → 유교 덕목으로 관서의 명칭 변경 • 유학 교육 기관인 주자감 설치 → 관리 양성 노력
지방	5경 15부 62주로 전국 정비하고 지방관 파견, 말단 지방 행정은 말갈 부락 족장의 도움 받음.

5 고대 사회의 신분제와 경제 정책

1 고대 사회의 신분제

(1) 특징

① 정복과 집단 간 통합 등이 이루어지며 서열 발생, 세습되며 **신분제** 형성

② 신분은 귀족·평민·천민 등으로 분류, 대대로 세습, 능력보다 혈통에 따라 사회적 지위가 결정

③ 지배층 중심의 신분제 유지를 위해 엄격한 형벌 제도가 시행되는 경우 존재

(2) **신라의 골품제:** 신라는 관등 승진의 상한선이 골품에 따라 정해지는 등 혈통에 따라 일상생활 전반에 걸친 특권과 제약을 가하는 엄격한 신분제 시행

2 고대 국가의 경제 정책

(1) 농민 경제 안정을 위한 삼국의 정책

① **철제 농기구** 보급, 우경(소를 이용한 농경) 장려, 황무지 개간, 저수지 축조

② 고구려에서는 가난한 백성 구제 위해 춘궁기에 곡식을 빌려주고 수확 후에 갚게 하는 **진대법** 시행

(2) 삼국의 수취 체제

① 고대 국가는 수취 제도를 마련하여 국가 재정 확보

조세	재산 규모에 따라 호의 등급을 나누어 곡식과 포 부과
공물	지역 특산물 수취
역	일정 연령대(대체로 16~60세) 남성들의 군 복무와 공사에 동원

② 통일 신라의 「신라 촌락 문서」(민정 문서)

• 서원경(현재 충북 청주 부근)에 속한 촌을 비롯한 4개 촌락의 경제 상황 기록, 원활한 세금 수취를 위해 전국의 경제 상황 파악을 위해 작성

• 인구는 성별로 구분한 후 연령 기준으로 분류, 호도 여러 등급으로 파악

• (신문왕 7년) 교서를 내려 문무 관료들에게 토지를 차등 있게 지급하였다.　　　　　－ 『삼국사기』

• (신문왕 9년) 중앙과 지방 관리들의 녹읍을 폐지하고, 해마다 조(租)를 차등 있게 주고 이를 법으로 삼았다.　　　　　－ 『삼국사기』

녹읍이란 관리에게 관직 수행의 대가로 지급한 지역이다. 녹읍을 받은 관리는 해당 지역에서 조세뿐만 아니라 노동력, 특산물 등도 징발할 수 있었다. 신라 귀족들은 녹읍을 이용하여 개인적인 세력을 육성하였다. 이에 신문왕은 조세만 거둘 수 있는 관료전을 지급하고, 녹읍을 폐지하였다. 그러나 녹읍은 결국 귀족 세력의 반발로 8세기 중반 부활하였다.

개념 체크

1 다음 설명이 맞으면 〇표, 틀리면 ✕표를 해 보자.

(1) 통일 신라는 전국을 9주 5소경으로 재편하였다.　　　　　(　　)

(2) 고대 국가는 일정 연령대의 남성들을 군 복무와 공사에 동원하였다.　(　　)

2 빈칸에 알맞은 말을 써 보자.

(1) 발해는 유학 교육과 관리 양성을 위해 (　　　　)을/를 설치하였다.

(2) 신라는 지배층 중심의 엄격한 신분제인 (　　　　)을/를 시행하였다.

(3) 통일 신라는 원활한 세금 수취를 위해 (　　　　)을/를 작성하였다.

3 서로 관련 있는 내용끼리 연결해 보자.

(1) 신라　•　　　•㉠ 진대법 시행

(2) 발해　•　　　•㉡ 3성 6부 수용

(3) 고구려•　　　•㉢ 국학 설치

01 구석기 시대 인류의 생활 모습으로 옳은 것은?

① 고인돌을 축조하였다.
② 비파형 동검을 제작하였다.
③ 빗살무늬 토기를 사용하였다.
④ 철제 농기구로 농사를 지었다.
⑤ 주로 동굴이나 막집에서 살았다.

중요
02 (가) 시대 인류의 생활 모습으로 옳은 것은?

(가) 시대 사람들은 농경과 정착 생활을 시작하였습니다. 그들은 강가와 바닷가 등지에 움집도 제작하였으며, 식량을 보관하기 위해 토기를 사용하였습니다. 우측의 빗살무늬 토기가 (가) 시대의 대표적인 유물입니다.

① 청동 방울을 제작하였다.
② 무리지어 이동 생활을 하였다.
③ 철제 무기로 정복 활동을 벌였다.
④ 각 부족의 가들이 사출도를 다스렸다.
⑤ 갈돌과 갈판 등 간석기를 사용하였다.

03 (가) 시대에 대한 탐구 활동으로 가장 적절한 것은?

모시는 글

농업 생산력이 증대되고 빈부의 차이와 계급이 발생하였던 (가) 시대의 문화유산 사진전을 개최하고자 합니다. 많은 관람 바랍니다.

① 불교 수용 과정을 조사한다.
② 제가 회의에 대해 알아본다.
③ 철제 농기구의 종류를 알아본다.
④ 동굴이나 막집 유적을 조사한다.
⑤ 농경무늬 청동기에 대해 알아본다.

중요
04 다음 사건 이후에 발생한 사실로 옳지 않은 것은?

한은 대규모 군대를 보내 고조선을 공격하였다. 위만 왕조는 이에 맞서 1년여 동안 저항하였지만, 지배층의 내분으로 멸망하였다.

① 부여가 고구려에 멸망하였다.
② 위만이 준왕을 몰아내고 왕위에 올랐다.
③ 백제가 마한의 잔여 세력을 통합하였다.
④ 한이 옛 고조선의 영토에 군현을 설치하였다.
⑤ 동해안의 옥저와 동예가 고구려에 복속되었다.

중요
05 (가) 국가에 대한 설명으로 옳은 것은?

(가) 에는 혼인 이후 신랑이 일정 기간 신부의 집에 머무르는 서옥제라는 풍습이 있었다. 이러한 풍습은 혼인으로 발생한 노동력 손실을 어느 정도 보상하기 위해 행해진 것으로 추측된다.

① 「8조법」이 존재하였다.
② 제가 회의를 실시하였다.
③ 책화를 통해 부족의 생활권을 보호하였다.
④ 만주 쑹화강 유역의 넓은 평야 지대에서 등장하였다.
⑤ 읍군과 삼로라고 불린 우두머리가 각 읍락을 다스렸다.

06 「8조법」을 통해 알 수 있는 고조선의 사회 모습으로 적절한 것을 〈보기〉에서 고른 것은?

〈보기〉
ㄱ. 계급 사회를 이루었다.
ㄴ. 읍락 단위의 공동체를 강조하였다.
ㄷ. 노동력과 사유 재산을 중시하였다.
ㄹ. 왕을 중심으로 한 중앙 집권적 고대 국가의 모습을 갖추었다.

① ㄱ, ㄴ   ② ㄱ, ㄷ   ③ ㄴ, ㄷ
④ ㄴ, ㄹ   ⑤ ㄷ, ㄹ

중요
07 밑줄 친 '이 국가'에 대한 설명으로 옳은 것은?

> **특별 강연 안내문**
> 각 지역에 남아 있는 이 국가의 건축물을 조명합니다.
> 제1부: 한성 시기 몽촌 토성의 구조
> 제2부: 웅진 시기 벽돌무덤의 건립
> 제3부: 사비 시기 왕궁터의 체계

① 태학을 설립하였다.
② 진대법을 시행하였다.
③ 22담로에 왕족을 파견하였다.
④ 박, 석, 김씨가 왕위를 계승하였다.
⑤ 금관가야를 중심으로 연맹을 형성하였다.

중요
08 다음 사건 이후에 발생한 사실로 옳은 것은?

> 거련이 군사 3만 명을 거느리고 와서 수도 한성을 포위하였다. 개로가 아들 문주에게 말했다. "나는 당연히 나라를 위하여 죽어야 하지만 너는 난리를 피하여 나라를 다시 이어가도록 하라." 이에 문주가 신하들을 데리고 남쪽으로 내려가 웅진에 자리를 잡았다.

① 고구려가 진대법을 시행하였다.
② 고구려가 평양으로 천도하였다.
③ 신라가 한강 유역을 차지하였다.
④ 백제 고이왕이 관등제를 실시하였다.
⑤ 백제의 공격으로 고구려왕이 전사하였다.

09 (가) 인물에 대한 설명으로 옳은 것은?

> [(가)] 때에는 대대적인 정복 활동이 이루어졌다. 순수비를 통해 그 사실을 확인할 수 있는데, 대표적인 순수비로 북한산비, 황초령비 등이 있다.

① 율령을 반포하였다.
② 녹읍을 폐지하였다.
③ 우산국을 점령하였다.
④ 대가야를 정복하였다.
⑤ 금관가야를 정복하였다.

중요
10 다음 사건들을 발생한 순서대로 옳게 나열한 것은?

> (가) 지증왕이 우산국을 점령하였다.
> (나) 장수왕이 평양으로 천도하였다.
> (다) 고국원왕이 백제의 공격으로 전사하였다.
> (라) 성왕이 신라와 함께 고구려를 공격하여 한강 유역을 회복하였다.

① (가)-(나)-(다)-(라)   ② (가)-(다)-(라)-(나)
③ (가)-(라)-(다)-(나)   ④ (다)-(나)-(가)-(라)
⑤ (라)-(나)-(가)-(다)

11 밑줄 친 '국가'에 대한 설명으로 옳은 것은?

> 백암성은 중국 세력의 침략에 대비하여 만들어졌습니다. 이 성을 쌓은 국가는 수와 당의 침공을 물리침으로써 국제적 위상을 떨쳤습니다.

① 당의 3성 6부제를 수용하였다.
② 웅진, 사비로 거듭 천도하였다.
③ 왕의 칭호로 마립간 등을 사용하였다.
④ 신라를 도와 가야 연맹을 약화시켰다.
⑤ 국학을 설치하여 실무 관료를 양성하였다.

12 다음 자료를 모두 활용한 탐구 주제로 가장 적절한 것은?

> • 연개소문이 죽자 맏아들 남생이 뒤를 이어 국정을 맡았으나 그 아우들의 공격을 받아 당으로 달아났다.
> • 당의 장수 이적이 신라의 날쌘 기병 500명을 뽑아 평양성을 공격하였다.

① 발해의 건국 과정
② 고구려의 평양 천도
③ 나당 연합군의 결성
④ 백제의 멸망과 부흥 운동
⑤ 고구려의 멸망과 부흥 운동

중요
13 다음 사건들을 발생한 순서대로 옳게 나열한 것은?

> (가) 백제의 사비성이 함락되었다.
> (나) 당군이 안시성에서 패배하였다.
> (다) 고구려의 평양성이 함락되었다.
> (라) 신라군이 기벌포에서 당군을 격퇴하였다.

① (나)-(가)-(다)-(라) ② (다)-(나)-(가)-(라)
③ (다)-(라)-(나)-(가) ④ (라)-(나)-(다)-(가)
⑤ (라)-(나)-(가)-(다)

중요
14 다음과 같은 중앙 행정 기구를 갖춘 국가에 대한 설명으로 옳은 것은?

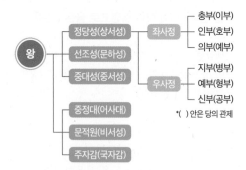

① 관료전을 지급하였다.
② 진대법을 시행하였다.
③ 22담로를 설치하여 왕족을 파견하였다.
④ 집사부를 중심으로 관직 체계를 정비하였다.
⑤ 말단 지방 행정은 말갈 부락 족장의 도움을 받았다.

15 발해와 고구려의 연관성을 뒷받침하는 근거를 〈보기〉에서 고른 것은?

> 〈보기〉
> ㄱ. 3성 6부 제도를 수용하였다.
> ㄴ. 주자감에서 유학을 교육하였다.
> ㄷ. 성곽, 고분 등 여러 면에서 고구려 문화를 계승하였다.
> ㄹ. 발해가 일본에 보낸 외교 문서에 '고려'라는 국호를 사용하였다.

① ㄱ, ㄴ   ② ㄱ, ㄷ   ③ ㄴ, ㄷ
④ ㄴ, ㄹ   ⑤ ㄷ, ㄹ

16 고대 사회에 대한 설명으로 적절하지 <u>않은</u> 것은?

① 신분은 대대로 세습되었다.
② 신분은 크게 귀족, 평민, 천민으로 구분되었다.
③ 개인의 사회적 지위는 혈통보다 능력에 따라 결정되었다.
④ 귀족 내에서도 차별이 있었음을 골품제에서 확인할 수 있다.
⑤ 지배층 중심의 신분제를 유지하기 위해 엄격한 형벌 제도가 시행되기도 하였다.

중요
17 밑줄 친 '이 국가'에 대한 설명으로 옳은 것은?

> 이 국가에서는 신분제와 관등제가 밀접하게 연관되어 운영되었다. 최고위 관등까지 오를 수 있었던 진골은 중앙 관청과 지방의 장관직을 차지하며 권력을 독점하였다. 관등 승진에 한계가 있던 6두품은 학문적 능력을 바탕으로 행정 실무를 담당하고 왕에게 정치적 조언을 하기도 하였다.

① 지방 22담로에 왕족을 파견하였다.
② 살수(청천강)에서 수의 군대를 물리쳤다.
③ 국학을 설치하고 집사부의 기능을 강화하였다.
④ 주자감을 설치하고 당에 유학생을 파견하였다.
⑤ 말갈족 대부분을 복속시키고 요동으로 진출하였다.

18 밑줄 친 '이 문서'에 대한 설명으로 옳은 것은?

> 이 문서는 일본 도다이사 쇼소인에서 발견되었다. 여기에는 서원경 부근 4개 마을의 인구수, 토지 종류와 면적, 뽕나무와 잣나무 수, 소와 말의 수 등을 3년마다 정리한 내용이 기록되어 있다.

① 통일 신라 시대 촌락의 경제 상황을 보여 준다.
② 고조선의 「8조법」 가운데 3개 조항을 보여 준다.
③ 지방 촌주가 '법'에 정해진 업무를 수행한 내용을 담고 있다.
④ 노동력 또는 사유 재산에 손실을 가한 정도에 따라 형벌을 달리 적용하였음을 보여 준다.
⑤ 진흥왕이 왕명을 내리는 내용을 통해 중앙 집권 체제가 완성되어 가고 있었음을 보여 준다.

19 (가), (나)에 들어갈 내용을 각각 서술하시오.

> 구석기 시대에는 일정한 주기로 빙기가 반복되었다. 그러나 [(가)   ]면서 자연환경이 변화하였다. 사람들은 작고 빠른 동물을 잡기 위해 [(나)   ]

20 (가)에 들어갈 내용을 <u>두 가지 이상</u> 서술하시오.

> 철기 문화는 기원전 5세기경부터 만주와 한반도 일대의 보급되기 시작하였다. 철제 농기구와 철제 무기의 사용으로 [(가)   ]

21 다음 자료를 통해 확인할 수 있는 당시 사회 모습을 <u>세 가지</u> 서술하시오.

> 다른 사람을 죽인 자는 즉시 죽이고, 남에게 상처를 입힌 자는 곡물로 배상하게 한다. 도둑질을 한 자는 재산을 몰수하고 노비로 삼으며, 용서를 받고자 하는 자는 1인당 50만 전을 내게 한다. …… 부인은 정숙하고 신의가 있어서 음란하지 않았다.
>
> – 『한서』, 「지리지」

22 다음 조치의 의미와 목적을 서술하시오.

> • (신문왕 7년) 교서를 내려 문무 관료들에게 토지를 차등 있게 지급하였다. – 『삼국사기』
> • (신문왕 9년) 중앙과 지방 관리들의 녹읍을 폐지하고, 해마다 조를 차등 있게 주고 이를 법으로 삼았다. – 『삼국사기』

23 다음 자료를 보고 물음에 답하시오.

등급	관등	진골	6두품	5두품	4두품	복색
1 2 3 4 5	이벌찬 이찬 잡찬 파진찬 대아찬					자색
6 7 8 9	아찬 일길찬 사찬 급벌찬					비색
10 11	대나마 나마					청색
12 13 14 15 16 17	대사 사지 길사 대오 소오 조위					황색

(1) 자료에 나타난 제도의 명칭과 그 제도를 시행한 국가를 쓰시오.

(2) 자료에 나타난 제도의 특징을 <u>두 가지 이상</u> 서술하시오.

2 고대 사회의 종교와 사상

1 외래 종교 및 사상의 수용

1 재래 신앙의 형성과 외래 사상의 수용

(1) 재래 신앙의 형성

원시 신앙	• 신석기인들이 농경 등을 시작하며 등장(애니미즘, 토테미즘, 샤머니즘 등) • 특히 농사에 영향을 미치는 하늘, 태양, 땅, 물 등을 신으로 숭배
천신 신앙	• 청동기 시대 지배자들이 하늘의 자손(천손)임을 자처하며 권력 정당화 • 영고(부여), 동맹(고구려) 등 제천 행사 개최 → 집단의 결속력 강화 • 왕권 강화되며 천신을 숭배하는 제사 의식이 더욱 체계화 → 삼국은 이러한 지배 이념을 활용하여 독자적인 천하관 확립 `자료 콕콕 ①`

(2) 외래 사상의 수용

① 삼국 지배 영역 확대, 국왕 중심 정치 체제 성립 등 새로운 사회 질서 형성 → 재래 신앙만으로 집단 결속 어려워 보편적 사상 요구됨.

② 중국으로부터 유학, 불교, 도교 등 외래 사상이 전래됨.

2 불교의 수용과 영향

(1) 불교의 수용

① 고구려·백제는 4세기에 중국으로부터 불교 수용, 신라는 6세기 초 불교 공인

② 불교는 왕권을 이념적으로 뒷받침(신라의 불국토 사상, 불교식 왕명 사용)

③ 삼국 불교는 호국적 성격 나타냄(백제 미륵사, 신라 황룡사, 원광의 세속 5계).

(2) 불교의 영향 ┌─ 전생의 과보(업)가 현생의 신분에 영향을 미친다는 윤회적 관점이 포함된 논리이다.

① 귀족들은 업설을 통해 신분 질서 옹호, 권력 정당화

② 재래 신앙과 융합하여 토착화, 왕실과 귀족 중심으로 널리 전파

③ 음악, 미술, 건축 등에 영향 → 삼국 문화 발전(일본 고대 문화에 영향)

3 교육 기관의 설립과 유학의 보급

(1) 교육 기관의 설립

고구려	중앙에 태학(유교 경전·역사서 교육), 지방에 경당(한학·무술 교육) 설치
백제	오경박사, 역박사, 의박사가 각각 유교 경전, 천문, 역법, 의료 등 교육

(2) 한자와 유학의 보급: 국왕 중심 지배 질서 뒷받침하는 수준에서 유학 교육

(3) 역사서 편찬: 중앙 집권 체제 확립하고 영토 확장하여 왕의 권위 높이고자 편찬

4 도교의 전래

(1) 신선 사상을 바탕으로 민간 신앙 등 결합, 불로장생과 현세의 이익 추구

고구려	고분 벽화(신선의 모습, 사신도), 연개소문의 도교 장려
백제	산수무늬 벽돌, 금동 대향로(신선들의 이상 세계)

(2) 중국으로부터 전래 → 삼국의 귀족 사회 중심으로 유행

개념 체크

1 다음 설명이 맞으면 ○표, 틀리면 ×표를 해 보자.

(1) 고구려와 부여에서는 제천 행사를 열어 집단의 결속력을 다졌다. ( )

(2) 원광의 세속 5계에는 신라 불교의 호국적인 성격이 잘 드러나 있다. ( )

2 빈칸에 알맞은 말을 써 보자.

(1) 삼국의 귀족들은 불교의 ( )을/를 통해 신분 질서를 옹호하는 등 자신들의 권력을 정당화하였다.

(2) 고구려는 중앙에 ( )(이)라는 교육 기관을 설립하였다.

(3) 고구려의 연개소문은 불교 세력을 약화하기 위해 ( )을/를 장려하기도 하였다.

3 서로 관련 있는 내용끼리 연결해 보자.

(1) 백제 •　　　　　• ㉠ 오경박사

(2) 고구려 •　　　　　• ㉡ 경당

2 사회적 영향력을 확대한 종교와 사상

1 유학 교육의 강화

(1) 통일 신라와 발해의 유학 교육

① 통일 신라: 국학 설치(신문왕), 독서삼품과 실시(원성왕)

② 발해: 주자감 설치, 유교 덕목을 중앙 행정 기구인 6부의 명칭으로 사용

(2) 통일 신라와 발해 지식인들의 활약

① 통일 신라에서는 강수와 설총 등 6두품 출신의 지식인들이 주로 활약, 발해의 양태사와 왕효렴 등 한시에 능한 지식인 다수 배출

② 신라와 발해의 유학생들은 당에 건너가 유학 습득 → 때때로 당의 빈공과에서 수석 자리 놓고 경쟁, 뛰어난 문장력으로 명성 획득

③ 6두품 출신 신라 유학생들은 귀국 이후 출세 제한 → 반신라적 경향

2 불교의 대중화

(1) 불교 대중화 노력: 삼국 통일 전후로 원효, 의상 등의 승려들은 백성들에게 불교를 쉽게 전하려 노력 → 불교가 일반 백성들의 삶에도 가까워짐.

① 원효: 일심 사상, 화쟁 사상 통해 불교 종파 간 이론적 대립을 해소하고 더 높은 차원의 이해 추구, 아미타 신앙을 백성들에게 전파

② 의상: 화엄 사상 바탕으로 화엄종 열어 갈등 극복 시도, 관음 신앙 전파

(2) 향도: 신앙 공동체로 조직, 신분이나 계층 제한 없이 누구나 참여 가능, 사찰 건물을 만드는 일에 노동력을 제공하거나 경제적으로 지원

3 불교문화의 융성

(1) 통일 신라: 불국사, 석굴암, 무구정광대다라니경 제작

(2) 발해: 문왕은 자신을 전륜성왕이라 일컬으며 많은 사찰 건축, 상경·중경·동경 일대의 절터와 석등, 이불병좌상
    └• 불교에서 말하는 이상적인 군주이다.

4 통일 신라 말기의 혼란과 후삼국의 성립 〔자료 콕콕 ❷〕

(1) 8세기 중반 녹읍 부활, 진골 귀족 세력 간의 갈등·대립 표면화

(2) 왕위 쟁탈전 등으로 중앙정부의 지방 통제력 약화 → 호족 세력 성장

(3) 골품제에 불만을 품은 6두품 지식인 중 일부는 호족 세력과 결탁

(4) 호족들은 선종, 풍수지리설을 기반으로 세력 확장 → 견훤의 후백제 건국(900), 궁예의 후고구려 건국(901)으로 후삼국 성립

5 선종의 확산과 풍수지리설의 유행

(1) 선종의 확산

① 교종: 기존에 왕실과 진골 귀족의 후원을 받았던 불교

② 선종: 개인의 참선 수행을 통한 깨달음 중시, 중국에서 전래 → 지방의 호족들은 선종의 실천성을 선호하여 선종 후원, 선종의 영향력 강화

(2) 풍수지리설: 자연 지형을 살펴 주택이나 묘지 등을 정하는 인문 지리학

① 도선 등의 선종 승려가 중국에서 풍수지리설을 받아들임.

② 지방에 선종 사찰을 건립하거나 호족의 근거지를 마련할 때 활용

자료 콕콕 ❷ 신라 말기 농민 저항

(진성 여왕 3년) 국내의 여러 주군이 공부를 수납하지 않아 나라의 창고가 비고, 재정이 궁핍해졌다. 이에 왕이 사자를 보내 독촉하니 곳곳에서 도적들이 들고 일어났다. 이때 원종과 애노 등이 사벌주에 웅거하여 반란을 일으켰다.

− 『삼국사기』

통일 신라 말기 혼란한 사회상을 보여 주는 대표적인 사료이다. 『삼국사기』를 보면 특히 진성 여왕 시기에 이러한 맥락의 기록이 집중적으로 분포되어 있음을 알 수 있다. 이 시기 원종과 애노의 난, 적고적의 난 등 농민 봉기가 일어났다. 이러한 혼란의 와중에 지방 각지에서는 호족이라는 세력이 등장하였다.

개념 체크

1 다음 설명이 맞으면 ○표, 틀리면 ✕표를 해 보자.

(1) 발해는 유교 덕목을 중앙 행정 기구인 6부의 명칭으로 사용하였다. (   )

(2) 통일 신라 말기 중앙 정부는 선종을 적극적으로 후원하였다. (   )

2 빈칸에 알맞은 말을 써 보자.

(1) 신라의 (   )은/는 신분, 계층 제한 없이 누구나 참여하였고, 불교 건축에 노동력 등을 지원하였다.

(2) 불국사, 석굴암 등은 (   )의 대표적인 불교 문화재이다.

(3) 신라 말기 도선 등의 선종 승려가 중국에서 (   )을/를 받아들였다.

3 서로 관련 있는 내용끼리 연결해 보자.

(1) 신라 •   • ㉠ 이불병좌상

(2) 발해 •   • ㉡ 석굴암

01 삼국의 불교에 대한 설명으로 옳지 <u>않은</u> 것은?

① 호국적 성격을 나타냈다.
② 대규모 사찰과 탑을 지어 국가의 복을 빌었다.
③ 최초에 대중을 중심으로 퍼지기 시작하였다.
④ 점차 재래 신앙과 융합하여 각 지역의 특색에 맞게 토착화되었다.
⑤ 유입되는 과정에서 재래 신앙을 신봉하는 귀족들이 반발하기도 하였다.

02 다음 자료를 활용한 탐구 주제로 가장 적절한 것은?

금동 미륵보살 반가 사유상   일본 고류사 목조 미륵보살 반가 사유상

① 발해와 당 사이의 외교
② 통일 신라와 서역의 교류
③ 삼국 불교문화의 일본 전파
④ 교육 기관의 설립과 유학의 보급
⑤ 선종의 확산과 풍수지리설의 유행

중요
03 삼국 시대에 전래된 도교에 대한 설명으로 적절하지 <u>않은</u> 것은?

① 불로장생과 현세의 이익을 추구한다.
② 삼국의 귀족 사회를 중심으로 유행하였다.
③ 귀족들은 업설을 통해 자신들의 권력을 정당화하였다.
④ 연개소문은 불교 세력을 약화하기 위해 도교를 장려하였다.
⑤ 신선 사상을 바탕으로 민간 신앙 등 다양한 신앙들이 결합한 종교이다.

04 고대의 유학에 대한 설명으로 옳은 것은?

① 신라는 주자감에서 유교 경전을 가르쳤다.
② 발해의 유학생들은 당의 빈공과에 응시하였다.
③ 고구려는 오경박사를 두어 유교 경전을 가르쳤다.
④ 백제는 태학을 설치하여 유교 경전을 교육하였다.
⑤ 고구려는 독서삼품과를 시행하여 유교 경전 이해 수준을 평가하였다.

중요
05 다음 문화유산을 남긴 국가에서 볼 수 있는 모습으로 옳은 것은?

① 유교 경전을 가르치는 오경박사
② 상경에서 석등을 제작하는 석공
③ 수 군대의 침입에 맞서 싸우는 군인
④ 원종 · 애노와 함께 난을 일으키는 농민
⑤ 주자감에서 유교 경전을 공부하는 학생

06 다음 문화유산을 남긴 국가에서 볼 수 있는 모습으로 옳은 것은?

① 독서삼품과에 응시하는 국학 학생
② 6두품이라는 골품에 좌절하는 지식인
③ 선종 승려를 초청하여 법회를 여는 호족
④ 향도에 소속되어 사찰 건축에 참여하는 농민
⑤ 상경의 석등을 바라보며 자신의 소원을 비는 귀족

중요

07 다음 상황이 나타난 시기의 사회 모습에 대한 설명으로 옳은 것은?

> 여러 고을에서 정부로 세금을 보내지 않는 바람에 창고가 비어 재정이 궁핍해졌다. 이에 왕이 사람을 보내 독촉하니 곳곳에서 도적들이 벌 떼처럼 일어났다. 이때 원종과 애노 등이 사벌주에서 반란을 일으켰다.

① 대조영이 동모산에서 발해를 세웠다.
② 관리에게 관료전이 지급되고 녹읍이 폐지되었다.
③ 6두품 지식인 중 일부가 호족 세력과 결탁하였다.
④ 신라가 고구려 유민과 힘을 합쳐 당에 대항하였다.
⑤ 집사부를 중심으로 중앙 행정 관서와 관직 체계가 정비되었다.

08 다음 지도의 제목으로 가장 적절한 것은?

① 신라 말의 농민 봉기
② 6세기 신라의 영역 확장
③ 통일 신라의 9주 5소경
④ 신라 말 호족 세력의 분포
⑤ 선종의 확산과 풍수지리설의 유행

09 통일 신라의 종교와 사상에 대한 설명으로 옳지 <u>않은</u> 것은?

① 호족 세력이 선종을 후원하였다.
② 선종은 경전 이해만을 중시하는 경향을 보였다.
③ 교종 불교는 왕실과 진골 귀족의 후원을 받았다.
④ 도선 등의 선종 승려가 풍수지리설을 받아들였다.
⑤ 풍수지리설은 호족의 근거지를 마련할 때 활용되었다.

사고력을 키우는 서술형

10 다음 자료를 통해 유추할 수 있는 삼국 시대의 천하관을 서술하시오.

> 하백의 자손이며, 태양과 달의 자식인 추모(동명)성왕은 본래 북부여에서 태어났다. 세상 모든 나라가 이 나라의 성스러움을 알지니…….
> – 「모두루 묘지명」
>
> 고구려 태왕 상왕공은 신라 매금(신라 왕)과 만나 영원토록 우호를 맺기 위해 이곳에 왔다. …… 동쪽 오랑캐인 매금에게 의복을 하사하였다.
> – 「충주 고구려비」

_____

_____

11 다음 자료를 보고 물음에 답하시오.

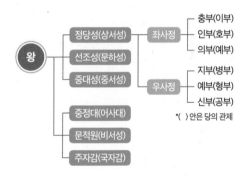

(1) 자료의 중앙 행정 기구를 조직한 국가의 명칭을 쓰시오.

_____

(2) 자료의 중앙 행정 기구에 나타난 유교적 특징을 서술하시오.

_____

_____

_____

3 고려의 통치 체제와 국제 질서의 변동

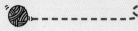

1 고려의 통치 체제 정비

1 고려의 성립과 후삼국의 통일

(1) 국제 정세: 당 멸망(10세기) → 5대 10국의 혼란기 지속, 거란의 강성

(2) 후삼국의 성립: 신라의 분열로 후고구려, 후백제 성립

(3) 고려 건국: 후고구려 궁예 휘하의 왕건이 호족들의 추대로 즉위(918)

(4) 고려의 후삼국 통일: 신라 경순왕의 항복, 후백제 멸망 → 후삼국 통일(936)

2 왕권의 안정과 유교 정치 이념의 채택

(1) 태조의 정책

  ① 호족 회유: 혼인 정책

  ② 호족 견제: 기인 제도, 사심관 제도

> • 지방 호족의 자제를 기인으로 삼아 개경에 살게 한 제도가 기인 제도, 지방 출신 관리를 사심관으로 임명하여 해당 지역의 관리를 맡긴 제도가 사심관 제도이다.

(2) 광종의 정책

  ① 노비안검법 시행: 공신 세력의 경제력·군사력 약화

  ② 과거제 시행: 왕권 뒷받침할 관료 세력 양성

  ③ 공신·호족 세력 숙청: 왕권 안정 도모

(3) 성종의 정책: 최승로의 「시무 28조」 수용 → 유교 정치 이념 채택 **자료 콕콕 ❶**

3 중앙 행정 기구와 관리 임용 제도

(1) 중앙 행정 기구

  ① 2성 6부(중국의 3성 6부 제도를 고려 실정에 맞게 변용)

  ② 중대사는 중서문하성의 재신과 중추원의 추밀이 회의하여 결정(도병마사, 식목도감)

  ③ 어사대의 관료와 중서문하성의 낭사는 언론을 담당

고려의 중앙 기구

(2) 관리 임용 제도

  ① 과거: 문신 관료를 뽑는 제술과와 명경과, 기술관을 뽑는 잡과로 구성

  ② 음서: 공신이나 5품 이상 관리의 자손은 시험 없이 관직에 임용

(3) 문벌의 형성: 통치 체제 정비되면서 일부 가문이 주요 관직 독점

4 지방 행정 조직의 정비

(1) 전국을 경기와 5도, 양계로 나누고 그 밑에 군·현과 진을 설치

(2) 지방관이 파견된 주현보다 지방관이 파견되지 않은 속현의 수가 더 많음.

(3) 특수 행정구역 향·부곡·소 존재, 지방관이 파견되지 않음.

(4) 지방 행정 체계가 정비되며 호족은 점차 향리로 변화 → 행정 실무 담당

자료 콕콕 ❶ 「시무 28조」

7조 왕이 백성을 다스린다고 하여 매일같이 …… 그들을 살펴볼 수는 없습니다. …… 호족들이 늘 공적인 업무를 핑계로 백성들을 괴롭혀 백성들이 고통을 겪고 있으니, 지방관을 파견하시기를 바랍니다.

14조 바라건대 임금께서는 몸가짐을 조심하시어 교만하지 말고, 신하를 대할 때에는 공손함을 생각하며, 혹시 죄 있는 자가 있더라도 죄의 경중을 모두 법대로만 논한다면 곧 태평성세를 이룰 수 있을 것입니다.

– 『고려사』, 「최승로 열전」

최승로가 성종에게 올린 「시무 28조」에는 유교의 진흥과 지방관 파견, 과도한 재정 낭비를 가져오는 불교 행사의 억제, 명확한 신분의 구분 등과 같은 내용이 포함되어 있다. 성종은 최승로의 건의를 수용하여 유교 정치 이념에 따라 통치 체제를 정비하였다.

개념 체크

1 다음 설명이 맞으면 ○표, 틀리면 ×표를 해 보자.

(1) 광종은 공신 세력을 약화시키기 위해 노비안검법을 실시하였다. ( )

(2) 최승로의 「시무 28조」 수용은 고려가 유교 정치 이념을 채택했다는 의의를 지닌다. ( )

2 빈칸에 알맞은 말을 써 보자.

(1) ( )은/는 지방 호족의 자제를 인질로 삼고 수도에 올라와 살게 한 제도이다.

(2) 고려는 전국을 경기와 ( ), 양계로 나누었다.

(3) 고려의 특수 행정 구역인 ( )에는 지방관이 파견되지 않았다.

3 서로 관련 있는 내용끼리 연결해 보자.

(1) 태조 •   • ㉠ 혼인 정책

(2) 광종 •   • ㉡ 과거제 도입

(3) 성종 •   • ㉢ 「시무 28조」

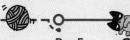

2 고려 전기의 대외 관계

1 다원적 국제 질서와 독자적 천하관

(1) **고려 전기의 동아시아**: 고려, 송, 거란·여진 중심으로 다원적 국제 질서 형성

(2) **고려의 외교**: 5대 10국을 통일한 송은 고려와 연합하여 거란과 여진의 군사적 팽창 견제 시도 → 고려는 다원적 외교로 실리 추구

(3) **독자적 천하관의 성립**: 고려의 지배층은 송, 거란, 여진과 마찬가지로 자신들의 국왕을 천자로 인식하고 중국 중심의 세계와 구분 → 해동 천하(고구려를 비롯한 삼국의 독자적 천하관 계승)

고려 전기의 대외 무역

2 송과의 관계

(1) **고려의 실리 외교**

① 송은 거란·여진 견제 위해 고려에 문물 전달 → 고려의 정치·경제·문화적 욕구 충족

② 고려는 송이 거란과 여진에 맞서기 위해 요청한 군사 협조 거절

(2) **송과의 문물 교류**

① 송의 인쇄술, 자기 기술 등이 고려의 대장경 조판, 청자 발전에 영향

② 인적 교류 → 송의 과거에 합격한 고려인, 송에서 고려로 귀화한 사람 존재

(3) **벽란도**: 송, 일본, 아라비아 상인들의 국제 무역항으로 번성(팔관회에 맞춰 방문)
└ 고려 최대의 불교 행사로, 부처와 산천의 신들을 섬기는 제사를 지냈다.

3 거란과의 관계 자료 콕콕 ❷

(1) **거란의 강성**: 건국(916) 후 송·고려와 대립 → 양국 관계를 끊기 위해 고려 침공

(2) **거란과 고려의 전쟁**

① **1차 침입**: 서희가 송과 단교 후 거란과 교류 약속 → 거란군 철수, 고려의 강동 6주 획득

② **2차 침입**: 고려과 송과 친선 유지 → 거란의 재침 → 고려가 신하의 예 갖추기로 하여 거란군 철수

③ **3차 침입**: 강감찬 등이 거란군을 크게 격퇴(귀주 대첩, 1019) → 고려의 천리 장성 축조

4 여진과의 관계

(1) **여진의 강성**: 12세기 초 세력 강화, 고려 국경 부근까지 남하

(2) **윤관의 활약**: 별무반 조직, 여진 정벌 후 동북 9성 축조 → 여진의 계속된 요구로 1년여 만에 9성 반환

(3) **금의 군신 관계 요구 수용**: 여진, 금 건국(1115), 거란·북송 멸망시키고 고려에 사대 요구 → 당시 고려의 최고 집권자 이자겸이 사대 수용

자료 콕콕 ❷ 고려와 거란의 화친

고려는 1018년의 전쟁에서 거란을 상대로 완승을 거두었는데도 1020년 사신을 파견하여 신하국을 의미하는 번을 자칭하며 관례대로 공물을 보내겠다고 요청하였다. (중략) 결국 고려 정부는 변경의 환란을 막기 위해 의례적 차원에서 요(거란)에 사대 조공의 형식을 취하였다. 이에 화답해 거란도 1022년에 고려 국왕을 책봉하였다.

– 김인호 외, 「고려시대사」

일제 강점기의 민족주의 사학자 신채호는 이자겸이 금(여진)에 대한 사대를 수용한 것을 비판하였다. 하지만 위 자료를 보면 사대란 당시 동아시아의 의례적인 외교의 형식이었다고도 해석할 수 있다.

개념 체크

1 다음 설명이 맞으면 ○표, 틀리면 ×표를 해 보자.

(1) 거란은 고려와 송의 외교 관계를 끊기 위해 고려를 침공하였다. (   )

(2) 거란의 3차 침입 때 고려의 윤관은 별무반을 조직하였다. (   )

2 빈칸에 알맞은 말을 써 보자.

(1) 고려의 (   )은/는 송, 일본, 아라비아 상인들이 드나드는 국제 무역항이었다.

(2) 고려는 거란의 3차 침입을 물리친 후 (   )을/를 축조하였다.

(3) 금이 고려에 군신 관계를 요구하자, 고려는 당시 권력자 (   )의 주장에 따라 금의 요구를 수용하였다.

3 서로 관련 있는 내용끼리 연결해 보자.

(1) 송 •   • ㉠ 천리장성 축조

(2) 여진 •   • ㉡ 청자 문화 발전

(3) 거란 •   • ㉢ 동북 9성 축조

3 무신들의 권력 장악과 몽골의 침입

1 문벌 지배 체제의 동요와 무신 정권의 등장

(1) 문벌 지배 체제의 동요
① 인종의 장인인 이자겸이 왕이 되려 했으나 실패(이자겸의 난, 1126)
② 묘청 등 서경 출신 세력이 서경 천도, 금 정벌 등 주장, 김부식 등 개경의 문벌 세력과 대립 → 천도 좌절되자, 서경에서 반란 일으켰으나 실패(1135)

(2) 무신 정권의 등장
① 차별 대우 받던 무신들이 정변으로 정권 장악(무신 정변, 1170) → 정중부와 이의방은 문신 제거, 명종 추대 → 문벌 지배 체제 붕괴
② 무신들이 중방 중심으로 권력 장악, 주요 관직 독차지, 사병·토지·노비 확대

2 최씨 무신 정권의 성립

(1) 등장: 새 권력자 최충헌이 혼란 안정, 국왕까지 교체할 정도의 권력 행사
(2) 운영
① 최고 권력 기구인 교정도감 설치, 사병 집단인 도방 통해 군사력 확대
② 과거 통해 문학적 소양과 행정 실무 능력 갖춘 관리 적극 등용(이규보 등)
③ 최충헌의 뒤를 이은 최우는 정방을 설치하여 인사 행정 장악, 야별초(이후 삼별초로 확대)를 설치하여 군사적 기반으로 활용

3 농민과 천민의 저항

(1) 배경: 무신들의 농장 확대와 지방관들의 가혹한 수탈에 하층민들이 저항
(2) 하층민의 봉기
① 망이·망소이의 난: 일반 군현보다 무거운 세금 부담에 시달렸던 향·부곡·소 등의 특수 행정 구역에서 발생(공주 명학소)
② 김사미·효심의 난: 신라 부흥을 내세우며 고려 왕조 부정(경상도 일대)
③ 만적의 난: 노비 만적의 신분 해방 운동(개경) 자료 콕콕 ❸

4 몽골 제국의 성립과 침입

(1) 몽골 제국의 성립과 국제 질서 변화
① 칭기즈 칸과 그의 후계자들, 강력한 군대 앞세워 동아시아 정복
② 몽골의 등장으로 동아시아 각국의 천하관 붕괴 → 새로운 국제 질서 형성

(2) 몽골의 침입
① 고려에 왔던 몽골 사신이 피살된 것 빌미로 몽골이 침입(1231)
② 당시 집권자 최우는 대몽 항전 위해 강화도로 천도(1232)

(3) 저항과 강화
① 관군과 백성의 저항 → 충주성 전투, 처인성 전투(김윤후의 살리타 사살) 등
② 무신 정권 붕괴 → 몽골과 강화 후 개경으로 환도(1270)
③ 삼별초가 강화도·진도·제주도로 옮기며 항전, 여·몽 연합군에 진압됨.

자료 콕콕 ❸ 만적의 난

노비 만적 등 6인이 (개경의) 북산에서 공노비와 사노비들을 불러 모의하였다. "정중부의 반란과 김보당의 반란 이후로 고관이 천민과 노비에서 많이 나왔다. 장상의 씨가 따로 있으랴! 시기만 잘 맞으며 누구나 높은 자리에 오를 수 있다. 왜 우리만 몸을 괴롭게 하여 채찍 밑에서 고통을 겪어야 하는가? …… 최충헌과 주인들을 죽이고 노비 문서를 불태워 이 땅의 천민을 없애면 우리도 왕후장상이 될 수 있다." 라고 말하였다.
— 「고려사」, 「최충헌 열전」

고려 신종 때인 1198년에 노비인 만적이 일으킨 난에 대한 기록이다. 주목할 만한 사실은 당시 노비였던 만적의 입에서 신분 해방적인 이야기가 나왔다는 점이다. 이는 당시 고려 사회의 분위기를 잘 보여 준다. 만적이 난을 일으킨 해는 최충헌이 이의민을 제거하고 정권을 장악한 지 2년이 되는 해였다. 무신 정변 이후 계속되는 정권 쟁탈 과정에서 하극상의 풍조가 만연해졌고, 고려의 신분 질서는 크게 동요하고 있었다.

개념 체크

1 다음 설명이 맞으면 ○표, 틀리면 ×표를 해 보자.
(1) 묘청은 서경 천도, 금 정벌 등을 내세우며 개경의 문벌 세력과 대립하였다. (   )
(2) 최충헌은 정방을 설치하여 인사 행정을 장악하였다. (   )

2 빈칸에 알맞은 말을 써 보자.
(1) 최충헌은 최고 권력 기구인 (   )을/를 설치하여 국정을 장악하였다.
(2) 최우는 (   )(으)로 천도하여 몽골에 항전하였다.
(3) (   )은/는 개경 환도에도 불구하고 진도와 제주도로 옮기며 몽골에 항전하였다.

3 서로 관련 있는 내용끼리 연결해 보자.
(1) 묘청   •   • ㉠ 서경
(2) 김윤후   •   • ㉡ 명학소
(3) 망이·망소이 •   • ㉢ 처인성

4 원 간섭기 고려 통치 체제의 변화

1 원의 내정 간섭과 권문세족

(1) **원의 내정 간섭**

① 고려 왕은 원의 공주와 혼인(부마국), 고려의 왕자는 원에서 성장 ← 원에 충성한다는 의미의 '충'을 왕호 앞에 붙였다.

② 고려 왕의 즉위는 원이 승인, 왕실 호칭과 관청 명칭 격하

③ 원은 쌍성총관부·동녕부·탐라총관부 설치, 고려 영토 일부를 직접 통치

④ 일본 원정에 고려군 동원 → 정동행성 설치(내정 간섭 기구로 활용)

⑤ 원은 고려에 금·인삼 등 특산물과 공녀 요구

(2) **권문세족의 형성**

① 원의 내정 간섭으로 성장한 친원 세력이 기존 권력층과 결합

② 권력을 이용하여 불법적으로 노비 늘리고 농장 확대 → 국가 재정 악화

2 성리학의 수용과 신진 사대부

(1) **성리학**: 인간의 심성과 우주 만물의 원리를 철학적으로 파악하는 신유학

(2) **성리학의 수용**: 안향, 이제현 등의 지식인이 원에서 성리학을 배워 와 고려에 소개

(3) **신진 사대부**: 고려 후기 사회 혼란을 해결하기 위해 성리학 이론을 활용한 사람들, 공민왕의 개혁 정치를 뒷받침하며 중심 세력으로 발돋움

3 공민왕의 개혁 정치 자료 콕콕 ④

배경	14세기 중엽 원의 쇠락 징조를 틈타 반원 개혁 정치 추진
내용	• 몽골풍 금지, 기철 등 친원 세력 제거, 정동행성 이문소 폐지 • 신돈 등용(전민변정도감 설치), 성균관 정비 → 유학 교육 강화 • 쌍성총관부 공격 → 철령 이북의 땅을 회복
결과	일반 백성들에게 환영받았으나 권문세족의 반발로 실패

← 신돈은 승려 출신이었음에도 유학 교육을 강화하는 정치적 행보를 보였다.

4 홍건적·왜구의 침입과 신흥 무인 세력의 성장

(1) 원의 반란 세력 홍건적의 일부가 고려 침입 → 개경 함락, 공민왕 안동 피란

(2) 왜구의 공격 → 세금 운반선(조운선)을 약탈하여 국가 재정 악화

(3) 최영, 이성계 등의 신흥 무인 세력이 홍건적, 왜구 토벌하며 영향력 확대

5 국제 정세의 변화와 고려의 멸망

(1) **공민왕 사후 국내외 정세 변화**

① 한족이 명 건국, 원을 북쪽으로 축출(북원) → 명 중심 동아시아 질서 재편

② 권력자 최영(신흥 무인)과 이인임(권문세족)은 북원과의 관계 중시

(2) **신진 사대부와 신흥 무인의 협력**

① 신진 사대부는 친명 외교 추진 강조, 이성계 등과 결탁

② 고려의 요동 정벌 추진 → 이성계는 위화도 회군으로 최영 제거, 권력 장악

(3) **고려의 멸망**: 신진 사대부는 급진파와 온건파로 분열 → 급진파(정도전 등)는 온건파(정몽주 등)를 제거하고 이성계를 왕으로 추대 → 조선 건국(1392)

자료 콕콕 ④ 신돈의 전민변정 사업

신돈이 전민변정도감을 둘 것을 청원하고 스스로 판사가 되어 각 처에 알리는 포고문을 붙였다. "부유하고 힘 있는 자들이 백성이 대대로 농사지어 오던 땅을 거의 다 빼앗아 버렸다. …… 이제 (전민변정)도감을 설치하여 이를 바로잡고 ……." 이 명령이 발표되자 권세가 중 다수가 빼앗은 토지와 백성을 그 주인에게 돌려주니 전국에서 기뻐하였다.

– 『고려사』, 「신돈 열전」

전민변정도감은 고려에서 여러 차례 설치된 적이 있다. 그중에서도 가장 강한 인상을 남긴 사례가 공민왕이 신돈을 등용하여 실시한 개혁 시기에 등장한다. 불법으로 약탈한 권문세족의 토지와 노비를 본래 주인에게 환부하고, 억울하게 노비가 된 자를 양민으로 환원하였던 신돈의 조치는 당시 고려의 자주성 회복과 민생 안정이라는 시대적인 과제에 부합하는 정책이었다.

개념 체크

1 다음 설명이 맞으면 ○표, 틀리면 ×표를 해 보자.

(1) 안향, 이제현 등이 원에서 성리학을 배워 와 고려에 소개하였다.　　　(　)

(2) 홍건적의 침입으로 한때 고려의 수도인 개경이 함락되었다.　　　(　)

2 빈칸에 알맞은 말을 써 보자.

(1) 원은 일본 원정을 위해 (　　　)을/를 설치하고, 이를 통해 고려의 내정에 간섭하였다.

(2) (　　　) 세력은 홍건적과 왜구를 토벌하는 과정에서 정치적 영향력을 확대하였다.

(3) 이성계는 (　　　)을/를 단행하여 권력을 장악하였고, 훗날 조선을 건국하였다.

3 서로 관련 있는 내용끼리 연결해 보자.

(1) 신돈 ·　　　　 · ㉠ 전민변정도감

(2) 안향 ·　　　　 · ㉡ 위화도 회군

(3) 이성계 ·　　　 · ㉢ 성리학 소개

01 (가) 인물이 추진한 정책으로 옳은 것은?

> 역사 인물 카드
> • 이름: (가)
> • 생몰년: 877년 ~ 943년
> • 남긴 글: 『정계』, 『계백료서』, 「훈요 10조」
> • 주요 업적: 고려 건국, 후삼국 통일

① 기인 제도　　　　② 호족 숙청
③ 진대법 시행　　　④ 노비안검법 시행
⑤ 전민변정도감 설치

중요
02 밑줄 친 '왕'에 대한 설명으로 옳은 것은?

> 왕 1년, 연호를 광덕이라 하였다.
> 왕 9년, 과거 제도를 처음 정하고 한림학사 쌍기에게 진사를 선발하게 하였다.
> 왕 11년, 백관의 관복 제도를 정하였다.

① 후삼국을 통일하였다.
② 동북 9성을 축조하였다.
③ 강동 6주를 차지하였다.
④ 「시무 28조」를 수용하였다.
⑤ 노비안검법을 시행하였다.

03 다음 의견을 수용한 왕이 추진한 정책으로 옳은 것은?

> **14조** 바라건대 임금께서는 몸가짐을 조심하시어 교만하지 말고, 신하를 대할 때에는 공손함을 생각하며, 혹시 죄 있는 자가 있더라도 죄의 경중을 모두 법대로만 논한다면 곧 태평성세를 이룰 수 있을 것입니다.

① 별무반을 조직하였다.
② 과거제를 도입하였다.
③ 교정도감을 설치하였다.
④ 사심관 제도를 시행하였다.
⑤ 유교 정치 이념을 채택하였다.

04 다음 사건들을 발생한 순서대로 옳게 나열한 것은?

> (가) 발해가 멸망하였다.
> (나) 왕건이 고려를 건국하였다.
> (다) 최승로가 「시무 28조」를 건의하였다.
> (라) 고려에서 과거제가 최초로 실시되었다.

① (가)-(나)-(다)-(라)　　② (가)-(나)-(라)-(다)
③ (나)-(가)-(다)-(라)　　④ (나)-(가)-(라)-(다)
⑤ (나)-(라)-(가)-(다)

중요
05 다음 중앙 정치 조직이 작동하던 시기에 볼 수 있는 모습으로 옳지 <u>않은</u> 것은?

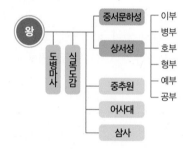

① 도병마사 회의에 참석하는 재신
② 식목도감 회의에 참석하는 추밀
③ 예부의 행정 실무를 담당하는 관리
④ 관리의 비리를 감찰하는 어사대 관리
⑤ 언론 기능을 맡아 왕의 잘못을 지적하는 삼사 관리

06 (가)에 들어갈 정치 기구로 옳은 것은?

> (가)의 관원은 중서문하성의 낭사와 함께 간쟁, 봉박, 서경 등의 임무를 수행하였다. 그들은 왕이나 고위 관리의 활동을 견제할 수 있었다.

① 집사부　　　　　② 어사대
③ 중추원　　　　　④ 도병마사
⑤ 식목도감

07 고려 지방·행정 조직에 대한 설명으로 옳지 <u>않은</u> 것은?

① 전국을 경기와 5도, 양계로 나누었다.
② 특수 행정 구역인 향·부곡·소가 있었다.
③ 지방관이 파견된 주현의 숫자가 더 많았다.
④ 향·부곡·소의 거주민은 차별 대우를 받았다.
⑤ 호족은 점차 향리가 되어 행정 실무를 담당하였다.

08 (가), (나) 시기 사이에 발생한 사실로 옳은 것을 〈보기〉에서 고른 것은?

> (가) 거란의 침공을 받은 고려는 서희의 담판으로 송과 관계를 끊기로 하고, 그 대가로 강동 6주를 획득하였다.
> (나) 금이 요를 멸망시키고 고려에 군신 관계를 요구하자, 당시 고려의 집권자였던 이자겸은 이를 수용하였다.

〈보기〉
ㄱ. 이성계가 위화도에서 회군하였다.
ㄴ. 동북 9성을 여진에게 반환하였다.
ㄷ. 강감찬이 귀주에서 거란의 침입을 격퇴하였다.
ㄹ. 이의방과 정중부가 무신들의 정변을 주도하였다.

① ㄱ, ㄴ　　② ㄱ, ㄷ　　③ ㄴ, ㄷ
④ ㄴ, ㄹ　　⑤ ㄷ, ㄹ

중요
09 다음 사건을 발생한 순서대로 옳게 나열한 것은?

> (가) 윤관이 별무반을 조직하였다.
> (나) 서희가 강동 6주를 획득하였다.
> (다) 거란의 군대가 수도 개경을 함락하였다.
> (라) 이자겸의 주장에 따라 금에 대한 사대를 결정하였다.

① (가)-(나)-(다)-(라)　　② (나)-(가)-(라)-(다)
③ (나)-(다)-(가)-(라)　　④ (나)-(라)-(다)-(가)
⑤ (라)-(나)-(가)-(다)

10 밑줄 친 인물이 활동한 시기에 볼 수 있는 모습으로 가장 적절한 것은?

> 경원 이씨 집안은 왕실과의 계속된 혼인 관계를 통해 유력한 외척 가문이 되었다. 특히 <u>이자겸</u>은 예종과 인종에게 딸들을 시집보내고 인종이 왕위에 오르는 데 기여하였다.

① 사회를 비판하는 6두품
② 홍건적의 침입에 맞서 싸우는 장수
③ 교정도감의 최고 책임자가 된 무신
④ 음서로 관직에 나아가 활동하는 문벌
⑤ 성균관에서 학문을 연구하는 신진 사대부

중요
11 (가), (나) 시기 사이에 발생한 사실로 옳은 것은?

> (가) 이자겸, 척준경 등이 군사를 일으켜 궁궐을 불태웠다. 이어 왕을 협박하여 남쪽 궁으로 옮겨 가게 하고, 안보인 등 십여명을 죽였다.
> (나) 이고 등이 왕을 호종하는 문신 관료들을 제거하였다. 정중부 등이 왕과 함께 개경으로 돌아왔다. 얼마 후 왕은 거제현으로, 태자는 진도현으로 유배되었다.

① 후삼국이 통일되었다.
② 고려가 강동 6주를 차지하였다.
③ 정동행성 이문소가 폐지되었다.
④ 최승로가 「시무 28조」를 건의하였다.
⑤ 묘청이 서경 천도 운동을 전개하였다.

12 다음 자료를 활용한 탐구 주제로 가장 적절한 것은?

> 공은 이의민을 제거하고 정권을 장악하였다. 공은 교정도감을 설치하고 반대 세력을 숙청하였다.
> 　　　　　　　　　　　　　－「○○○ 묘지명」

① 발해의 멸망
② 호족 세력의 통합
③ 거란의 침략과 격퇴
④ 무신 정권의 성립과 변천
⑤ 반원 자주 개혁의 성과와 한계

13 다음 사건이 발생한 시기의 사회 모습으로 옳은 것은?

> 만적의 난   망이 · 망소이의 난   김사미의 난

① 홍건적이 침입하였다.
② 반원 개혁 정치가 추진되었다.
③ 지방 호족 세력이 성장하였다.
④ 무신 집권자의 수탈이 심화되었다.
⑤ 신진 사대부가 개혁의 중심 세력이 되었다.

14 밑줄 친 '이 부대'에 대한 설명으로 옳은 것은?

> 왕이 장군 김지저를 강화에 보내 이 부대를 해산하고 명부를 거두어오게 하니 이 부대의 군인들은 명부가 몽골에 알려질까 염려하여 반란할 마음을 품었다. 그리하여 배중손 등은 난을 일으켰다.

① 위화도 회군을 주도하였다.
② 홍건적의 침입에 맞서 싸웠다.
③ 거란군과 귀주에서 전투를 벌였다.
④ 별무반에 소속되어 여진족과 전투를 벌였다.
⑤ 진도와 제주도로 근거지를 옮겨 저항하였다.

중요
15 밑줄 친 '이 시기'에 대한 설명으로 옳지 않은 것은?

> 고려는 이 시기에 왕실과 관련된 호칭뿐 아니라 정치 조직의 격도 낮추어 운영하였다. 이에 관제를 개정하여 중서문하성과 상서성을 합하여 첨의부라 하였다가 다시 도첨의사사로 고쳤다.

① 고려가 원의 부마국이 되었다.
② 다수의 여성이 공녀로 원에 끌려갔다.
③ 고려군이 강화도에서 몽골군과 맞서 싸웠다.
④ 원이 고려에 인삼 등의 특산물을 요구하였다.
⑤ 일본 원정에 고려의 군대와 선박이 동원되었다.

16 성리학에 대한 설명으로 옳지 않은 것은?

① 신유학이라고 불리기도 한다.
② 안향과 이제현 등이 고려에 소개하였다.
③ 고려 후기의 사회 개혁을 위한 핵심 사상이었다.
④ 고려 후기 성리학을 수용한 세력을 신진 사대부라 일컫는다.
⑤ 불교 승려였던 신돈은 유학과 성리학을 배척하는 개혁을 추진하였다.

중요
17 다음 명령을 내린 왕의 업적으로 옳은 것은?

> 과인은 몇 해 전 호복을 벗고 변발을 풀기를 바라는 건의를 기쁜 마음으로 받아들였다. 원이 쇠퇴해가는 지금, 옛 땅을 되찾고자 하니 유인우를 보내 쌍성총관부 지역을 탈환하도록 하라.

① 천리장성을 축조하였다.
② 노비안검법을 시행하였다.
③ 동북 지역에 9성을 쌓았다.
④ 사심관 제도를 실시하였다.
⑤ 반원 개혁 정치를 추진하였다.

중요
18 밑줄 친 '왕'의 업적으로 옳은 것은?

> 신돈이 왕에게 전민변정도감 설치를 요청하고 스스로 판사가 되었다. 방을 내려 "요사이 기강이 크게 무너져 탐욕을 부리는 것이 풍속이 되었다. …… 이제 도감을 두어 바로잡고자 한다.
> – 「고려사」

① 기인 제도를 실시하였다.
② 노비안검법을 실시하였다.
③ 이자겸의 난을 진압하였다.
④ 최승로의 건의를 수용하였다.
⑤ 쌍성총관부를 공격하여 영토를 되찾았다.

19 밑줄 친 ㉠, ㉡에 해당하는 태조의 정책을 각각 서술하시오.

> 태조 왕건은 ㉠호족들과의 관계를 돈독히 하는 한편, ㉡호족 세력을 적절히 통제하고자 하였다.

_____

_____

20 다음 자료를 읽고 물음에 답하시오.

> 고려는 ㉠과거와 ㉡음서 등으로 관리를 등용하였다. 그리고 여러 대에 걸쳐 고위 관료를 배출한 가문을 문벌이라고 한다. ㉢이들은 이후 개경에 거주하며 중요 관직들을 독점하였고, 왕실이나 다른 집안과의 혼인을 통해 권력을 키워 나갔다.

(1) 밑줄 친 ㉠의 분과와 ㉡의 관직 임용 방식을 서술하시오.

_____

_____

(2) 밑줄 친 ㉢에 균열을 일으킨 대표적인 사건을 두 가지 서술하시오.

_____

_____

21 다음 자료를 읽고 고려의 지방 행정 조직 정비가 호족 세력에게 미친 영향을 서술하시오.

> 고려의 지방 행정 조직은 전국을 경기와 5도, 양계로 나누고 그 밑에 군·현과 진을 설치한 형태로 완비되었다. 각 지역에는 지방관이 파견되었지만, 지방관이 파견된 주현보다 지방관이 파견되지 않은 속현이 더 많았다.

_____

_____

22 다음 자료를 읽고 물음에 답하시오.

> 노비 만적 등 6인이 (개경의) 북산에서 나무하다가 공노비와 사노비들을 불러 모의하였다. "정중부의 반란과 김보당의 반란 이후로 고관이 천민과 노비에서 많이 나왔다. 장상의 씨가 따로 있으랴! 시기만 잘 맞으면 누구나 높은 자리에 오를 수 있다. 왜 우리만 몸을 괴롭게 하며 채찍 밑에서 고통을 겪어야 하는가?"

(1) 자료의 사건과 비슷한 시기에 발생한 하층민 봉기 사례를 두 가지 이상 쓰시오.

_____

_____

(2) 자료에 나타난 하층민 봉기의 성격을 서술하시오.

_____

_____

_____

23 밑줄 친 '내정 간섭'의 사례를 세 가지 이상 서술하시오 (단, 자료에 제시된 내용은 제외할 것).

> 원의 내정 간섭으로 고려 왕실의 용어가 다수 격하되었다. 왕이 스스로 부를 때 '짐'에서 '고'로, 신하가 왕을 부를 때 '폐하'에서 '전하'로, 왕위 계승자를 '태자'에서 '세자'로 불렀다.

_____

_____

_____

4 고려의 사회와 사상

1 고려의 사회 구조

1 고려의 신분 구조와 신분 이동의 개방성

(1) 신분 구조

① 신분 구성

양인	조세·공납·역을 부담, 관직 진출 기회 인정
천인	국역을 부담하지 않는 동시에 관직 진출도 불가

② 사회적 구분

양반	문무 관료, 여러 대에 거쳐 고위 관료 배출하는 가문은 문벌 형성
중간 계층	서리(중앙 관청 실무 담당), 향리(지방 행정 실무 담당), 하급 장교 등
양민	농업과 상공업 등에 종사, 대다수는 농민
천민	대다수가 공·사노비, 재산으로 취급

(2) 신분 이동의 개방성

① 과거: 대표적 신분 이동 수단. 양인 이상이면 누구나 과거 응시 가능

② 군공: 전쟁에서 공을 세우면 무관으로 출세 가능

③ 기타: 노비가 재산을 모아 양인 신분을 얻는 경우, 원 간섭기에 특수 기술을 바탕으로 하층민이 고위 관직에 오르는 경우 등

2 지역별·직업별로 다른 삶의 모습

(1) 거주 지역에 따른 사회적 지위 [자료 콕콕 ❶]

① 주현의 주민, 속현의 주민, 향·부곡·소의 주민으로 구분

② 향·부곡·소의 주민은 과거 응시 불가, 거주지 이전 제한, 무거운 세금 부담

(2) 직역·직업에 따른 사회적 지위

① 정호: 서리·향리·하급 장교 등, 직역 세습, 국가로부터 토지를 지급받음.

② 백정: 직역을 가지지 않는 일반 농민층

③ 기타: 수공업자, 상인은 농업 중시한 사회 풍토로 농민보다 낮은 대우 받음.

3 다양한 귀화인의 수용

> 발해의 세자 대광현은 발해 멸망 후 유민들을 이끌고 고려에 귀순하였고, 쌍기는 광종 때 과거 시행을 건의하였다.

(1) 배경: 정치적 변화 속에서 중국, 거란, 발해, 여진 등이 귀화(대광현, 쌍기 등)

(2) 고려의 귀화인 수용: 귀화인에게 관직과 토지를 주며 적극적으로 수용

4 가족 제도와 여성의 지위

(1) 가족 제도: 대체로 일부일처제, 재혼 가능, 처가살이가 일반적, 음서의 혜택이 사위나 외손자에게도 적용, 여성 호주가 존재, 자녀는 태어난 순서대로 호적 등재

(2) 여성의 지위

① 경제: 부부의 독립적 재산 소유, 자녀 균분 상속(부모 봉양, 제사 분담)

② 사회: 사회적 역할 가정 내로 한정(관직에 오르거나 공적인 기구에 취임 불가)

자료 콕콕 ❶ 향·부곡·소 거주민의 지위

(명종 6년 정월) 공주 명학소 사람 망이·망소이 등이 무리를 불러 모아 공주를 공격하여 무너뜨렸다. …… (명종 6년 6월) 망이의 고향인 명학소를 승격하여 충순현으로 삼고, 내원승 양수탁을 현령으로, 내시 김윤실을 현위로 삼아 달래게 하였다.

– 「고려사」, 「명종 세가」

향·부곡·소의 주민들은 신분은 양인인데, 역은 천하다고 하는 이른바 '신량역천'의 존재로 연구되어 왔다. 그들에게는 여러 차별 대우가 있었다. 그러나 공을 세우거나 왕명으로 차별이 사라지거나, 향·부곡·소 전체가 현으로 승격되는 경우도 존재하였다.

개념 체크

1 다음 설명이 맞으면 ○표, 틀리면 ×표를 해 보자.

(1) 천인은 국역을 부담하지 않았으며, 관직에 진출할 수 없었다. ( )

(2) 직역을 가지지 않는 일반 농민층을 백정이라 하였다. ( )

2 빈칸에 알맞은 말을 써 보자.

(1) 고려의 신분은 양인과 ( )(으)로 구성되었다.

(2) 과거는 ( ) 이상이면 누구나 응시 가능하였다.

(3) 특정한 직역을 담당했던 ( )은/는 직역을 세습하고 토지를 지급받았다.

3 서로 관련 있는 내용끼리 연결해 보자.

(1) 문무 관료 •　　　• ㉠ 양반

(2) 서리, 향리 •　　　• ㉡ 중간 계층

(3) 농민 •　　　• ㉢ 양민

2 고려의 종교와 사상

1 국가적 차원에서 중요시한 불교
(1) **불교의 융성**: 국사·왕사 제도, 승과 실시, 연등회·팔관회, 향도 운영
(2) **의천**: 11세기 말 천태종 창시 → 교종과 선종의 대립을 통합하기 위해 노력
(3) **결사 운동의 전개**: 무신 집권기 불교 본연의 자세 확립을 주창(지눌의 수선사 결사, 요세의 백련사 결사)

2 정치 이념으로 받아들인 유교
(1) **과거 시행**: 유학적 소양이 높은 지식인을 관료로 선발
(2) **유학 교육 기관**: 중앙의 국자감, 지방의 향교, 사립 교육 기관의 융성
(3) **성리학의 수용**: 신진 사대부들은 성리학을 기반으로 고려 사회의 모순을 해결하려 하였고, 세속화된 불교계를 비판 → 고려 사회에서 불교의 비중 축소, 성리학의 비중 확대

3 고려인의 역사 인식
(1) **고려 전기**: 유교적 역사 인식을 바탕으로 한 역사서 편찬, 김부식의 『삼국사기』(가장 오래된 역사서. 유교적 통치 질서 확립 목적으로 편찬)
(2) **고려 후기**: 민족 우수성과 자주 의식을 드러내는 움직임 등장
  ① 『동명왕편』(이규보): 고구려의 동명왕 칭송, 우리 역사 자부심 드러나는 저술
  ② 『삼국유사』(일연), 『제왕운기』(이승휴): 우리 역사의 시작을 단군 조선으로 설정, 원의 내정 간섭을 겪은 지식인들이 고려의 자주성과 정체성 강조 [자료 콕콕 2]

4 수도 선정의 근거가 된 풍수지리설
(1) **풍수지리설**: 신라 말부터 유행, 도참사상과 결합하여 고려 시대에도 성행
(2) **송악(개경) 명당설**: 고려 건국에 정당성 부여
(3) **서경(평양) 명당설**: 북진 정책 뒷받침 → 묘청에게도 영향
(4) **한양 명당설**: 한양을 남경으로 승격시키고 궁궐을 짓기도 함.

5 도교와 민간 신앙
(1) **도교**: 불로장생과 복을 기원하는 형태로 유행
  ① 왕실의 번영과 나라의 안녕을 기원하는 도교 행사를 자주 개최
  ② 개경에 도교 사원 건립(예종), 하늘과 별에 제사 지내는 초례도 자주 시행
(2) **민간 신앙**
  ① 국가에서 산신에 대한 제사 주관
  ② 백성들이 서낭신에게 제사를 올리기도 함.
  ③ 무속 신앙도 성행. 무당이 기우제와 산신제에도 참여

지금으로부터 2,000년 전 단군왕검이 있어, 도읍을 아사달에 정하고 나라를 열어 조선이라 일컬으니 요와 같은 시기라 하였다. 옛 기록에 이르되, 옛날에 환인의 서자 환웅이 있어 항상 천하에 뜻을 두고 인간 세상을 탐내거늘 …… 웅이 결혼하여 아들을 낳으니 이름을 단군왕검이라 하였다. 요가 즉위한 지 50년인 경인에 평양성에 도읍하고 조선이라 일컫고 도읍을 백악산 아사달에 옮겼다.
― 『삼국유사』

현재 우리가 지극히 당연하게 여기는 '우리 역사의 시작은 단군 조선'이라는 내용이 담겨 있는 역사서 중 가장 오래된 자료는 고려 후기 일연이 집필한 『삼국유사』이다. 원간섭기에 자주성을 크게 훼손당하며 위축된 고려의 사람들이 정체성 회복을 위해 단군 조선을 조명하였고, 일연이 이를 정리하였던 것으로 해석된다.

개념 체크

1 다음 설명이 맞으면 ○표, 틀리면 ×표를 해 보자.
(1) 신진 사대부들은 성리학을 기반으로 고려 사회의 모순을 해결하려 하였다. (   )
(2) 이규보는 「동명왕편」에서 고구려의 시조인 동명왕을 칭송하였다. (   )

2 빈칸에 알맞은 말을 써 보자.
(1) 김부식은 유교적 역사 인식을 바탕으로 (   )을/를 저술하였다.
(2) 이승휴의 (   )은/는 고려의 자주성과 정체성을 강조하는 저술이다.
(3) 고려 시대에 (   )이/가 유행하여 한양이 남경으로 승격되었다.

3 서로 관련 있는 내용끼리 연결해 보자.
(1) 요세 • • ㉠ 수선사 결사
(2) 지눌 • • ㉡ 백련사 결사
(3) 의천 • • ㉢ 천태종 창시

01 고려의 신분제에 대한 설명으로 옳지 <u>않은</u> 것은?

① 양인에게 과거 응시 자격이 주어졌다.
② 천인은 조세·공납·역의 부담에 시달렸다.
③ 노비가 재산을 모아 양인이 되는 경우가 있었다.
④ 군인은 전쟁에서 공을 세우면 무관으로 승진이 가능하였다.
⑤ 원 간섭기 특수 기술을 가진 하층민이 고위 관직에 오르는 경우도 있었다.

02 고려 사회에 대한 설명으로 적절한 것을 〈보기〉에서 고른 것은?

〈보기〉
ㄱ. 서리, 향리 등을 정호라고 불렀다.
ㄴ. 향·부곡·소의 주민은 거주 이전에 제한을 받았다.
ㄷ. 사회 불만을 품은 6두품은 개혁적 성격을 보였다.
ㄹ. 법적으로 양천제였으나, 양반 계층이 군역 면제 등의 특권을 누렸다.

① ㄱ, ㄴ   ② ㄱ, ㄷ   ③ ㄴ, ㄷ
④ ㄴ, ㄹ   ⑤ ㄷ, ㄹ

중요
03 (가)에 들어갈 내용으로 가장 적절한 것은?

갑: 우리 모둠이 발표하기로 한 고려 시대의 특수 행정 구역에 대해 조사해 봤어?
을: 응! 향·부곡·소 등이 있었더라.
병: 무신 집권기에 반란을 일으켰던 망이와 망소이가 소의 주민이었어.
정: 이와 같은 지역들의 주민은 ____(가)____

① 음서의 혜택을 받았어.
② 공·사노비로서 재산으로 취급되었어.
③ 일반 군현민보다 많은 세금을 부담해야 했어.
④ 직역을 세습하고 그 대가로 국가로부터 토지를 지급받았어.
⑤ 조세·공납·역을 부담하는 대신 관직에 나아갈 기회를 원칙적으로 인정받았어.

04 고려 여성의 지위에 대한 설명으로 옳지 <u>않은</u> 것은?

① 재혼이 가능하였다.
② 여성이 호주가 되기도 하였다.
③ 여성이 관직에 오를 수 있었다.
④ 음서의 혜택이 외가에도 주어졌다.
⑤ 부모의 제사도 자녀들이 돌아가며 지냈다.

중요
05 (가) 국가에 대한 설명으로 옳은 것은?

11월에 ____(가)____ 의 수도인 개경에서 팔관회를 열었다. 왕이 신봉루로 나가서 관리들에게 술과 음식을 내리고, 법왕사에 행차하였다. 이튿날 큰 행사를 열고 음악 연주를 관람하였다. 송의 상인과 여진 및 탐라의 사절도 선물을 바쳤다.

① 진대법을 시행하였다.
② 민정 문서를 작성하였다.
③ 남진 정책을 추진하였다.
④ 속현에 지방관을 파견하지 않았다.
⑤ 국학을 설치하여 유교 경전을 가르쳤다.

06 (가)에 들어갈 내용으로 가장 적절한 것은?

토의 주제: ____(가)____
갑: 수선사 결사를 주도하였지.
을: 무신 정변 이후 활발하게 활동하였어.
병: 정혜쌍수와 돈오점수를 강조하였어.

① 원광의 세속 5계
② 의천의 천태종 창시
③ 요세의 백련사 결사
④ 지눌의 불교 개혁 운동
⑤ 묘청의 서경 천도 운동

중요
07 다음 역사서에 대한 설명으로 옳은 것은?

> 기전체 형식의 책으로, 본기 28권, 연표 3권, 잡지 9권, 열전 10권 등 총 50권으로 되어 있다. 이 중 본기는 신라 본기 12권, 고구려 본기 10권, 백제 본기 6권으로 편찬되었다. 유교적 편찬 원칙을 갖고 괴이한 일은 저술하지 않았다.

① 무신 정변 이후 편찬되었다.
② 김부식 등이 편찬에 참여하였다.
③ 동명왕의 신화적 행적을 칭송하였다.
④ 단군왕검의 고조선 건국 이야기를 수록하였다.
⑤ 여러 왕조의 시조에 대한 신비로운 이야기들을 서술하였다.

08 고려 후기에 편찬된 역사서만을 〈보기〉에서 있는 대로 고른 것은?

> 〈보기〉
> ㄱ. 김부식의 『삼국사기』　　ㄴ. 이승휴의 『제왕운기』
> ㄷ. 이규보의 『동명왕편』　　ㄹ. 일연의 『삼국유사』

① ㄱ, ㄴ　　　② ㄱ, ㄹ　　　③ ㄴ, ㄷ
④ ㄷ, ㄹ　　　⑤ ㄴ, ㄷ, ㄹ

09 고려의 사상에 대한 설명으로 옳은 것을 〈보기〉에서 고른 것은?

> 〈보기〉
> ㄱ. 한양 명당설이 등장하였다.
> ㄴ. 향도가 곳곳에서 조직되었다.
> ㄷ. 중국에서 풍수지리설이 전래되었다.
> ㄹ. 국가에서 산신에 대한 제사를 주관하였다.

① ㄱ, ㄴ　　　② ㄱ, ㄷ　　　③ ㄱ, ㄹ
④ ㄴ, ㄹ　　　⑤ ㄷ, ㄹ

사고력을 키우는 서술형

10 밑줄 친 ㉠, ㉡의 특징을 각각 서술하시오.

> 고려에서는 직역 혹은 직업별로도 사회적 지위가 구분되었다. 양인은 ㉠정호와 ㉡백정으로 구분되었다.

_____
_____

11 밑줄 친 ㉠, ㉡의 사례를 각각 서술하시오.

> 고려는 부계와 모계의 혈연을 모두 중시하였다. 이에 따라 ㉠여성의 사회적 지위가 다른 시대에 비해 높았다. 그러나 ㉡여성에게 요구되는 전통적 관념에서 자유로울 수 없었다.

_____
_____

12 다음 자료를 읽고 물음에 답하시오.

> 고려 전기에는 유학의 발달과 함께 유교적 역사 인식을 바탕으로 한 역사서가 편찬되었다. ㉠김부식의 『삼국사기』가 대표적이다. 고려 후기에 편찬된 일연의 『삼국유사』와 이승휴의 『제왕운기』는 ㉡우리 역사의 시작을 단군 조선으로 설정한 선구적 저술이다.

(1) 밑줄 친 ㉠의 편찬 목적을 서술하시오.

_____
_____

(2) 밑줄 친 ㉡의 시대적 배경을 서술하시오.

_____
_____

5 조선 시대 세계관의 변화

1 유교적 통치 이념의 확립

1 조선의 유교적 통치 이념과 통일적 성문법 질서의 확립

(1) **통치 이념**: 유교 숭상, 덕으로 백성 다스리는 **왕도 정치** 추구

　① **예(禮)를 통한 교화 중시**: 전통적 위계질서 합리화

　② **유교 윤리 보급과 의례 정비**: 『삼강행실도』(세종), 『국조오례의』(성종)

(2) **대외 관계**: 명을 큰 나라로 섬기는 **사대**, 여진·일본 등과는 **교린**

(3) **법전 편찬**: 『조선경국전』(태조), 『경제육전』(태조), 『경국대전』(세조~성종) → 통일된 성문법 질서 확립 ┗ • 정식 법전은 아니지만, 정도전이 꿈꾸었던 조선의 모습이 담겨 있다.

(4) **문물제도 정비**: 한양 천도와 종묘·사직 건립(태조), 신문고 설치와 호패법 시행(태종), 집현전 설치와 한글 창제(세종), 집현전 폐지(세조), 홍문관 설치(성종)

2 유교 이념에 따른 중앙 정치 조직 정비

(1) **중앙 행정 기구**: 공론 정치 추구

　① **의정부**: 국정 협의·정사 총괄 최고 기구

　② **6조**: 국가 행정을 분야별로 분담

　③ **3사**: 언론 담당, 권력 독점·부패 방지

(2) **교육 제도**

　① **교육**: 서울에 성균관과 4부 학당, 지방에 향교(관립), 서원과 서당(사립)

　② **과거**: 관리 등용의 주된 수단, 문과·무과·잡과 존재, 문과 중시

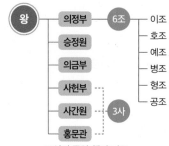

조선의 중앙 행정 기구

3 조선의 지방 통치 체제

(1) **지방 통치 체제**

　① 전국을 8도로 나누고 그 아래에 군현 편제 ┃자료 콕콕 ❶┃

　② 고려의 특수 행정 구역을 일반 군현으로 승격, 모든 군현에 지방관 파견

　③ 지방관은 자기 출신 지역에 부임할 수 없게 하는 상피제 시행

(2) **향촌 사회**: 지방 사족들, 향촌에서 영향력 행사, 성종 이후 중앙 진출

2 사림의 성장과 붕당의 형성

1 훈구파의 성장과 사림의 등장

(1) **훈구파**: 세조 즉위에 공을 세운 세력 → 불법, 수탈 자행 등 사회 문제 유발

(2) **사림**: 지방에서 성리학 연구하던 사족, 성리학적 도덕 정치와 사족 중심의 향촌 질서 확립 추구, 성종 때부터 중앙 진출(주로 3사 진출) → 훈구파 비판

조선 시대에는 현재까지도 통용되는 도(道)의 구획이 처음으로 정해졌다. 도의 명칭은 당시 그 지역에서 가장 번성했던 도시의 앞 글자를 합쳐 정한 것이었다.

개념 체크

1 다음 설명이 맞으면 ○표, 틀리면 ×표를 해 보자.

(1) 조선은 명을 큰 나라로 섬기는 사대 외교를 행하였다.　　　　(　　)

(2) 조선은 서울에 성균관을 설치하였다.　　　　(　　)

2 빈칸에 알맞은 말을 써 보자.

(1) 조선의 법률 체계와 통치 체제의 골격이 된 법전은 (　　　　)이다.

(2) (　　　　)은/는 왕과 대신을 견제하는 언론 기능을 담당하여 권력 독점을 방지하였다.

(3) 조선은 모든 군현에 (　　　　)을/를 파견하였다.

3 서로 관련 있는 내용끼리 연결해 보자.

(1) 태조　•　　　•⊙ 『경제육전』

(2) 세종　•　　　•⊙ 『국조오례의』

(3) 성종　•　　　•⊙ 『삼강행실도』

② 사화의 발생

(1) **연산군**: 훈구파와 사림의 대립 심화 → 두 차례의 사화 발생(무오사화, 갑자사화)

(2) **중종**: 반정으로 즉위한 중종이 훈구파 견제 위해 조광조 등 사림 중용 → <u>조광조</u> 등, 현량과 시행, <u>향약</u> 보급 추진, 위훈 삭제 → 훈구파, 조광조 일파 공격하여 숙청(기묘사화)

(3) **명종**: 외척 간의 권력 다툼 과정에서 사화 발생(을사사화)

③ 붕당의 형성 자료 쏙쏙 ❷

(1) **사림의 저력**: 서원과 향약을 기반으로 세력을 확대 → 선조 때에는 중앙 정계의 주도권을 장악

(2) **사림의 분열**: 외척 정치의 잔재 청산으로 내부 갈등 → 이조 전랑의 임명 문제로 사림 분열(→ 붕당의 형성)

　① 서인: 기성 사림 중심, 외척 문제에 관대한 태도

　② 동인: 신진 사림 중심, 외척 문제에 강경한 태도(→ 남인, 북인으로 분열)

(3) **붕당 정치의 기능**: 각 붕당은 상호 토론과 비판으로 <u>공론 정치 지탱</u>
└─ 국왕의 정치적 배경에 따라 특정 붕당이 집권하기도 하였지만, 대체로 인조부터 현종 초까지는 서인이 우세한 가운데 남인과 공존하는 구도가 유지되었다.

3 조선의 대외 관계와 양 난의 발발

① 명, 여진, 일본과의 관계
•─ 조선은 명에 사절단을 보내 조공을 바치고 답례품을 받아 왔으며, 명의 책봉으로 왕의 독립적 지위를 국제적으로 인정받았다.

(1) **명과의 관계**: <u>조공·책봉 체제</u> 통해 사대 외교 유지(동아시아의 일반적인 외교 형식)

(2) **여진·일본과의 관계**: <u>교린</u> 정책

　① 여진: 관계 변화에 따라 충돌하기도 함 → <u>4군 6진</u> 개척(세종)

　② 일본

　　① 왜구 문제: 왜구의 약탈 → 쓰시마섬 토벌(세종)

　　② 교역: 3포 개항 → 교역 증가로 인한 경제적 부담 가중 → 일본인에 대한 통제 강화 → 일본인들의 무력시위로 조선과 일본의 교역 쇠퇴

② 임진왜란의 발발과 전개

(1) **발단**: 도요토미 히데요시의 일본 통일 → 지방 영주들의 불만 무마 위해 조선 침략

(2) **전개**

　① 개전 20여 일 만에 한양과 평양 함락(1592)

　② 이순신의 수군과 전국 각지의 의병, 명나라의 참전으로 전황 회복

　③ 명과 일본 사이의 휴전 협상 3년간 전개 → 결렬

　④ 일본의 재침(정유재란, 1597) → 도요토미 히데요시 사망으로 일본군 철수(1598)

(3) **영향**

　① 조선: 국토 황폐화, 국가 재정 악화, 인명 피해 발생, 문화재 소실

　② 일본: 에도 막부 수립, <u>조선의 문화(학문, 기술) 수용</u>
└─• 납치된 유학자들을 통해 조선 성리학이 일본에 전파되었고, 납치된 도공들을 통해 도자기 기술이 전파되었다.

자료 쏙쏙 ❷ 이이의 붕당론

아! 붕당의 이론이야 어느 시대인들 없었습니까. 오직 그들이 군자인가 소인인가를 살피는 것이 중요할 따름입니다. 진실로 군자라면 곧 천 명이나 백 명이 붕당을 이룬다고 하더라도 많을수록 더욱 좋겠습니다만, 진실로 소인이라면 곧 한 사람이라 하더라도 용납해서는 안 될 것입니다. 하물며 붕당을 이루게 해서야 되겠습니까.
　　　　　　　　　　－ 『율곡전서』

조선 중기의 성리학자인 이이가 붕당에 대해 자신의 의견을 밝힌 글이다. 붕당은 학문적·정치적 입장 등에 따라 형성된 세력을 의미한다. 선조 때부터 형성되기 시작한 붕당 정치는 조선 중·후기의 기본 정치 형태로 자리 잡았다. 붕당은 정치적·지역적·학문적 입장에 따라 동인·서인, 남인·북인, 노론·소론, 시파·벽파 등으로 다양하게 분열되어 조선 정치를 주도하였다.

개념 체크

❶ 다음 설명이 맞으면 ○표, 틀리면 ✕표를 해 보자.

(1) 사림은 사화에도 불구하고 지방의 서원과 향약을 기반으로 세력을 확대하였다.
　　　　　　　　　　　(　　　)

(2) 조선은 3포를 개항하여 일본들에게 교역을 허가하였다.　　　(　　　)

❷ 빈칸에 알맞은 말을 써 보자.

(1) 조광조와 그 일파는 (　　　　　)(으)로 대거 숙청당했다.

(2) 사림은 (　　　　　)의 임명 문제를 두고 동인과 서인으로 분열하였다.

(3) 명과 일본의 휴전 협상이 결렬되자 일본이 조선을 재침하며 (　　　　)이/가 발발하였다.

❸ 서로 관련 있는 내용끼리 연결해 보자.

(1) 갑자사화 •　　　　　• ㉠ 명종

(2) 기묘사화 •　　　　　• ㉡ 중종

(3) 을사사화 •　　　　　• ㉢ 연산군

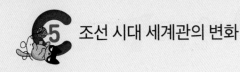

5 조선 시대 세계관의 변화

3 왜란 이후 대내외적 변화

(1) **일본과의 국교**: 임진왜란 이후 일시적으로 단절 → 일본 에도 막부 수립 이후 점차 회복(회답겸쇄환사, 통신사 파견)

(2) **중국 정세 변화**: 명의 약화, 여진(후금)의 굴기 → 명은 조선에 지원군 요청 → 광해군, 군대 파병하면서도 후금과의 충돌 피하는 중립 외교 실시

4 호란의 발발 자료 콕콕 ③

(1) **인조반정(1623)**: 서인 세력이 광해군의 정책을 비판하며 반정 일으킴. → 인조 즉위

(2) **정묘호란(1627)**: 인조와 서인 세력, 명에 대한 의리 내세우며 후금 배척 → 후금의 조선 침략 → 조선과 화의 맺고 철수

(3) **병자호란(1636)**: 후금이 국호 청으로 바꾸고 조선에 군신 관계 요구 → 조선의 거부에 청의 재침략 → 인조의 남한산성 항전 → 항복(군신 관계 수립)

(4) **동아시아 질서의 재편**: 명의 멸망으로 청을 중심으로 하는 동아시아 질서 확립

4 양 난 이후 세계관의 변화

1 화이론적 세계관의 동요

(1) **조선의 화이론**: 명 중심으로 중화와 오랑캐를 구분, 조선의 지배층은 중화 문명을 가장 훌륭하게 전수받은 소중화 자처 → 기자 숭상, 기자 조선 연구 심화

(2) **청의 성장과 명의 쇠퇴로 인한 변화**
① 그동안 오랑캐로 여겼던 청과 군신 관계 체결, 명 멸망
② 인조와 서인 세력은 화이론 강화하여 전쟁 책임 회피, 정권 유지 노력 → 청이 중화임을 부정, 조선 중화 문명의 정통 계승자라는 인식 팽배

2 호락논쟁의 전개

호론	• 충청도 지역의 노론 학자 • 인간과 짐승의 본성이 다르다고 주장 • 인간(조선)과 짐승(청)이 본질적으로 다르다는 화이론이 내재
낙론	• 서울 지역의 노론 학자 • 인간과 짐승의 본성이 같다고 주장 • 낙론은 화이론에 비판적으로, 훗날 북학론(청을 배우자)에 영향

3 북벌론과 북학론

(1) **북벌론**: 청을 정벌하여 명에 의리를 지키자는 주장 → 효종 사후 쇠퇴 자료 콕콕 ④

(2) **청의 발전과 북학론**
① **청의 발전**: 청은 국력이 강성해지고, 서양 문물 등을 수용하여 문화 융성
② **북학론의 등장**: 조선이 청에 파견한 연행사 중 일부, 청의 실제 모습을 목격하여 화이론적 세계관의 한계 자각 → 청의 문물 수용하자는 북학론 제기

자료 콕콕 ③ 호란의 전개

정묘호란은 후금이 정치·경제적 활로를 찾기 위해 조선을 침략한 전쟁이다. 이에 인조는 강화도로 피난하였으나, 결국 조선과 후금이 형제 관계를 맺으며 전쟁이 마무리되었다. 병자호란은 청이 명을 본격적으로 침략하기 전에 선제적으로 조선을 침략한 전쟁이다. 당시 인조는 남한산성에서 1년여 동안 항전하였으나, 결국 청 황제에게 직접 항복하였다(삼전도의 굴욕).

개념 체크

1 다음 설명이 맞으면 O표, 틀리면 ×표를 해 보자.

(1) 병자호란 이후 후금은 국호를 청으로 바꾸고 조선에 군신 관계를 요구하였다.
( )

(2) 조선은 청에 연행사를 파견하였다.
( )

2 빈칸에 알맞은 말을 써 보자.

(1) 광해군은 명의 요구에 응하면서도 청과의 충돌을 피하는 ( )을/를 펼쳤다.

(2) 1636년에 발발한 병자호란의 결과, 조선과 청은 ( )을/를 맺었다.

(3) 효종 때 청을 정벌하여 명에 대한 의리를 지키자는 ( )이/가 대두되었다.

3 서로 관련 있는 내용끼리 연결해 보자.

(1) 정묘호란 •   • ㉠ 청

(2) 병자호란 •   • ㉡ 후금

4 실학

(1) **등장 배경**: 병자호란 이후 조선 사회는 성리학과 화이론만으로 해석할 수 없는 변화에 직면 → 다양한 사상 모색하여 현실 문제 해결 시도하려는 이들 등장

(2) **연구 분야**: 농민 생활 안정, 상공업 진흥, 국학 진흥, 우주관 재정립 등

5 양 난 이후 정치 운영의 변화

1 붕당 정치의 변질

(1) **비변사의 강화**: 양 난 거치며 강화, 의정부와 6조 중심 행정 체계 유명무실화

(2) **붕당의 기능 변질**

① 현종 때의 예송, 숙종 때의 환국 등으로 붕당 간의 대립 격화 → 상대 당에 대한 탄압과 보복, 일당 전제화 추세 등장

② 공론 대변하던 3사 역시 자기 붕당의 이익 유지에 앞장섬.

2 탕평 정치와 세도 정치

(1) **탕평 정치**: 붕당 간 세력 균형 및 왕권 강화 위해 추진 → 붕당의 대립 일시 완화

(2) **세도 정치**: 외척 가문이 정권 독점, 순조·헌종·철종 3대 60여 년 동안 지속 → 세도 가문이 고위 관직 독점, 정치 기강 문란

3 수취 체제의 개편

(1) 조선의 수취 체제

조세	토지에 대한 세금, 토지 소유자에게 풍흉에 따라 차등 부과
공납	왕실·관청에 필요한 토산물 수취, 각 호에 할당
역	16세 이상 60세 미만 양인 남성의 노동력 수취(군역, 토목 공사 등)

(2) 수취 체제의 문란

조세	지주가 내야 할 조세를 소작인에게 전가
공납	관리와 상인이 결탁, 농민의 공납을 대신 내고 비싼 대가 취득(방납)
역	사람을 사서 군역을 대신(대립), 포를 받고 군역 면제(방군수포)

(3) 양난 이후 수취 체제 개편

영정법(인조)	풍흉과 관계없이 일정한 조세 수취
대동법(광해군)	공납 대신 토지 소유자에게 쌀·면포·화폐 등 수취
균역법(영조)	백성의 군역 부담을 절반으로 감축

4 삼정의 문란

•→ 흉년이 들거나 봄에 곡식이 부족할 때 빈민에게 곡식을 빌려주고 추수기에 환수하는 제도이다.

(1) **삼정의 문란**: 전정(조세), 군정(군역), 환정(환곡)의 폐단

(2) **배경**: 수취 체제의 운영 과정에서 폐단 등장 → 세도 정치기에 심화

(3) **원인**: 토지 소유의 불균등, 지주와 소작인의 관계 등 불평등한 사회 구조

(4) **저항**: 사회·경제적 변화와 더불어 사회 모순에 대한 하층민의 저항 발생

개념 체크

1 다음 설명이 맞으면 ○표, 틀리면 ×표를 해 보자.

(1) 숙종 대 두 차례의 예송으로 붕당 간의 대립이 격화되었다. (　　)

(2) 영조와 정조는 붕당 간 세력 균형을 이루고 왕권을 강화하기 위해 탕평 정치를 추진하였다. (　　)

2 빈칸에 알맞은 말을 써 보자.

(1) 조선 후기에 다양한 사상을 모색하여 현실 문제를 해결하려는 (　　　　) 이/가 등장하였다.

(2) 양 난을 거치면서 (　　　　)이/가 국정을 총괄함에 따라 의정부와 6조 중심의 행정 체계는 유명무실해졌다.

(3) 순조가 즉위하면서 소수의 외척 가문이 정권을 독점하는 (　　　　)이/가 나타났다.

3 서로 관련 있는 내용끼리 연결해 보자.

(1) 대동법 •　　　•㉠ 영조

(2) 영정법 •　　　•㉡ 인조

(3) 균역법 •　　　•㉢ 광해군

01 (가) 인물이 시행한 정책으로 옳은 것은?

> **역사 인물 카드**
>
> • 인물: (가)
> • 조선 제3대 왕(재위 기간: 1400~1418)
> • 주요 업적: 국왕 중심 정치 강화, 신문고 설치

① 호패법 실시
② 훈민정음 반포
③『삼강행실도』편찬
④『조선경국전』편찬
⑤ 전민변정도감 설치

중요
02 (가) 인물의 업적으로 옳은 것은?

> **역사 인물 카드**
>
> • 인물: (가)
> • 조선 제4대 왕(재위 기간: 1418~1450)
> • 주요 업적: 의정부 서사제 실시, 경연 활성화, 공법 시행,『삼강행실도』편찬, 훈민정음 반포

① 동북 9성을 쌓았다.
② 4군 6진을 설치하였다.
③ 중립 외교를 추진하였다.
④ 쌍성총관부를 공격하였다.
⑤ 홍건적의 침입을 격퇴하였다.

03 밑줄 친 '그'가 실시한 정책으로 옳은 것은?

> 그는 세종의 둘째 아들이다. 조카 단종이 어린 나이에 즉위하니, 김종서 등 재상들이 정치적 실권을 장악하고 세력을 키웠다. 이에 그는 이들을 제거하였다. 곧이어 단종을 몰아내고 왕이 되어 왕권 강화에 노력하였으며『경국대전』의 편찬을 시작하였다.

① 홍문관을 설치하였다.
② 탕평책을 실시하였다.
③ 집현전을 폐지하였다.
④ 훈민정음을 창제하였다.
⑤『조선경국전』을 편찬하였다.

중요
04 밑줄 친 '왕'이 실시한 정책으로 옳은 것을 〈보기〉에서 고른 것은?

>『경국대전』은 조선 제9대 왕 재위 중에 완성된 법전으로, 6전으로 구성되어 있다. 조선은 이 법전을 통해 유교 이념에 기반한 통치 체제를 정비할 수 있었다.

> 〈보기〉
> ㄱ. 집현전을 설치하였다.
> ㄴ. 홍문관을 설치하였다.
> ㄷ.『삼강행실도』를 편찬하였다.
> ㄹ.『국조오례의』를 편찬하였다.

① ㄱ, ㄴ
② ㄱ, ㄷ
③ ㄴ, ㄷ
④ ㄴ, ㄹ
⑤ ㄷ, ㄹ

중요
05 조선의 중앙 정치 조직에 대한 설명으로 옳지 <u>않은</u> 것은?

① 승정원은 왕명을 출납하였다.
② 3사는 언론 기능을 담당하였다.
③ 6조가 국가 행정 실무를 담당하였다.
④ 의정부가 국정 협의의 최고 기구였다.
⑤ 서울에 성균관, 지방에 4부 학당을 두었다.

06 조선의 지방 통치 체제에 대한 설명으로 옳지 <u>않은</u> 것은?

① 상피제를 실시하였다.
② 전국을 8도로 나누었다.
③ 8도 아래 군과 현을 두었다.
④ 향·부곡·소는 일부 남아 있었다.
⑤ 모든 군현에 지방관을 파견하였다.

중요
07 (가) 세력에 대한 설명으로 옳은 것은?

연산군이 즉위하면서 훈구파와 (가) 의 정치적 대립이 심해졌다. 이에 훈구파가 사초에 실린 김종직의 「조의제문」을 문제 삼아 (가) 을/를 공격하면서 사화가 처음 발생하게 되었습니다.

① 조선 건국을 주도하였다.
② 후삼국 통일에 기여하였다.
③ 공민왕의 개혁 정책으로 위축되었다.
④ 서원과 향약을 통해 세력을 확대하였다.
⑤ 음서와 공음전 등을 통해 권력을 세습하였다.

08 (가)에 들어갈 내용으로 가장 적절한 것은?

연극 제목: (가)
연극 콘티: 이 연극은 조선 시대 정치가인 ○○○의 일생을 정리한 것이다. 중종 때 정계에 진출한 ○○○은/는 일부 세력에게 잘못 부여된 공훈을 삭제해야 한다고 주장하였다. 이러한 그의 활동은 훈구파의 반발을 샀고, 그들이 기묘사화를 일으키는 배경이 되었다.

① 정도전, 조선을 설계하다.
② 신돈, 무너진 고려를 일으키다.
③ 최승로, 유교 정치 이념을 추구하다.
④ 조광조, 사림 주도의 개혁을 시도하다.
⑤ 이순신, 꺼져 가는 조선의 불씨를 살리다.

중요
09 다음 자료를 활용한 탐구 활동으로 가장 적절한 것은?

심의겸이 자기 몸을 낮추고 선비와 사귀어 여론이 자못 그를 칭찬하였다. 중간에 김효원과 틈이 벌어지면서 동서설이 발생하였다. 심의겸의 집은 서쪽에 있었으므로 심의겸과 교제하는 자를 서인이라 이르고, 김효원의 집은 동쪽에 있었으므로 김효원과 잘 지내는 자를 동인이라 하였다.

① 사화의 원인을 조사한다.
② 탕평 정치의 결과를 분석한다.
③ 붕당이 성립된 배경을 알아본다.
④ 훈구파의 등장 배경을 조사한다.
⑤ 신진 사대부의 분열 이유를 조사한다.

10 조선의 사대 외교에 대한 설명으로 옳은 것을 〈보기〉에서 고른 것은?

〈보기〉
ㄱ. 명에 사절단을 보내 조공을 바쳤다.
ㄴ. 병자호란 이후 청과 군신 관계를 맺었다.
ㄷ. 일본에 3포를 개항하여 교역을 허가하였다.
ㄹ. 여진과 압록강과 두만강을 경계로 교역과 토벌을 병행하였다.

① ㄱ, ㄴ   ② ㄱ, ㄷ   ③ ㄴ, ㄷ
④ ㄴ, ㄹ   ⑤ ㄷ, ㄹ

11 (가)에 들어갈 내용으로 가장 적절한 것은?

〈조선 전기의 대외 관계: 여진과의 관계〉
1. 교린 정책
  – 회유책: 귀순 장려, 경성·경원 등에 무역소 설치
  – 강경책: (가)
2. 사민 정책: 삼남 지방의 주민을 북방으로 이주

① 별무반 편성   ② 강동 6주 획득
③ 훈련도감 설치   ④ 쓰시마섬 정벌
⑤ 4군 6진의 설치

중요
12 밑줄 친 '전쟁'에 대한 설명으로 옳은 것은?

한국사 추천 도서: 「징비록」
주요 내용: 류성룡이 7년에 걸친 일본과의 전쟁 과정에서 경험한 내용을 기록한 것이다.

① 서희가 외교 담판으로 적을 물리쳤다.
② 강감찬이 귀주 대첩으로 적을 물리쳤다.
③ 이순신의 수군이 일본 수군을 격퇴하였다.
④ 여진족을 몰아내고 4군 6진을 개척하였다.
⑤ 남한산성에서 항전하던 인조가 항복하였다.

13 다음 사건들을 발생한 순서대로 옳게 나열한 것은?

> (가) 회답겸쇄환사가 파견되었다.
> (나) 후금과 조선이 화의를 맺었다.
> (다) 도요토미 히데요시가 사망하였다.
> (라) 명과 일본의 휴전 협상이 결렬되었다.

① (가)-(나)-(다)-(라)　② (가)-(나)-(라)-(다)
③ (나)-(가)-(라)-(다)　④ (라)-(가)-(나)-(다)
⑤ (라)-(다)-(가)-(나)

중요
14 (가), (나) 시기 사이에 발생한 사실로 옳은 것은?

> (가) 명과의 휴전 협상이 결렬되자 일본은 조선을 재침략하였다. 전쟁 초기와는 달리 일본군이 불리해졌고, 도요토미 히데요시가 병사하자 그들은 본국으로 철수하였다.
> (나) 후금은 국호를 청으로 바꾸고 조선에 군신 관계 수립을 요구하였다. 조선에서 이를 거부하자 청은 조선을 재침략하였다.

① 북벌론이 등장하였다.
② 교정도감이 설치되었다.
③ 기묘사화가 발생하였다.
④ 쓰시마섬을 정벌하였다.
⑤ 인조반정이 일어나 광해군이 폐위되었다.

중요
15 호란의 결과로 옳은 것을 〈보기〉에서 고른 것은?

> 〈보기〉
> ㄱ. 에도 막부가 수립되었다.
> ㄴ. 조선과 일본의 국교가 단절되었다.
> ㄷ. 조선이 청과 군신 관계를 수립하였다.
> ㄹ. 청을 중심으로 동아시아 질서가 재편되었다.

① ㄱ, ㄴ　　② ㄱ, ㄷ　　③ ㄴ, ㄷ
④ ㄴ, ㄹ　　⑤ ㄷ, ㄹ

16 다음 의견을 제시한 인물에 대한 설명으로 옳은 것은?

> 비유하자면 재물은 우물과 같다. 퍼 쓸수록 가득 차게 되고, 이용하지 않으면 말라 버린다. …… 수레 백 대에 싣는 것이 한 척의 배에 미치지 못하고, 뭍으로 천 리를 가는 것이 배로 만 리를 가는 것보다 어렵다.
> – 박제가, 『북학의』

① 『제왕운기』를 저술하였다.
② 『조선경국전』을 저술하였다.
③ 사림 세력의 개혁을 주도하였다.
④ 인간과 짐승의 본성이 다르다고 주장하였다.
⑤ 청의 발달된 기술을 수용하자고 주장하였다.

17 밑줄 친 '그'에 대한 설명으로 옳은 것은?

> 그는 탕평책에 동의하는 인물들을 각 붕당에서 등용해 정국을 운영하였고, 『속대전』을 편찬하여 제도를 정비하였습니다.

① 균역법을 실시하였다.
② 홍문관을 설치하였다.
③ 집현전을 폐지하였다.
④ 정동행성을 폐지하였다.
⑤ 북진 정책을 실시하였다.

중요
18 밑줄 친 '폐단' 해결을 위해 실시된 정책으로 옳은 것은?

> 공물을 방납하는 폐단이 날로 심해져 각 고을에서 생산되는 물건이라도 방납인들이 먼저 대신 납부합니다. 행여 직접 가져와 납부하는 자가 있다 하더라도 방납인들이 조정하여 퇴짜를 놓게 하고 결국 자신들의 물건으로 납부하게 합니다. 그런 후에 값을 올려 10배의 이익을 취합니다.

① 군포 부담을 절반으로 줄였다.
② 풍흉과 관계없이 일정한 조세를 수취하였다.
③ 토산물 대신에 쌀, 면포, 화폐 등을 수취하였다.
④ 빈민에게 곡식을 빌려주고 추수기에 환수하였다.
⑤ 포를 받고 군역을 면제하는 방군수포제를 행하였다.

19 밑줄 친 ㉠, ㉡의 정의를 각각 서술하시오.

> 성종은 ㉠훈구파를 견제하기 위해 ㉡사림을 적극적으로 등용하였다.

_____

_____

20 밑줄 친 ㉠이 실시한 개혁 정치의 사례를 <u>두 가지</u> 이상 쓰시오.

> ㉠조광조를 비롯한 사림은 왕도 정치 실현과 사림 중심의 향촌 질서 확립을 추구하였다.

_____

_____

21 다음 자료를 읽고 물음에 답하시오.

> 신축년과 임인년 이래로 조정에서는 노론, 소론, 남인의 사이가 날이 갈수록 나빠져 급기야 서로를 역적이라고 모함하니, 그 영향이 지방에까지 미치게 되어 온 나라가 싸움터처럼 되었다. 그리하여 ㉠붕당의 색이 다르면 서로 혼인하지 않을 뿐만 아니라 용납하지 않는 지경에 이르렀다.

(1) 자료의 주제를 한 문장으로 쓰시오.

_____

(2) 밑줄 친 ㉠ 형성에 영향을 미친 요소를 <u>두 가지</u> 서술하시오.

_____

_____

22 밑줄 친 ㉠의 목적과 ㉡의 폐단을 서술하시오.

> 조선 후기 정치 변동을 대표하는 키워드는 ㉠탕평 정치와 ㉡세도 정치이다.

_____

_____

23 다음 자료를 읽고 물음에 답하시오.

> 화이론적 세계관에서 조선의 지배층은 자신들이 ㉠소중화라고 자부하였다. 청의 성장과 명의 쇠퇴라는 국제 정세 변화 속에서도 ㉡화이론적 세계관은 더욱 강화되었다.

(1) 밑줄 친 ㉠의 의미를 서술하시오.

_____

_____

(2) 밑줄 친 ㉡의 내용을 서술하시오.

_____

_____

_____

24 밑줄 친 ㉠의 근본적인 원인과 ㉡의 의미를 서술하시오.

> ㉠조선 후기 수취 체제의 문란을 대표하는 키워드는 ㉡삼정의 문란이다.

_____

_____

_____

6 양반 신분제 사회와 상품 화폐 경제

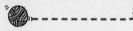

1 조선의 양반 중심 사회

1 양천제와 4신분제

(1) **양천제**: 조선의 법적 신분제, 양인과 천인으로 구분

① 양인: 과거 응시와 관직 진출에 제한 없음. 조세·공납·역 등 담당

② 천인: 국가·개인에게 소속, 천역 담당, 관직 진출 불가 → 조세, 공납, 역의 의무 또한 없었다.

(2) **4신분제의 정착**: 양인 내에 존재하던 여러 계층이 신분으로 굳어졌고, 양반이 특권 신분이 됨. → 양반·중인·상민·천민 구분

2 양반·중인·상민·천민

양반	• 문무 관료, 지배층이 되며 전·현직 관료와 그 가문 통칭 • 가문의 경제력으로 생활, 군역 면제 특권으로 관직 진출 수월
중인	• 서리, 향리, 기술관 등 하급 지배층 자료 콕콕 ❶ • 서얼(양반 자손 중 첩의 소생)도 포함, 과거 응시 제한 등 차별 대우받음.
상민	• 생산 활동 종사, 조세·공납·역 담당, 과거 응시 가능 • 농민은 토지 경작, 수공업자·상인은 국가 통제받으며 상거래에 종사
천민	• 대부분 노비로 재산처럼 취급됨. 매매·증여·상속의 대상 • 관청의 공노비, 개인의 사노비로 구분

3 사족 중심의 향촌 지배 체제

(1) **유향소**: 향촌의 사족들이 조직한 자치 기구, 수령 보좌, 향리 부정 감찰

(2) **향회**: 지방 사족의 모임, 사족의 이익 대변

(3) **서원과 향약**: 16세기 사림의 정치적 진출이 활발해지며 보급됨.

① 사족들은 서원을 통해 여론 수렴 및 학문 수양 → 향촌 사회 권위 강화

② 사족들은 향약을 주도하여 풍속을 교화하고 향촌 질서 유지

2 상품 화폐 경제의 발달과 신분제의 동요

1 농업 경영의 변화

(1) 임진왜란 이후의 변화

① 양반 지주들, 개간 사업으로 농경지 확대

② 모내기의 전국 보급

(2) 모내기 확대가 가져온 변화 자료 콕콕 ❷

① 벼를 추수한 뒤 보리를 재배하는 이모작 가능해짐.

② 잡초 재배 노동력 감소 → 광작 유행 → 지주 이익 증가, 농민층 성장(부농)

(3) 상품 작물의 재배: 주요 도시 인구 증가, 상품 유통 활발 → 인삼, 담배 등 재배로 농가 소득 증대

개념 체크

1 다음 설명이 맞으면 ○표, 틀리면 ×표를 해 보자.

(1) 조선의 신분제는 법적으로 양천제였다.

( )

(2) 향촌 사족들은 자치 기구인 유향소를 만들어 수령을 보좌하였다.

( )

2 빈칸에 알맞은 말을 써 보자.

(1) ( )은/는 양반 자손 중 첩의 소생을 뜻하며, 이들은 과거 응시에 제한을 받았다.

(2) ( )은/는 지방 사족들의 모임을 뜻한다.

(3) 사족들은 ( )을/를 통해 여론을 수렴하고 학문을 수양하며 향촌 사회 권위를 강화하였다.

3 서로 관련 있는 내용끼리 연결해 보자.

(1) 군역 면제 • • ㉠ 천민

(2) 조세·공납·역 담당 • • ㉡ 상민

(3) 매매·증여·상속 대상 • • ㉢ 양반

2 민영 수공업의 활성화

(1) 조선 전기: 장인들이 왕실과 관청의 필요 물품을 생산하는 관영 수공업 중심

(2) 조선 후기: 인구 증가에 따른 상품 수요 증가로 민영 수공업 발달

　① 민영 수공업자들이 상인에게 자금·원료를 받아 제품 생산하는 선대제 성행

　② 18세기 후반부터 자기 자본으로 물품을 생산·판매하는 독립 수공업자 등장

3 상품 화폐 경제의 발달 ┌ 대동법 실시 이후, 중앙 관청에서 필요로 하는
　　　　　　　　　　　　　　 물품을 사서 납부하던 어용 상인이다.

　① 공인의 등장 → 관수품 조달 과정에서 장시의 성장과 수공업 발달 촉진

　② 세금을 화폐로 납부 가능 → 화폐 유통 활발(상평통보)

　③ 일부 독점 상인의 특권 폐지 → 자유 상업 활동 보장(정조의 금난전권 폐지)

4 신분 질서의 동요와 상민층의 분화

(1) 양반 중심의 신분 질서 동요

　① 붕당 정치 변질과 세도 정치로 소수 양반에게 권력 집중 → 몰락 양반 발생

　② 몰락 양반들은 농업, 수공업에 종사하며 상민과 비슷한 처지가 되기도 함.

　③ 서얼들의 차별 철폐 운동, 납속 등을 통한 지위 상승 빈번하게 발생

(2) 상민층의 분화

　① 부를 쌓은 상민들은 납속, 족보 매입 등으로 양반 신분 획득

　② 광작으로 토지를 잃은 농민 증가 → 농촌을 떠나 노동자 또는 도적이 됨.

(3) 노비의 신분 해방 ┌ 아버지가 천인이라도 어머니가 양인이면, 그 자녀는
　　　　　　　　　　　 어머니 신분을 따라 양인이 되었다.

　① 정부는 재정 수입을 위해 노비종모법 시행, 공노비 해방 → 양인 증가

　② 노비들은 납속, 족보 매입, 도망 등의 방법으로 신분 해방

5 향촌 지배 체제의 변화

(1) 사족들은 동족 마을 형성, 서원 건립 등 권위 유지 노력

(2) 부농층(신향)은 기존 사족(구향)과 대립

(3) 수령이 향촌 사회 지배권 차지하게 되며 관 주도 향촌 지배 강화

6 농민 의식의 성장과 하층민의 봉기

(1) 농민 의식의 성장: 세도 정치 시기 삼정의 문란이 극심해지며 의식 성장

(2) 새로운 사상의 등장: 인간 평등을 중심으로 백성들에게 큰 호응 얻음.

　① 서학: 17세기 중국을 왕래한 조선 사신들이 천주교를 소개

　② 동학: 경주 몰락 양반 최제우가 유·불·선 교리와 민간 신앙 통합하여 창시

(3) 하층민의 봉기

　① 비기·예언 사상, 미륵신앙 등 유행: 새로운 세상에 대한 민중의 염원

　② 홍경래의 난(1811): 서북 지방에 대한 차별과 정권의 수탈에 대한 저항

　③ 임술 농민 봉기(1862): 진주 등지에서 시작, 전국 70여 개 고을로 봉기가 번짐.

자료 콕콕 ❷ 모내기(이앙법)

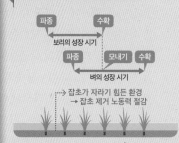

모내기는 흉년이 닥쳤을 때 피해가 극심하여 당초 조선 정부에서 장려하지 않는 농법이었다. 하지만 조선 후기 수리 시설(저수지 등)의 확대와 발맞추어 모내기가 성공적으로 보급되었다. 모내기의 보급은 경제·사회·문화 전반에 걸친 변화를 끌어냈다.

개념 체크

1 다음 설명이 맞으면 ○표, 틀리면 ×표를 해 보자.

(1) 조선 후기에는 광작이 유행하며 지주층의 이익과 부농층이 증가하였다. (　　)

(2) 부를 쌓은 농민과 천민들은 납속, 족보 매입 등을 이용하여 지위를 상승시켰다. (　　)

2 빈칸에 알맞은 말을 써 보자.

(1) 대동법의 실시로 (　　　　　)이/가 등장하여 장시와 수공업 발달이 촉진되었다.

(2) 17세기에 중국을 왕래한 조선 사신들은 (　　　　　)(이)라는 이름으로 천주교를 소개하였다.

(3) (　　　　　)은/는 서북 지방에 대한 차별과 세도 정권의 수탈에 대한 저항으로 발생하였다.

3 서로 관련 있는 내용끼리 연결해 보자.

(1) 홍경래의 난 　•　　　•㉠ 평안도

(2) 임술 농민 봉기 •　　　•㉡ 진주

01 조선의 신분제에 대한 설명으로 옳지 **않은** 것은?

① 상민은 과거에 응시할 수 없었다.
② 서얼은 과거 응시에 제한을 받았다.
③ 양반은 군역 면제의 특권을 누렸다.
④ 천민은 매매 · 증여 · 상속의 대상이었다.
⑤ 조선의 신분제는 법적으로 양천제였다.

02 (가)에 들어갈 내용으로 가장 적절한 것은?

> 한국사 스무고개
> 1. 조선 시대에 중인과 비슷한 대우를 받았어요.
> 2. 양반의 자손 가운데 첩의 소생을 말해요.
> 3.   (가)

① 서리, 향리 등을 가리켜요.
② 고려 건국에 기여하였어요.
③ 과거 응시에 제한이 있었어요.
④ 거주 이전의 자유가 제한되었어요.
⑤ 음서와 공음전의 특혜를 받았어요.

중요
03 다음 자료에 나타난 시기의 조선 경제에 대한 설명으로 옳지 **않은** 것은?

> 한성 안팎과 번화한 큰 도시의 파, 마늘, 배추, 오이밭에서는 10무의 땅에서 얻은 수확이 돈 수만을 헤아리게 된다. 서도 지방의 담배밭, 강진의 고구마밭, 한산의 모시밭에서의 수확은 가장 비옥한 논에서 나는 수확보다 그 이익이 10배에 이른다.

① 모내기가 확산되었다.
② 금난전권이 폐지되었다.
③ 공인이 활발히 활동하였다.
④ 민영 수공업이 발달하였다.
⑤ 국제 무역항 벽란도가 번성하였다.

04 조선 후기 경제에 대한 설명으로 옳지 **않은** 것은?

① 선대제가 성행하였다.
② 벼와 보리의 이모작이 가능해졌다.
③ 모내기가 전국적으로 보급되었다.
④ 담배 등 상품 작물의 재배가 활발하였다.
⑤ 상평통보가 사용되었으나, 널리 보급되지 못하였다.

중요
05 밑줄 친 ⊙의 사례로 가장 적절한 것은?

> 갑: 조선 후기에는 ⊙ 상민들이 족보를 사들이는 등의 방법을 이용하여 신분을 상승시켰어.
> 을: 기술관들은 관직 진출 제한을 없애 달라는 대규모 소청 운동을 전개하였어.

① 서학이 유행하였다.
② 납속이 시행되었다.
③ 호패법이 실시되었다.
④ 노비종모법이 시행되었다.
⑤ 일부 독점 상인의 특권이 폐지되었다.

06 (가)에 들어갈 내용으로 가장 적절한 것은?

> 탐구 주제: (가)
> 양상
> • 양반의 몰락
> • 서얼들의 차별 철폐 운동 전개
> • 노비 해방의 가속화

① 훈구파의 농장 확대
② 사림 세력의 개혁 정치
③ 조선 후기 신분 질서의 동요
④ 고려 문벌 귀족의 권력 기반
⑤ 고려 후기 신진 사대부의 성장

07 조선 후기 사회·경제에 대한 설명으로 옳지 <u>않은</u> 것은?

① 광작이 성행하였다.

② 몰락 양반이 발생하였다.

③ 토지를 잃은 농민이 도적이 되기도 하였다.

④ 정부가 노비종모법을 실시하여 재정 확보를 위해 노력하였다.

⑤ 사족이 향촌 사회의 지배권을 차지하여 수령의 권한을 압도하였다.

중요
08 다음 상황이 나타난 배경으로 가장 적절한 것은?

> 임술년 3월, 왕이 안핵사 박규수에게 이르기를 "(진주) 목사가 백성을 잘 다스리지 못하였다. 만일 수령들의 무절제한 수탈이 없더라면 어찌 민란에까지 이르렀겠는가."라고 하였다.

① 기묘사화가 발생하였다.

② 임진왜란이 발발하였다.

③ 병자호란이 발발하였다.

④ 중립 외교를 추진되었다.

⑤ 삼정의 문란이 극심하였다.

중요
09 다음 자료에 나타난 사건에 대한 설명으로 가장 적절한 것은?

> 조정에서는 서북쪽 땅을 더러운 흙처럼 버렸다. 심지어 권세 있는 가문의 노비들조차 서쪽 땅 사람들을 보면 반드시 평안도 놈이라 일컫는다. 어찌 억울하고 원통하지 않겠는가?
> – 봉기군의 격문

① 홍경래의 주도로 일어났다.

② 임진왜란 극복에 크게 기여하였다.

③ 향·부곡·소에 대한 차별에 저항하였다.

④ 진주에서 시작되어 전국에 확산되었다.

⑤ 노비들이 전개한 신분 해방 운동이었다.

사고력을 키우는 서술형

10 (가)에 알맞은 명칭과 그 기능을 <u>두 가지</u> 서술하시오.

> 조선의 향촌 사회는 사족을 중심으로 운영되었다. 사족들은 향촌 자치 기구인 ☐ (가) ☐ 을/를 만들었다.

_____

_____

11 다음 농법의 확대가 가져온 농업 방식의 변화 모습을 서술하시오.

> 모내기는 지표면을 물로 채워 산소 공급을 막음으로써 잡초 성장을 억제하는 농법이다. 때문에 잡초를 제거하는 김매기에 드는 노동력을 절감할 수 있었다.

_____

_____

12 다음 자료를 읽고 물음에 답하시오.

> 조선 후기의 민중은 새로운 세상을 염원하였다. 그 기대는 벽서, 소청 등의 저항으로 이어졌다. 그러나 이러한 노력이 받아들여지지 않자 ㉠대규모 하층민의 봉기가 다수 발생하였다.

(1) 밑줄 친 ㉠에 해당하는 사건을 <u>두 가지</u> 서술하시오.

_____

(2) 위 사건 두 가지의 발발 배경을 각각 서술하시오.

_____

_____

2019학년도 6월 모의평가

왕이 보병과 기병 5만을 보내 신라를 구원하게 하였다. …… 왕의 군대가 이르자 왜적이 물러가므로, 뒤를 급히 추격하여 임나가라의 종발성에 이르렀다. 성이 곧 귀순하여 복종하므로, 병사를 두어 지키게 하였다.

– 「광개토 대왕릉비」

01 위 사건의 영향으로 가장 적절한 것은?

① 임오군란이 일어났다.
② 병자호란이 발발하였다.
③ 천리장성이 축조되었다.
④ 금관가야가 쇠퇴하였다.
⑤ 북벌 운동이 추진되었다.

활용
02 위 기록을 활용한 탐구 주제로 가장 적절한 것은?

① 대가야의 멸망
② 나제 동맹 체결
③ 장수왕의 남진 정책
④ 백제의 한강 유역 확보
⑤ 5세기 고구려의 영역 확장

서술형
03 위 사건이 가야 연맹의 소국들에 미친 영향을 서술하시오.

_____
_____
_____
_____

2019학년도 6월 모의평가

• 발해국 세자 대광현이 백성 수만 명을 거느리고 망명해 왔다. 태조는 그에게 '왕계'라는 성과 이름을 주어 왕실 족보에 올리도록 하였다.
• 순식은 명주 사람이다. …… 순식이 큰아들 수원을 보내 항복하자, 태조는 그에게 왕씨 성을 주고 땅과 집을 주었다.

04 밑줄 친 '태조'가 실시한 정책으로 옳은 것은?

① 동북 9성을 쌓았다.
② 영정법을 실시하였다.
③ 기인 제도를 실시하였다.
④ 『경국대전』을 반포하였다.
⑤ 독서삼품과를 시행하였다.

활용
05 밑줄 친 '태조'에 대한 설명으로 옳지 않은 것은?

① 송악을 수도로 삼았다.
② 결혼 정책을 실시하였다.
③ 기인 제도를 실시하였다.
④ 사심관 제도를 실시하였다.
⑤ 거란의 침입을 격퇴하였다.

서술형
06 밑줄 친 '태조'가 고려를 건국하고 후삼국을 통일한 과정을 서술하시오.

_____
_____
_____
_____

2017학년도 수능

양민의 균포 부담이 많다고 들었소. 이제부터 균포를 1필씩 납부하는 (가) 를 시행하여 양민의 부담을 줄이도록 하시오.

예. 줄어든 균포 수입은 지주에게 경작을 부과하고 어염세와 선박세 등을 국가 재정으로 돌려 보충하는 방안을 마련해 보겠습니다.

07 위 가상 대화의 (가)에 들어갈 내용으로 옳은 것은?

① 진대법 ② 과전법 ③ 영정법
④ 균역법 ⑤ 직전법

2020학년도 6월 모의평가

이 해전은 한산도 부근에서 벌어졌다. 이순신의 함대가 짐짓 불리한 척 뒤로 물러나자, 적들이 배를 몰고 추격해 왔다. 판옥선들이 마음대로 움직일 수 있는 넓은 바다에 이르러 이순신이 명을 내리자, 전선들이 학익진을 펼쳐 적들을 에워쌌다. 이어 여러 가지 화포로 큰 화살과 불화살을 마구 쏘아 적선 수십 척을 부수거나 불태워 크게 이겼다.

10 밑줄 친 '이 해전'이 일어난 전쟁 중에 있었던 사실로 옳은 것을 〈보기〉에서 고른 것은?

〈보기〉
ㄱ. 권율이 행주산성에서 일본군을 물리쳤다.
ㄴ. 고경명, 조헌 등이 의병을 일으켜 항전하였다.
ㄷ. 강감찬이 귀주에서 거란의 군대를 격파하였다.
ㄹ. 청 군대의 침공에 국왕이 남한산성으로 피신하였다.

① ㄱ, ㄴ ② ㄱ, ㄷ ③ ㄴ, ㄷ
④ ㄴ, ㄹ ⑤ ㄷ, ㄹ

활용
08 (가)를 시행한 왕에 대한 설명으로 옳은 것은?

① 홍문관을 설치하였다.
② 집현전을 설치하였다.
③ 대동법을 실시하였다.
④ 『속대전』을 편찬하였다.
⑤ 4군 6진을 개척하였다.

활용
11 밑줄 친 '이 해전'이 일어난 전쟁 중에 볼 수 있던 모습으로 가장 적절한 것은?

① 귀주 대첩을 보고하는 강감찬
② 별무반 편성을 건의하는 윤관
③ 왜군에 맞서 의병을 이끄는 곽재우
④ 살수에서 적의 군대를 물리치는 을지문덕
⑤ 정족산성에서 프랑스군에 맞서 싸우는 양헌수

서술형
09 (가) 실시 이전 조선 군역 제도의 폐단을 시간 순서대로 서술하시오.

_____
_____
_____
_____

서술형
12 밑줄 친 '이 해전'이 일어난 전쟁이 조선과 일본에 끼친 영향을 각각 서술하시오.

_____
_____
_____
_____

01 다음 문화유산으로 대표되는 시대에 대한 설명으로 가장 적절한 것은?

① 계급 사회가 성립하였다.
② 농경 생활이 시작되었다.
③ 토기가 최초로 제작되었다.
④ 철제 농기구가 사용되었다.
⑤ 불교가 수용되고 율령이 반포되었다.

02 (가) 국가에 대한 설명으로 옳은 것은?

교사: (가) 에서는 말이나 소와 같은 가축 이름이 붙은 마가, 우가, 저가, 구가 등이 사출도를 다스렸습니다. (가) 에 대해 설명해 볼까요?

① 국학을 설치하였다.
② 책화라는 풍습이 있었다.
③ 서옥제라는 풍습이 있었다.
④ 영고라는 제천 행사를 열었다.
⑤ 목지국 지배자가 전체를 대표하였다.

03 다음 상황이 나타난 직접적인 배경으로 가장 적절한 것은?

왕 63년 9월, 왕이 병사 3만을 거느리고 백제를 침공하여 백제의 서울 한성을 점령한 후 백제 왕 부여경(개로왕)을 죽이고 남녀 8천 명을 생포하여 돌아왔다.
– 『삼국사기』

① 나당 연합군이 결성되었다.
② 백제 부흥 운동이 전개되었다.
③ 장수왕이 남진 정책을 실시하였다.
④ 근초고왕이 한강 유역을 차지하였다.
⑤ 나당 연합군이 백제를 공격하여 멸망시켰다.

04 (가) 인물에 대한 설명으로 옳은 것은?

신라는 국가 체제를 정비하는 동시에 영토를 확장하였다. (가) 때에는 대대적인 정복 활동이 이루어져 한강 유역을 차지하였으며, 북으로는 동해안을 따라 함경도 지방까지 영토를 넓혔다.

① 국학을 설립하였다.
② 불교를 공인하였다.
③ 우산국을 점령하였다.
④ 대가야를 멸망시켰다.
⑤ 김씨 왕위 세습권을 확립하였다.

05 (가) 국가에 대한 설명으로 옳은 것은?

고구려를 계승한 (가) 에서는 불교가 융성하였다. 수도였던 상경의 절터에는 거대한 석등이 아직도 남아 있다. 이는 6m의 높이로, 당시 (가) 불교의 위상이 어느 정도였는지 짐작게 한다.

① 동모산에서 건국되었다.
② 읍군 · 삼로가 통치하였다.
③ 국호가 남부여로 바뀌었다.
④ 22담로에 왕족을 파견하였다.
⑤ 살수에서 수의 침략을 격퇴하였다.

06 다음 사건들을 발생한 순서대로 옳게 나열한 것은?

(가) 독서삼품과를 실시하였다.
(나) 관료전을 지급하기 시작하였다.
(다) 신라군이 기벌포에서 당군을 격퇴하였다.
(라) 고구려군이 안시성에서 당군을 격퇴하였다.

① (가)–(라)–(나)–(다)   ② (나)–(가)–(라)–(다)
③ (나)–(라)–(다)–(가)   ④ (라)–(가)–(나)–(다)
⑤ (라)–(다)–(나)–(가)

07 (가) 인물에 대한 설명으로 옳은 것은?

> (가) 은/는 궁예의 신하로 있으면서 영토 확장에 큰 공을 세웠다. 마침내 사람들이 그를 왕으로 추대하였다. (가) 은/는 자주 서경에 행차하여 국경 지역을 순시하였는데, 이는 고구려의 옛 땅을 되찾으려 한 것이었다.

① 강동 6주를 획득하였다.
② 동북 9성을 축조하였다.
③ 기인 제도를 실시하였다.
④ 노비안검법을 실시하였다.
⑤「시무 28조」를 건의하였다.

08 밑줄 친 '그'의 주장으로 가장 적절한 것은?

> 서경 전역은 곧 낭불양가 대 유가의 싸움이며, …… 진취 사상 대 보수 사상의 싸움이니, 그가 곧 전자의 대표요, 김부식은 곧 후자의 대표였던 것이다. 이 싸움에서 그가 패하고, 김부식이 승리하였으므로 우리 역사가 사대적·보수적·속박적 사상, 즉 유교 사상에 정복되었으니, …… 이 전역을 어찌 1천 년래 제일 큰 사건이라 하지 아니하랴.

① 과거제를 실시하자!
② 서경으로 천도하자!
③ 동북 9성을 돌려주자!
④ 몽골과 끝까지 싸우자!
⑤ 전민변정도감을 설치하자!

09 다음 정책을 시행한 국왕에 대한 설명으로 옳은 것은?

> • 정동행성 이문소를 철폐하였다.
> • 기철을 제거한 공신들에게 상을 주기로 결정하고 교서를 내렸다.

① 몽골풍을 금지하였다.
② 과거제를 도입하였다.
③ 쓰시마섬을 정벌하였다.
④ 사심관 제도를 실시하였다.
⑤ 최승로의「시무 28조」를 수용하였다.

10 고려 시대의 향·부곡·소 거주민에 대한 설명으로 옳은 것을 〈보기〉에서 고른 것은?

> 〈보기〉
> ㄱ. 양인 신분이었다.
> ㄴ. 천인 신분이었다.
> ㄷ. 과거 응시가 불가하였다.
> ㄹ. 거주지 이전이 자유로웠다.

① ㄱ, ㄷ ② ㄱ, ㄹ ③ ㄴ, ㄷ
④ ㄴ, ㄹ ⑤ ㄷ, ㄹ

11 (가) 학문에 대한 설명으로 옳은 것은?

> 공민왕 16년(1367)에 성균관을 다시 짓고 이색을 판개성부사 겸 성균대사성으로 삼았다. 매일 명륜당에 앉아서 경전을 나누어 수업하였는데, 강의를 마치면 함께 논쟁하느라 지루함을 잊을 정도였다. 이에 학자들이 모여들기 시작하였고 (가) 이/가 비로소 흥기하게 되었다.
> ─「고려사」

① 도참사상과 결합하였다.
② 신진 사대부들이 수용하였다.
③ 무당을 중심으로 성행하였다.
④ 불로장생과 복을 기원하였다.
⑤ 의천이 천태종으로 통합하였다.

12 일연의「삼국유사」에 대한 설명으로 옳은 것은?

① 발해를 우리 역사에 편입하였다.
② 현존하는 가장 오래된 역사서이다.
③ 고구려 동명왕의 업적을 기록하였다.
④ 단군왕검을 우리 민족의 시조로 인식하였다.
⑤ 유교적 합리주의 사관을 중심으로 서술하였다.

13 조선 세조에 대한 설명으로 옳은 것을 〈보기〉에서 고른 것은?

〈보기〉
ㄱ. 신문고를 설치하였다.
ㄴ. 집현전을 폐지하였다.
ㄷ. 호패법을 실시하였다.
ㄹ. 『경국대전』 편찬을 시작하였다.

① ㄱ, ㄴ　　② ㄱ, ㄷ　　③ ㄴ, ㄷ
④ ㄴ, ㄹ　　⑤ ㄷ, ㄹ

14 (가) 인물에 대한 설명으로 옳은 것은?

• (가) 은/는 배은망덕하여 천명을 두려워하지 않고 속으로 다른 뜻을 품어 오랑캐에게 성의를 베풀었다. 기미년(1619) 오랑캐를 정벌할 때에는 은밀히 장수를 시켜 동태를 보아 행동하게 하여 끝내 전군이 오랑캐에게 투항하여 추한 소문이 사해에 퍼지게 하였다.
• 왕이 의병을 일으켜 대비의 명으로 경운궁에서 즉위하였다. (가) 을/를 폐위시켜 강화로 내쫓았다.

① 균역법을 실시하였다.
② 무오사화를 일으켰다.
③ 대동법을 실시하였다.
④ 남한산성으로 피난하였다.
⑤ 전민변정도감을 설치하였다.

15 밑줄 친 '전쟁'의 결과로 옳은 것은?

영화 제목: 남한산성
줄거리: 전쟁이 일어나자 인조와 신하들은 남한산성으로 피신한다. 적에게 완전히 포위된 상황 속에서 대신들의 의견 또한 첨예하게 맞선다. 항복할 것인가, 싸울 것인가. 인조의 번민은 깊어진다.

① 천리장성을 축조하였다.
② 에도 막부가 수립되었다.
③ 조선과 청이 군신 관계를 맺었다.
④ 광해군의 중립 외교가 실시되었다.
⑤ 명과 일본이 휴전 협상에 돌입했다.

16 다음 자료를 활용한 탐구 주제로 가장 적절한 것은?

조정에서 노론, 소론, 남인의 삼색이 날이 갈수록 더욱 사이가 나빠져 서로 역적이라는 이름으로 모함하니, 이 영향이 시골까지 미치게 되어 하나의 싸움터를 만들었다. 그리하여 서로 혼인을 하지 않을 뿐만 아니라 다른 당색끼리는 서로 용납하지 않는 지경까지 이르렀다.

① 훈구파와 사림의 대립
② 문벌 지배 체제의 붕괴
③ 권문세족과 신진 사대부의 대립
④ 환국의 발생과 붕당 정치의 변질
⑤ 골품제의 동요와 통일 신라의 쇠퇴

17 (가) 제도에 대한 탐구 활동으로 가장 적절한 것은?

(가) 실시에 따른 각 계층의 반응
지주: 공물을 토지 결수에 따라 쌀 등으로 거둔다니 반대합니다.
농민: 토지가 적은 사람은 부담이 줄어들겠어요.
방납업자: 이젠 방납을 하기가 어려울 것 같군요.

① 신돈의 개혁　　② 삼정의 문란
③ 공인의 등장 배경　　④ 군역 부담의 감소
⑤ 신진 사대부의 개혁 정치

18 밑줄 친 '이들'에 대한 설명으로 옳은 것은?

• 이들의 매매는 관청에 신고하여야 한다. 사사로이 몰래 매매하였을 경우에는 관청에서 그 대가로 받은 물건을 모두 몰수한다.
• 무릇 이들의 소생은 그 어미의 역을 따른다. 다만 그 남자가 양인 여자와 혼인하여 태어난 소생은 그 아비의 역을 따른다.
– 『경국대전』

① 과거 응시가 가능하였다.
② 조세 · 공납 · 역의 의무를 졌다
③ 음서와 공음전의 특권을 보장받았다.
④ 양인이지만 천역에 종사하여 천대받았다.
⑤ 재산으로 간주되어 상속의 대상이 되었다.

다음 자료를 읽고 물음에 답해 보자.

(가) 『고려사』에 기록된 묘청의 서경 천도 운동

• 묘청이 글을 올리기를, "신 등이 서경 임원역 땅을 보니 이는 음양가가 말하는 대화세입니다. 만약 궁궐을 세워 옮기시면 천하를 합병할 수 있을 것이요, 금나라가 폐백을 가지고 스스로 항복할 것이며, 36국이 다 신하가 될 것입니다."라고 하였다. …… 황주첨이 묘청과 정지상의 뜻에 따라 칭제 건원할 것을 주청하였으나 (왕이) 듣지 않았다. 인종 13년에 묘청이 서경을 거점으로 난을 일으켰다.

(나) 일제 강점기의 역사학자가 바라본 묘청의 서경 천도 운동

• 신채호의 『조선사연구초』 | 서경 전역을 역대의 사가들은 다만 왕사가 반적을 친 전역으로 알았을 뿐이었으나 이는 근시안의 관찰이다. 그 실상은 이 전역이 낭불양가 대 유가의 싸움이며, 국풍파 대 한학파의 싸움이며, 독립당 대 사대당의 싸움이며, 진취 사상 대 보수 사상의 싸움이었다. 묘청은 곧 전자의 대표요, 김부식은 후자의 대표였던 것이다. 이 싸움에서 묘청 등이 패하고 김부식 등이 승리하였으므로 조선사가 사대적·보수적·속박적 사상, 즉 유교 사상에 정복되고 말았거니와 만일 이와 반대로 김부식 등이 패하고 묘청 등이 승리하였더라면 조선사가 독립적·진취적 방향으로 진전하였을 것이니, 이 전역을 어찌 조선 역사상 1천 년래 제일 큰 사건이라 하지 아니하랴.

(다) 21세기 대한민국의 역사학자가 바라본 묘청의 서경 천도 운동

• 이병희의 『뿌리깊은 한국사 샘이 깊은 이야기: 고려』 | 이자겸의 난이나 묘청의 난은 모두 소수 문벌 귀족들의 독주와 왕권 약화를 배경으로 일어났다. 다만 전자는 특정한 문벌 귀족과 국왕의 대립, 문벌 귀족 상호 간의 대립이 강하게 드러났으며, 후자는 개경의 문벌 귀족과 서경 출신 관료 사이의 대립에서 일어났다. 특히 묘청의 난에는 서경 출신 관료만이 아니라 지역 농민, 승려들도 참여했음이 눈에 띈다. 이러한 난을 겪으면서도 문벌 귀족 중심의 사회 체제에 대한 개혁은 없었다. 지배층의 분열과 갈등은 결국 문벌 귀족 사회를 부정하는 무신란을 불러왔다.

논술 길라잡이

• 묘청의 주장에 영향을 미친 고려 시대의 사상을 정리한다.
• 두 역사학자가 한 사건에 대해 각자 다른 견해를 제시한 까닭을 시간적·공간적 측면에서 다각도로 분석해 본다.

더 알아보기

• 낭불양가 대 유가: 불교 대 유교
• 국풍파 대 한학파: 고려의 자주성을 지키려는 국풍파와 중국의 문화를 숭상하는 한학파

01 (가)에서 밑줄 친 부분의 주장을 뒷받침한 사상에 대해 서술하시오.

02 (나)와 (다)의 저자가 주장하는 묘청의 서경 천도 운동의 가치가 무엇인지 각각 쓰고, 두 저자가 한 사건을 다르게 평가한 까닭을 다각도로 분석하여 서술하시오.

II 근대 국민 국가 수립 운동

이번 대주제에서는

✚ 흥선 대원군의 정책과 개항 이후 추진된 근대적 개혁의 내용을 설명할 수 있다.

✚ 동학 농민 운동과 갑오개혁 등 근대 국민 국가 수립을 위한 노력을 파악할 수 있다.

✚ 을사늑약 등 대한 제국의 국권 피탈 과정과 이에 맞선 국권 수호 운동을 설명할 수 있다.

✚ 개항 이후 나타난 경제·사회·문화의 변화 내용과 서구 문물의 수용 양상을 탐구할 수 있다.

학습 계획표
- 자신의 일정에 맞게 계획을 세워보고, 실제 학습일을 적어 봅시다.
- 학습을 마무리한 후 얼마나 학습 목표를 달성하였는지 스스로 점검해 봅시다.

서구 열강의 접근과 조선의 대응

1 흥선 대원군의 개혁

1 흥선 대원군이 집권할 무렵의 상황

(1) 대내적인 상황
  ① 60여 년의 세도 정치 → 정치 기강 문란
  ② 삼정의 폐단 → 농민 봉기 전국 확산

(2) 대외적인 상황 ┌→ 조선 연해에 잇달아 나타난 서양 선박을 이르는 말이다.
  ① 18세기 후반부터 이양선 출몰 → 해안 측량 및 통상 요구
  ② 제1차 아편 전쟁으로 중국, 미국의 무력시위로 일본이 문호 개방 → 조선의 민심 동요
  ③ 고종 즉위(1863) → 고종의 아버지인 흥선 대원군, 정치적 실권 장악

2 흥선 대원군의 개혁 정책

(1) 인재 등용과 통치 체제의 재정비
  ① 목적: 정치 질서 회복 및 왕권 강화
  ② 인재 등용: 외척 세력인 안동 김씨 세력 일부 축출, 종친 세력 대거 발탁, 정계에서 밀려났던 다양한 정치 세력 등용 → 자신의 정치적 기반 강화 **자료 콕콕 ❶**
  ③ 통치 체제의 재정비

정치 기구	• 세도 가문의 핵심 권력 기구인 비변사를 사실상 폐지 • 의정부와 삼군부 기능 부활 → 각각 정치, 군사 담당
법전	『대전회통』 편찬 → 통치 기강 확립

(2) 경복궁 중건
  ① 목적: 세도 정치를 거치면서 실추된 왕실 권위 회복
  ② 과정: 원납전 징수, 당백전 발행으로 비용 마련, 양반의 묘지림 벌목, 백성 강제 동원 등
    └→ 당시 통용되던 상평통보 1문전의 100배에 해당하는 명목 가치로 통용되던 고액 화폐이다.
  ③ 결과
    • 당백전의 지나친 발행으로 물가 폭등(유통 경제 혼란)
    • 원납전 징수, 묘지림 벌목, 백성의 노동력 징발로 양반과 백성의 반발 초래

(3) 삼정의 문란을 개혁하기 위한 노력
  ① 목적: 농촌 사회 안정 및 국가 재정 확충
  ② 내용

전정	양전(토지 조사) 시행 → 토지 대장에 파악되지 않은 땅 색출하여 조세 부과
군정	집집마다 군포 거두는 호포제 시행 → 양반에게도 군포 징수
환정(환곡)	마을 단위로 사창 설치, 주민들이 자치적으로 운영하는 사창제 시행

  ③ 결과: 백성의 부담 감소, 민심 안정에 기여, 운영상의 개선에 불과하여 수령과 서리의 중간 수탈 잔존

개념 체크

1 다음 설명이 맞으면 ○표, 틀리면 ×표를 해 보자.

(1) 흥선 대원군은 『속대전』을 편찬하여 통치 기강을 확립하고자 하였다. (   )
(2) 흥선 대원군은 경복궁을 중건하는 데 필요한 비용을 마련하기 위해 상평통보를 발행하였다. (   )

2 빈칸에 알맞은 말을 써 보자.

(1) 18세기 후반부터 (   )(이)라 불린 서양 선박이 조선 연해에 잇달아 나타났다.
(2) 흥선 대원군은 세도 가문의 핵심 권력 기구였던 (   )을/를 사실상 폐지하였다.
(3) 흥선 대원군은 집집마다 군포를 징수하는 (   )을/를 시행하였다.

3 서로 관련 있는 내용끼리 연결해 보자.

(1) 법전 정비 • • ㉠ 원납전
(2) 경복궁 중건 • • ㉡ 사창제
(3) 삼정의 문란 개혁 • • ㉢ 『대전회통』

자료 콕콕 ❷ 병인박해와 병인양요

(4) 서원 정리
① 배경: 서원의 면세·면역 특권으로 국가 재정 악화, 서원의 농민 수탈
② 내용: 서원전의 면세 규정 폐지, 사액 서원을 수령이 직접 주관하도록 처리, 47개소를 제외하고 전국의 서원을 모두 철폐
③ 결과: 왕권 강화, 국가 재정 확충에 기여, 농민 보호, 최익현을 비롯한 양반 유생들의 반발 초래(흥선 대원군 실권의 배경)

2 통상 수교 거부 정책과 양요

1 흥선 대원군의 천주교 탄압, 병인박해
<small>제2차 아편 전쟁 당시 러시아는 영국·프랑스와 청을 중재한 대가로 연해주 지역을 차지하였다.</small>
(1) 배경: 러시아의 연해주 지역 획득 → 조선에 통상 요구
(2) 전개: 흥선 대원군이 선교사의 도움으로 프랑스를 끌어들여 러시아 견제 시도 → 실패, 천주교 금지 여론 고조 → 흥선 대원군의 천주교 탄압 → 프랑스인 선교사 9명 등 수천 명의 신자 처형(병인박해, 1866)

2 제너럴 셔먼호의 통상 요구
(1) 배경: 미국 상선 제너럴 셔먼호, 평양에서 통상 요구 → 거절당하자 횡포
(2) 내용: 평안도 관찰사 박규수 주도로 공격하여 소각(제너럴 셔먼호 사건, 1866)

3 병인양요의 전개
(1) 배경: 흥선 대원군의 천주교 탄압 정책 <small>자료 콕콕 ❷</small>
(2) 전개: 프랑스 함대가 강화도 침략(병인양요, 1866) → 문수산성 한성근 부대의 항전, 정족산성 양헌수 부대의 승리 → 프랑스군 외규장각 도서 등 약탈하고 철수

4 오페르트의 남연군 묘 도굴 사건
(1) 배경: 독일 상인 오페르트의 통상 요구 → 조선 정부의 거부
(2) 내용: 선교사의 지원을 받은 오페르트가 남연군의 묘 도굴 시도 → 주민들의 저항으로 실패
(3) 영향: 서양인에 대한 반감 고조, 흥선 대원군의 통상 수교 거부 정책 강화

5 신미양요의 전개
(1) 배경: 미국이 제너럴 셔먼호 사건을 구실로 조선에 통상 요구
(2) 전개: 로저스 제독이 이끄는 미국 함대가 강화도 침략(신미양요, 1871) → 미군, 초지진·덕진진 점령하고 광성보 공격 → 어재연 등의 조선 수비대 항전에도 광성보 함락 → 통상 수교 교섭 실패 → 미군 철수

6 척화비 건립
(1) 흥선 대원군, 신미양요 이후 전국 각지에 통상 수교 거부 의지 담은 척화비 건립
(2) 통상 수교 거부 정책으로 서구 열강의 침략 일시 저지 → 급변하는 국제 정세 파악하지 못함.

조선 국왕이 프랑스 신부를 잔인하게 살해한 날이 곧 조선국 최후 멸망의 날이 될 것이다. 수일 내로 조선 정복을 위해 출정할 것이다. …… 이에 본관은 중국이 조선 문제에 간섭하지 않는다고 믿으며, 이후부터 본국(프랑스)과 조선 간에 전쟁이 있더라도 간섭하지 않기를 바란다.
－『청계 중·일·한 관계 사료』, 1972.

병인박해 직후 베이징 주재 프랑스 공사 벨로네가 작성한 글이다. 그는 병인박해를 언급하며 곧 조선을 위해 출정할 것이며, 청에 간섭하지 말 것을 경고하고 있다. 흥선 대원군의 천주교 탄압 정책이 세계 각지에서 대외 팽창을 추구하던 프랑스가 조선을 침략하는 구실로 작용하였음을 알 수 있다.

개념 체크

1 다음 설명이 맞으면 ○표, 틀리면 ×표를 해 보자.
(1) 흥선 대원군은 수령이 사액 서원을 직접 주관하게 하였다. ( )
(2) 흥선 대원군은 영국 선교사의 도움을 받아 러시아의 위협을 막고자 하였다. ( )

2 빈칸에 알맞은 말을 써 보자.
(1) 미국 상선 ( )은/는 통상 요구를 거절당하자 관리를 잡아 가두고, 주민을 공격하는 등 횡포를 부렸다.
(2) 병인양요 당시 ( )에서는 양헌수 부대가 프랑스군에 맞서 싸워 승리를 거두었다.
(3) 독일 상인 ( )은/는 통상 요구를 거절당하자 덕산에 있는 남연군의 묘를 도굴하려 하였다.

3 서로 관련 있는 내용끼리 연결해 보자.
(1) 병인양요 • • ㉠ 한성근
(2) 신미양요 • • ㉡ 어재연
(3) 제너럴 셔먼호 사건 • • ㉢ 박규수

01 밑줄 친 '그'의 정책으로 옳은 것은?

> 그가 집권한 후 어느 회의 석상에서 여러 대신에게 말하기를 "나는 천리(千里)를 끌어다 지척(咫尺)을 삼겠으며, 태산(泰山)을 깎아 내려 평지를 만들고 또한 남대문을 3층으로 높이려 하는데, 여러 공들은 어떠시오?"라고 하였다.

① 통리기무아문을 설치하였다.
② 의정부와 삼군부의 기능을 부활시켰다.
③ 현량과를 실시하여 인재를 등용하였다.
④ 공납을 토지 면적에 따라 거두도록 하였다.
⑤ 풍흉과 관계 없이 일정한 조세를 거두도록 하였다.

02 밑줄 친 '이 화폐'가 발행된 배경으로 가장 적절한 것은?

> 이 화폐의 실질 가치는 당시 통용되었던 상평통보의 5~6배에 지나지 않았지만, 상평통보 1문전의 100배에 해당하는 명목 가치로 통용되었다.

① 척화비가 건립되었다.
②『대전회통』이 편찬되었다.
③ 경복궁의 중건이 시작되었다.
④ 전국적인 양전이 시행되었다.
⑤ 해안가에 이양선이 출몰하였다.

03 다음은 영천 지역의 군포 부담층 변화를 나타낸 도표이다. 다음 변화의 배경으로 가장 적절한 것은?

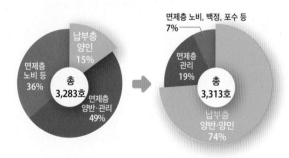

① 호포제 시행
② 대동법 시행
③ 균역법 시행
④ 당백전 발행
⑤ 서원전의 면세 규정 철폐

04 다음 제도가 실시될 당시 조선의 정세로 옳은 것을 〈보기〉에서 고른 것은?

> 사창에는 관장할 사람이 없어서는 안 되니 반드시 면에서 근면 성실하고 넉넉한 자를 택하여 관에 보고한 뒤 뽑는다. 또한 관에서 강제로 정하지 말고 그를 '사수'라 하여 환곡을 나누어 주고 수납하는 때를 맡아서 검사한다. …… 창고지기 1명도 사수가 지역민 중에 잘 선택하여 지키고, 출납하고 용량을 재는 등 모든 것을 해당 지역의 백성에게 맡긴다.

〈보기〉
ㄱ. 양전이 시행되었다.
ㄴ. 서원전의 면세 규정이 폐지되었다.
ㄷ. 평안도 지역에서 홍경래의 난이 일어났다.
ㄹ. 소수 외척 가문에 의한 세도 정치가 등장하였다.

① ㄱ, ㄴ
② ㄱ, ㄷ
③ ㄴ, ㄷ
④ ㄴ, ㄹ
⑤ ㄷ, ㄹ

중요
05 (가)에 들어갈 말로 적절한 것을 〈보기〉에서 고른 것은?

〈보기〉
ㄱ. 서원 정리
ㄴ. 호포제 실시
ㄷ. 비변사 폐지
ㄹ. 통상 수교 거부 정책

① ㄱ, ㄴ
② ㄱ, ㄷ
③ ㄴ, ㄷ
④ ㄴ, ㄹ
⑤ ㄷ, ㄹ

06 다음 사건의 영향으로 가장 적절한 것은?

> 평양부에 와서 정박한 미국의 이양선이 더욱 미쳐 날뛰면서 포와 총을 쏘아 우리 쪽 사람들을 살해하였습니다. 그들을 제압하고 이기는 방책으로는 화공 전술보다 더 좋은 것이 없으므로 일제히 불을 질러서 보내어 그 불길이 저들의 배에 번지도록 하였습니다.

① 조선 연해에 이양선이 출몰하였다.
② 러시아가 연해주 지역을 차지하였다.
③ 로저스 제독의 함대가 강화도를 침략하였다.
④ 병인박해로 많은 천주교 신자가 처형당하였다.
⑤ 독일 상인 오페르트가 조선에 통상을 요구하였다.

07 (가) 국가에 대한 설명으로 옳은 것은?

① 초지진과 덕진진을 점령하였다.
② 외규장각의 도서를 약탈하였다.
③ 남연군의 묘를 도굴하려 하였다.
④ 대동강을 거슬러 올라와 통상을 요구하였다.
⑤ 어재연의 항전을 물리치고 광성보를 함락하였다.

중요
08 다음 사건들을 발생 순서대로 옳게 나열한 것은?

> ㄱ. 병인박해　　　　　ㄴ. 신미양요
> ㄷ. 제너럴 셔먼호 사건　ㄹ. 오페르트 도굴 사건

① ㄱ－ㄴ－ㄷ－ㄹ
② ㄱ－ㄴ－ㄹ－ㄷ
③ ㄱ－ㄷ－ㄹ－ㄴ
④ ㄴ－ㄱ－ㄷ－ㄹ
⑤ ㄴ－ㄷ－ㄱ－ㄹ

사고력을 키우는 서술형

09 다음 자료를 읽고 물음에 답하시오.

> 군역에 뽑힌 장정들에게 군포를 받아들였으므로 그 폐단이 많아 백성들이 뼈를 깎는 원한을 갖고 있었다. …… 갑자년(1864) 초 대원군이 뭇사람의 원망을 무릅쓰고, 귀천이 동일하게 장정 한 사람마다 세납전 2꾸러미를 바치게 하였다.

(1) 자료에 해당하는 정책의 명칭을 쓰시오.

_____

(2) 위 정책의 시행 목적을 서술하시오.

_____

_____

10 다음 정책이 초래한 결과를 서술하시오.

> 대원군이 명령을 내려서 나라 안 서원을 모두 허물고 서원 유생들을 쫓아 버리도록 하였다. …… 대원군이 크게 화를 내며 말하였다. "진실로 백성에게 해가 되는 것이 있으면 비록 공자가 다시 살아난다 하더라도 나는 용서하지 않겠다. 하물며 서원은 우리나라 선유를 제사하는 곳인데 지금은 도둑의 소굴이 됨에 있어서랴."

_____

_____

11 밑줄 친 ⑦ 사건의 명칭을 쓰시오.

> ⑦조선 국왕이 프랑스 신부를 잔인하게 살해한 날이 곧 조선국 최후 멸망의 날이 될 것이다. 수일 내로 조선 정복을 위해 출정할 것이다. …… 이후부터 본국(프랑스)과 조선 간에 전쟁이 있더라도 간섭하지 않기를 바란다.

_____

2 동아시아의 변화와 근대적 개혁의 추진

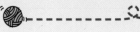

1 강화도 조약과 불평등 조약 체제

1 중국과 일본의 개항

(1) 중국의 개항
  ① 배경: 영국이 청 정부의 아편 단속을 구실로 전쟁 시작(제1차 아편 전쟁)
  ② 결과: 1842년 난징 조약 체결(5개 항구 개방, 홍콩 할양 등)

(2) 일본의 개항
  ① 배경: 1853년 미국 페리 제독이 이끄는 미국 함대의 무력시위
  ② 결과: 1854년 미·일 화친 조약 체결(2개 항구 개방) → 1858년 미·일 수호 통상 조약 체결(추가 항구 개방)

2 고종의 친정과 대외 정책의 변화

국외	일본, '천황' 중심 새 정부 수립(메이지 유신, 1868) → 조선, 일본의 국서를 격식에 어긋난다는 이유로 접수 거부 → 일본 내에서 정한론 제기
국내	흥선 대원군의 퇴진(1873) → 고종의 친정 → 대외 정책의 기조 변화

3 강화도 조약의 체결 [자료 콕콕 ①]

(1) 배경: 일본이 운요호를 파견하여 강화도에서 조선 수비대와 포격 주고받음. → 영종도에 상륙하여 약탈과 방화 자행(운요호 사건)

(2) 전개: 일본, 운요호 사건 구실로 조선에 문호 개방 요구 → 조선 정부는 통상 개화론 수용, 청도 조선에 일본과의 충돌 피할 것 권유

(3) 결과: 오랜 협상 끝에 강화도 조약(조·일 수호 조규) 체결(1876)

4 강화도 조약과 부속 조약의 성격

(1) 강화도 조약의 성격
  ① 조선이 자주국임을 규정: 조선에 대한 청의 종주권 차단하려는 일본의 의도
  ② 문호 개방: 부산 외 2개 항구 개항
  ③ 조선의 주권 침해: 해안 측량권, 영사 재판권 허용 등

(2) 부속 조약의 성격

조·일 수호 조규 부록	일본 외교관의 내지 여행 사실상 허용, 개항장에서의 일본인 거류지(조계) 설정 및 일본 화폐 유통 허용
조·일 무역 규칙	무관세 및 양곡의 무제한 유출 문제 발생

5 서양 열강과의 불평등 조약 체결

조·미 수호 통상 조약	• 배경: 1880년대 개화 정책 추진, 『조선책략』 유포, 청의 알선 • 내용: 거중 조정, 관세 부과, 미국의 영사 재판권 인정 및 최혜국 대우 보장 → 불평등 조약
열강과의 조약	영국, 독일, 러시아, 프랑스 등과 수호 통상 조약 체결 → 세계 질서에 편입

└ 크리스트교 포교 허용 문제로 프랑스와는 비교적 늦게 통상 조약이 체결되었다.

개념 체크

1 다음 설명이 맞으면 ○표, 틀리면 ×표를 해 보자.

(1) 프랑스는 청 정부가 아편을 엄격히 단속하자 이를 구실로 청과 전쟁을 일으켰다. ( )

(2) 에도 막부는 미·일 수호 통상 조약을 체결하며 문호를 처음 개방하였다. ( )

2 빈칸에 알맞은 말을 써 보자.

(1) 조선이 형식상의 이유를 들어 일본의 외교 문서 접수를 거부하자, 일본에서는 ( )이/가 제기되었다.

(2) 일본은 ( )을/를 구실로 조선에 문호 개방을 요구하였고, 오랜 협상 끝에 강화도 조약을 체결하였다.

(3) ( )은/는 외국인에 대한 재판을 그 나라 영사 등에게 허용한 권리이다.

3 서로 관련 있는 내용끼리 연결해 보자.

(1) 난징 조약 • • ㉠ 아편 전쟁
(2) 강화도 조약 • • ㉡ 페리 내항
(3) 미·일 화친 조약 • • ㉢ 운요호 사건

2 개화 정책의 추진과 반발

1 개화 세력의 형성과 개화 정책의 추진

(1) **통상 개화론**: 19세기 중반 박규수, 오경석, 유홍기 등 통상 개화론 주장 → 개화 사상의 형성에 영향

(2) **개화파의 형성**: 김옥균, 박영효 등 북촌의 양반 자제들, 개화사상 배워 훗날 개화파로 성장 → 강화도 조약 체결 전후 영향력 확대

(3) **개화 정책의 추진**

관제 개편	통리기무아문과 그 산하에 실무 담당하는 12개 부서 설치
군제 개편	5군영을 무위영과 장어영으로 개편(2영), 신식 군대인 별기군 창설(일본인 교관 초빙하여 근대식 군사 훈련 실시)
근대 시설	기기창(무기 제조), 박문국(인쇄·출판), 전환국(화폐 발행)

└→ 기기창은 영선사의 영향을 받아 만들어졌으며, 박문국에서는 우리나라 최초의 관보인 『한성순보』를 발행하였다. 전환국에서는 백동화를 발행하였다.

2 외교 사절과 시찰단의 파견

일본	• 김기수 등 1차 수신사(1876), 김홍집 등 2차 수신사(1880) 파견 • 박정양, 홍영식 등 조사 시찰단 파견(1881) → 귀국 후 시찰 보고서 제출
청	김윤식 등 영선사 파견(1881) → 무기 제조 기술과 군사 훈련법 습득
미국	민영익 등 보빙사 파견(1883) → 근대 시설과 문물 시찰

┌→ '바른 것을 지키고 사악한 것을 배척한다[衛正斥邪].'는 뜻이다. 바른 것은 성리
└ 학에 기반을 둔 전통 질서, 사악한 것은 천주교와 같은 서양 문화를 뜻한다.

3 위정척사 운동의 전개

1860년대	• 인물: 이항로, 기정진 등 • 배경: 서양 열강의 통상 수교 요구 • 내용: 척화주전론을 내세워 열강과의 통상 반대, 흥선 대원군의 통상 수교 거부 정책 지지
1870년대	• 배경: 운요호 사건 이후 일본의 조약 체결 요구 • 내용: 최익현 등의 유생들이 왜양일체론을 내세워 개항 반대
1880년대	• 배경: 『조선책략』 유포 자료 콕콕 ❷ • 내용: 이만손을 중심으로 한 유생들의 영남 만인소, 홍재학의 국왕 규탄 상소

4 임오군란의 발발

(1) **배경**: 구식 군대에 대한 차별 대우, 개항 이후 서민 생활 악화

(2) **전개**: 구식 군인의 봉기, 도시 서민 합류 → 고관, 일본 공사관, 궁궐 습격 → 흥선 대원군 재집권, 개화 정책 백지화 → 민씨 세력의 요청으로 청 개입 → 군란 진압 및 흥선 대원군 납치, 민씨 세력 재집권

5 임오군란의 영향

(1) **제물포 조약** 체결: 일본에 배상금 지불, 일본 공사관 경비 병력 주둔 허용

(2) **청의 영향력 강화**: 청군 주둔, 마젠창과 묄렌도르프 고문으로 파견, 조·청 상민 수륙 무역 장정 체결

러시아가 영토를 넓히려고 한다면 반드시 조선이 첫 번째 대상이 될 것이다. …… 러시아를 막는 책략은 무엇인가? 중국과 친하고[親中國], 일본과 맺고[結日本], 미국과 이어짐[聯美國]으로써 자강을 도모할 뿐이다.

– 황준헌, 『조선책략』

『조선책략』은 2차 수신사로 일본에 갔던 김홍집이 그곳에 머무르고 있던 청의 관리 황준헌을 만나 의견을 교환하고 얻어 온 책이다. 황준헌은 이 책에서 러시아 세력을 견제하기 위해서는 조선, 중국, 일본이 함께하고 미국을 끌어들여야 한다고 주장하였다. 조선 정부가 이 책의 영향으로 미국과의 수교를 추진하자, 이만손 등 영남 지역의 유생들은 정부의 개화 정책과 미국과의 수교에 반대하는 상소를 올렸다.

개념 체크

1 다음 설명이 맞으면 ○표, 틀리면 ×표를 해 보자.

(1) 19세기 중반 박규수, 오경석, 유홍기 등이 통상 개화론을 주장하였다. ( )

(2) 1881년 조선 정부는 김홍집을 영선사로 청에 파견하였다. ( )

2 빈칸에 알맞은 말을 써 보자.

(1) 조선 정부는 (　　　　)을/를 설치하고, 그 밑에 12개 부서를 두어 각종 개화 업무를 담당하게 하였다.

(2) 1870년대에 최익현 등의 유생들은 일본과 서양이 같다는 (　　　　)을/를 주장하며 개항에 반대하였다.

(3) 임오군란 이후 조선은 (　　　　)을/를 체결하여 일본에 배상금을 지불하고 일본 공사관 경비 병력의 주둔을 허용하였다.

3 서로 관련 있는 내용끼리 연결해 보자.

(1) 기기창 •   • ㉠ 화폐 발행

(2) 전환국 •   • ㉡ 인쇄·출판

(3) 박문국 •   • ㉢ 무기 제조

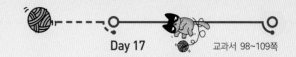
3 갑신정변과 열강의 각축

1 개화파의 분화

온건 개화파	• 인물: 김홍집, 김윤식, 어윤중 등 • 주장: 청의 양무운동을 본받아 동도서기론에 따른 점진적 개혁 주장 • 외교: 청과의 우호 관계 중시
급진 개화파	• 인물: 김옥균, 박영효, 홍영식, 서광범 등 • 주장: 일본 메이지 유신을 본받아 문명개화론의 입장에서 서양의 기술 및 정치 · 사회 제도를 수용하는 급진적 개혁 추진 • 외교: 청의 간섭에서 벗어나 자주적 근대 국가 수립 추구

2 갑신정변의 전개

(1) 배경

　① 임오군란 이후 청의 내정 간섭 심화

　② 급진 개화파와 민씨 세력 간의 대립 심화, 김옥균이 일본으로부터의 차관 도입 실패 → 급진 개화파의 입지 축소

(2) 전개: 베트남과의 전쟁으로 청군 일부 철수, 일본 공사의 병력 지원 약속 → 우정총국 개국 축하연을 계기로 급진 개화파가 정변 일으켜 정권 장악 → 새 정부 구성, 개혁 정강 발표 자료 콕콕 ❸

(3) 결과: 청군의 개입으로 진압, 급진 개화파 일본으로 망명

　└● 홍영식은 왕을 호위하다 살해되었으며, 김옥균, 박영효, 서광범, 서재필 등은 일본으로 망명하였다.

3 갑신정변의 의의와 영향

(1) 의의: 근대 국가 건설 목적의 정치 개혁 운동 → 갑오개혁과 독립 협회 등에 영향

(2) 한계: 일본의 군사력에 의존, 백성들의 지지를 얻지 못함.

(3) 영향

　① 한성 조약 체결(조선, 일본): 조선이 일본에 배상금 지불, 일본 공사관 신축 비용 부담

　② 톈진 조약 체결(청, 일본): 청과 일본 군대 조선에서 동시 철수, 추후 조선에 파병 시 상호 통보 약속

　└● 조선 파병 시 상호 통보 규정은 1894년 청·일 전쟁의 빌미를 제공하였다.

4 갑신정변 이후의 정세

(1) 열강의 각축

　① 거문도 사건: 영국, 러시아의 남하 견제 위해 거문도 불법 점령(1885~1887) → 청의 중재로 영국군 철수

　② 조선 중립화론의 제시: 독일 부영사 부들러가 조선의 영세 중립국화 건의, 유길준이 열강이 보장하는 중립국 구상

(2) 조선의 대응

　① 조선의 변화: 궁궐 내에 내무부 설치하고 개화 정책 추진, 미국·영국·독일·러시아·이탈리아·프랑스 등에 전권 공사 파견하여 외교 다변화 모색

　② 청의 내정 간섭: 청, 흥선 대원군 환국시키고 위안스카이 파견 → 청의 간섭 및 재정 부족 등으로 개화 정책 실패

---

1. 대원군을 가까운 시일 안에 돌아오게 하고, 청에 조공하는 허례를 폐지할 것.

2. 문벌을 폐지하여 인민 평등의 권리를 제정하고, 능력에 따라 관리를 임명할 것.

12. 국가 재정은 호조에서 관할하고, 그 밖의 모든 재무 관청은 폐지할 것.

13. 대신과 참찬은 합문 안의 의정소에서 매일 회의하여 정사를 결정할 것.

– 김옥균, 『갑신일록』

급진 개화파는 갑신정변으로 정권을 잡았다. 이후 그들은 왕실의 종친과 온건 개화파까지 포함하는 새 정부를 구성하였다. 그리고 조선의 자주독립, 문벌 폐지, 인민 평등권 제정, 인재 등용, 재정의 일원화, 경제 개혁, 군제 개혁, 내각제 수립 등을 포함하는 개혁 정강을 발표하였다.

개념 체크

1 다음 설명이 맞으면 O표, 틀리면 ×표를 해 보자.

(1) 온건 개화파는 일본의 메이지 유신을 본받아 점진적 개혁을 주장하였다. (　　)

(2) 갑신정변 이후 고종은 궁궐 내에 내무부를 설치하고 개화 정책을 추진하였다.

(　　)

2 빈칸에 알맞은 말을 써 보자.

(1) 급진 개화파는 (　　　　　)의 입장에서 정치 · 사회 제도의 개편까지 포함하는 개혁을 주장하였다.

(2) 급진 개화파는 갑신정변 과정에서 조선의 자주독립, 문벌 폐지 등을 포함하는 (　　　　)을/를 발표하였다.

(3) 갑신정변 이후 조·러 밀약설이 유포되자 영국은 러시아의 남하를 견제한다는 구실로 (　　　　)을/를 불법 점령하였다.

3 서로 관련 있는 내용끼리 연결해 보자.

(1) 김홍집 •　　　•㉠ 중립화론

(2) 부들러 •　　　•㉡ 온건 개화파

(3) 김옥균 •　　　•㉢ 급진 개화파

01 (가), (나) 조약에 대한 설명으로 옳은 것을 〈보기〉에서 고른 것은?

(가) 제4조 광저우, 푸저우, 샤먼, 닝보, 상하이가 개항하면 영국 상인은 오직 이 다섯 항구에서만 무역이 허용된다.
제9조 영국인이 청의 영토에서 죄를 범하면, 영국 관헌이 체포하여 조사한다.

(나) 제3조 시모다, 하코다테 외에도 나가사키, 니가타, 효고 등을 개항한다.
제6조 일본인에게 죄를 지은 미국인은 미국 영사 재판소에서 미국 법에 따라 처벌받는다.

〈보기〉
ㄱ. (가) 중재의 대가로 러시아가 연해주를 차지하였다.
ㄴ. (가) 청이 제1차 아편 전쟁에서 패배하면서 체결되었다.
ㄷ. (나) 일본이 서양 열강과 맺은 최초의 조약이다.
ㄹ. (가), (나) 상대국에게 영사 재판권을 보장하였다.

① ㄱ, ㄴ　　② ㄱ, ㄷ　　③ ㄴ, ㄷ
④ ㄴ, ㄹ　　⑤ ㄷ, ㄹ

중요
02 다음 주장이 제기된 배경으로 가장 적절한 것은?

저들이 왜인이라고 하나 실은 서양 오랑캐와 같습니다. 강화가 한번 이루어지면 서학의 서적과 천주의 초상화가 들어올 것입니다. …… 지금 온 왜인들은 서양 옷을 입고 서양 대포를 사용하며 서양 배를 탔으니, 이는 서양과 왜가 한 몸이 되었음을 보여 주는 분명한 증거입니다.

① 조사 시찰단이 일본에 파견되었다.
② 일본이 조선에 문호 개방을 요구하였다.
③ 수신사 김홍집이 『조선책략』을 들여왔다.
④ 일본 상인이 조선과의 무역을 독점하였다.
⑤ 일본군이 영사관 경비를 위해 조선에 주둔하였다.

중요
03 다음 조약의 체결 배경으로 옳은 것을 〈보기〉에서 고른 것은?

제1관 조선은 자주국이며 일본과 평등한 권리를 가진다.
제4관 조선국 정부는 부산 이외에 제5관에 제시한 두 곳의 항구를 별도로 개항하여 일본국 인민이 왕래하면서 통상하도록 허가한다.
제10관 일본국 인민이 조선국이 지정한 각 항구에서 죄를 범하였을 경우 모두 일본국이 심리하여 판결한다.

〈보기〉
ㄱ. 청 상인의 내지 진출이 본격화되었다.
ㄴ. 조선 내에서 통상 개화론이 제기되었다.
ㄷ. 군함 운요호가 무력으로 영종도를 침략하였다.
ㄹ. 청이 조선에 묄렌도르프를 고문으로 파견하였다.

① ㄱ, ㄴ　　② ㄱ, ㄷ　　③ ㄴ, ㄷ
④ ㄴ, ㄹ　　⑤ ㄷ, ㄹ

중요
04 다음 조약에 대한 대화 내용으로 적절하지 않은 것은?

제1관 만약 상대방 국가가 어떤 불공평하고 경시당하는 일이 있으면 한 번 통지를 거쳐 반드시 서로 도와주며 중간에서 잘 조정해 두터운 우의와 관심을 보여 준다.
제5관 미국 상인과 상선이 조선에 와서 무역할 때 입출항하는 화물은 모두 세금을 바쳐야 하며, 세금을 거두는 권한은 조선이 자주적으로 한다. 일용품의 관세율은 10%를 초과하지 않는다.
제14관 이후 조선이 이 조약에 없는 어떠한 이익을 다른 나라 혹은 그 상인에게 베풀 경우, 미국 관민도 동일한 혜택을 받도록 한다.

① 『조선책략』 유포가 체결에 영향을 주었어.
② 최혜국 대우 등이 포함된 불평등 조약이야.
③ 양곡의 무제한 유출이 일어나는 원인이 되었어.
④ 청의 알선으로 조선과 미국 사이에 체결되었어.
⑤ 조선이 서양과 맺은 최초의 조약이라는 의미가 있어.

05 개항 이후 조선 정부가 추진한 개화 정책에 대한 설명으로 옳지 <u>않은</u> 것은?

① 무기 제조 기관으로 기기창을 두었다.
② 인쇄 · 출판을 담당하는 박문국을 설립하였다.
③ 기존의 5군영을 무위영과 장어영으로 개편하였다.
④ 중국의 총리아문을 본떠 통리기무아문을 설치하였다.
⑤ 비변사를 사실상 폐지하고, 의정부와 삼군부의 기능을 부활하였다.

06 밑줄 친 '사절단'에 대한 설명으로 옳은 것은?

> 주상께서 밀지를 통해 소인을 <u>사절단</u>의 일원으로 임명하셨습니다, 그리고 소인에게 일본으로 건너가, 그들의 달라진 점과 세관 사무 및 기타 문물을 보고 듣고 탐색하여 오라고 명하셨습니다. 전하께서 명하신 것은 이전의 통신사나 수신사의 일과는 아주 다른 것이었습니다.

① 김기수를 대표로 하여 파견되었다.
② 무기 제조 기술 습득을 목적으로 하였다.
③ 시찰한 내용을 담은 보고서를 작성하였다.
④ 조 · 미 수호 통상 조약 체결 이후 파견되었다.
⑤『조선책략』이 조선에 들어오는 원인이 되었다.

07 다음 주장이 제기된 원인으로 가장 적절한 것은?

> 미국은 우리가 본래 모르던 나라입니다. 잘 알지 못하는데 공연히 타인의 권유로 불러들였다가 그들이 재물을 요구하고 우리의 약점을 알아차려 어려운 청을 하거나 과도한 경우를 떠맡긴다면 장차 어떻게 응할 것입니까.

① 보빙사가 미국에 파견되었다.
② 일본이 운요호 사건을 일으켰다.
③ 급진 개화파가 정변을 일으켰다.
④ 황준헌이 쓴『조선책략』이 유포되었다.
⑤ 이양선이 나타나 조선에 통상을 요구하였다.

중요 08 (가)에 들어갈 내용으로 적절한 것을 〈보기〉에서 고른 것은?

〈수행 평가 보고서〉
1. 주제: 위정척사 운동의 전개
2. 수집 자료
 • 척화주전을 주장하는 이항로의 상소문
 • 일본과의 조약 체결을 반대하는 최익현의 상소문
 •   (가)

〈보기〉
ㄱ. 조사 시찰단이 국왕에게 올린 보고서
ㄴ. 강화도 조약 당시 박규수가 올린 상소문
ㄷ. 정부의 정책을 비판하는 이만손의 상소문
ㄹ. 국왕을 규탄하는 내용을 담은 홍재학의 상소문

① ㄱ, ㄴ   ② ㄱ, ㄷ   ③ ㄴ, ㄷ
④ ㄴ, ㄹ   ⑤ ㄷ, ㄹ

중요 09 (가) 사건의 전개 과정에서 있었던 사실로 옳은 것은?

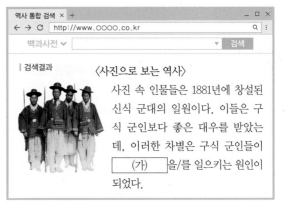

〈사진으로 보는 역사〉
사진 속 인물들은 1881년에 창설된 신식 군대의 일원이다. 이들은 구식 군인보다 좋은 대우를 받았는데, 이러한 차별은 구식 군인들이 [(가)]을/를 일으키는 원인이 되었다.

① 청과 일본군이 동시에 철수하였다.
② 조·청 상민 수륙 무역 장정이 체결되었다.
③ 흥선 대원군이 개화 정책을 백지화하였다.
④ 김옥균, 박영효 등이 일본으로 망명하였다.
⑤ 청이 마젠창을 고문으로 조선에 파견하였다.

중요

10 밑줄 친 '그들'에 대한 설명으로 옳은 것을 〈보기〉에서 고른 것은?

그들의 실패는 매우 애석한 일이오. 일류 수재들이 일본인에게 이용당해 그처럼 크나큰 착오를 하였으니.

어찌 일본인이 진심으로 그들을 성공하게 하고 조선을 위해 노력했겠소? 우리가 만일 발전의 조짐을 보이면 백방으로 방해할 터인데.

〈보기〉
ㄱ. 청의 양무운동을 모범으로 삼았다.
ㄴ. 문명개화론의 입장에서 개혁을 추진하였다.
ㄷ. 조선의 생존 전략으로 중립화론을 제기하였다.
ㄹ. 서양 기술의 도입 뿐 아니라, 정치·사회 제도의 개편까지 포함하는 개혁을 추구하였다.

① ㄱ, ㄴ   ② ㄱ, ㄷ   ③ ㄴ, ㄷ
④ ㄴ, ㄹ   ⑤ ㄷ, ㄹ

중요

11 (가) 사건의 결과로 옳은 것은?

나(김윤식)는 군란 때 청병을 따라 귀국하였다. 이때부터 청국은 나랏일을 자주 간섭하고, 나는 청국당으로 지목되었다. 김옥균 등은 청국이 우리 자주권을 침해하는 데 분노하여 마침내 일본 공사와 같이 [(가)]을/를 일으켰다.

① 조·청 상민 수륙 무역 장정이 체결되었다.
② 홍재학이 국왕을 규탄하는 상소를 올렸다.
③ 청군이 흥선 대원군을 청으로 압송하였다.
④ 조선이 공사관 경비를 위한 일본군의 주둔을 허용하였다.
⑤ 조선이 한성 조약을 체결하여 일본에 배상금을 지불하였다.

사고력을 키우는 서술형

12 다음 자료에 나타난 개혁 이론의 명칭을 쓰시오.

동양은 정신문화, 즉 유교적 가치관이나 세계관에서 서양에 비해 우위에 있습니다. 다만 현실적으로 자강을 위해 서양이 우위에 있는 산업·기술·과학·무기 등 기술 문명만은 수용해야 합니다.

_____

13 다음 자료를 읽고 물음에 답하시오.

1. 대원군을 가까운 시일 안에 돌아오게 하고, 청에 조공하는 허례를 폐지할 것.
2. 문벌을 폐지하여 인민 평등의 권리를 제정하고, 능력에 따라 관리를 임명할 것.
12. 국가 재정은 호조에서 관할하고, 그 밖의 모든 재무 관청은 폐지할 것.
13. 대신과 참찬은 합문 안의 의정소에서 매일 회의하여 정사를 결정할 것.

– 김옥균, 「갑신일록」

(1) 제시된 자료가 발표되었던 사건의 명칭을 쓰시오.

_____

(2) 위 사건의 배경을 서술하시오.

_____
_____

14 다음과 같은 상황을 극복하기 위한 조선 정부의 노력에 대해 서술하시오.

갑신정변 이후 청의 간섭이 심해지는 상황에서 조선이 러시아 세력을 끌어들이려고 한다는 조·러 밀약설이 유포되었다. 이에 영국은 러시아의 남하를 견제한다는 구실로 거문도를 불법 점령하였다.

_____
_____

3 근대 국민 국가 수립을 위한 노력

1 동학 농민 운동의 전개

1 농촌 사회의 동요와 교조 신원 운동

(1) **농촌 사회의 동요:** 외세의 경제 침탈, 농민의 조세 부담 증가, 지방관의 수탈 → 1880년대 후반부터 농민 봉기 빈번하게 발생

(2) **동학의 확산과 교조 신원 운동**

① **동학의 확산:** 교조 최제우 처형 이후 최시형이 교단 조직 정비 → 교세 확장

② **교조 신원 운동의 전개:** 정부의 동학교도 탄압 → 동학교도, 교조 최제우의 신원과 동학에 대한 탄압 중지 호소

공주·삼례	교조 신원 집회 개최
서울	교단 간부들이 궁궐 문 앞에서 상소
보은	교조 신원 및 탐관오리의 숙청 및 외세 배척 주장

2 제1·2차 동학 농민 운동

(1) **고부 농민 봉기의 발발**
  주모자가 드러나지 않도록 둥근 사발을 엎어 놓고 그린 원을 중심으로 참가자의 이름을 빙 둘러 가며 적은 통문이다.

① **배경:** 고부 군수 조병갑의 횡포(만석보 사건)

② **전개:** 전봉준 등은 사발통문 돌려 세력 규합 → 고부 관아 점령, 만석보 파괴(고부 농민 봉기, 1894) → 조병갑 파면 및 새로운 군수 임명, 안핵사 파견 → 새 군수의 회유로 농민들 해산

(2) **제1차 농민 운동**

① **배경:** 안핵사 이용태가 봉기 참가자들을 동학교도로 몰아 처벌

② **전개:** 전봉준 등이 무장에서 봉기 → 백산에서 격문과 4대 강령 발표, 농민군 지휘부 구성 → 황토현 전투·황룡촌 전투 승리 → 농민군, 전주성 점령

(3) **전주 화약 체결**
  황토현 전투는 농민군이 전라 감영의 군대를, 황룡촌 전투는 홍계훈의 부대를 격파한 전투이다.

① **배경:** 정부가 청에 구원 요청 → 청군 출병 → 톈진 조약과 거류민 보호 구실로 일본군까지 출병

② **전개:** 정부, 청·일 양국군 철수 위해 농민군의 「폐정 개혁안」 수용, 전주 화약 체결 → 농민군 해산 → 전라도 50여 개 군현에 집강소 설치, 농민군이 집강소 중심으로 각종 개혁 실천 [자료 콕콕 ①]

(4) **제2차 농민 운동과 우금치 전투**

① **배경:** 일본군, 조선의 철병 요구 무시하고 경복궁 침범한 뒤 내정 간섭

② **전개:** 농민군의 재봉기 → 전라도(남접)와 충청도(북접)의 농민군이 논산에 집결, 서울로 북상 → 우금치 전투 패배 → 전봉준 등 봉기 지도자 체포

(5) **동학 농민 운동의 의의**

① 동학 농민 운동 당시 제기된 개혁 요구가 갑오개혁에 일정 부분 반영

② 농민군의 잔여 세력이 항일 투쟁에 가담

개념 체크

1 다음 설명이 맞으면 ○표, 틀리면 ×표를 해 보자.

(1) 동학을 창시한 교조 최시형은 정부의 탄압을 받아 처형당하였다. ( )

(2) 조선 정부는 고부 농민 봉기 사태를 수습하기 위해 안핵사 이용태를 파견하였다. ( )

2 빈칸에 알맞은 말을 써 보자.

(1) 동학교도들은 ( )을/를 전개하여 최제우의 억울함을 풀어 주고 동학에 대한 탄압을 중지할 것을 호소하였다.

(2) 농민군은 전라 감영에서 보낸 군대를 ( )에서 격파하고 여러 고을을 점령하였다.

(3) 농민군이 전주성에서 철수한 후, 전라도 50여 개 군현에 ( )이/가 설치되었다.

3 서로 관련 있는 내용끼리 연결해 보자.

(1) 고부 농민 봉기 • • ㉠ 사발통문

(2) 제1차 농민 운동 • • ㉡ 우금치 전투

(3) 제2차 농민 운동 • • ㉢ 황룡촌 전투

2 갑오개혁과 을미개혁

1 일본군의 경복궁 침범과 청·일 전쟁

(1) **청·일 양국군의 출병**: 동학 농민 운동을 계기로 청·일 양국의 군대 조선 상륙 → 조선 정부, 전주 화약 체결하고 양국군 철수 요구 → 일본의 불응

(2) **일본군의 침범**: 일본군의 경복궁 침범 → 김홍집 등 온건 개화파가 새 정부 주도

(3) **청·일 전쟁의 발발**: 일본군, 경복궁 침범 이후 청군 공격 → 청·일 전쟁 승리

2 제1차 갑오개혁(1894. 6.)

(1) **배경**: 일본의 간섭으로 교정청 폐지 후 군국기무처 설치 → 개혁 추진

(2) **내용**

정치	궁내부 설치(왕실 사무와 국정 업무 분리), 6조를 8아문으로 개편, 경찰 기구로 경무청 신설, 중국 연호 폐지, 독자 연호 사용, 과거제 폐지
경제	국가 재정을 탁지아문으로 일원화, 은 본위 화폐제 채택
사회	공사 노비제 혁파, 조혼 금지, 과부 재가 허용, 연좌제 폐지

(3) **의의**: 청·일 전쟁을 틈타 군국기무처 주도 아래 비교적 자율적으로 개혁 추진

3 제2차 갑오개혁(1894. 12.)

(1) **전개**: 청·일 전쟁에서 일본 우세 → 일본의 내정 간섭 본격화(흥선 대원군 축출, 김홍집·박영효 연립 내각 구성) → 군국기무처 폐지, 연립 정부가 개혁 추진

(2) **특징**: 고종이 독립 서고문 발표(자주독립 천명), 「홍범 14조」 선포 [자료 콕콕 ❷]

(3) **내용**

정치	의정부를 내각으로 개편, 8아문을 7부로 개편, 지방관의 사법권과 군사권 박탈, 재판소 설치(사법권 독립), 지방 행정 체계를 8도에서 23부로 개편
사회	「교육입국 조서」 반포, 한성 사범 학교 관제 등 제정

4 삼국 간섭과 을미개혁

(1) **삼국 간섭**

① **배경**: 일본, 청·일 전쟁 승리 → 시모노세키 조약으로 랴오둥반도 획득

② **내용**: 러시아가 프랑스, 독일과 함께 일본에 랴오둥반도 반환 압력(삼국 간섭) → 일본이 청에 랴오둥반도 반환

③ **영향**: 고종의 친러 정책 추진 → 일본의 명성 황후 살해(을미사변)

(2) **을미개혁**

① **전개**: 을미사변 후 김홍집 중심의 내각 구성 → 개혁 추진

● 갑신정변으로 중단되었던 우편 업무가 을미개혁 시기 우체사의 설치로 재개되었다.

② **내용**

● '건양'은 양력을 세운다는 의미이다.

정치	'건양' 연호 채택
사회	태양력 사용, 단발령 공포, 소학교 설치, 종두법 시행, 우체사 설치

③ **반발**: 을미사변과 단발령에 반발하여 유생과 농민들이 의병 운동 전개

④ **결과**: 아관 파천 이후 김홍집 내각 붕괴, 개혁 중단

---

1. 청국에 의존하려는 생각을 버리고 자주독립의 기초를 세운다.

5. 의정부와 각 아문의 직무 권한을 명확히 규정한다.

6. 조세 징수는 법으로 정해 함부로 거두지 않는다.

7. 조세의 부과와 징수, 경비 지출은 모두 탁지아문이 관할한다.

13. 민법과 형법을 제정하여 인민의 생명과 재산을 보전한다.

14. 문벌을 가리지 않고 인재 등용의 길을 넓힌다.

– 「고종실록」

제2차 갑오개혁 당시 고종은 종묘에 나아가 청과의 관계를 끊고 자주독립하겠다는 독립 서고문을 바쳤다. 그리고 국정 개혁의 기본 강령이라 할 수 있는 「홍범 14조」를 선포하였다. 「홍범 14조」는 조선이 자주독립국임을 국내외에 선포하고 근대적 개혁 의지를 밝힌 문서라는 의의가 있다.

개념 체크

1 다음 설명이 맞으면 ○표, 틀리면 ×표를 해 보자.

(1) 김홍집 내각은 교정청을 폐지하고 군국기무처를 설치하여 개혁을 추진하였다.
( )

(2) 제2차 갑오개혁 때 설치된 궁내부가 왕실 사무를 총괄하였다. ( )

2 빈칸에 알맞은 말을 써 보자.

(1) 김홍집 내각이 추진한 제1차 갑오개혁에서는 국가 재정을 ( )(으)로 일원화하고 은 본위 화폐제를 채택하였다.

(2) 제2차 갑오개혁 시기에 ( )이/가 반포되고 한성 사범 학교 관제 등이 제정되었다.

(3) 고종이 친러 정책을 추진하자, 일본은 ( )을/를 일으켜 명성 황후를 살해하였다.

3 서로 관련 있는 내용끼리 연결해 보자.

(1) 제1차 갑오개혁 • • ㉠ 랴오둥반도 반환

(2) 제2차 갑오개혁 • • ㉡ 재판소 설치

(3) 삼국 간섭 • • ㉢ 군국기무처 설치

4 갑오·을미개혁의 의의와 한계

(1) 의의: 갑신정변과 동학 농민 운동의 개혁 의지 일부 반영, 개혁 일부는 대한 제국의 정책으로 계승

(2) 한계: 개혁 주도 세력이 일본에 의지

3 독립 협회의 활동

1 독립 협회의 창립

(1) 『독립신문』 창간(1896. 4.): 서재필이 정부의 지원을 받아 창간

└● 미국에서 시민권을 획득한 서재필은 을미개혁 중에 귀국하여 중추원 고문에 임명되었다.

(2) 독립 협회 창립(1896. 7.): 독립문 건립 등을 명분으로 관료와 지식인들이 창립

└● 독립 협회가 주도하여 사대 외교의 상징이었던 영은문이 헐린 자리 옆에 독립문을 건립하였다.

2 독립 협회의 활동

(1) 초기 활동

① 독립문 건립 기금을 내면 누구나 가입 가능 → 다양한 계층의 참여

② 『대조선 독립 협회 회보』 발간

③ 독립관에서 토론회 개최 → 교육 진흥, 산업 개발, 미신 타파, 의회 설립, 민권 신장 등을 주제로 토론

(2) 변화: 초기에는 정부 고위 관리들이 협회 주도 → 독립 협회, 정부 정책 비판 → 보수적 관리 이탈 → 윤치호·이상재 등 주도, 민중 대변하는 정치 단체로 발전

3 만민 공동회의 활동

(1) 배경: 러시아의 내정 간섭과 이권 요구 심화(군사 교관과 재정 고문 파견, 부산 절영도 조차, 한·러 은행 설립 요구 등)

(2) 전개 [자료 콕콕 3] └● 조약을 통해 유상 또는 무상으로 영토를 빌려주는 행위이다.

자주 국권 운동	만민 공동회 개최, 러시아의 내정 간섭과 이권 침탈 비판 → 러시아 군사 교관·재정 고문 철수, 절영도 조차 요구 저지, 한·러 은행 폐쇄
자유 민권 운동	• 신체의 자유, 재산권, 언론·출판·집회·결사의 자유 보장 요구 • 국민 참정권 운동 전개

4 의회 설립 운동과 관민 공동회

└● 국정 자문 기관인 중추원이 의회 기능을 수행할 수 있도록 관제를 개편할 것을 요구하였다.

(1) 의회 설립 운동: 독립 협회는 입헌 군주제와 유사한 정치 체제 지향 → 중추원 관제 개편 요구 → 보수 대신 퇴진, 개혁적 성향의 박정양 내각 수립

(2) 관민 공동회 개최: 각계각층의 국민과 단체 참석, 「헌의 6조」 결의(국권 수호·민권 보장 등 강조, 관민의 협력 요구) → 고종의 허용, 독립 협회 개정안 토대로 중추원 신관제 공포

5 독립 협회의 해산

(1) 배경: 보수 세력이 독립 협회가 공화제 시행한다고 모함

(2) 전개: 고종의 독립 협회 해산 명령, 지도부 체포 → 독립 협회, 만민 공동회 통해 저항 → 정부가 황국 협회와 군대 동원하여 만민 공동회 진압, 독립 협회 해산

└● 1898년 정부가 독립 협회에 대항하기 위해 조직한 보부상 중심의 어용 단체이다.

자료 콕콕 3 독립 협회의 요구

국가의 국가 됨은 둘이 있으니 자립하여 타국에 의뢰치 아니하고 자수(自修)하여 일국에 정법(政法)을 행하는 것입니다. 그런데 자립에 있어서는 재정권과 병권·인사권을 자주하지 못하고, 자수에 있어서는 전장(典章)과 법도가 행하여지지 않고 있으니, 국가가 이미 국가가 아닌 즉, 원컨대 안으로는 정장(定章)을 실천하시고 밖으로는 타국에 의뢰함이 없게 하시어 우리의 황권을 자주하고 국권을 자립하소서.

– 정교, 『대한계년사』

독립 협회는 러시아의 이권 침탈을 비판하면서 상소를 통해 자주 국권을 주장하였다. 그리고 1898년 3월부터 종로에서 만민 공동회를 개최하여 러시아의 내정 간섭과 이권 침탈을 규탄하였다. 결국 러시아는 대한 제국과의 외교적 마찰을 피하기 위해 군사 교관과 재정 고문을 철수시키고, 절영도 조차 요구도 철회하였다.

개념 체크

1 다음 설명이 맞으면 ○표, 틀리면 ×표를 해 보자.

(1) 독립 협회는 독립문 건립 기금을 내면 누구나 회원이 될 수 있도록 하였다. ( )

(2) 독립 협회는 공화정 시행을 위해 중추원 관제 개편을 요구하였다. ( )

2 빈칸에 알맞은 말을 써 보자.

(1) 미국에서 귀국한 서재필은 아관 파천 이후 정부의 지원을 받아 (   )을/를 창간하였다.

(2) 독립 협회는 (   )을/를 개최하여 러시아의 내정 간섭과 이권 침탈을 규탄하였다.

(3) 독립 협회가 해산 명령에 저항하자 고종은 (   )와/과 군대를 동원하여 협회를 강제로 해산시켰다.

3 서로 관련 있는 내용끼리 연결해 보자.

(1) 만민 공동회 •   • ㉠ 절영도 조차 저지

(2) 서재필 •   • ㉡ 「헌의 6조」

(3) 관민 공동회 •   • ㉢ 『독립신문』 창간

4 대한 제국과 광무개혁

1 대한 제국의 성립

(1) **배경**: 고종, 아관 파천 이후 국정 운영의 주도권 회복 시도 → 단발령 폐지, 내각제 폐지, 의정부 제도 복구, 23부제 폐지와 13도제 시행 조치

(2) **과정**: 고종의 환궁(1897. 2.) → 연호 '광무' 제정, 환구단에서 황제 즉위식 거행, 대한 제국 국호 선포

2 광무개혁 《자료콕콕 ❹》

(1) **목적**: 전제 군주제 기반으로 자주적 근대화 이룩

(2) **원칙**: 구본신참(舊本新參)의 원칙에 따라 개혁 추진
   └→ 옛것을 근본으로 하고 새로운 것을 참작한다는 의미이다. 대한 제국은 구본신참의 원칙에 따라 전제 군주제를 유지하는 가운데 서양의 기술을 참고하였다.

(3) **내용**
   ① **정치**: 「대한국 국제」 반포(1899) → 자주독립국 천명, 전제 군주제 지향
   ② **군사**
      • 원수부 설치하여 황제가 군 통수권 장악
      • 친위대 증강, 시위대 및 진위대 확대·개편
      • 무관 학교 설치, 징병제 시행 준비
   ③ **경제**
      • 황실 재정 담당 기관인 내장원 설치 → 각종 수익 사업 관할 → 내장원의 자금 이용하여 근대 개혁 추진
      • 양지아문 설치하여 양전 시행, 서양의 측량 방식 도입
      • 지계아문 설치하여 토지 소유자에게 지계 발급 → 이듬해에 양지아문의 사업을 지계아문에 통합 → 근대적 토지 제도와 지세 제도 수립 기초 마련
      • 식산흥업 정책 추진 → 상업·국제 무역 등 관장 기구 설치(전국 보부상단 업무 관할)
      • 경의선 철도 부설 시작, 전화와 전차 등 근대 시설 도입
   ④ **교육**
      • 유학 교육과 성균관 교육 강화
      • 상공 학교, 광무 학교 등 각종 실업 학교 설립
      • 황실 측근 및 관료들이 사립 학교 설립 → 신교육 실시
   ⑤ **외교**
      • 청과 대등한 입장에서 통상 조약 체결 → 벨기에, 덴마크와도 국교 수립
      • 국제기구 가입(만국 우편 연합, 국제 적십자사 등)
      • 파리 만국 박람회 참가(1900)

3 광무개혁의 의의와 한계

(1) **의의**: 러시아와 일본 등 열강의 세력 균형을 배경으로 추진된 근대적 개혁

(2) **한계**: 열강의 간섭 등으로 성과 미흡, 러·일 전쟁의 발발로 개혁 중단

자료 콕콕 ❹ 「대한국 국제」

제1조 대한국은 세계 만국에 공인된 자주독립 제국이다.

제2조 대한 제국의 정치는 만세에 걸쳐 불변할 전제 정치이다.

제3조 대한국 대황제는 무한한 군권(君權)을 누린다.

제6조 대한국 대황제는 법률을 제정하여 그 반포와 집행을 명령하고, 대사·특사·감형·복권을 명령한다.
          – 『일성록』

1899년 고종은 국가 운영의 기본 원칙을 담은 「대한국 국제」를 제정·공포하였다. 9개조로 이루어진 「대한국 국제」는 대한 제국이 자주독립국임을 천명하면서 입법·행정·사법에 걸친 절대권을 황제에게 부여하여 전제 군주제를 지향하였다. 또한 이는 헌법의 형식을 띠고 있지만 민권에 대한 언급이 없어 근대적 입헌 정신과는 거리가 있다는 한계를 내포하고 있다.

개념 체크

1 다음 설명이 맞으면 ○표, 틀리면 ×표를 해 보자.

(1) 대한 제국은 전제 군주제를 기반으로 자주적 근대화를 추구하였다. (　　)

(2) 대한 제국은 「대한국 국제」를 근간으로 청과 대등한 입장에서 통상 조약을 체결하였다. (　　)

2 빈칸에 알맞은 말을 써 보자.

(1) 고종은 러시아 공사관에서 환궁한 뒤 연호를 (　　　　　)(으)로 바꾸었다.

(2) 대한 제국은 옛것을 근본으로 하고 새로운 것을 참작한다는 (　　　　　)의 원칙에 따라 개혁을 추진하였다.

(3) 대한 제국은 (　　　　　)을/를 설치하고, 토지 소유자에게 토지 소유권을 보장하는 지계를 발급하였다.

3 서로 관련 있는 내용끼리 연결해 보자.

(1) 내장원 •　　　• ㉠ 군 통수

(2) 지계아문 •　　　• ㉡ 황실 재정

(3) 원수부 •　　　• ㉢ 토지 소유권

01 다음 질문에 대한 답변으로 가장 적절한 것은?

전봉준의 이름이 포함된 사발통문이에요.
이 통문이 작성된 이유는 무엇일까요?

① 일본군이 경복궁을 점령하였어요.
② 전라도 일대에 집강소가 설치되었어요.
③ 안핵사 이용태가 농민들을 탄압하였어요.
④ 정부의 탄압으로 최제우가 처형당하였어요.
⑤ 조병갑이 만석보를 짓고 물세를 거두었어요.

중요
02 다음 자료에 대한 대화 내용으로 가장 적절한 것은?

1. 사람을 죽이거나 가축을 잡아먹지 말라.
2. 충효를 다하여 세상을 구하고, 백성을 편안하게 하라.
3. 일본 오랑캐를 몰아내고 나라의 정치를 깨끗하게 하라.
4. 군대를 몰고 서울로 쳐들어가 권세가와 귀족을 모두 없 애라.

– 정교, 『대한계년사』

① 동학의 교조 최제우가 발표한 격문이야.
② 농민군이 백산에서 발표한 격문의 내용이야.
③ 일본군의 경복궁 침범에 대한 반발로 발표되었어.
④ 전주 화약 당시 정부군과 농민군의 합의 내용이야.
⑤ 교단 간부들이 궁궐 문 앞에서 올린 상소의 내용이야.

중요
03 (가) 인물에 대한 설명으로 옳은 것은?

(가) 이/가 들것에 실려 법 무아문으로 압송되고 있는 모 습을 촬영한 것이다. 그는 재판 을 받고 처형당하였다.

① 만석보를 짓고 물세를 거두었다.
② 단발령에 반발하여 의병을 일으켰다.
③ 동학을 창시하고 교세를 확장하였다.
④ 우금치에서 일본군과 관군에 맞서 싸웠다.
⑤ 갑신정변이 실패한 뒤 일본으로 망명하였다.

04 다음 전쟁이 전개되던 무렵에 발생한 사실로 옳은 것은?

① 전라도 일대에 집강소가 설치되었다.
② 단발령에 반발하여 의병이 일어났다.
③ 조선 정부가 을미개혁을 추진하였다.
④ 고종이 러시아 공사관으로 피신하였다.
⑤ 러시아의 주도로 삼국 간섭이 일어났다.

05 다음 사건들을 순서대로 바르게 나열한 것은?

ㄱ. 평양 전투   ㄴ. 황룡촌 전투
ㄷ. 일본군의 인천 상륙   ㄹ. 시모노세키 조약 체결

① ㄱ－ㄴ－ㄷ－ㄹ   ② ㄱ－ㄷ－ㄴ－ㄹ
③ ㄴ－ㄱ－ㄷ－ㄹ   ④ ㄴ－ㄱ－ㄹ－ㄷ
⑤ ㄴ－ㄷ－ㄱ－ㄹ

중요
06 밑줄 친 '개혁'이 추진되던 시기에 볼 수 있는 모습으로 가장 적절한 것은?

> 동학은 순변사에게 억울함을 호소하여 폐정의 여러 조목을 열거하였다. 우리 정부는 왕명을 받들어 교정청을 설치하여 …… 폐정의 여러 조목을 개혁하였는데, 모두 동학도들의 요구 사항 속에 있는 것들이었다.
>
> — 김윤식, 『속음청사』

① 「홍범 14조」를 반포하는 국왕
② 전주성을 점령하고 있는 농민군
③ 만석보를 허물고 있는 고부 농민들
④ 조선에 주둔하고 있는 일본의 군대
⑤ 군국기무처에서 개혁안을 발표하는 관리

중요
07 교사의 질문에 대한 학생의 답변으로 적절하지 <u>않은</u> 것은?

> 이 그림은 군국기무처에서 회의하는 모습입니다. 이 기구에서 추진한 개혁에는 무엇이 있을까요?

① 경무청을 신설하였어요.
② 재판소를 설치하였어요.
③ 과거제를 폐지하였어요.
④ 공사 노비제를 혁파하였어요.
⑤ 독자적인 연호를 사용하였어요.

중요
08 밑줄 친 '개혁'에 대한 설명으로 옳은 것을 〈보기〉에서 고른 것은?

> 그 소식 들었어? 갑신정변 때 일본으로 도망간 박영효가 이번에 돌아왔다더군.
>
> 나도 들었어. 이번에 김홍집과 함께 개혁을 한다고 하네.

〈보기〉
ㄱ. 한성 사범 학교 관제를 제정하였다.
ㄴ. 탁지아문으로 재정을 일원화하였다.
ㄷ. 지방관의 사법권과 군사권을 박탈하였다.
ㄹ. 궁내부를 설치하여 왕실 사무를 분리하였다.

① ㄱ, ㄴ   ② ㄱ, ㄷ   ③ ㄴ, ㄷ
④ ㄴ, ㄹ   ⑤ ㄷ, ㄹ

09 다음 상황이 등장한 배경으로 가장 적절한 것은?

> 경무사 허진은 순검들을 지휘하여 가위를 들고 길을 막고 있다가 사람만 만나면 갑자기 머리를 깎아 버렸다. 그들은 인가에 들어가 모두 단속해 찾아내므로 깊이 숨어 있는 사람이 아니면 머리를 깎이지 않는 사람이 없었다. 그중 서울에 온 시골 사람들은 문밖을 나섰다가 상투가 잘리면 대개 그 상투를 주워 주머니에 넣고 통곡을 하며 도성을 빠져나왔다.
>
> — 황현, 『매천야록』

① 일본군이 경복궁을 침범하였다.
② 일본의 공격으로 청·일 전쟁이 발발하였다.
③ 교정청이 폐지되고 군국기무처가 설치되었다.
④ 박영효 등이 귀국하여 연립 내각을 구성하였다.
⑤ 을미사변 이후 김홍집 내각이 개혁을 추진하였다.

10 을미개혁에 대한 설명으로 옳지 <u>않은</u> 것은?

① '건양' 연호가 채택되었다.
② 아관 파천을 계기로 개혁이 중단되었다.
③ 우체사가 설치되어 우편 업무가 재개되었다.
④ 개혁에 대한 반발로 의병 운동이 전개되었다.
⑤ 일본이 박영효를 내세워 개혁에 적극 간섭하였다.

중요
11 다음 대화의 주제가 되는 단체에 대한 설명으로 옳은 것은?

처음에 안경수, 이완용 등 정부 고위 관리들이 주도할 때에는 정부 정책에 협조하는 활동을 많이 하였습니다.

하지만 러시아의 절영도 조차 요구를 저지하는 등 정치 활동을 본격화하게 되자, 정부 고위 관리들이 탈퇴하지요.

① 중추원 신관제를 공포하였다.
② 「대한국 국제」를 제정·공포하였다.
③ 공화정체의 정치 체제를 추구하였다.
④ 러시아의 절영도 조차 요구를 저지하였다.
⑤ 교정청을 폐지하고 군국기무처를 설치하였다.

12 다음 사건들을 순서대로 바르게 나열한 것은?

> ㄱ. 독립문 건립 　　　　ㄴ. 『독립신문』 창간
> ㄷ. 관민 공동회 개최 　　ㄹ. 중추원 신관제 발표

① ㄱ－ㄴ－ㄷ－ㄹ　　② ㄱ－ㄷ－ㄴ－ㄹ
③ ㄴ－ㄱ－ㄷ－ㄹ　　④ ㄴ－ㄱ－ㄹ－ㄷ
⑤ ㄴ－ㄹ－ㄱ－ㄷ

13 다음 결의안의 발표 배경으로 가장 적절한 것은?

> **제1조** 외국인에게 의지하지 말고 관민이 합심하여 황제권을 공고히 할 것.
> **제2조** 외국과의 조약은 해당 부처의 대신과 중추원 의장이 함께 날인하여 시행할 것.
> **제3조** 재정은 탁지부에서 전담하여 맡고 예산과 결산을 국민에게 공포할 것.
> **제4조** 중대한 범죄는 공판하고 피고의 인권을 존중할 것.
> **제5조** 칙임관은 정부에 그 뜻을 물어 과반수가 동의하면 임명할 것.

① 중추원 신관제가 공포되었다.
② 고종이 독립 협회의 해산을 명하였다.
③ 개혁적인 성향의 박정양 내각이 수립되었다.
④ 고종이 러시아 공사관인 아관으로 피신하였다.
⑤ 황국 협회 회원들이 만민 공동회를 습격하였다.

중요
14 다음 법령을 제정한 정부의 개혁으로 옳지 <u>않은</u> 것은?

> **제1조** 지계아문은 한성부와 13도 각 부와 군의 산림, 토지, 전답, 가옥의 지계를 정리하기 위하여 임시로 설치한다.
> **제10조** 대한 제국 인민이 아닌 사람은 산림, 토지, 전답, 가옥의 소유주가 될 수 없다. 단 개항장은 이 규정의 제한을 받지 않는다.
> **제11조** 산림, 토지, 전답, 가옥의 소유주가 관계(官契)를 발급받지 않았다가 적발되었을 때는 그 가격의 10분의 4에 해당하는 벌금을 물리고 관계를 발급한다.
> **제22조** 토지 매매 증권을 인출하여 절반을 나눠 오른쪽 편은 토지 주인에게 주고, 왼쪽 편은 해당 지방 관청에서 보존한다.

① 경운궁 안에 원수부를 설치하였다.
② 토지 소유자에게 지계를 발급하였다.
③ 시위대와 진위대를 확대·개편 하였다.
④ 근대 학제에 따라 소학교를 설치하였다.
⑤ 무관 학교를 설치하고 징병제 시행을 준비하였다.

15 (가)에 들어갈 운동의 명칭을 쓰시오.

> 동학교도들은 [(가)]을/를 전개하여 최제우의 억울함을 풀어 주고 동학에 대한 탄압을 중지할 것을 호소하였다.

16 (가)에 들어갈 내용을 서술하시오.

> 〈 ○○○ 재판 기록〉
> 심문자: 작년 3월 고부에서 민중을 모았는가?
> ○○○: 고부 군수의 수탈이 심하여 의거하였다.
> 〈중략〉
> 심문자: 전주 화약 이후 다시 군대를 일으킨 이유는 무엇인가?
> ○○○: [(가)]

17 다음 자료를 읽고 물음에 답하시오.

> 2. 탐관오리는 죄목을 조사하여 모두 엄벌에 처한다
> 4. 불량한 유림과 양반들을 징계한다.
> 5. 노비 문서를 불태워 없앤다.
> 6. 모든 천인의 대우를 개선하고 백정이 쓰는 평량갓을 없앤다.
> 9. 관리 채용에는 문벌을 타파하고 인재를 등용한다.
> 10. 왜와 내통한 자는 엄벌에 처한다.
> 12. 토지는 균등히 나누어 경작하게 한다.

(1) 자료의 내용을 실천한 자치 기구의 명칭을 쓰시오.

(2) 조선 정부가 자료의 내용을 수용한 배경을 서술하시오.

18 다음 법령을 발표한 기구의 설치 및 폐지 과정을 서술하시오.

> 1. 국내외 문서에 개국 기년을 사용한다.
> 2. 문벌과 양반·상민 등의 계급을 타파하여 귀천에 구애됨이 없이 인재를 뽑아 쓴다.
> 4. 죄인 자신 외에 일체의 연좌제를 폐지한다.
> 8. 공사 노비법을 혁파하고 인신 매매를 금지한다.

19 다음 문서의 명칭을 쓰시오.

> 1. 청국에 의존하려는 생각을 버리고 자주독립의 기초를 세운다.
> 5. 의정부와 각 아문의 직무 권한을 명확히 규정한다.
> 7. 조세의 부과와 징수, 경비 지출은 모두 탁지아문이 관할한다.
> 13. 민법과 형법을 제정하여 인민의 생명과 재산을 보전한다.
> 14. 문벌을 가리지 않고 인재 등용의 길을 넓힌다.

20 다음 자료를 읽고 물음에 답하시오.

> 제1조 대한국은 세계 만국에 공인된 자주독립 제국이다.
> 제2조 대한 제국의 정치는 만세에 걸쳐 불변할 전제 정치이다.
> 제3조 대한국 대황제는 무한한 군권(君權)을 누린다.
> 제6조 대한국 대황제는 법률을 제정하여 그 반포와 집행을 명령하고, 대사·특사·감형·복권을 명령한다.

(1) 제시된 법령의 명칭을 쓰시오.

(2) 제시된 법령이 추구하는 정치 체제를 서술하시오.

4 일본의 침략 확대와 국권 수호 운동

1 일본의 국권 침탈

1 러·일 전쟁의 발발과 국권 침탈의 시작

> 러시아가 압록강 하류 용암포에 군사 기지를 설치하려 하자, 일본은 영국과 동맹을 체결하였다.

(1) 러·일 전쟁(1904~1905)
① 배경: 삼국 간섭 이후 한반도를 놓고 러시아와 일본의 대립 심화, <u>제1차 영·일 동맹</u> 체결
② 전개: 대한 제국 국외 중립 선언 → 일본, 뤼순항·인천항의 러시아 군함 공격 → 일본, 러시아의 발트 함대 격파 → 일본의 재정난, 러시아의 반정부 시위 심화 → 미국 중재로 러시아와 일본이 포츠머스 강화 조약 체결

(2) 국권 침탈의 시작
① 전쟁 중 국권 침탈

한·일 의정서 (1904. 2.)	러·일 전쟁 발발 직후 대한 제국의 국외 중립 선언을 무시하고 강제로 체결 → 일본, 한반도 내에서 군사상 필요한 지역 점령
제1차 한·일 협약 (1904. 8.)	재정 분야에 메가타, 외교 분야에 미국인 스티븐스를 고문으로 파견

② 일본의 한국 지배에 대한 서구 열강의 승인

가쓰라·태프트 밀약 (1905. 7.)	• 일본이 미국의 필리핀 지배 인정 • 미국이 한반도에 대한 일본의 지배 인정
제2차 영·일 동맹 (1905. 8.)	영국이 한반도에 대한 일본의 지배권 인정
포츠머스 강화 조약 (1905. 9.)	러시아가 한국에 대한 일본의 독점적 지위 인정

2 을사늑약 체결과 저항

> '늑약'이란 '강제로 체결된 조약'이란 의미이다. 을사늑약은 고종의 재가 없이 일본이 군대를 앞세워 체결하였기 때문에 늑약이라고 부른다.

(1) 외교권을 박탈한 **을사늑약**(제2차 한·일 협약) 체결(1905. 11.) [자료 쏙쏙 ①]
① 과정: 일본이 군대를 동원하여 경운궁(덕수궁) 포위, 고종과 대신들을 위협하여 조약 체결 강요 → 일본이 다섯 명의 친일 대신(을사오적)을 내세워 고종의 서명 없이 일방적으로 체결 선포
② 내용: 일본이 대한 제국의 외교권을 빼앗고, 통감부 설치
③ 결과: 이토 히로부미가 초대 통감으로 부임하여 내정 전반 간섭 시작

(2) 을사늑약 체결에 대한 저항
① 『황성신문』이 장지연의 「시일야방성대곡」 게재
② 민영환 자결, 조병세와 이상설 을사늑약 폐기, 을사오적 처벌 요구 상소
③ 상인들의 상가 철시 운동, 학생들의 동맹 휴학
④ 전국적인 항일 의병 운동의 발발

자료 쏙쏙 ① 을사늑약

제2조 일본국 정부는 한국과 타국 사이에 현존하는 조약의 실행을 완수할 임무가 있으며, 한국 정부는 금후 일본국 정부의 중개를 거치지 않고는 어떤 국제적 조약이나 약속도 하지 않기로 상약한다.
제3조 일본국 정부는 그 대표자로 하여금 한국 황제 폐하의 궐하에 1명의 통감을 두며, 통감은 오로지 외교에 관한 사항을 관리한다.
– 『고종실록』

일본은 군대로 조선의 궁성을 포위하고, 고종과 대신들을 위협해 한국을 보호국화하는 을사늑약 체결을 강요하였다. 고종은 끝내 이 조약에 서명하지 않았지만, 일본은 박제순, 이완용 등 을사오적을 앞세워 불법적으로 조약을 체결하였다.

개념 체크

1 다음 설명이 맞으면 ○표, 틀리면 ×표를 해 보자.
(1) 삼국 간섭 이후 러시아와 일본은 만주와 한반도에서 주도권을 차지하기 위해 대립하였다. ( )
(2) 러·일 전쟁이 발발한 이후 대한 제국은 국외 중립을 선언하였다. ( )

2 빈칸에 알맞은 말을 써 보자.
(1) 일본은 ( )을/를 강제로 체결하여 군사 전략상 필요한 지역을 점령하였다.
(2) 영국은 ( )을/를 맺으며 한반도에 대한 일본의 지배권을 인정하였다.
(3) 을사늑약 체결 사실이 알려지자 장지연은 『황성신문』에 ( )을/를 발표하였다.

3 서로 관련 있는 내용끼리 연결해 보자.
(1) 재정 • • ㉠ 메가타
(2) 외교 • • ㉡ 스티븐스

3 **헤이그 특사 파견과 한·일 신협약 체결**

(1) **헤이그 특사 파견** ●회의에 참석하지 못했지만, 을사늑약의 불법성과 일본의 침략 행위를 폭로하여 일본에 대한 비판 여론을 일으켰다.

① **내용**: 을사늑약의 부당성을 국제 사회에 호소하기 위해 고종이 만국 평화 회의가 열리는 네덜란드 헤이그에 이상설, 이준, 이위종을 특사로 파견

② **결과**: 일본과 영국의 방해로 성과를 거두지 못함. → 특사 파견이 원인이 되어 고종 강제 퇴위

(2) **한·일 신협약(정미 7조약, 1907)**

① **과정**: 고종 강제 퇴위 후 일본에 의해 강제 체결

② **내용**: 차관을 비롯한 주요 관직에 통감이 추천하는 일본인 배치, 비밀 각서에 따라 대한 제국 군대 해산 → 해산 군인 중 일부 의병 합류

4 **일본의 대한 제국 강제 병합**

(1) **기유각서(1909)**: 대한 제국의 사법권 박탈

(2) **경찰권 이양 각서(1910. 6.)**: 경찰권 박탈

(3) **한국 병합 조약(1910. 8.)**: 총리대신 이완용과 통감 데라우치 사이에 조인 → 대한 제국의 국권 피탈, 대한 제국이 일본의 식민지로 전락

2 국권 수호를 위한 항일 의병

1 **을미의병의 봉기**

(1) **배경**: 을미사변, 단발령 공포(1895)

(2) **특징**: 이소응·유인석 등 유생이 주도, 동학 잔여 세력과 일반 농민 가담

(3) **해산**: 아관 파천 이후 단발령 폐지, 고종의 해산 권고 조직 발표 → 해산 의병과 농민 일부가 활빈당 등 무장 조직에서 투쟁 지속
└●'활빈'은 있는 자의 재산을 빼앗아 없는 자를 살린다는 뜻이다. 활빈당 은 주로 친일 관료, 양반 부호, 일본 상인들을 대상으로 활동하였다.

2 **을사의병의 봉기**

(1) **배경**: 을사늑약 강제 체결(1905)

(2) **활동** 자료 콕콕 ❷

① **민종식**: 관료 출신, 의병 이끌고 홍주성 점령

② **최익현**: 유생 출신, 정읍·순창 일대 장악 → 관군에 체포, 쓰시마섬에서 순국

③ **신돌석**: 평민 출신, 울진·평해 등지에서 유격전 전개

3 **정미의병의 봉기**

(1) **배경**: 고종의 강제 퇴위, 대한 제국 군대 해산(1907)

(2) **특징**: 해산 군인들의 합류로 전투력 강화, 항일 의병 전쟁으로 발전

(3) **활동**

① **13도 창의군**: 이인영을 총대장, 허위를 군사장으로 하는 13도 창의군 결성 → 각국 외교 사절에 의병 부대를 국제법상 교전 단체로 인정해 줄 것을 요구

② **서울 진공 작전(1908)**: 양주에 집결 → 일본군에 패퇴

오호라, 작년 10월에 저들이 한 행위는 만고에 일찍이 없던 일로서, 억압으로 한 조각의 종이에 조인하여 5백 년 전해 오던 종묘사직이 드디어 하룻밤 사이에 망하였으니, 천지신명도 놀라고 조종의 영혼도 슬퍼하였다. …… 이처럼 망해 갈진대 어찌 한번 싸우지 않을 수 있는가. 또 살아서 원수의 노예가 되기보다는 죽어서 충의의 혼이 되는 것이 나을 것이다.

– 최익현, 「면암집」

을사늑약으로 나라가 위기를 맞자, 최익현은 제자들과 봉기하여 정읍·순창 일대를 장악하였다. 그러나 관군이 출동하자 그는 같은 나라의 군대와는 싸울 수 없다면서 항전을 중지하고 체포되었다. 이후 그는 일본군에게 넘겨진 뒤 쓰시마섬에 끌려가 순국하였다.

개념 체크

1 다음 설명이 맞으면 ○표, 틀리면 ×표를 해 보자.

(1) 일제는 헤이그 특사 파견을 문제 삼아 고종을 강제로 퇴위시켰다. ( )

(2) 이소응 등의 유생들은 을미사변과 단발령에 반발하여 의병을 일으켰다. ( )

2 빈칸에 알맞은 말을 써 보자.

(1) 일제는 ( )에 따라 주요 관직에 통감이 추천하는 일본인을 배치하여 대한 제국 정부를 통제하였다.

(2) 일본은 1909년 ( )을/를 체결하여 대한 제국의 사법권을 빼앗아 항일 세력에 대한 탄압을 강화하였다.

(3) 을미의병은 대부분 해산하였지만, 해산 의병과 농민 일부는 ( )와/과 같은 무장 조직을 만들었다.

3 서로 관련 있는 내용끼리 연결해 보자.

(1) 을미의병 • •㉠ 유인석

(2) 을사의병 • •㉡ 민종식

(3) 정미의병 • •㉢ 이인영

4 호남 의병 전쟁의 전개

(1) 활동

① 서울 진공 작전 실패 이후 호남에서 의병 활동 전개

② 유생 출신의 전해산, 머슴 출신의 안규홍 등 활약

(2) 위축: 일본군의 '남한 대토벌' 작전으로 의병 활동 약화 → 일부 의병 만주나 연해주로 이동
└ 1909년 9월부터 2개월 동안 일본군에 의해 의병장 100여 명, 의병 4,000여 명이 체포되거나 학살당하였다. 이때 일본군은 의병의 근거지가 될 만한 촌락을 방화하고 살육을 저질렀다.

5 항일 의거 활동의 전개

(1) 오적 암살단: 기산도 등이 조직(1906) → 군부대신 이근택 집 습격

(2) 자신회: 나철·오기호 등이 조직(1907) → 이완용 등 을사오적 처단 시도

(3) 전명운·장인환: 일제의 침략을 옹호한 미국인 외교 고문 스티븐스 사살(1908) → 이를 계기로 대한인 국민회 결성(1910)

(4) 안중근: 하얼빈역에서 이토 히로부미 저격 → 체포 후 뤼순 감옥에서 순국

(5) 이재명: 이완용 습격(1909. 12.)

3 애국 계몽 운동의 전개

1 애국 계몽 운동의 대두

(1) 개념: 민족의 실력을 길러 국권을 회복하려는 운동

(2) 시기: 을사늑약을 전후로 대두

(3) 주도: 신문화를 수용한 관료, 지식인, 자산가 등이 중심이 되어 전개

(4) 분야: 민중 계몽, 근대 교육, 산업 진흥, 언론 활동 등

(5) 애국 계몽 단체의 조직: 개화 운동과 독립 협회 활동의 맥을 잇는 애국 계몽 운동 세력은 무력 투쟁보다 민족의 실력 양성이 더 중요하다고 생각 → 많은 단체 조직

2 애국 계몽 단체의 활동

(1) 보안회(1904)

① 배경: 러·일 전쟁 중 일제가 황무지 개간권 요구

② 활동: 황무지 개간권 요구 반대 운동 전개

③ 영향: 일제가 황무지 개간권 요구 철회

(2) 헌정 연구회(1905)

① 활동: 독립 협회의 영향을 받아 의회 제도를 중심으로 한 입헌 정치의 수립 촉구, 일진회와 대립
└ 헌정 연구회는 한국이 일본의 보호를 받아야 한다는 선언서를 발표한 일진회를 강력하게 비판하였다.

② 해산: 통감부 설치 직후 해체

(3) 대한 자강회(1906) [자료 콕콕 ❸]

① 활동: 헌정 연구회를 계승하여 교육과 산업 통한 자강 추구, 전국에 지회 두고 월보 간행

② 해산: 고종의 강제 퇴위 반대 운동 주도하다가 강제 해산(1907)

자료 콕콕 ❸ 대한 자강회 취지문

무릇 나라의 독립은 오직 자강의 여하에 달려 있는지라. 우리 대한이 자강을 배우지 못하여 인민이 스스로 우매해지고 국력이 쇠퇴하여 마침내 금일의 어려움에 이르러 필경 다른 나라의 보호를 받으니 이는 모두 자강의 도에 뜻을 두지 않은 이유라.

– 『대한 자강회 월보』 제1호, 1906. 7.

헌정 연구회를 계승한 대한 자강회는 교육과 산업 진흥 등 실력 양성을 통한 국권 수호 운동을 전개하였다. 이를 위해 전국에 지회를 설치하고 월보를 간행하는 등 대중적인 계몽 운동을 전개하였다. 그러나 일제가 고종을 강제 퇴위시키자 이에 반대하는 운동을 벌이다가 통감부의 탄압을 받아 강제로 해산당하였다.

개념 체크

1 다음 설명이 맞으면 O표, 틀리면 ×표를 해 보자.

(1) 이재명은 오적 암살단을 조직하여 군부대신 이근택의 집을 습격하였다. ( )

(2) 애국 계몽 운동 세력은 민족의 실력을 양성하는 것보다 무력 투쟁이 더 중요하다고 생각하였다. ( )

2 빈칸에 알맞은 말을 써 보자.

(1) 일제가 황무지 개척을 이유로 토지를 약탈하려 하자, 이에 대항하기 위하여 ( )이/가 조직되었다.

(2) 1905년 조직된 ( )은/는 의회 제도를 중심으로 한 입헌 정치의 수립을 목표로 활동하였다.

(3) ( )은/는 전국에 지회를 두고 월보를 간행하였지만, 고종의 강제 퇴위 반대 운동을 주도하다가 강제로 해산당하였다.

3 서로 관련 있는 내용끼리 연결해 보자.

(1) 오기호 •　　　• ㉠ 이토 히로부미 처단

(2) 장인환 •　　　• ㉡ 자신회 조직

(3) 안중근 •　　　• ㉢ 스티븐스 사살

③ 비밀 결사, 신민회의 결성 **자료 콕콕 ④**

(1) 조직: 안창호, 양기탁, 이회영, 신채호 등이 비밀 결사 형태로 조직(1907)

(2) 목표: 국권 회복과 공화정 체제의 근대 국민 국가 건설

(3) 활동:

① 정주에 오산 학교, 평양에 대성 학교 설립 → 민족 교육 실시

② 평양과 서울에 태극 서관 설립 → 계몽 서적 출판

③ 평양에 자기 회사 설립 → 민족 산업 육성

④ 국외 독립운동 기지 건설(서간도 삼원보에 한인 집단 거주지 이자, 독립운동 기지 개척, 신흥 강습소 설립)

(4) 해체: 일제가 조직한 105인 사건(1911)으로 사실상 해체 → 참여자들 이후 국내 외에서 활발하게 민족 운동 전개
> 일제가 안명근의 군자금 모금 적발을 빌미로 황해도 일대의 독립운동가 600여 명을 체포하고, 데라우치 총독 암살을 기도했다는 죄목을 조작하여 재판에 넘긴 사건이다. 1심 재판에서 이들 가운데 105명이 유죄 판결을 받았다.

4 독도와 간도

① 우리 고유의 영토, 독도

(1) 『삼국사기』: 이사부가 우산국을 점령하여 신라 영토로 삼았다고 기록

(2) 『신증동국여지승람』의 『팔도총도』: 독도 표기

(3) 안용복: 일본 어민들로부터 독도 수호

(4) 고종의 「울릉도 개척령」(1882): 관리 파견 및 내륙 주민의 섬 이주

(5) 대한 제국 「칙령 제41호」(1900): 울릉도를 울도군으로 승격, 독도를 울도군 안에 포함 → 독도가 대한 제국의 영토임을 명시

② 일본의 독도 강탈

(1) 과정: 러·일 전쟁 중 일본이 한·일 의정서 빌미로 독도를 시마네현에 편입 후 다케시마(竹島)라고 함. → 독도를 '무주지'로 규정하고 시마네현 고시 제40호를 통해 독도 편입 고시

(2) 문제점: 국제법상 명백한 불법적인 영토 침탈

③ 백두산정계비와 간도 귀속 문제

(1) 백두산정계비 건립(1712): 압록강과 토문강을 경계로 조선과 청의 국경 확정

(2) 귀속 문제 발생: 조선에서 간도로 이주하는 사람들 증가, 토문강의 해석 문제 등으로 간도 귀속 문제 발생

(3) 조선의 대응: 이범윤을 간도 관리사로 임명, 간도를 함경도 행정 구역에 포함

④ 간도 협약의 체결

(1) 배경: 을사늑약 체결 → 일본이 대한 제국의 외교권 행사

(2) 과정: 1909년 청과 일본이 간도 협약 체결

(3) 내용: 일본이 남만주 철도 부설권과 푸순 탄광 채굴권을 얻는 대가로 간도를 청의 영토로 인정

(4) 문제점: 불법적인 을사늑약에 따라 체결한 간도 협약 역시 국제법상 부당함.

자료 콕콕 ④ 신민회의 독립군 기지

1. 독립군 기지는 일제의 통치력이 미치지 않는 청국령 만주 일대를 자유 지대로 보고 이곳에 설치하되, 후일 독립군의 국내 진입에 가장 편리한 지대를 최적지로 한다.

5. 무관 학교 졸업생과 이주해 오는 청년들을 중심으로 강력한 독립군을 창건한다. 강력한 정병주의를 채택하고 현대식 훈련과 무기로 무장된 현대식 군대를 만든다.

– 주요한, 『안도산전서』

신민회는 일제의 국권 침탈이 노골화되자, 장기적인 독립운동의 기반을 닦기 위해 국외 독립운동 기지 건설에 적극 나섰다. 이에 따라 이회영, 이상룡 등은 서간도 지역의 삼원보에 한인촌을 건설하고 독립 전쟁을 준비하였다. 이는 애국 계몽 운동 세력과 의병 부대가 연대하는 중요한 계기가 되었다.

개념 체크

① 다음 설명이 맞으면 ○표, 틀리면 ×표를 해 보자.

(1) 신민회는 국권 회복과 입헌 군주정의 수립을 목표로 삼았다. (　　　)

(2) 숙종 때에 안용복은 일본 어민들로부터 독도를 지켜 냈다. (　　　)

② 빈칸에 알맞은 말을 써 보자.

(1) 신민회는 정주에 (　　　　), 평양에 대성 학교를 설립하고 민족 교육을 실시하였다.

(2) 대한 제국은 (　　　　)을/를 통해 울릉도를 울도군으로 승격하고, 독도를 울도군 안에 포함시켰다.

(3) 청이 약해진 틈을 타 러시아가 간도를 점령하자 조선 정부는 1903년 (　　　　) 을/를 간도 관리사로 임명하였다.

③ 서로 관련 있는 내용끼리 연결해 보자.

(1) 백두산정계비 •　　　• ㉠ 독도

(2) 「팔도총도」 •　　　• ㉡ 토문강

(3) 신민회 •　　　• ㉢ 신흥 강습소

01 다음 전쟁이 전개되던 시기에 발생한 사실로 옳은 것은?

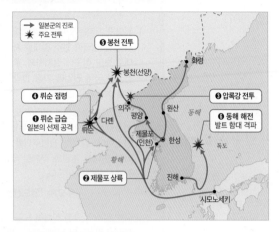

① 통감부가 설치되었다.
② 한·일 의정서가 체결되었다.
③ 제1차 영·일 동맹이 체결되었다.
④ 대한 제국이 국외 중립을 선언하였다.
⑤ 일본이 랴오둥반도를 청에 반환하였다.

02 (가), (나) 조약 체결 사이에 발생한 사실로 옳은 것은?

> (가) 1. 영국은 주로 청국에, 일본은 청국에서 가진 이익에 더하여 한국에서 정치상과 상·공업상 특별한 이익을 가진다.
> 　 3. 만약 타국이나 혹 여러 국가가 합력하여 체맹국을 적대하여 교전에 도움을 준다면 다른 체맹국이 원조하여 함께 전투를 수행한다.
> (나) 제3조 일본국은 한국에서 정치, 군사 및 경제적으로 우월한 이익을 가지므로, 일본이 이를 보호·증진하기 위해 지도 감리 및 보호 조치를 한국에 취할 권리를 인정한다.

① 포츠머스 강화 조약이 체결되었다.
② 가쓰라·태프트 밀약이 체결되었다.
③ 대한 제국이 경찰권을 박탈당하였다.
④ 이상설이 헤이그에 특사로 파견되었다.
⑤ 이토 히로부미가 초대 통감으로 부임하였다.

중요
03 (가) 조약에 대한 설명으로 옳지 않은 것은?

> 서구 열강으로부터 대한 제국에 대한 지배권을 인정받은 일본은 군대를 동원하여 경운궁을 포위하고 고종과 대신들을 위협하면서 ____(가)____ 체결을 강요하였다.

① 고종의 서명 없이 체결되었다.
② 대한 제국의 외교권을 박탈하였다.
③ 조약 체결에 따라 통감부가 설치되었다.
④ 다섯 명의 친일 대신들 찬성만으로 체결된 불법적인 조약이다.
⑤ 재정 분야에 메가타, 외교 분야에 미국인 스티븐스가 고문으로 파견되었다.

04 밑줄 친 ㉠에 해당하는 내용으로 옳은 것은?

> 이 민영환이 나라를 위해 잘하지 못해서 국가의 위세가 여기에 이르렀으니, 죽음으로써 황제의 은혜에 보답하고 二천만 동포에게 사죄하노라. …… 귀 공사들은 ㉠일본의 행위를 살피지 아니하는가?

① 명성 황후가 시해당하였다.
② 대한 제국의 군대가 해산당하였다.
③ 청·일 전쟁에서 일본이 승리하였다.
④ 일본이 '남한 대토벌' 작전을 전개하였다.
⑤ 일본이 대한 제국의 외교권을 강탈하였다.

중요
05 을사늑약에 대한 반발로 옳은 것을 〈보기〉에서 고른 것은?

> 〈보기〉
> ㄱ. 서울 진공 작전이 전개되었다.
> ㄴ. 상인들이 철시 운동을 전개하였다.
> ㄷ. 무장 단체인 활빈당이 조직되었다.
> ㄹ. 『황성신문』에 「시일야방성대곡」이 게재되었다.

① ㄱ, ㄴ　　② ㄱ, ㄷ　　③ ㄴ, ㄷ
④ ㄴ, ㄹ　　⑤ ㄷ, ㄹ

06 (가)에 들어갈 내용으로 가장 적절한 것은?

> 이번에 순종 황제께서 즉위하시자 일본의 강요로 7개 조항의 조약이 체결됐다고 하더군. 큰일이네.

> (가) 한다고 하니 앞으로 일본의 간섭이 더욱 심해지겠군.

① 일본에 최혜국 대우를 보장
② 각부 차관을 일본인으로 임명
③ 일본이 외교 분야에 고문을 파견
④ 대한 제국의 사법권을 일본이 행사
⑤ 일본이 군사상 필요한 토지를 사용

중요
07 밑줄 친 '의병'에 대한 설명으로 옳은 것을 〈보기〉에서 고른 것은?

유인석은 경기도, 주용규는 호서에서, 권세연은 안동에서, 노응규와 정한용은 진주에서 의병을 일으키고 서로 호응하였다. 내부대신 유길준은 경군을 보내서 이들을 치게 하였다. 유인석은 …… 기백과 정의감이 투철하였다. 낙동강 좌우에 있는 수십 군이 봉기하여 …… 수령 중 단발을 했던 자들이 가끔 살해당하였다.

〈보기〉
ㄱ. 남한 대토벌 작전으로 진압당하였다.
ㄴ. 동학 농민군의 잔여 세력이 참여하였다.
ㄷ. 대한 제국의 해산 군인들이 참여하였다.
ㄹ. 을미사변과 단발령을 배경으로 일어났다.

① ㄱ, ㄴ ② ㄱ, ㄷ ③ ㄴ, ㄷ
④ ㄴ, ㄹ ⑤ ㄷ, ㄹ

중요
08 밑줄 친 ㉠, ㉡ 사이에 발생한 사실로 옳은 것은?

저는 ㉠을미년 8월에 일본이 저지른 극악한 변고가 있은 후에 김복한, 이설 등과 함께 복수할 것을 공모하고 홍주에서 의병을 일으킬 것을 제창하였는데, 공교롭게도 이승우의 번복으로 뜻을 이루지 못하고 말았습니다. 그러던 중 ㉡지난해 10월 늑약의 일로 치욕과 분한 생각을 누를 길 없어 즉시 세상 모르게 죽어 버리려고 하였습니다. 금년 4월에 민종식과 함께 의병을 일으켜 홍주성에 들어가 차지하였습니다.

〈보기〉
ㄱ. 의병 일부가 활빈당을 조직하였다.
ㄴ. 평민 출신의 의병장 신돌석이 활약하였다.
ㄷ. 고종이 의병에게 해산 권고 조직을 내렸다.
ㄹ. 최익현의 부대가 정읍·순창 일대를 장악하였다.

① ㄱ, ㄷ ② ㄱ, ㄹ ③ ㄴ, ㄷ
④ ㄴ, ㄹ ⑤ ㄷ, ㄹ

09 밑줄 친 '의병'에 대한 설명으로 옳은 것은?

역사 통합 검색
http://www.ㅇㅇㅇㅇ.co.kr
백과사전 ▾ 검색

〈외국인의 눈에 비친 의병 운동〉
" 내 앞에 있는 사람 중 셋은 날품팔이 노동자였다. 오른쪽에 서 있는 영리하게 보이는 젊은이는 분명히 부사관으로서 행동하고 있었고, 그는 자기 전우들에게 군인으로서의 거동을 훈련하려고 최대한의 노력을 기울이고 있었다." — 매켄지, 『조선의 비극』

해설: 이 글은 아시아 특파원으로 내한한 신문 기자 매켄지가 경기도 양평에서 직접 의병들을 만난 뒤 남긴 『조선의 비극』 중 일부이다. 이 기록을 통해 당시 의병에 대한 생생한 모습을 알 수 있다.

① 해산된 의병 일부가 활빈당을 조직하였다.
② 이소응 부대가 춘천을 중심으로 활동하였다.
③ 단발령 공포에 반발하여 전국적으로 일어났다.
④ 일본의 경복궁 강제 점령에 이후 재봉기하였다.
⑤ 국제법상 교전 단체로 인정받기 위해 노력하였다.

10 (가) 인물에 대한 설명으로 옳은 것은?

 이 엽서는 일본인 고토쿠 슈스이가 뤼순 감옥에서 순국한 (가) 의 초상화를 그린 것이다. 고토큐 슈스이는 이 엽서에서 생을 버리고 의를 취한 그의 의거를 칭송하였다.

① 군부대신 이근택의 집을 습격하였다.
② 명동 성당 앞에서 이완용을 습격하였다.
③ 샌프란시스코에서 스티븐스를 사살하였다.
④ 하얼빈역에서 이토 히로부미를 저격하였다.
⑤ 자신회를 조직하여 을사오적의 처단을 시도하였다.

11 애국 계몽 운동에 대한 설명으로 옳지 않은 것은?

① 사회 진화론을 사상적 기반으로 삼았다.
② 언론 활동을 통해 국권을 회복하려고 하였다.
③ 민족 교육을 통한 인재의 양성을 목적으로 하였다.
④ 산업을 진흥하여 경제적인 실력을 키우고자 하였다.
⑤ 독립 협회의 창립을 전후하여 본격적으로 전개된 운동이다.

12 다음 취지문을 발표한 단체에 대한 설명으로 옳은 것은?

> 무릇 나라의 독립은 오직 자강의 여하에 달려 있는지라. 우리 대한이 자강을 배우지 못하여 인민이 스스로 우매해지고 국력이 쇠퇴하여 마침내 금일의 어려움에 이르러 필경 다른 나라의 보호를 받으니 이는 모두 자강의 도에 뜻을 두지 않은 이유라.
> – 『월보』 제1호

① 비밀 결사 형태로 조직되었다.
② 입헌 정치의 수립을 목표로 하였다.
③ 중추원의 의회식 개편을 시도하였다.
④ 일본의 황무지 개간권 요구를 철회시켰다.
⑤ 고종의 강제 퇴위 반대 운동을 주도하였다.

중요
13 밑줄 친 '단체'에 대한 설명으로 옳지 않은 것은?

 다음은 안창호가 양기탁 등과 함께 만든 단체의 강령이에요.

> 1. 국민에게 민족의식과 독립사상 고취
> 2. 동지를 발견하고 단합하여 국민운동 역량 축적
> 3. 상공업 기관 건설로 국민의 부력(富力) 증진
> 4. 교육 기관 설립으로 청소년 교육 진흥

① 전국에 지회를 두고 월보를 간행하였다.
② 일제가 조작한 105인 사건으로 해체되었다.
③ 공화정 체제의 근대 국가 건설을 목표로 하였다.
④ 서간도 삼원보 지역에 신흥 강습소를 설립하였다.
⑤ 평양에 대성 학교를 설립하여 민족 교육을 하였다.

중요
14 (가) 지역에 대한 탐구 활동으로 적절한 것은?

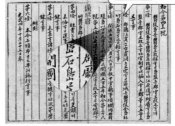 군청 위치는 태하동으로 정하고, 구역은 울릉 전도(全島)와 죽도(竹島) 그리고 (가) 을/를 관할할 것.

① 백두산정계비의 내용을 파악한다.
② 이범윤이 파견된 지역을 찾아본다.
③ 간도 협약 체결 과정의 문제점을 조사한다.
④ 시마네현 고시 제40호의 문제점을 파악한다.
⑤ 대한 제국기 함경도의 행정 구역 변화를 알아본다.

15 다음 조약에 따라 일본이 조선에 파견한 재정 고문과 외교 고문의 이름을 각각 쓰시오.

> 1. 한국 정부는 일본 정부가 추천한 일본인 1명을 재정 고문으로 삼아 …… 재무에 관한 사항은 일체 그의 의견을 물어 시행해야 한다.
> 2. 한국 정부는 일본 정부가 추천한 외국인 1명을 외교 고문으로 삼아 …… 외교에 관한 중요한 사무는 일체 그의 의견을 물어서 시행해야 한다.

_____

16 다음 조약의 명칭과 의미를 서술하시오.

> 제3조 일본국은 한국에서 정치, 군사 및 경제적으로 우월한 이익을 가지므로, 일본이 이를 보호 · 증진하기 위해 지도 감리 및 보호 조치를 한국에 취할 권리를 인정한다.

_____

_____

17 다음 자료를 읽고 물음에 답하시오.

> 제2조 일본국 정부는 한국과 타국 사이에 현존하는 조약의 실행을 완수할 임무가 있으며, 한국 정부는 금후 일본국 정부의 중개를 거치지 않고는 어떤 국제적 조약이나 약속도 하지 않기로 상약한다.
> 제3조 일본국 정부는 그 대표자로 하여금 한국 황제 폐하의 궐하에 1명의 통감을 두며, 통감은 오로지 외교에 관한 사항을 관리한다.

(1) 자료와 관련된 조약의 명칭을 쓰시오.

_____

(2) 위 조약 체결의 문제점을 서술하시오.

_____

_____

18 다음 자료를 읽고 물음에 답하시오.

> 군사장(허위)은 미리 군비를 신속히 정돈하여 철통과 같이 함에 한 방울의 물도 샐 틈이 없는지라. 이에 전군에 전령하여 일제히 진군을 재촉하여 동대문 밖으로 진군하였다. …… 지원군이 이르지 않으므로 할 수 없이 마침내 퇴진하였더라.

(1) 자료에 나타난 의병 운동의 명칭을 쓰시오.

_____

(2) 위 의병 운동의 의의를 주체 세력의 변화와 관련하여 서술하시오.

_____

_____

19 다음 자료와 관련된 단체의 국내 활동을 교육과 산업의 측면에서 서술하시오.

> 남만주로 집단 이주하려고 기도하고, 조선 본토에서 재력이 상당한 사람들을 그곳에 이주시켜 토지를 사들이고 촌락을 세워 새 영토로 삼고, 다수의 청년 동지를 모집 · 파견하여 한인 단체를 일으키며, 학교를 세워 민족 교육을 실시하고, 나아가 무관 학교를 설립하여 문무를 겸하는 교육을 실시하면서, 기회를 엿보아 독립 전쟁을 일으켜 구한국의 국권을 회복하려고 하였다.

_____

_____

20 다음 협약의 명칭을 쓰시오.

> 제1조 일 · 청 양국 정부는 토문강을 청과 한국의 국경으로 하고 강 원천지에 있는 정계비를 기점으로 하여 석을수(石乙水)를 두 나라의 경계로 한다.
> 제3조 청국 정부는 이전과 같이 토문강 이북의 개간지에 한국 국민이 거주하는 것을 승인한다. 경계는 별도로 표시한다.

_____

5 개항 이후 나타난 경제적 변화

1 열강의 경제적 침략

1 청·일 상인 간 상권 경쟁의 심화

(1) 개항 초 일본 상인의 무역 독점

① **거류지 무역**: 일본 상인이 개항장 10리 이내에서 무역 활동 전개 → 객주·여각·보부상 등 조선 상인들이 일본 상인과 조선의 소비자 연결

② **특징**: 일본 상인들이 영사 재판권과 무관세 규정 등을 이용한 약탈적 무역

(2) 조·청 상민 수륙 무역 장정의 체결(1882) `자료 콕콕 ❶`

① **배경**: 임오군란 이후 청의 내정 간섭 심화

② **내용**: 지방관에게 허가받은 청 상인에게 내지 무역 허용 → 최혜국 대우 조항에 따라 다른 외국 상인에게도 적용

(3) 조·일 통상 장정의 체결(1883): 조선의 관세 자주권 일부 인정, 일본의 최혜국 대우 보장 → 일본 상인의 상권 확대 → 청·일 상인 간의 상권 경쟁 심화
  └─• 1890년대 초에는 조선에 대한 청과 일본의 수출 총액이 거의 비슷해졌다. 이는 청·일 전쟁이 일어나는 주요 원인이 되었다.

2 제국주의 열강의 이권 침탈

(1) 열강의 이권 침탈

① **배경**: 아관 파천 이후 러시아의 내정 간섭, 경제적 이권 침탈 강화 → 제국주의 열강들도 최혜국 대우 규정 내세워 각종 이권 침탈 강화

② **내용**
  ┌─• 제국주의 열강들은 철도를 식민지 지배의 주요 수단으로 인식하여 그 부설권 획득에 큰 관심을 두었다.

철도	경인선 부설권(미, 1896 → 일, 1898), 경의선 부설권(프, 1896 → 일, 1904), 경부선 부설권(일, 1898), 경원선 부설권(일, 1904)
삼림	압록강 · 두만강 · 울릉도 삼림 채벌권(러, 1896)
광산	운산 · 갑산(미), 당현(독), 직산(일), 경성(러) 채굴권
통신	한성–신의주 통신 시설권(청, 1885), 해저 전신 시설권(일, 1883)

(2) 일본의 토지 침탈

① **배경**: 한·일 의정서 체결 → 군용지 점령, 철도 용지 명목으로 넓은 토지 약탈

② **동양 척식 주식회사 설립(1908)**: 대규모 토지 약탈을 배경으로 설립, 지속적으로 토지를 약탈하여 한국으로 이주한 일본 농민에게 싼값에 분양

3 일제의 금융·재정 장악과 화폐 정리 사업

(1) **배경**: 제1차 한·일 협약 체결 → 재정 고문(메가타) 파견

(2) **과정**: 메가타 건의 수용 → 화폐 조례 공포(1905) → 일본 제일은행이 국고 출납 업무 담당 → 화폐 정리 사업 단행 ┌─• 백동화는 폐지되고 상평통보는 점진적으로 유통이 중지되었다.

(3) **내용**: 기존 화폐인 백동화를 일본 제일 은행권으로 교환

(4) **결과**: 일본 제일은행권이 대한 제국의 법화 역할 수행, 국내 상공업자 몰락, 일본이 대한 제국의 재정·금융 장악
  └─• 화폐 정리와 재정 정리에 필요한 자금은 일본으로부터 차관 형식으로 충당하였는데, 이로 인해 대한 제국은 거액의 국채를 떠안았다.

자료 콕콕 ❶ 조·청 상민 수륙 무역 장정

제2조 중국 상인이 조선 항구에서 개별적으로 소송을 제기할 일이 있을 경우 중국 상무위원에게 넘겨 심의 판결한다.

제4조 조선 상인이 베이징에서 규정에 따라 교역하고, 청 상인이 조선의 양화진과 한성에 영업소를 개설한 경우를 제외하고, 각종 화물을 내지로 운반하여 파는 것을 허가하지 않는다.

– 『고종실록』

조·청 상민 수륙 무역 장정의 체결로 청 상인은 한성에 영업소를 개설할 수 있었으며, 허가를 받으면 개항장 밖에서도 활동할 수 있게 되었다. 이는 최혜국 대우 조항에 따라 다른 외국 상인에게도 적용되었다. 이를 계기로 외국 상인의 내륙 진출이 활발해졌다.

개념 체크

1 다음 설명이 맞으면 ○표, 틀리면 ×표를 해 보자.

(1) 1896년 일본은 대한 제국 정부로부터 경인선 부설권을 확보하였다. ( )

(2) 일본은 제차 한 · 일 협약을 체결하고 메가타를 재정 고문으로 파견하였다. ( )

2 빈칸에 알맞은 말을 써 보자.

(1) ( )(으)로 청 상인은 지방관의 허락을 받으면 개항장 밖에서도 활동할 수 있게 되었다.

(2) 아관 파천을 계기로 러시아가 조선에서 경제적 이권을 차지하자, 제국주의 열강들도 ( ) 규정을 내세워 각종 이권 침탈에 나섰다.

(3) 일본은 1908년 ( )을/를 설립하여 대한 제국으로부터 대규모 토지를 인수받았다.

3 서로 관련 있는 내용끼리 연결해 보자.

(1) 해저 전신 시설권 • • ㉠ 일본

(2) 운산 금광 채굴권 • • ㉡ 미국

(3) 울릉도 삼림 채벌권 • • ㉢ 러시아

2 경제적 구국 운동

1 근대적 상회사 및 은행의 설립

(1) 근대적 상회사의 설립

① 배경: 조·청 상민 수륙 무역 장정 이후 외국 상인들의 내륙 진출 증가 ┈┈ • 대동 상회는 자본금이 수십만 냥에 달하였고 인천에 지점을 설치하여 운영하였다.

② 내용: 국내 상인들이 근대적 상회사 설립(대동 상회와 장통 상회 등)

③ 특징: 정부에 영업세 납부하는 대신 비합법적 상업세 수탈로부터 보호받음.

④ 영향: 『한성순보』에서 「회사설」을 게재하는 등 주식회사의 설립 및 운영 방법 소개하기도 함.

(2) 은행의 설립

① 배경: 일본 금융 기관의 침투, 일본 상인의 고리대금업 확대

② 내용: 조선은행, 한성은행, 대한 천일 은행 등의 설립 → 자금 부족 등으로 어려움 겪음. ┈ • 관료 자본이 중심이 되어 설립되었다.

2 방곡령 사건의 발발

(1) 배경: 개항 이후 일본 상인들에 의해 쌀 유출 급증 → 곡물 가격 급등

(2) 내용: 일부 지방관들이 조·일 통상 장정에 근거하여 방곡령 실시

(3) 결과: 일본 측, 방곡령 실시 1개월 전 문서 통보 규정을 내세워 항의 → 방곡령 철회, 일본에 배상금 지불

3 상권 수호 운동과 이권 수호 운동

(1) 상권 수호 운동: 외국 상인들의 내륙 진출 증가 → 상인들의 외국 상인 철수 요구, 철시, 시전 상인들의 황국 중앙 총상회 조직(1898) ┈ • 정부에 외국 상인들의 상업 활동 중단을 요구하였다.

(2) 이권 수호 운동: 아관 파천 이후 열강의 이권 침탈 심화 → 독립 협회, 만민 공동회를 개최하고 이권 수호 운동 전개 → 러시아의 절영도 조차·목포와 진남포 일대 토지 매도 요구 저지, 한·러 은행 폐쇄, 프랑스·독일의 광산 채굴 요구 저지

4 일제의 황무지 개관권 요구 철회

(1) 배경: 일제가 대한 제국에 황무지 개간권을 50년 기한으로 위임 요구

(2) 내용: 보안회 설립(황무지 개간권 요구 반대 운동 전개), 농광 회사 설립 → 일제, 황무지 개간권 요구 철회

5 국채 보상 운동의 전개 자료 콕콕 ❷

(1) 배경: 화폐 정리 사업 비용 등의 차관 도입 → 일본에 대한 채무 증가

(2) 목표: 모금을 통해 일본에서 도입한 차관을 갚고 국권 회복

(3) 전개

① 김광제, 서상돈의 제안으로 대구에서 시작

②『대한매일신보』, 『황성신문』의 제안으로 전국 확산, 국채 보상 기성회 조직

(4) 결과: 일제의 방해와 탄압으로 중단

자료 콕콕 ❷ 국채 보상 기성회 취지문

지난날 우리 정부가 진보에 급급하여 들여온 국채가 1,300만 원이라. 그 마음에 어찌 차관으로 돈을 불려서 국가의 대사업을 일으킬 생각이 없었으리오. 그러나 오늘에 우리 2천만 동포들이 가령 한 사람이 1원을 낸다면 2천만 원이요, 50전씩이면 1천만 원이니 백성들이 진 빚을 갚는 일이 어찌 불가능하리오.

– 『황성신문』, 1907. 2. 25.

일본은 을사늑약을 전후하여 대한 제국에 적극적으로 차관을 제공하였다. 이 자금은 대부분 일제가 식민지의 기초 시설을 갖추는 데 사용되었다. 화폐 정리 사업의 추진에 필요한 자금도 차관의 형식으로 들여왔다. 그 결과 1907년에는 대한 제국의 차관이 1년 예산과 맞먹는 1,300만 원에 이르렀다. 이에 국민의 힘으로 국채를 갚아 국권을 회복하자는 국채 보상 운동이 전개되었다.

개념 체크

1 다음 설명이 맞으면 ○표, 틀리면 ×표를 해 보자.

(1) 일부 지방관들은 조·일 수호 조규 부록 규정에 근거하여 방곡령을 내렸다. ( )

(2) 러·일 전쟁 발발 직전 일제는 대한 제국 전 국토의 약 4분의 1에 해당하는 황무지 개간권을 요구하였다. ( )

2 빈칸에 알맞은 말을 써 보자.

(1) 개항 이후 일본 자본의 침투에 대응하여 관료 자본이 중심이 된 ( ) 은행이 최초로 설립되었다.

(2) 시전 상인들은 ( )을/를 조직하여 외국 상인들의 상업 활동을 중단시켜 달라고 요구하였다.

(3) 일본으로부터 들여온 차관이 대한 제국의 1년 예산과 맞먹자, 서울에서는 ( )이/가 조직되어 모금 운동을 전개하였다.

3 서로 관련 있는 내용끼리 연결해 보자.

(1) 독립 협회 • • ㉠ 황무지 개간권

(2) 보안회 • • ㉡ 한·러 은행

중요
01 다음 상황이 등장한 배경으로 가장 적절한 것은?

> 지금 청 상인이 양화진에 상점을 차렸다고 하는군.

> 나도 그 이야기 들었는데 정말 큰일이야. 외국 상인들 때문에 시전 상인들이 많이 힘들어졌다고 하더라.

① 조·일 무역 규칙이 체결되었다.
② 조선 정부가 황국 협회를 조직하였다.
③ 김홍집 내각이 갑오개혁을 추진하였다.
④ 조·청 상민 수륙 무역 장정이 체결되었다.
⑤ 통감부가 대한 제국의 외교권을 행사하였다.

중요
02 다음 자료를 활용한 탐구 주제로 가장 적절한 것은?

> 조선은 1878년 부산 두모진에서, 일본과 무역을 하는 조선 상인을 상대로 관세를 징수하였다. 징세가 시작되자, 무역 거래 물품 가격이 급등하였고, 이에 일본 상인들이 몰려와서 항의하였다. 조선 정부에서는 내국인에게 부과하는 세금이므로, 일본이 상관할 일이 아니라는 태도를 취하였다. 일본은 이를 강화도 조약에 대한 위반 행위로 보고 조선 정부에 항의서를 제출하고 무력시위를 벌였다. 결국 조선 정부는 이에 굴복하여 관세 징수를 중지하였다.

① 조선은행의 재정난
② 동양 척식 주식회사의 주요 업무
③ 재정 고문 메가타가 추진한 정책
④ 청 상인의 내지 통상권 확보 과정
⑤ 조·일 통상 장정 체결 당시 조선의 요구

중요
03 밑줄 친 '그들'에 대한 설명으로 옳은 것은?

> 그들이 영토를 넓히려고 한다면 반드시 조선이 첫 번째 대상이 될 것이다. …… 그들을 막는 책략은 무엇인가? 중국과 친하고[親中國], 일본과 맺고[結日本], 미국과 이어짐[聯美國]으로써 자강을 도모할 뿐이다.

① 해저 전신 시설권을 확보하였다.
② 최초로 최혜국 대우를 보장받았다.
③ 목포 일대의 토지 매도를 요구하였다.
④ 마젠창을 파견하여 내정을 간섭하였다.
⑤ 병인박해를 구실로 강화도를 침략하였다.

04 열강의 이권 침탈에 대한 설명으로 옳지 <u>않은</u> 것은?

① 아관 파천 이후 본격화되었다.
② 미국이 운산 금광 채굴권을 차지하였다.
③ 프랑스가 경의선 철도 부설권을 확보하였다.
④ 열강은 최혜국 대우 조항을 적극 활용하였다.
⑤ 일본은 을사늑약을 빌미로 군용지를 점령하였다.

중요
05 다음과 같은 절차로 진행된 사업에 대한 결과로 옳은 것을 〈보기〉에서 고른 것은?

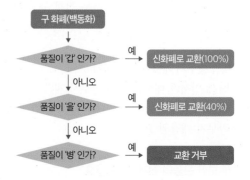

구 화폐(백동화)
품질이 '갑' 인가? → 예 → 신화폐로 교환(100%)
↓ 아니오
품질이 '을' 인가? → 예 → 신화폐로 교환(40%)
↓ 아니오
품질이 '병' 인가? → 예 → 교환 거부

〈보기〉
ㄱ. 새로운 화폐인 당백전이 널리 유통되었다.
ㄴ. 탁지아문으로 재정의 일원화가 이루어졌다.
ㄷ. 일본에 대한 대한 제국의 국채가 증가하였다.
ㄹ. 일본 제일은행권이 대한 제국의 법화가 되었다.

① ㄱ, ㄴ   ② ㄱ, ㄷ   ③ ㄴ, ㄷ
④ ㄴ, ㄹ   ⑤ ㄷ, ㄹ

06 다음 상황을 극복하기 위한 노력으로 적절한 것을 〈보기〉에서 고른 것은?

> 지금까지 안성 시장에는 수원 상인이 많았다. …… 요즘 들어 안성 시장에 청 상인이 늘어나 점자 상권을 빼앗겨 폐업하는 자가 많아졌다 …… 공주 · 강경에서는 모두 자기 집을 갖고 장사를 하고 있다. 전주에 청 상인이 30명 정도 들어왔다.

> 〈보기〉
> ㄱ. 한성에 장통 상회가 설립되었다.
> ㄴ. 황국 중앙 총상회가 조직되었다.
> ㄷ. 동양 척식 주식회사가 설립되었다.
> ㄹ. 평양과 서울에 태극 서관이 설립되었다.

① ㄱ, ㄴ ② ㄱ, ㄷ ③ ㄴ, ㄷ
④ ㄴ, ㄹ ⑤ ㄷ, ㄹ

중요
07 독립 협회의 이권 수호 운동에 대한 설명으로 옳은 것을 〈보기〉에서 고른 것은?

> 〈보기〉
> ㄱ. 조선은행의 설립을 주도하였다.
> ㄴ. 한 · 러 은행의 폐쇄를 이끌었다.
> ㄷ. 일본의 황무지 개간권 요구를 막아 냈다.
> ㄹ. 러시아의 절영도 조차 요구를 저지하였다.

① ㄱ, ㄴ ② ㄱ, ㄷ ③ ㄴ, ㄷ
④ ㄴ, ㄹ ⑤ ㄷ, ㄹ

중요
08 국채 보상 운동의 배경으로 가장 적절한 것은?

① 미곡의 대량 유출로 쌀 값이 폭등하였다.
② 외국 상인들의 내륙 진출이 본격화되었다.
③ 일제가 황무지 개간권의 위임을 요구하였다.
④ 아관 파천 이후 열강의 이권 침탈이 심화되었다.
⑤ 화폐 정리 사업으로 대한 제국의 국채가 급증하였다.

사고력을 키우는 서술형

09 다음 조약 체결에 대한 조선 상인의 대응을 서술하시오.

> 제2조 중국 상인이 조선 항구에서 개별적으로 소송을 제기할 일이 있을 경우 중국 상무위원에게 넘겨 심의 판결한다.
> 제4조 조선 상인이 베이징에서 규정에 따라 교역하고, 청 상인이 조선의 양화진과 한성에 영업소를 개설한 경우를 제외하고, 각종 화물을 내지로 운반하여 파는 것을 허가하지 않는다.

_____

_____

10 다음 법령과 관련된 정책의 명칭을 쓰시오.

> 구 백동화의 상태가 매우 양호한 갑종 백동화는 개당 2전 5리의 가격으로 신화폐와 교환하여 주고, 상태가 좋지 않은 을종 백동화는 개당 1전의 가격으로 정부가 매수하며, …… 형질이 조악하여 화폐로 인정하기 어려운 병종 백동화는 매수하지 않는다.

_____

11 다음 자료를 읽고 물음에 답하시오.

> 지난날 우리 정부가 진보에 급급하여 들여온 국채가 1,300만 원이라. 그 마음에 어찌 차관으로 돈을 불려서 국가의 대사업을 일으킬 생각이 없었으리오. 그러나 오늘에 우리 2천만 동포들이 가령 한 사람이 1원을 낸다면 2천만 원이요, 50전씩이면 1천만 원이니 백성들이 진 빚을 갚는 일이 어찌 불가능하리오.

(1) 자료와 관련된 경제적 구국 운동을 쓰시오.

_____

(2) 위 운동이 전국으로 확산된 배경을 서술하시오.

_____

_____

6 개항 이후 나타난 사회·문화적 변화

1 근대 문물의 수용

1 교통·통신 시설의 도입

(1) 도입 과정

우편	우정총국 설립(1884) → 갑신정변으로 중단 → 을미개혁 이후 재개, 만국 우편 연합 가입
전기	경복궁에 최초로 전등 설치(1887), 한성 전기 회사 설립
전신	서울과 인천·의주 연결하는 전신선 가설(1885)
전화	궁궐에 최초 가설 → 서울 시내 민간에 확대
전차	서대문과 청량리 사이에 개통(1899)

(2) 문제점: 대부분 외국 자본과 기술의 도움을 받아 설치, 교통·통신 시설은 외세의 이권 침탈이나 침략 목적과 연결되었기 때문에 민중의 반감을 사기도 함.

2 신문의 발간

(1) 발간 양상

『한성순보』	박문국에서 발행한 최초의 신문(1883) → 갑신정변으로 중단 → 『한성주보』 발간(1886)
『독립신문』	최초의 민간 신문, 순 한글과 영문으로 발행
『황성신문』	민중 계몽, 「시일야방성대곡」 게재
『제국신문』	민중 계몽, 부녀자 대상, 순 한글
『대한매일신보』	양기탁 등 애국지사들이 운영, 영국인 베델이 발행인으로 참여, 활발한 민족 운동 전개

(2) 일제의 탄압: 통감부가 「신문지법」(1907) 제정하여 언론 탄압 → 반일 논조 억압

3 근대식 병원의 설립

정부는 갑신정변 당시 중상을 입은 민영익을 치료한 알렌의 건의를 받아들여 광혜원을 설립하였다.

(1) 광혜원(제중원, 1885): 알렌의 건의를 받아들여 설립 → 세브란스 병원으로 변경

(2) 대한 의원(1907): 정부가 관립 의학교 설립(1899), 백성들의 진료를 위해 광제원 설립 → 일제 통감부가 관립 의학교, 광제원 등을 통합하여 대한 의원 설립

(3) 자혜 의원(1909): 지방에 설립된 근대식 병원 → 근대 의료 기술 보급

4 근대 학교의 설립

1880년대	• 원산 학사(1883): 최초의 근대 학교, 근대 학문과 무예 교육 • 동문학(1883): 정부가 통역관 양성을 위해 설립 • 육영 공원(1886): 고관 자제들을 대상으로 근대 학문 교육 • 배재 학당(1885), 이화 학당(1886): 개신교 선교사들이 설립
갑오개혁기	학무아문 설치, 「교육입국 조서」 발표 → 소학교·한성 중학교·한성 사범 학교·외국어 학교 등 관립 학교 설립 자료 콕콕 ❶
대한 제국기	애국 계몽 운동 단체에서 사립 학교 설립하여 민족 교육 시행 ↔ 일제가 「사립 학교령」(1908) 제정하여 탄압

자료 콕콕 ❶ 「교육입국 조서」

짐이 정부에 명하여 학교를 널리 세우고 인재를 양성하는 것은 너희들 신하와 백성의 학식으로 나라를 중흥하는 큰 공로를 이룩하기 위해서이다. 너희들 신하와 백성은 임금에게 충성하고 나라를 사랑하는 심정으로 너의 덕성, 너의 체력, 너의 지혜를 기르라. 왕실의 안전도 너희들 신하와 백성의 교육에 달려 있고 나라의 부강도 너희들 신하와 백성의 교육에 달려 있다.

– 『고종실록』

고종은 제2차 갑오개혁 때 교육의 기본 방향이 담긴 「교육입국 조서」를 반포하였다. 이에 따라 소학교·외국어 학교·사범 학교 등 많은 관립 학교가 세워지면서 근대적 교육 제도가 마련되었다. 따라서 이 자료는 1895년부터 급속히 추진된 조선 정부의 근대 교육 개혁의 방향성을 잘 보여 준다.

개념 체크

1 다음 설명이 맞으면 ○표, 틀리면 ✕표를 해 보자.

(1) 근대적 우편 사무는 갑신정변으로 중단되었다가 을미개혁 이후 재개되었다.
( )

(2) 1883년에 박문국이 설치되면서 최초의 신문인 『한성순보』가 발간되었다. ( )

2 빈칸에 알맞은 말을 써 보자.

(1) 미국인 콜브란이 운영한 ( )은/는 동대문 지역에 발전소를 건설하고, 1899년 서대문과 청량리 사이에 전차를 개통하였다.

(2) 일제 통감부는 1907년에 ( )을/를 제정하여 언론을 탄압하였다.

(3) 일제 통감부는 1907년에 관립 의학교, 광제원 등을 통합하여 ( )을/를 설립하였다.

3 서로 관련 있는 내용끼리 연결해 보자.

(1) 『한성순보』 • • ㉠ 베델

(2) 『독립신문』 • • ㉡ 서재필

(3) 『대한매일신보』 • • ㉢ 박문국

2 근대 의식의 확산과 생활의 변화

1 근대 의식의 확산

(1) 신분제 폐지: 갑신정변, 동학 농민 운동에서 평등 주장 → 갑오개혁으로 실현

(2) 민권 의식의 성장: 독립 협회가 자유 민권 운동 전개, 입헌 정치 지향 → 헌정 연구회, 대한 자강회 등이 계승

2 여성의 사회 활동

(1) 「여권통문」(1898): 여성의 교육권, 직업권, 참정권 주장

(2) 찬양회 조직: 여학교 설립 운동과 여성 계발 사업 등 전개, 만민 공동회 참여

(3) 기타: 여자 교육회 등이 학교 설립, 국채 보상 부인회가 국채 보상 운동 참여

3 해외 이주 동포들의 생활

(1) 배경: 경제적 빈곤과 사회적 혼란 → 해외 이주 증가

(2) 지역: 만주, 연해주, 일본, 미주

(3) 생활: 한인 사회 형성, 한인 단체 조직 → 을사늑약 이후 국권 회복 운동 전개

4 의식주 생활의 변화

의	서양식 복제 도입, 두루마기 유행, 여성의 장옷이나 쓰개치마 소멸
식	서양 음식(커피, 빵 등) 수용, 겸상과 두레상 등장, 민간에서 청요리집 등장
주	개항장 및 한성에 서양식 건물 건립(공사관, 덕수궁 석조전 등)

3 국학 연구와 문예 및 종교의 새 경향

1 국학 연구

역사	• 신채호, 박은식 등 「을지문덕전」, 「이순신전」 발간 → 애국심 고취 • 신채호의 「독사신론」 게재 → 민족주의 사학의 방향 제시 [자료 콕콕 ②] • 최남선, 박은식 등 조선 광문회 조직 → 고전 정리 및 간행
국어	• 「독립신문」과 「제국신문」 등 순 한글 신문 간행 • 국문 연구소 설립(1907) → 「국문 연구 의정안」 마련, 지석영 · 주시경 활동

2 문학과 예술의 새 경향

• 대표적인 신소설로는 이인직의 「혈의 누」, 이해조의 「자유종」, 안국선의 「금수회의록」 등이 있다. 최남선의 「해에서 소년에게」는 우리나라 최초의 신체시이다.

문학	신소설과 신체시 발표
음악 · 미술 · 연극	판소리 정리, 창가와 창극 유행, 서양 화풍 소개, 원각사에서 연극 공연

원각사는 우리나라 최초의 서양식 극장으로, 이인직의 「은세계」를 신극으로 공연하였다.

3 종교계의 변화

천주교	보육원과 양로원 등 사회사업에 관심 기울임.
유교	박은식이 「유교 구신론」을 주장하여 개혁을 시도
불교	한용운이 「조선불교유신론」을 내세워 자주성 회복을 위한 개혁 추진
대종교	나철과 오기호 등이 단군 신앙을 발전시켜 창시, 중광단 조직
개신교	서양 의술과 근대 교육 보급에 기여, 미신 타파, 평등사상 전파
동학	일진회가 동학을 흡수하려 하자 손병희가 동학을 천도교로 개칭(1905)

만주 일대에서 활동한 무장 투쟁 단체이다.

개념 체크

1 다음 설명이 맞으면 O표, 틀리면 ×표를 해 보자.

(1) 독립 협회의 활동으로 신분제가 폐지되면서 법적인 평등이 이루어졌다. (   )

(2) 신채호, 박은식 등은 영웅들의 전기를 발간하여 애국심을 고취하였다. (   )

2 빈칸에 알맞은 말을 써 보자.

(1) 북촌의 양반 부인들은 (   )을/를 발표하여 여성들의 교육권과 직업권 및 정치 참여권을 주장하였다.

(2) 신채호는 (   )에서 역사 서술의 주체를 민족으로 설정하여 민족주의 사학의 연구 방향을 제시하였다.

(3) 1907년 대한 제국 정부는 한글을 체계적으로 연구하기 위해 학부 안에 (   )을/를 설립하였다.

3 서로 관련 있는 내용끼리 연결해 보자.

(1) 유교 •   • ㉠ 나철

(2) 대종교 •   • ㉡ 박은식

(3) 천도교 •   • ㉢ 손병희

01 (가)에 들어갈 내용으로 적절한 것을 〈보기〉에서 고른 것은?

우리는 미국인 콜브란과 함께 한성 전기 회사를 설립하고 동대문에 발전소도 건립하였습니다. 그리고 회사와 함께 전기 사업의 일환으로

(가)

〈보기〉
ㄱ. 도성에 전차를 개설하였습니다.
ㄴ. 서울 일부 지역에 전등을 설치하였습니다.
ㄷ. 서울과 의주 간 전신선을 가설하였습니다.
ㄹ. 서울과 부산을 잇는 철도를 부설하였습니다.

① ㄱ, ㄴ　　　② ㄱ, ㄷ　　　③ ㄴ, ㄷ
④ ㄴ, ㄹ　　　⑤ ㄷ, ㄹ

중요
02 개항 이후 도입된 근대 시설에 대한 설명으로 옳지 않은 것은?

① 청, 일본과 전신선이 연결되었다.
② 궁궐에 최초로 전화가 가설되었다.
③ 알렌의 건의로 광혜원이 설립되었다.
④ 조선 정부의 주도로 모든 철도가 부설되었다.
⑤ 우정총국의 설립으로 근대적 우편 사무가 시작되었다.

중요
03 다음 창간사가 실린 신문에 대한 설명으로 옳은 것은?

우리 조정에서도 박문국을 설치하고 관리를 두어 외국의 신문을 폭넓게 번역하고 아울러 국내의 일까지 기재하여 나라 안에 알리는 동시에 다른 나라에까지 공포하기로 하고, 이름을 순보(旬報)라 하여 견문을 넓히고, 여러 가지 의문점을 풀어 주고, 상업에도 도움을 주고자 하였다.

① 순 한글로 발행되었다.
② 영국인 베델이 참여하였다.
③ 서재필이 발행을 주도하였다.
④ 갑신정변으로 잠시 발행이 중단되었다.
⑤ 장지연의 「시일야방성대곡」을 게재되었다.

중요
04 밑줄 친 '학교'에 대한 설명으로 옳은 것을 〈보기〉에서 고른 것은?

보빙사 일행이 귀국 후에 학교 설립을 건의했다고 하네요.

나도 그 소식을 들었어요. 정부에서 보빙사의 의견을 받아들여 학교를 설립한다고 하네요. 헐버트라는 미국인이 교사로 초빙되었다고 해요.

〈보기〉
ㄱ. 영어·수학·정치학 등을 가르쳤다.
ㄴ. 통역관 양성을 목적으로 세워졌다.
ㄷ. 덕원 부사의 지원으로 설립되었다.
ㄹ. 주로 고관 자제들을 교육 대상으로 하였다.

① ㄱ, ㄷ　　　② ㄱ, ㄹ　　　③ ㄴ, ㄷ
④ ㄴ, ㄹ　　　⑤ ㄷ, ㄹ

05 다음 연설이 이루어지던 시기에 볼 수 있는 모습으로 옳은 것은?

관민이 마음을 합쳐 우리 대황제의 훌륭한 덕에 보답하고 국운이 영원토록 무궁하게 합시다.

① 자혜 의원에서 치료받는 환자
② 경부선을 타고 여행 중인 여성
③ 이화 학당 수업에 참여한 여학생
④ 「교육입국 조서」를 발표하는 고종
⑤ 국문 연구소에서 한글을 연구하는 학자

중요
06 신채호의 활동으로 옳은 것을 〈보기〉에서 고른 것은?

〈보기〉
ㄱ. 최남선과 함께 조선 광문회를 조직하였다.
ㄴ. 『대한매일신보』에 「독사신론」을 게재하였다.
ㄷ. 『을지문덕전』 등 영웅들의 전기를 발간하였다.
ㄹ. 국문 연구소에서 한글 맞춤법의 원리를 연구하였다.

① ㄱ, ㄴ　　　② ㄱ, ㄷ　　　③ ㄴ, ㄷ
④ ㄴ, ㄹ　　　⑤ ㄷ, ㄹ

07 다음 시를 작성한 인물에 대한 설명으로 옳은 것은?

처……ㄹ썩, 처……ㄹ썩, 척, 쏴……아.
때린다, 부순다, 무너 버린다.
태산(泰山) 같은 높은 뫼, 집채 같은 바윗돌이나.
요것이 무어야, 요게 무어야.

① 조선 광문회를 조직하였다.
② 『을지문덕전』을 발간하였다.
③ 『대한매일신보』를 창간하였다.
④ 「국문 연구 의정안」을 마련하였다.
⑤ 관민 공동회에서 시민 대표로 연설하였다.

08 다음 인물에 대한 설명으로 옳은 것은?

역사 통합 검색　×　＋　　　　　　□ ✕
← → C　http://www.OOOO.co.kr　　Q ⋮
백과사전 ∨　[　　　　　　　　▼]　검색

| 검색결과
〈인물로 보는 한국사〉
• 1863: 전남 보성에서 출생
• 1889: 문과 급제
• 1907: 자신회 조직, 을사오적 처단 시도
• 1916: 구월산에서 순절
• 1962: 건국 훈장 독립장 추서

① 동학을 천도교로 개칭하였다.
② 『조선불교유신론』을 집필하였다.
③ 근대 계몽 사학 발전에 기여하였다.
④ 실천적인 새로운 유교 정신을 강조하였다.
⑤ 단군 신앙을 발전시켜 대종교를 창시하였다.

사고력을 키우는 서술형

09 다음 문서의 명칭을 쓰시오.

짐이 정부에 명하여 학교를 널리 세우고 인재를 양성하는 것은 너희들 신하와 백성의 학식으로 나라를 중흥하는 큰 공로를 이룩하기 위해서이다. 너희들 신하와 백성은 임금에게 충성하고 나라를 사랑하는 심정으로 너의 덕성, 너의 체력, 너의 지혜를 기르라. 왕실의 안전도 너희들 신하와 백성의 교육에 달려 있고 나라의 부강도 너희들 신하와 백성의 교육에 달려 있다.

10 다음 자료를 읽고 물음에 답하시오.

우리보다 먼저 문명개화한 나라를 보면 남녀가 동등권이 있는지라. 여자도 어려서부터 학교에 다니며 각종 학문을 다 배워 이목을 넓히고, 장성한 후에 남자와 부부의 의를 맺어 평생을 살더라도 남자의 압제를 전혀 받지 아니하고 후대함을 받음은 다름 아니라 그 학문과 지식이 남자와 못지않으므로 권리도 같으니, 어찌 아름답지 아니하리오.

(1) 자료의 명칭을 쓰시오.

(2) 자료를 계기로 결성된 단체의 활동을 서술하시오.

11 다음 자료의 명칭과 의의를 서술하시오.

국가의 역사는 민족의 흥망성쇠 상태를 상세히 기록한 것이다. …… 역사를 쓰는 자는 반드시 그 나라의 주인되는 한 종족을 먼저 드러내어, 이것을 주제로 삼은 후에 그 정치는 어떻게 흥하고 쇠하였으며, 그 산업은 어떻게 번창하고 몰락하였으며, …… 그 다른 지역의 나라들과 어떻게 교섭하였는가를 서술하여야 이것을 역사라고 말할 수 있다.

2020학년도 수능

진주 안핵사 ㉠박규수가 아뢰기를, "이번에 ㉡진주에서 민란이 일어난 것은 전적으로 백낙신이 재물을 탐하여 ㉢백성들을 지나치게 수탈했기 때문입니다. 그의 잘못으로 민란이 일어났으니 그 죄는 예사로 취급해서는 안 되며, 각별히 문초해야 합니다."라고 하였다.

01 밑줄 친 ㉡에 대한 정부의 대책으로 옳은 것은?

① 정동행성을 폐지하였다.
② 수원 화성을 건설하였다.
③ 삼정이정청을 설치하였다.
④ 황룡사 9층 목탑을 세웠다.
⑤ 전민변정도감을 설치하였다.

활용
02 밑줄 친 ㉠ 인물에 대한 설명으로 옳은 것은?

① 흥선 대원군의 대외 정책을 지지하였다.
② 보빙사의 일원으로 근대 문물을 시찰하였다.
③ 김옥균, 박영효 등에게 개화사상을 가르쳤다.
④ 『조선책략』 유포에 반발하여 만인소를 올렸다.
⑤ 왜양일체론을 내세워 강화도 조약에 반대하였다.

서술형
03 밑줄 친 ㉢ 상황을 극복하기 위한 흥선 대원군의 노력을 서술하시오.

_____
_____

2020학년도 수능

(가) ㉠러·일 전쟁을 일으킨 일본은 전략상 필요한 지역을 임의로 사용할 수 있다는 내용의 한·일 의정서를 강제로 체결하였다.
(나) ㉡고종이 강제 퇴위당하고 군대가 해산된 후 의병들이 13도 창의군을 결성하여 서울 진공 작전을 감행하였다.

04 (가), (나) 시기 사이에 있었던 사실로 옳은 것은?

① 훈련도감이 설치되었다.
② 노비안검법이 시행되었다.
③ 홍경래의 난이 발발하였다.
④ 대한 제국이 외교권을 빼앗겼다.
⑤ 동학 농민군이 전주성을 점령하였다.

활용
05 밑줄 친 ㉠이 전개되던 시기에 있었던 사실로 옳은 것은?

① 대한 제국이 대외 중립을 선언하였다.
② 이토 히로부미가 초대 통감으로 부임하였다.
③ 일본과 영국이 제1차 영·일 동맹을 체결하였다.
④ 일본이 시마네현 고시로 독도를 불법 강탈하였다.
⑤ 일본이 대한 제국의 차관에 일본인을 배치하였다.

서술형
06 밑줄 친 ㉡의 배경을 서술하시오.

_____
_____

2020학년도 수능

왕은 일본에 의해 볼모가 되어 갇혀 있었다. …… 물밑에선 은밀한 계획이 진행되고 있었는데, 충직한 신하들이 왕을 구출하기로 결심한 것이었다. …… 이에 왕과 세자는 궁을 벗어날 수 있었고, 한 시간 뒤 전 세계는 아래와 같은 전보를 접하게 되었다.

"조선 왕이 궁궐에서 탈출하여 러시아 공사관에 머무르고 있다."
– 「제임스 게일, 조선, 그 마지막 10년의 기록」

07 위 사건의 배경으로 가장 적절한 것은?

① 을미사변이 발생하였다.
② 자유시 참변이 일어났다.
③ 헤이그 특사가 파견되었다.
④ 만민 공동회가 개최되었다.
⑤ 「대한국 국제」가 반포되었다.

2020학년도 수능

여보게. 청나라 상인이 한성과 양화진에 영업소를 개설할 수 있게 되었다네.

정부의 허가를 받으면 청나라 상인이 내륙에서도 활동할 수 있게 되었으니 우리 ㉠조선 상인들에게 피해가 있을까 봐 걱정이야.

10 위 가상 대화가 나타나게 된 배경으로 가장 적절한 것은?

① 광무개혁이 추진되었다.
② 국채 보상 운동이 전개되었다.
③ 러시아가 절영도 조차를 시도하였다.
④ 일본이 황무지 개간권을 요구하였다.
⑤ 조·청 상민 수륙 무역 장정이 체결되었다.

활용
08 위 사건의 영향으로 가장 적절한 것은?

① 을미의병이 일어났다.
② 「헌의 6조」가 결의되었다.
③ 동학 농민군이 재차 봉기하였다.
④ 열강의 이권 침탈이 본격화되었다.
⑤ 김홍집·박영효 연립 내각이 구성되었다.

활용
11 밑줄 친 ㉠을 극복하기 위한 노력으로 옳은 것은?

① 조·일 통상 장정을 체결하였다.
② 전환국을 설치하여 화폐를 주조하였다.
③ 최초의 신문인 『한성순보』가 발간되었다.
④ 평안도 상인의 자본으로 대동 상회가 설립되었다.
⑤ 메가타의 건의를 받아들여 화폐 조례를 공포하였다.

서술형
09 위 사건의 발생으로 중단된 개혁의 내용을 네 가지 이상 서술하시오.

_____

_____

서술형
12 위 가상 대화에 나타난 상황 이후, 일본 상인이 내지 통상권을 확보하게 된 조약에 대해 서술하시오.

_____

_____

01 다음 정책을 시행한 인물에 대한 설명으로 옳은 것을 〈보기〉에서 고른 것은?

> 재정이 메말라 일을 할 수 없게 되자 8도의 부자 명단을 뽑아서 돈을 거두어들였다. …… 이때 거두어들인 돈을 원납전이라 하였는데, 백성들은 입을 비쭉거리면서 "원납전(願納錢)이 아니라 원납전(怨納錢)이다."라고 말하였다.

〈보기〉
ㄱ. 단발령의 폐지를 선포하였다.
ㄴ. 서원전의 면세 규정을 폐지하였다.
ㄷ. 전국적인 양전 사업을 실시하였다.
ㄹ. 구본신참의 원칙으로 개혁을 추진하였다.

① ㄱ, ㄴ ② ㄱ, ㄷ ③ ㄴ, ㄷ
④ ㄴ, ㄹ ⑤ ㄷ, ㄹ

02 다음 주장이 등장한 배경으로 가장 적절한 것은?

> 서양 오랑캐가 침입해 오는데 그 고통을 이기지 못해 화친을 주장하는 것은 나라를 팔아먹는 것이며, 그들과 교역하면 나라가 망한다.

① 미군이 강화도를 침략하였다.
② 일본에서 정한론이 제기되었다.
③ 일본이 경복궁을 강제 점령하였다.
④ 영국이 거문도를 불법 점령하였다.
⑤ 운요호가 영종도에서 약탈을 저질렀다.

03 다음 조항을 활용한 탐구 활동 주제로 가장 적절한 것은?

> **제14관** 이후 조선이 이 조약에 없는 어떠한 이익을 다른 나라 혹은 그 상인에게 베풀 경우, 미국 관민도 동일한 혜택을 받도록 한다.

① 보빙사 파견의 목적
② 『조선책략』의 작성 배경
③ 강화도 조약의 주요 내용
④ 포츠머스 조약의 체결 결과
⑤ 아관 파천 이후 열강의 이권 침탈

04 다음 조약들을 체결 순서대로 옳게 나열한 것은?

> ㄱ. 한성 조약   ㄴ. 조·일 무역 규칙
> ㄷ. 조·일 통상 장정   ㄹ. 조·미 수호 통상 조약

① ㄱ-ㄴ-ㄷ-ㄹ ② ㄱ-ㄴ-ㄹ-ㄷ
③ ㄱ-ㄷ-ㄴ-ㄹ ④ ㄴ-ㄱ-ㄹ-ㄷ
⑤ ㄴ-ㄹ-ㄷ-ㄱ

05 (가), (나) 조약에 대한 설명으로 옳은 것은?

> (가) **제3조** 조선국은 5만 원을 내어 해를 당한 일본 관리 유족, 부상자에게 주도록 한다.
> **제5조** 일본 공사관에 군인 약간을 두어 경비한다. 비용은 조선국이 부담한다.
> (나) 조선은 오랫동안 제후국에 있었으므로 …… 이 수륙 무역 장정은 중국이 속방을 우대한다는 뜻이며, 각국과 똑같은 이득을 보도록 하는 데 있지 않다.

① (가) 청·일 전쟁의 원인이 되었다.
② (가) 일본에 영사 재판권을 인정하였다.
③ (나) 청과 조선의 대등한 관계를 규정하였다.
④ (나) 일본 외교관의 내지 여행이 허용되었다.
⑤ (가), (나) 임오군란을 계기로 체결되었다.

06 다음 주장을 펼친 세력에 대한 설명으로 옳은 것은?

> 우리 조선은 청의 간섭에서 벗어나 자주독립을 이루어야 합니다. 따라서 빠른 시일 내에 부국강병을 이룩하기 위해서는 서양의 기술뿐만 아니라 사상과 제도까지도 적극적으로 도입해야 합니다.

① 강화도 조약 체결을 반대하였다.
② 고종에게 영남 만인소를 올렸다.
③ 동도서기론에 따른 개혁을 주장하였다.
④ 일본의 메이지 유신을 본보기로 삼았다.
⑤ 중인 신분으로 통상 개화론을 내세웠다.

07 밑줄 친 '그'가 이끌었던 민족 운동 과정에서 있었던 사실로 옳지 않은 것은?

제○○호　　　　　　　　○○○○년 ○○월 ○○일

〈사진으로 보는 근현대사〉

사진은 체포 과정에서 부상을 입은 그가 들것에 실려 일본 영사관에서 법무아문으로 이송되고 있는 모습이다. 그는 재판 과정에서 일본이 개화를 구실로 군대를 동원하여 경복궁을 점령하였기 때문에 충군애국의 마음으로 의병을 일으켜 일본에 책임을 물으려 했음을 밝혔다.

① 활빈당이 조직되었다.
② 백산에서 4대 강령이 발표되었다.
③ 개혁 기구로 교정청이 설치되었다.
④ 전라도 일대에 집강소가 설치되었다.
⑤ 홍계훈의 부대가 황룡촌에서 격파당하였다.

08 다음 포고문이 발표된 개혁에 대한 설명으로 옳은 것은?

> 1. 청국에 의존하려는 생각을 버리고 자주독립의 기초를 세운다.
> 5. 의정부와 각 아문의 직무 권한을 명확히 규정한다.
> 6. 조세 징수는 법으로 정해 함부로 거두지 않는다.
> 7. 조세의 부과와 징수, 경비 지출은 모두 탁지아문이 관할한다.

① 아관 파천으로 개혁이 중단되었다.
② 통리기무아문이 개혁을 총괄하였다.
③ 박영효가 내무 대신으로 참여하였다.
④ 군국기무처가 다양한 개혁을 추진하였다.
⑤ 수익 사업을 관할하는 내장원을 설치하였다.

09 다음 인물의 활동으로 옳은 것은?

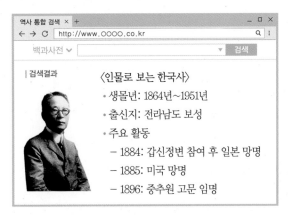

역사 통합 검색　× +　　　　　　　　　　　　_ □ ×

← → C　http://www.○○○○.co.kr　　　　Q ⋮

백과사전 ⌄　　　　　　　　　　　▼　검색

| 검색결과

〈인물로 보는 한국사〉
• 생몰년: 1864년~1951년
• 출신지: 전라남도 보성
• 주요 활동
　– 1884: 갑신정변 참여 후 일본 망명
　– 1885: 미국 망명
　– 1896: 중추원 고문 임명

① 일본에서의 차관 도입을 시도하였다.
② 정부 대표로 관민 공동회에 참여하였다.
③ 양기탁, 신채호와 함께 신민회를 만들었다.
④ 독립문 건립 등을 내세우며 독립 협회를 창립하였다.
⑤ 입헌 정치의 수립을 목적으로 헌정 연구회를 조직하였다.

10 다음 사건들을 발생 순서대로 옳게 나열한 것은?

> ㄱ. 『독립신문』 창간　　　ㄴ. 대한 제국 선포
> ㄷ. 「대한국 국제」 반포　　ㄹ. 관민 공동회 개최

① ㄱ-ㄴ-ㄷ-ㄹ　　　　② ㄱ-ㄴ-ㄹ-ㄷ
③ ㄱ-ㄹ-ㄴ-ㄷ　　　　④ ㄴ-ㄱ-ㄹ-ㄷ
⑤ ㄴ-ㄹ-ㄱ-ㄷ

11 교사의 질문에 대한 학생의 답변으로 적절한 것은?

> 사진의 문서는 정부가 토지 소유주에게 발급한 증명서예요. 이 문서가 발급된 개혁에 대해 말해볼까요?

① 김홍집 내각이 개혁을 이끌었어요.
② 개혁 과정에서 상공 학교가 설립되었어요.
③ 문명개화론의 입장에서 개혁이 추진되었어요.
④ 개혁에 대한 반발로 유생들이 의병을 일으켰어요.
⑤ 입헌 군주제와 유사한 정치 체제를 지향하였어요.

12 (가)에 들어갈 내용으로 적절하지 <u>않은</u> 것은?

> 〈탐구 활동 보고서〉
> • 탐구 주제: 일제의 국권 피탈에 대한 저항
> • 수집 자료
>   – 을사늑약에 반발해 자결한 민영환의 유서
>   – ┌─────────(가)─────────┐

① 안중근 초상화가 그려진 엽서
② 일진회가 주도하여 작성한 청원서
③ 의병을 다룬 『대한매일신보』의 기사
④ 장지연이 작성한 「시일야방성대곡」
⑤ 이위종이 헤이그에서 발표한 연설문

13 밑줄 친 '의병'에 대한 설명으로 옳은 것은?

사진의 비석은 일본 쓰시마섬 수선사 경내에 세워진 최익현 순국 기념비이다. <u>의병</u>을 일으켰던 최익현은 일본에 압송되어 쓰시마섬에 유배되었고, 그곳 감옥에서 순국하였다. 이후 그의 유해는 한국으로 송환되었고, 1986년 한·일 유지들에 의해 순국비가 세워졌다.

① 서울 진공 작전을 전개하였다.
② 해산 군인의 참여가 이루어졌다.
③ 『조선책략』 유포에 대한 반발이었다.
④ 신돌석 등 평민 의병장이 활동하였다.
⑤ 고종의 해산 권고 조칙으로 해산하였다.

14 신민회에 대한 설명으로 적절한 것을 〈보기〉에서 고른 것은?

> 〈보기〉
> ㄱ. 고종 강제 퇴위 반대 운동을 주도하였다.
> ㄴ. 삼원보 지역에 신흥 강습소를 설립하였다.
> ㄷ. 일본의 황무지 개간권 요구를 저지하였다.
> ㄹ. 공화정 체제의 국가 건설을 목표로 하였다.

① ㄱ, ㄴ   ② ㄱ, ㄷ   ③ ㄴ, ㄷ
④ ㄴ, ㄹ   ⑤ ㄷ, ㄹ

15 다음 강령을 바탕으로 활동했던 단체에 대한 설명으로 옳은 것은?

> 1. 전국의 산림·천택·원야·진황의 토지를 청구한 일을 모여서 같이 의논할 것
> 1. 회원의 발언권은 다만 위 항의 문제를 타정하는 것으로만 할 것
> 1. 회를 폐하는 기한은 위 항의 문제가 귀결되는 그날로 정할 것

① 전국에 지회를 두었다.
② 비밀 결사 형태로 활동하였다.
③ 전국적인 모금 운동을 전개하였다.
④ 전직 관료와 유생의 주도로 결성되었다.
⑤ 외국 상인들의 상업 활동 중단을 요구하였다.

16 밑줄 친 '민족 운동'에 대한 설명으로 적절한 것을 〈보기〉에서 고른 것은?

대구에 있는 이 비석은 이곳에서 시작된 <u>민족 운동</u>을 기리기 위해 세워졌어요. 민족 운동의 주체였던 개화 지식인, 상인, 여성을 형상화하였지요.

> 〈보기〉
> ㄱ. 독립 협회의 주도로 전개되었다.
> ㄴ. 한·러 은행을 폐쇄하는 성과를 거두었다.
> ㄷ. 통감부의 탄압으로 목적을 이루지 못하였다.
> ㄹ. 『대한매일신보』와 『황성신문』의 지원을 받았다.

① ㄱ, ㄴ   ② ㄱ, ㄷ   ③ ㄴ, ㄷ
④ ㄴ, ㄹ   ⑤ ㄷ, ㄹ

비판적
사고 기르기

다음 자료를 읽고 물음에 답해 보자.

(가) 근대화에 대한 견해

• 김옥균의 상소 | 현재 세계는 상업을 주로 하여 서로 산업의 크고 많음을 경쟁하고 있는데, 아직도 양반을 제거하여 뿌리를 뽑지 않는다면 국가의 패망은 기어코 앉아서 기다리는 꼴이 될 뿐입니다. 전하께서 이를 철저히 반성하시어 하루빨리 무식 무능하고 수구 완고한 대신배를 축출하시고, 문벌을 폐하고 인재를 골라 중앙 집권의 기초를 확립하여 백성들의 신용을 얻으시고, 널리 학교를 세워 백성이 지식을 깨우치게 하옵소서.

• 고종의 동도서기론 | 그들의 종교는 사교이므로 마땅히 음탕한 음악이나 미색처럼 여겨서 멀리해야 하겠지만, 그들의 기계는 이로워서 진실로 이용후생 할 수 있으니 농기구·의약·병기·배·수레 같은 것을 제조하는 데 무엇을 꺼리며 하지 않겠는가? 그들의 종교는 배척하고, 기계를 본받는 것은 진실로 병행하여도 사리에 어그러지지 않는다. 더구나 강약의 형세가 이미 현저한데 만일 저들의 기계를 본받지 않는다면 무슨 수로 저들의 침략을 막고 저들이 넘보는 것을 막을 수 있겠는가?

(나) 독립 협회의 양면성

• 한·러 은행 설립 반대 | 서울에 한·러 은행을 세우고 탁지부에서 조선은행과 한성은행 두 곳에 맡겨 두었던 은화와 탁지부가 갖고 있던 은을 한·러 은행에 옮겨 두었다 하니 …… 이 말이 맞으면 이는 온 나라의 재물 권리를 다른 나라 사람에게 사양하여 주는 것이요.

• 영국의 북아메리카 침략에 대한 평가 | 북아메리카는 땅이 비옥하고 자원이 풍부하며 강산이 웅장하고 수려함이 세계에서도 수위를 다툰다. 그러나 인디언들이 몇천 년을 맡아 가지고 있어도 이 좋은 강산을 무용지물로 만들고 …… 영국인의 땅이 된 후에는 세계에서 제일 부강한 나라가 되었다.

> **논술 길라잡이**
> • 동도서기론에 따른 점진적 개혁을 추구했던 세력과 문명개화론의 영향을 받아 급진적 개혁을 추구했던 세력의 주장을 비교하여 파악한다.
> • 독립 협회의 이권 수호 활동을 정리하고 그 한계를 파악한다.

> **더 알아보기**
> • 동도서기론: 동양의 전통적인 제도와 사상[도(道)]은 지키되 서양의 기술[기(器)]은 받아들이자는 주장이다.
> • 탁지부: 1895년에 탁지아문을 개칭한 것으로, 국가 전반의 재정을 맡았다.

01 (가)의 두 자료에 나타나는 근대화에 대한 견해 차이를 비교하여 서술하시오.

02 (나)의 두 자료를 토대로 독립 협회의 주요 활동과 그 한계를 서술하시오.

Ⅲ 일제 식민지 지배와 민족 운동의 전개

이번 대주제에서는

♣ 1910년 국권 피탈 이후부터 1945년 8·15 광복 직전까지 역사적 사건의 흐름을 파악할 수 있다.

♣ 일제의 시기별 식민지 지배 정책과 전체주의 국가의 침략 전쟁 수행을 위한 전시 동원 체제가 당시 한국인들의 삶에 어떤 영향을 끼쳤는지를 설명할 수 있다.

♣ 세계 정세의 변화와 근대적 의식의 확산을 배경으로 전개된 다양한 민족 운동과 사회 운동의 사례를 말할 수 있다.

♣ 항일 투쟁 과정에서 노선과 이념의 차이를 뛰어넘는 통합 운동이 추진되었으며, 광복 이후 건설될 국가의 청사진을 구체적으로 제시하였음을 이해할 수 있다.

학습 계획표
· 자신의 일정에 맞게 계획을 세워보고, 실제 학습일을 적어 봅시다.
· 학습을 마무리한 후 얼마나 학습 목표를 달성하였는지 스스로 점검해 봅시다.

1 일제의 식민지 지배 정책

1 일제의 무단 통치

1 제1차 세계 대전 전후의 국제 정세

(1) 제1차 세계 대전
　　　　　　　　　　　　•오스트리아·헝가리 제국
　① 제국주의 열강들의 식민지 쟁탈전 심화
　　　• 동맹국(독일, 오스트리아, 이탈리아 등) vs 연합국(영국, 프랑스, 러시아 등)
　② 제1차 세계 대전 발발(1914) → 연합국 승리(1918)┌독일의 무제한 잠수함 작전으로 피해를 입
　　　　　　　　　　　　　　　　　　　　　　　은 미국이 참전하면서 연합국이 승리하였다.
　③ 파리 강화 회의(1919): 전후 처리 문제 논의, '민족 자결주의' 원칙 등장
　　　　　　　　　•사라예보 사건을 계기로 오스트리아·헝가리 제국이
(2) 국제 정세의 변화　세르비아에 선전 포고를 하면서 전쟁이 일어났다.

미국	•윌슨 대통령이 '민족 자결주의' 발표 → 한국의 3·1 운동에 영향, 그러나 승전국(일본) 식민지에는 적용되지 않음.
일본	•영·일 동맹에 따라 제1차 세계 대전 때 연합국 측에 참전 •독일의 조차지인 산둥반도 점령 → 중국에서 권익 확대
러시아	•러시아 혁명(1917), 레닌의 식민지 독립운동 지원 약속 → 사회주의 확산 계기

　└이후 반혁명파 세력과의 내전에서 승리한 후 소비에트 사회주의 공화주의 연방(소련) 수립(1922)

2 헌병 경찰 제도를 통한 무단 통치 실시

(1) 식민 통치 기구
　　　　　　　　　　　　　•조선 총독은 조선 통치의
　　　　　　　　　　　　　　모든 권한을 위임 받음.
　① 조선 총독부: 식민 통치의 최고 기구, 조선 총독은 육·해군 대장 중에서 임명
　　　되어 조선 통치의 전권을 위임받음.
　② 중추원: 조선 총독의 자문 기관 → 친일파로 구성
(2) 헌병 경찰 제도: 무단 통치 실시
　① 헌병 경찰: 헌병이 일반 경찰 업무 담당 → 한국인의 일상생활 통제
　② 즉결 심판: 정식 재판 없이 한국인에게 벌금과 태형 실시
　　　　　└「범죄즉결례」(1910)　　└「경찰범 처벌 규칙」(1912), 「조선 태형령」(1912)

3 기본권 제한과 식민지 교육의 도입

(1) 기본권 제한: 언론·집회·결사의 자유 제한 → 신문·잡지 폐간, 각종 단체 해산
(2) 「제1차 조선 교육령」(1911): 일본어 보급, 보통 교육과 실업 교육 중심으로 편성
(3) 공포 분위기 조성: 일반 관리, 학교 교원까지 제복과 칼을 착용함.
　　　　　　　　　　　　└고등 교육의 기회 제한, 일왕에게
　　　　　　　　　　　　　복종하는 한국인 양성 추구

4 식민지 수탈 체제의 구축

(1) 조선을 일제의 원료 공급 및 상품 판매처로 이용
　① 기간 시설 구축: 철도·도로·항만과 같은 사회 간접 자본 확충
　② 「회사령」 공포(1910): 회사 설립 때 조선 총독의 허가를 받도록 함.
　　　　　　　　　　└민족 자본의 성장을 억제함.
(2) 토지 조사 사업 시행(1910~1918)
　① 과정: 토지 조사령 공포(1912), 신고주의 방식으로 진행 → 미신고 토지는 국
　　　유화(동양 척식 주식회사에서 관리)
　② 결과: 일제의 지세 수입 증가, 일본인 농업 이주민의 국유지 매입으로 대지주
　　　화, 지주의 배타적인 소유권 보장, 소작인들의 경작권(전통적 권리) 부정
　　　　　└소작인들은 영구 경작권을 잃고 고율의 소작료
　　　　　　등 불리한 조건으로 지주와 계약하였다.

자료 콕콕 ❶ 토지 조사령

제4조 토지 소유자는 조선 총독이 정하는 기간 내에 주소, 성명, 명칭 및 소유지의 소재, …… 결 수를 임시 토지 조사 국장에게 신고해야 한다. 단 국유지는 보관 관청이 임시 토지 조사 국장에게 통지해야 한다.
　　　　　　　　　　　– 「조선 총독부 관보」

일제가 토지 조사 사업을 위해 1912년 8월 13일에 제정한 법령이다. 제4조에는 토지 소유자가 소유권을 인정받기 위해서는 자신의 토지를 기간 내에 신고해야 함을 명시하였다. 이 때문에 기한을 넘겨 신고하지 못한 토지, 일제에 대한 반발로 신고하지 않은 토지, 공유지·황무지 및 미개간지 등은 조선 총독부 소유가 되었다.

개념 체크

1 다음 설명이 맞으면 ○표, 틀리면 ×표를 해 보자.
(1) 제1차 세계 대전에서 연합국 측에 가담한 일본은 승전국이 되었다. 　　　(　　)
(2) 제1차 조선 교육령을 통해 한국인은 일본인과 동등한 교육의 기회를 제공받았다. 　　　(　　)

2 빈칸에 알맞은 말을 써 보자.
(1) '각 민족은 정치적 운명을 스스로 결정할 권리가 있다.'라는 주장을 (　　　　)(이)라고 한다.
(2) 대한 제국을 강점한 일제는 식민 통치의 최고 기구로 (　　　　)을/를 설치하였다.
(3) 토지 조사 사업 결과 지주는 배타적인 소유권을 보장받았지만, (　　　　)을/를 인정받지 못한 소작인들의 지위는 불안정해졌다.

3 서로 관련 있는 내용끼리 연결해 보자.
(1) 회사령　　•　　•㉠ 조선 태형령
(2) 헌병 경찰　•　　•㉡ 신고주의 방식
(3) 토지 조사 사업　•　•㉢ 허가제

2 일제의 민족 분열 통치

1 '문화 통치' 표방과 일제의 친일파 육성

(1) **배경**: 3·1 운동을 계기로 강압적인 무단 통치의 한계 인식

(2) **실제 목적**: 유화 정책을 통해 친일 세력을 양성하여 민족 분열 조장

(3) **내용과 실상**

① 문관 출신 총독 임명 가능 → 실제로는 문관 총독이 한 명도 임명되지 않음.

② 언론·출판 자유 허용 → 신문 기사의 사전 검열·삭제, 압수·정간 등 탄압 강화

③ 결사·집회의 자유 허용 → 단체 설립과 집회는 식민지 지배를 인정하는 범위 내에서만 가능
┗ 일제는 한국의 독립운동이 곧 국체를 변혁시키려는 행위인 것이라고 해석하여 사회주의 및 민족 운동을 탄압할 때 이 법의 제조를 적용하여 탄압하였다.

④ 보통 경찰제 도입 → 경찰 관리 및 기관의 수, 예산 대폭 증가, 한국인에 대한 감시·통제 강화, 「치안 유지법」 시행(1925)

⑤ 친일파 육성 → 중추원 확대, 지방 제도 개편 → 일제에 충성하는 인물들로 구성
┗ 부·읍·면 협의회는 의결권이 없는 형식적인 자문 기구로, 일정 금액 이상을 납세할 수 있는 자산가에게만 참가 자격 부여

(4) **영향**: 일제와의 타협을 주장하는 세력 등장 → 민족 운동에 큰 혼선

참정권 운동	• 한국인 대표가 일본 의회에 진출해야 한다고 주장
자치 운동	• 한국의 자치를 위한 별도의 의회를 설립해야 한다고 주장

2 일본 자본의 침투

(1) **배경**: 제1차 세계 대전 기간 연합국의 군수 물자 주문이 늘어나 공업 부문 수출 증가, 서구 열강을 대신하여 중국 시장 장악 → 축적된 자본의 투자처 물색

(2) **「회사령」 폐지(1920)**: 회사 설립 절차를 허가제에서 신고제로 완화 → 일본인 기업의 한국 진출이 쉬워짐.

(3) **일본산 상품에 대한 관세 폐지(1923)**: 값싼 일본산 제품이 한국에 유입 → 한국인 기업들은 큰 타격을 입음.

3 산미 증식 계획의 시행

배경	• 제1차 세계 대전 이후 일본 내 쌀값 폭등 ── 전국적으로 쌀값 인하를 요구하는 시위인 '쌀 소동' 발생(1918) • 한국을 식량 공급지로 만들어 쌀 부족 문제 해결 추구
전개	• 한국 내의 쌀 생산량 증대를 목표로 하는 '수리 조합' 조직 • 관개 시설(저수지, 수로 등) 증설 • 밭을 논으로 지목 변경 • 농토 개간 및 간척 사업 전개 • 종자(품종) 개량 및 농기구 개량
결과	• 한국의 식량 사정 악화: 증대된 쌀 생산량보다 많은 양이 일본으로 유출, 값싼 만주산 잡곡 수입(한국인의 쌀 소비량 감소) • 쌀 농사 위주의 단작 농업 정착: 쌀 가격 변동에 취약 • 농민들은 지주들이 떠넘긴 과중한 수리 조합비, 비료 대금 부담 등으로 처지 악화 → 토지 상실, 국외 이주 증가 • 중소 지주 및 소작농의 몰락 → 대지주의 토지 겸병 심화

┗ 소작농은 화전민·도시 빈민으로 전락하였고, 만주나 연해주·일본 등으로 이주하기도 하였다.

자료 콕콕 ❷ 치안 유지법(1925)

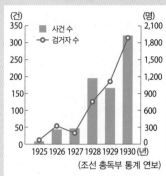

치안 유지법 위한 사건과 검거자 수

1925년 일제가 제정한 치안 유지법과 관련 있는 자료이다. 일제는 국체(천황제)를 부정하거나 사유 재산 제도를 부정하는 사상과 그런 목적으로 조직을 만드는 독립운동가들을 탄압할 목적으로, 1923년 관동 대지진 직후 일본에서 제정하였던 치안 유지법을 식민지 한국에도 적용하였다.

개념 체크

1 다음 설명이 맞으면 O표, 틀리면 ×표를 해 보자.

(1) 3·1 운동을 계기로 일제는 기존의 '문화 통치'를 대신하여 무단 통치를 내세웠다. (　　)

(2) 일제 강점기 내내 조선 총독은 무관 출신 중에서 임명되었다. (　　)

2 빈칸에 알맞은 말을 써 보자.

(1) 일제는 한국인의 사상과 표현의 자유를 억압하고 민족 운동과 사회주의 운동을 탄압하고자 1925년 (　　　　)을/를 시행하였다.

(2) 1920년 (　　　　)이/가 폐지되면서 한국에서의 회사 설립이 허가제에서 신고 제로 바뀌었다.

(3) 일본의 인구 증가와 산업화로 식량 부족 문제가 발생하자 (　　　　)을/를 통해 한국에서 쌀 생산량을 늘려 일본으로 가져가려 하였다.

3 서로 관련 있는 내용끼리 연결해 보자.

(1) 문화 통치 • 　　• ㉠ 친일파 양성

(2) 산미 증식 계획 • 　　• ㉡ 기사 검열·삭제

(3) 한글 신문 허용 • 　　• ㉢ 수리 조합비 부담

01 다음 인물의 연설 내용과 관련된 설명으로 옳은 것을 〈보기〉에서 고른 것은?

각 민족은 정치적 운명을 스스로 결정할 권리가 있으며, 다른 민족의 간섭을 받을 수 없습니다.

〈보기〉
ㄱ. 최혜국 대우의 원칙이라 부른다.
ㄴ. 파리 강화 회의에서 기본 원칙으로 채택되었다.
ㄷ. 제1차 세계 대전의 승전국 식민지에 적용되었다.
ㄹ. 약소민족이 독립운동을 전개하는 사상적 근거가 되었다.

① ㄱ, ㄴ　　② ㄱ, ㄷ　　③ ㄴ, ㄷ
④ ㄴ, ㄹ　　⑤ ㄷ, ㄹ

중요
02 다음과 같은 형벌이 적용된 시기에 볼 수 있었던 모습으로 옳지 <u>않은</u> 것은?

왼쪽 사진은 작은 몽둥이로 볼기를 때리는 신체 형벌 제도와 관련된 도구로, 이 제도는 당시 식민지 한국인에게만 적용되었다.

① 헌병 경찰이 치안을 유지하였다.
② 교원에게 제복과 칼을 착용하게 하였다.
③ 성과 이름을 일본식으로 바꾸도록 강요하였다.
④ 국어 시간에 한국어 대신 일본어를 배우기 시작하였다.
⑤ 한국인이 발행하던 신문과 잡지의 대부분이 폐간되었다.

중요
03 다음 법령과 관련된 사업에 대한 설명으로 옳은 것을 〈보기〉에서 고른 것은?

제1조　토지의 조사 및 측량은 본령에 의한다.
제4조　토지 소유자는 조선 총독이 정하는 기간 내에 주소, 성명, 명칭 및 소유지의 소재, …… 결 수를 임시 토지 조사 국장에게 신고해야 한다. 단 국유지는 보관 관청이 임시 토지 국장에게 통지해야 한다.

〈보기〉
ㄱ. 조선 총독부의 지세 수입이 늘어났다.
ㄴ. 경작권을 인정하여 소작인의 생활을 안정시켰다.
ㄷ. 동양 척식 주식회사의 소유지가 증가하게 되었다.
ㄹ. 지주에게 토지 소유권을 보장하는 지계를 발급하였다.

① ㄱ, ㄴ　　② ㄱ, ㄷ　　③ ㄴ, ㄷ
④ ㄴ, ㄹ　　⑤ ㄷ, ㄹ

04 (가)에 들어갈 내용으로 옳은 것만을 〈보기〉에서 있는 대로 고른 것은?

〈보기〉
ㄱ. 회사 설립을 허가제에서 신고제로 바꾸었어.
ㄴ. 1910년대 민족 자본의 성장을 어렵게 만들었어.
ㄷ. 기존에 존재하던 회사일지라도 해산 명령이 가능했어.
ㄹ. 한국을 일본의 상품 판매처로 삼기 위한 의도가 있었어.

① ㄱ　　② ㄴ　　③ ㄷ, ㄹ
④ ㄱ, ㄴ, ㄹ　　⑤ ㄴ, ㄷ, ㄹ

중요
05 다음 설명과 관련된 운동으로 옳은 것을 〈보기〉에서 고른 것은?

> 일제가 내세운 이른바 '문화 통치'는 친일파를 양성하고 민족을 분열시켜 한국을 효과적으로 지배하기 위한 것이었다. 실제로 일부 한국인은 일제와의 타협을 주장하여 민족 운동에 큰 혼선을 가져왔다.

> 〈보기〉
> ㄱ. 자치 운동
> ㄴ. 참정권 운동
> ㄷ. 국채 보상 운동
> ㄹ. 애국 계몽 운동

① ㄱ, ㄴ　　② ㄱ, ㄷ　　③ ㄴ, ㄷ
④ ㄴ, ㄹ　　⑤ ㄷ, ㄹ

06 밑줄 친 (가)에 대한 설명으로 옳지 <u>않은</u> 것은?

> 3·1 운동 이후 일제는 이처럼 (가) 부·읍·면 협의회를 만들었어요.

면 협의회 의원 선거 장면

① 일제에 충성하는 인물들로 구성되었다.
② 의결권이 없는 형식적인 자문 기구였다.
③ 한국인을 분열시키기 위한 의도로 만들었다.
④ 일정 금액을 납부한 사람들만 출마할 수 있었다.
⑤ 만 20세 이상 지역 주민들의 투표로 의원을 선출하였다.

사고력을 키우는 서술형

07 독립운동가 탄압에 활용되었던 이 법령의 명칭을 쓰시오.

> 제1조 ① 국체(천황제)를 변혁하거나 사유 재산 제도를 부인하는 것을 목적으로 결사를 조직하거나 또는 사정을 알고 이에 가입한 자는 10년 이하의 징역 또는 금고에 처한다.
> 제7조 이 법은 시행 구역 외에서 죄를 범한 자에게도 적용한다.

_____

08 (가)의 주장을 뒷받침할 수 있는 근거를 서술하시오.

> 사회자: 산미 증식 계획이 조선사람들에게도 이득을 줬다는 해석에 대해 어떻게 보십니까?
> (가): 돈을 지불하고 가져갔다는 이유만으로 산미 증식 계획을 '수탈'이 아닌 '수출'로 보는 것에 대해 저는 동의하지 않습니다. 산미 증식 계획으로 대다수 한국인의 삶은 더 어려워졌습니다.

_____
_____
_____

09 다음 자료를 보고 물음에 답하시오.

> • 한국인의 신문과 잡지 발행을 허용하겠다.
> • 문관 총독 임명이 가능하도록 규정을 고쳤다.
> • 헌병 경찰제를 폐지하고 보통 경찰제를 실시하겠다.

(1) 위 주장과 관련된 일제 통치 방식의 명칭을 쓰시오.

_____

(2) 위 주장과 달리 실상은 어떠했는지를 서술하시오.

_____
_____
_____

 ## 2 3·1 운동과 대한민국 임시 정부

1 1910년대 국내외 민족 운동

1 1910년대 독립운동의 두 흐름
(1) **복벽주의**: 군주제 지향, 대한 제국의 회복을 추구하는 독립운동의 이념
(2) **공화주의**: 국가의 주권이 국민에게 있는 민주주의 국가 건설 추구, 독립운동 세력 내에서 점차 대세가 됨.

2 국내에서 전개된 비밀 결사 운동
(1) 배경: 국권 피탈 후 국내의 민족 운동 약화 → 일제의 가혹한 무단 통치를 피해 국내에서 비밀 결사 조직
 └ '일제의 남한 대토벌 작전'으로 의병 운동 위축, 105인 사건으로 신민회 해체
(2) 국내의 비밀 결사

대한 독립 의군부 (1912)	• 주도 인물: 의병장 출신 임병찬 → 고종의 밀지를 받고 전국 각지의 유생들을 모아 조직 • 주요 활동: 일본 정부와 조선 총독부에 국권 반환 요구 운동 추진 • 추구 방향: 복벽주의 이념에 따라 고종의 복위를 목표로 전국적인 의병을 일으키려 함.
대한 광복회 (1915)	• 주도 인물: 박상진 → 의병 계열과 애국 계몽 계열 통합 • 주요 활동: 친일 부호 처단, 군자금 모집, 무기 구입, 독립군 양성 • 추구 방향: 공화주의(공화정)에 입각한 근대 국가 수립

3 국외에서 진행된 독립운동 기지 건설 운동
(1) 배경: 독립 전쟁론 구현을 위한 국외 독립운동 기지 건설에 주력
(2) 지역별 독립운동 기지

서간도	• 주요 지역: 남만주 삼원보 → 신한민촌 건설 • 중심 인물: 신민회의 이회영, 이상룡 등 • 자치 단체: 경학사(이후 부민단 → 한족회로 발전) • 교육 기관: 신흥 강습소(이후 신흥 무관 학교)
북간도	• 주요 지역: 용정촌, 명동촌 등 한인 집단촌 형성 • 중심 인물: 이상설, 김약연, 서일 등 • 자치 단체: 간민회, 중광단(대종교 간부들이 설립) → 북로 군정서로 개편 • 교육 기관: 서전서숙(이상설), 명동 학교(김약연)
연해주	• 주요 지역: 블라디보스토크의 신한촌 • 중심 인물: 이상설, 이동휘 • 자치 단체: 권업회(『권업신문』 발행), 대한 광복군 정부 수립(1914), 대한 국민 의회(1919) └ 이상설과 이동휘를 정·부통령으로 선출
상하이	• 중심 인물: 신규식 등 • 정치 단체: 동제사, 신한청년당 • 주요 활동: 「대동단결 선언」 발표(1917)
미주	• 한인 동포 사회 형성: 하와이 사탕수수 농장 이주 시행(1903) → 한인 수 증가 • 자치 단체: 대한인 국민회(1910, 공화제 지향) → 만주·연해주 독립운동 지원 • 군사 훈련 조직: 대조선 국민 군단(1914년 박용만이 하와이에서 조직)

자료 콕콕 ❶ 대동단결 선언(1917)

융희 황제(순종)가 삼보(三寶: 토지, 인민, 정치)를 포기한 경술년(1910) 8월 29일은 우리 동지들이 이를 계승한 8월 29일이니, 그 사이에 순간의 쉼도 없다. 우리 동지들은 주권을 완전히 상속하였으니, 황제권이 소멸한 때가 곧 민권이 발생하는 때요, 구한국 최후의 하루는 곧 신한국 최초의 하루다. ……

신규식, 박은식, 신채호, 박용만, 조소앙 등 14명의 독립운동가들이 상하이에서 1917년에 발표한 선언이다. 이 선언은 1910년 8월 29일을 「한국 병합 조약」으로 인해 한국의 주권이 소멸한 날로 보지 않고, 순종이 포기한 주권을 한국인 전체가 이어받게 된 공화주의 역사의 첫날로 해석하였다. 이 선언은 뒷날 대한민국 임시 정부 수립에 영향을 끼쳤다.

개념 체크

1 다음 설명이 맞으면 ○표, 틀리면 ✕표를 해 보자.
(1) 1910년대 국외 독립운동은 주로 독립운동 기지 건설에 주력하였다. ( )
(2) 무단 통치 상황 속에서도 국내의 독립운동은 공개적이고 합법적인 단체를 통한 활동으로 전개되었다. ( )

2 빈칸에 알맞은 말을 써 보자.
(1) 군주제의 부활을 지향하는 독립운동의 이념을 가리켜 ( )(이)라고 부른다.
(2) 경학사는 서간도의 ( )에서 조직되었다.
(3) 신규식 등은 공화주의를 바탕으로 한 임시 정부가 수립되어야 한다고 주장하며 ( )을/를 발표하였다.

3 서로 관련 있는 내용끼리 연결해 보자.
(1) 신민회 • • ㉠ 국권 반환 요구
(2) 대한 광복회 • • ㉡ 친일 부호 처단
(3) 대한 독립 의군부 • • ㉢ 신흥 강습소 설립

2 독립을 향한 외침, 3·1 운동

1 3·1 운동의 배경

(1) 국제 정세의 변화

① 러시아의 레닌: '식민지 피압박 민족의 해방 운동 지원' 선언

② 미국 대통령 윌슨: '민족 자결주의' 원칙 제시

(2) 외교 활동과 국외 독립 선언

① 상하이: 신한청년당 조직 → 독립 청원서 발송, 파리 강화 회의에 대표 파견 ┌→김규식 등

② 일본: 한국인 유학생 및 독립운동가 → 「2·8 독립 선언」(1919.2.8.) 발표

(3) 국내의 만세 시위 계획 ┌→고종의 장례일: 1919. 3. 3.

① 고종의 사망(1919.1.) → 민중의 반일 감정 고조

② 종교계 지도자 및 학생들 → 대대적인 만세 시위 준비

└→무단 통치로 인해 모든 집회와 정치 활동이 금지된 상태에서도 일정한 조직과 단체 활동을 이어갈 수 있었다.

└→민족 자결주의의 원칙을 한국 인에게도 적용할 것을 요구하였으며, 요구가 받아들여지지 않을 경우 '일본에 대해 영원히 혈전'을 벌일 것임을 선포함.

2 3·1 운동의 전개

(1) 독립 선언

① 1919년 3월 1일, 서울(태화관)에서 민족 대표 33인의 「3·1 독립 선언서」 낭독 → 일본 경찰에 자진 체포 └→천도교, 개신교, 불교계 대표들이 참여

② 학생과 민중들이 서울(탑골 공원)을 비롯하여 평양, 원산, 의주 등에서 「3·1 독립 선언서」 낭독 → 만세 시위 전개

민족 자결주의 원칙을 바탕으로 독립의 의지 및 당위성 표명, 일본의 제국주의적 침략을 비판하고, 타민족에 배타적이지 않은 평화와 행복 증진 등 인류 보편적 가치를 독립 선언의 목표로 제시함.

(2) 만세 시위의 발전

① 시위 확산

• 서울 및 주요 도시 → 지방과 농촌으로 확산, 만주·연해주·미주에서도 발생

• 고종의 장례식에 참여하기 위해 전국 각지에서 서울로 모였던 사람들과 일제에 의해 휴교령이 내려진 학교의 학생들이 고향으로 내려가면서 시위 전파

② 전 민족적인 참여

• 학생: 비밀 결사 조직, 「독립 선언서」 배포, 동맹 휴학 주도

• 농민: 부역 거부, 납세 고지서 수령 거부

• 상인: 가게 문을 닫으며 시위 지지(철시)

• 노동자: 동맹 파업 단행

(3) 일제의 탄압: 군대와 경찰을 동원하여 무력으로 시위 진압, 무자비한 학살 자행 (화성 제암리 학살 사건)

└→화성 발안 장터에서의 만세 시위에 참가했던 제암리 일대의 주민 23명을 1919년 4월 15일, 예배당에 가두어 놓고 불을 지르고 총을 쏘아 학살함.

3 3·1 운동의 의의

(1) 민족 독립운동의 기반: 한국인의 단합된 독립 의지를 전 세계에 알림, 신분·직업·종교의 구별 없이 모든 계층이 참여한 최대 규모의 민족 운동

(2) 일제의 식민 통치 방식 변화: 무단 통치 → '문화 통치'(민족 분열 통치)로 전환

(3) 독립운동의 참여 주체 확대: 청년(학생)·여성·농민·노동자 계층 참여

(4) 독립운동을 이끌 지도부의 필요성 제기: 대한민국 임시 정부 수립

자료 콕콕 ② 3·1 운동의 경험

(성대경, 『일제하 식민지 시대의 민족 운동』) 3·1 운동 당시 수감자의 계층 구성

3·1 운동을 촉발한 것은 33인의 민족 대표였지만, 이들은 곧바로 경찰에 체포되었기 때문에 시위를 이끌 지도부가 없었다. 그럼에도 불구하고 수개월 동안 전국에서 시위가 이어질 수 있었던 것은 대중의 자발적인 참여 덕분이었다. 특히 청년·여성·농민·노동자 계층은 3·1 운동을 겪으면서 주체적 시민으로서 자신의 역할을 자각하고, 이후의 사회 운동을 이끌어가는 핵심 주체로 성장하였다.

개념 체크

1 다음 설명이 맞으면 ○표, 틀리면 ×표를 해 보자.

(1) 3·1 운동은 1919년 3월 1일 하루 동안 일어난 대규모 만세 시위이다. ( )

(2) 민족 대표 33인은 3·1 운동의 전 과정을 지휘하며 조직적인 투쟁을 이끌었다. ( )

2 빈칸에 알맞은 말을 써 보자.

(1) (   )은/는 식민지 피압박 민족의 해방 운동을 러시아가 지원해주겠다고 선언하였다.

(2) (   )은/는 일본 유학생들이 중심이 되어 독립 선언을 한 사건이다.

(3) 일제는 군대와 경찰을 동원하여 무력으로 3·1 운동을 진압하고, 화성 (   ) 등에서 무자비한 학살을 저지르기도 하였다.

3 서로 관련 있는 내용끼리 연결해 보자.

(1) 농민 •   • ㉠ 동맹 휴학

(2) 상인 •   • ㉡ 부역 거부

(3) 학생 •   • ㉢ 철시 투쟁

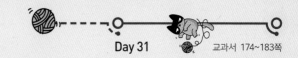
3 대한민국 임시 정부의 수립과 활동

1 대한민국 임시 정부의 수립

(1) 국내외의 여러 임시 정부 수립

연해주	• 대한 국민 의회 조직(1919.3.) • 이주 한국인 다수 거주, 본국에 인접하여 무장 투쟁에 적합
상하이	• 대한민국 임시 정부 수립(1919.4.) • 서양 열강의 조계지(일제 영향력 미약), 외교 활동에 유리
국내	• 한성 정부 수립(1919.4.) • 13도 대표 국민 대회를 통해 조직 → 정통성을 갖춤.

(2) 임시 정부의 통합

① 단일 지도부의 필요성 제기: 통합 운동의 전개

② 통합 방식: 한성 정부안을 바탕으로 상하이에 통합 정부 수립(1919. 9.)

③ 정부 형태: 민주 공화제, 삼권 분립(임시 의정원·국무원·법원) 원칙, 대통령제 (대통령에 이승만, 국무총리에 이동휘 선출)

2 대한민국 임시 정부의 활동

(1) 외교 활동 전개 ┌─● 신한청년당에서 파리 강화 회의 대표로 보냈던 김규식에게 새롭게 대한민국 임시 정부의 직함을 부여함.

① 파리 위원부(김규식), 구미 위원부(이승만)를 통한 독립 청원 활동

② 기관지 「독립신문」, 외교 활동 선전 책자 발간

③ 임시 사료 편찬 위원회의 「한·일 관계 사료집」 간행

(2) 국내외 연락망 구축 └─● 한·일 간의 역사적 사료를 정리하여 국제 연맹에 알림으로써 한국 독립의 당위성을 드러내고자 하였다.

① 연통제(비밀 행정 조직), 교통국(비밀 통신 기관) 운영

② 연락망을 통해 「독립신문」 배부 및 독립 공채 발행

③ 만주 지역 독립군 세력 일부를 직할 부대로 편성(참의부) ●독립운동 자금을 조달할 목적으로 발행하였다.

3 국민대표 회의 개최와 대한민국 임시 정부의 개편

(1) 배경 ┌─● 제1차 세계 대전 승전국 일본의 식민지였던 한국의 독립 요구를 열강들이 외면함.

① 연통제, 교통국 발각: 국내와의 연락망 두절, 재정 상황 악화

② 외교 활동 성과 미흡: 무장 투쟁 노선 강화 요구, 국제 연맹에 「위임 통치 청원서」를 보낸 이승만에 대한 비판 여론 형성

③ 지도자 사이의 대립: 독립운동 방법론을 둘러싼 갈등 발생

(2) 국민대표 회의 개최(1923): 향후 독립운동의 방향 모색

창조파	• 현재의 임시 정부를 완전히 해체하고, 무장 투쟁을 주도할 수 있는 새로운 정부를 수립할 것을 주장
개조파	• 현재의 임시 정부를 유지하되, 조직만을 새로 개편할 것을 주장

(3) 대한민국 임시 정부의 개편

① 국민대표 회의가 합의를 이루지 못하고 결렬 → 많은 독립운동가 이탈

② 대통령 이승만 탄핵 → 헌법 개정, 약화된 세력을 회복하고자 노력 └─● 대통령제(1919) → 국무령제(1925) → 국무위원제(1927) → 주석제(1941)

자료 콕콕 ❶ 대한민국 임시 정부의 수립

제1조 대한민국은 대한 인민으로 조직한다.

제2조 대한민국의 주권은 대한 인민 전체에 있다.

제3조 대한민국의 강토는 구한국(대한 제국)의 판도로 한다.

제4조 대한민국의 인민은 일체 평등하다.

제5조 대한민국의 입법권은 의정원이, 행정권은 국무원이, 사법권은 법원이 행사한다.

제6조 대한민국의 주권 행사는 헌법 규범 내에서 임시 대통령에게 전임한다.

– 「대한민국 임시 헌법」

1919년 9월 11일에 공포된 「대한민국 임시 헌법」은 대한 제국의 고종이 공포하였던 「대한국 국제」(1899)와 비교하면 그 특징을 더 선명하게 파악할 수 있다. 황제에게 국가의 모든 절대적인 권력을 부여한 「대한국 국제」와 달리 「대한민국 임시 헌법」은 제2조에서 민주 공화제를 제5조에서는 삼권 분립을 내세우고 있다.

개념 체크

1 다음 설명이 맞으면 ○표, 틀리면 ×표를 해 보자.

(1) 대한 국민 의회가 위치하였던 연해주 지역은 외교 활동에 유리하였다. (   )

(2) 이승만의 「위임 통치 청원서」는 여러 독립운동가의 반발을 불러왔다. (   )

2 빈칸에 알맞은 말을 써 보자.

(1) 통합된 대한민국 임시 정부는 (   ) 에 수립되었다.

(2) (   )은/는 대한민국 임시 정부에서 발행한 기관지의 명칭이기도 하다.

(3) 임시 정부의 독립운동 방향을 둘러싸고 일어난 논쟁을 해소하기 위해 (   ) 이/가 개최되었으나, 창조파와 개조파의 의견 대립 끝에 결렬되었다.

3 서로 관련 있는 내용끼리 연결해 보자.

(1) 교통국 •　　•㉠ 자금 모금

(2) 연통제 •　　•㉡ 비밀 통신 기관

(3) 독립 공채 •　　•㉢ 비밀 행정 조직

중요
01 다음에서 설명하는 독립운동 단체의 명칭으로 옳은 것은?

임병찬 (1851~1916)

- 임병찬이 조직한 비밀 결사
- 유생들과 의병장이 주축
- 조선 총독부에 「국권 반환 요구서」 발송 계획
- 왕정 복고 추구

① 간민회
② 경학사
③ 신민회
④ 신한청년당
⑤ 대한 독립 의군부

02 대한 광복회에 대한 설명으로 옳지 <u>않은</u> 것은?

① 복벽주의를 지향하였다.
② 친일 부호를 처단하고 군자금을 모집하였다.
③ 일제의 감시를 피해 만들어진 비밀 결사였다.
④ 무기를 구입하여 독립군을 양성하고자 하였다.
⑤ 박상진을 총사령으로 군대식 조직을 갖추고 독립군을 양성하였다.

03 (가) 지역에 건설된 독립군 지휘관 양성을 위한 무관 학교로 옳은 것은?

지린 · 옌지 · 왕칭 · 룽징 · 블라디보스토크 · (가) · 삼원보 · 백두산 · 동해

① 서전서숙
② 명동 학교
③ 대성 학교
④ 신흥 강습소
⑤ 황푸 군관 학교

중요
04 밑줄 친 '독립운동 기지 건설' 지역과 독립운동 단체가 옳게 연결된 것은?

1910년대 일제의 가혹한 무단 통치를 피해 국외로 망명한 독립운동가들은 일본과의 전쟁을 통해 독립을 쟁취한다는 독립 전쟁론을 구현하기 위해 <u>독립운동 기지 건설</u>에 주력하였다.

	서간도	북간도	연해주	미주
①	권업회	대한인 국민회	한족회	경학사
②	대한인 국민회	권업회	신한청년당	중광단
③	경학사	중광단	권업회	대한인 국민회
④	중광단	신한청년당	경학사	권업회
⑤	한족회	경학사	중광단	간민회

중요
05 다음 선언에 대한 설명으로 옳은 것은?

융희 황제(순종)가 삼보(三寶: 토지, 인민, 정치)를 포기한 경술년(1910) 8월 29일은 우리 동지들이 이를 계승한 8월 29일이니, 그 사이에 순간의 쉼도 없다. 우리 동지들은 주권을 완전히 상속하였으니, 황제권이 소멸한 때가 곧 민권이 발생하는 때요, 구한국 최후의 하루는 곧 신한국 최초의 하루다. …… 그러므로 경술년 융희 황제의 주권 포기는 곧 우리 국민 동지들에 대한 묵시적 선위이니 우리 동지들은 당연히 주권을 계승하여 통치할 특권이 있고 또 대통을 상속할 의무가 있도다.

① 국민 주권론과 공화주의의 정당성을 주장하였다.
② 외척 중심의 정치를 종식시키고 민생을 안정시키려 하였다.
③ 외세의 이권 침탈을 반대하고 의회 정치 실시를 요구하였다.
④ 수재 교육의 이름 아래 우수한 조선 청년들을 친일파로 양성하려 하였다.
⑤ 일제 침략으로 훼손된 황제의 권위를 회복시키는 것이 가장 시급하다고 보았다.

06 다음과 같은 변화를 이끌어낸 사건의 배경에 대한 설명으로 옳지 <u>않은</u> 것은?

> 정부는 관제를 개혁하여 총독 임용의 범위를 확장하고, 경찰 제도를 개정하며, 또한 일반 관리 및 교원의 대검을 폐지함으로써 시대의 흐름에 순응하고, 사정의 간소화 및 교화의 보급을 꾀하였다. …… 또한 조선 문화 및 옛 관습으로 진실로 채택할 만한 것이 있다면 이를 통치의 자료로 제공하게 하겠다.
>
> – 사이토 마코토, 「조선 통치의 방향」

① 미국의 윌슨 대통령이 민족 자결주의를 발표하였다.
② 신한청년당에서 김규식을 파리 강화 회의에 파견하였다.
③ 일본 유학생들을 중심으로 「2·8 독립 선언」이 발표되었다.
④ 레닌이 식민지 피압박 민족의 해방 운동을 지원한다고 선언하였다.
⑤ 순종이 독살되었다는 소문이 퍼지면서 민중의 반일 감정이 고조되었다.

중요
07 다음 선언문을 낭독한 운동에 대한 설명으로 옳은 것을 〈보기〉에서 고른 것은?

> 우리는 오늘 조선이 독립국이며, 조선인이 이 나라의 주인임을 선언한다. 우리는 이를 세계 모든 나라에 알려 인류가 평등하다는 큰 뜻을 분명히 하고, 우리 후손이 스스로 살아갈 정당한 권리를 영원히 누리게 할 것이다.

〈보기〉
ㄱ. 만주와 연해주, 미주 등에서도 시위가 이어졌다.
ㄴ. 상인들은 가게 문을 닫으며, 시위를 지지하였다.
ㄷ. 대한민국 임시 정부가 지도부로서 이 운동을 이끌었다.
ㄹ. 일제는 경찰을 출동시켰으나 평화적인 집회를 보장해 주었다.

① ㄱ, ㄴ   ② ㄱ, ㄷ   ③ ㄴ, ㄷ
④ ㄴ, ㄹ   ⑤ ㄷ, ㄹ

08 (가)에 들어갈 지역으로 옳은 것은?

> 3·1 운동이 전국으로 확산되는 가운데, 1919년 4월 5일 화성에서도 큰 만세 시위가 일어났다. 열흘 뒤인 4월 15일, 20여 명의 일본군이 [(가)] 마을 사람들을 교회에 모이게 한 후 밖에서 문을 걸어 잠그고 불을 질렀다. 빠져나오려는 사람들에게는 총을 쏘았고, 살려 달라 애원하는 여성들까지 무참히 살해하였다. 그리고 민가 32가구에 불을 질렀다. 이 학살 사건은 스코필드 박사에 의해 전 세계에 알려졌고, 한국인을 잔혹하게 탄압하는 일본을 비판하는 세계 여론이 일어났다.

① 다락리   ② 매향리
③ 북포리   ④ 연화리
⑤ 제암리

중요
09 (가) 정부에 대한 설명으로 옳지 <u>않은</u> 것은?

① 민주 공화제를 정치 체제로 하였다.
② 입법, 행정, 사법의 삼권을 분립하였다.
③ 무장 투쟁에 적합한 연해주에 위치하였다.
④ 비밀 행정 조직망인 연통제를 마련하여 운영하였다.
⑤ 기관지로 「독립신문」을 발행하여 독립운동 소식을 전하였다.

10 밑줄 친 '이 건물'과 관련된 기관의 명칭으로 옳은 것은?

이 건물은 영국 국적 아일랜드인 조지 쇼가 경영하던 무역 회사로 압록강을 마주하고 있는 중국 단둥에 위치하였다. 이 건물은 대한민국 임시 정부와 국내와의 연락 거점으로 활용되었는데, 쇼는 외국인이라는 점을 활용하여 독립운동 기들의 망명을 도왔고, 무기 수입과 군자금 조달 등도 담당하였다.

① 법원   ② 교통국
③ 의정원   ④ 구미 위원부
⑤ 임시 사료 편찬 위원회

중요
11 다음과 같은 청원을 주장한 인물로 옳은 것은?

연합국 열강이 장래에 한국의 완전한 독립을 보장한다는 조건으로 현재와 같은 일본의 통치로부터 한국을 해방하여 국제 연맹의 위임 통치 아래에 두는 조치를 하도록, …… 간절히 청하는 바입니다. 이것이 이루어질 수 있다면 한반도는 모든 나라에 이익을 제공할 중립적 통상 지역으로 변할 것입니다. 아울러 이 조치는 극동에 새로운 하나의 완충국을 탄생시킴으로써 …… 평화를 유지하는 데 도움이 될 것입니다.

① 김구   ② 신채호
③ 안창호   ④ 이동휘
⑤ 이승만

사고력을 키우는 서술형

12 (가)에 들어갈 적절한 답변을 서술하시오.

_____
_____
_____

13 다음 자료를 보고 물음에 답하시오.

(1) 1923년에 소집되어 위와 같은 논의를 한 회의 명칭을 쓰시오.

_____

(2) (가)의 이유를 독립운동 노선과 연관 지어 서술하시오.

_____
_____
_____

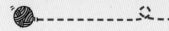

3 민족 운동의 성장

1 항일 무장 독립 투쟁의 전개

1 독립군의 활약

(1) 독립군 부대 편성: 3·1 운동 이후 만주와 연해주의 독립운동 기지를 중심으로 수많은 독립군 조직 편성 → 국내 진입, 일본 군경과 교전

서간도	· 서로 군정서(신흥 무관 학교 출신 중심), 대한 독립단 등
북간도	· 국민회군과 대한 독립군, 북로 군정서(대종교 간부 중심) 등

(2) 봉오동 전투와 청산리 전투

봉오동 전투 (1920. 6.)	일본군이 추격 부대를 편성하여 독립군 근거지 공격 → 대한 독립군(홍범도) 등의 연합 부대가 봉오동에서 일본군 격퇴
청산리 전투 (1920. 10.)	일본군이 훈춘 사건을 빌미로 대규모 병력으로 독립군 공격 → 북로 군정서(김좌진), 대한 독립군(홍범도) 등의 연합 부대가 청산리에서 대승

└─ • 일제가 중국 마적들을 매수하여 훈춘 일본 영사관을 습격하게 한 사건

2 독립군의 시련

(1) 간도 참변(1920): 일본군이 간도 지역의 한국인 마을 파괴, 한국인 무차별 학살

(2) 자유시 참변(1921): 일본군의 추격을 피해 러시아의 자유시(스보보드니)로 이동한 독립군 부대 사이에 지휘권 다툼 발생 → 러시아 적군에 의해 무장 해제를 당함.
└─ • 러시아 혁명을 이끄는 공산당의 군대이다.

3 독립군의 재정비

(1) 3부 성립: 만주로 돌아온 독립군 부대의 체제 재정비

참의부(1923)	남만주 압록강 연안 지역 관할
정의부(1924)	남만주 지린성 일대 관할(만주 중앙 지역)
신민부(1925)	북만주 지역 관할

(2) 3부의 성격: 각 관할 구역에서 민정 및 군정 조직으로서의 역할 수행
한인 사회 자치 행정 • ─┘   └─ • 독립군 훈련 및 작전 지휘

4 독립군의 통합

(1) 배경: 제1차 국·공 합작(1924) → 민족 유일당 운동(중국 관내), 신간회 결성(국내)

(2) 3부 통합 운동 전개 ─• 중국 국민당과 중국 공산당이 군벌과 제국주의 세력에 대항하기 위해 힘을 합친 사건으로, 한국 독립운동 세력의 통합 노력에 영향을 끼쳤다.

① 국민부(1929): 남만주 지역 관할 → 조선 혁명당 결성, 조선 혁명군 조직

② 혁신 의회(1928): 북만주 지역 관할 → 한국 독립당 결성, 한국 독립군 조직

5 한·중 연합 항일 투쟁

(1) 배경: 일제의 만주 침략에 맞서 중국인 부대와의 연합 작전

(2) 한·중 연합 작전

① 조선 혁명군(양세봉): 영릉가 전투, 흥경성 전투 승리

② 한국 독립군(지청천): 쌍성보 전투, 대전자령 전투 승리 → 중국 관내로 이동

③ 동북 인민 혁명군: 중국 공산당 소속 유격대로 무장 투쟁 → 동북 항일 연군

개념 체크

1 다음 설명이 맞으면 ○표, 틀리면 ×표를 해 보자.

(1) 홍범도는 봉오동과 청산리에서 독립군의 승리를 이끌었다. ( )

(2) 일제는 독립군과의 전투에서 패배한 것에 대한 보복으로 자유시 참변을 일으켰다. ( )

2 빈칸에 알맞은 말을 써 보자.

(1) 김좌진이 이끌던 (   )은/는 대종교에서 만든 중광단에서 발전한 독립군 부대이다.

(2) 1925년 일제와 만주 군벌 사이에 맺어진 (   ) 때문에 만주 지역의 독립군 활동이 크게 제약을 받았다.

(3) 1931년 일제가 (   )을/를 일으키고 이듬해 만주국을 세우자, 만주의 독립군 세력은 중국인들과 연합하여 대일 항전을 전개하였다.

3 서로 관련 있는 내용끼리 연결해 보자.

(1) 북로 군정서 •   • ㉠ 쌍성보 전투

(2) 조선 혁명군 •   • ㉡ 영릉가 전투

(3) 한국 독립군 •   • ㉢ 청산리 전투

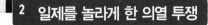

2 일제를 놀라게 한 의열 투쟁

1 의열 투쟁의 전개

(1) **의열 투쟁**: 개인 또는 소규모 조직적인 차원에서 일제의 침략 및 식민 지배와 관련된 인물을 암살하거나 기관을 파괴하는 활동

(2) 개인적 의열 투쟁의 사례

강우규	• 65세의 나이로 조선 총독 사이토 마코토에 폭탄 투척(1919)
조명하	• 타이완에 온 일본 육군 대장(일본 왕족)을 독검으로 처단(1928)
남자현	• 여성으로서 일본 관동군 사령관 암살 계획 중 발각(1933)

2 의열단의 활동

(1) **조직**: 1919년 만주 지린성에서 김원봉을 중심으로 비밀리에 조직

(2) **기본 정신**: 신채호가 작성한 「조선 혁명 선언」을 활동 지침으로 삼아 민중의 직접 혁명 추구

(3) **목표와 주요 활동**

① **목표·대상**: 4대 목표, 5가지 파괴 대상, 7가지 암살 대상을 구체적으로 설정
┗ 조선 총독 및 고관, 친일파 핵심 인물, 매국 행위를 한 사람, 반민족적 악덕 지방 유지, 군부 수뇌, 타이완 총독, 적의 밀정

② **주요 활동**
┗ 조선 총독부, 동양 척식 주식회사, 매일 신보사, 각 경찰서, 기타 중요 기관

박재혁	• 부산 경찰서에 폭탄 투척(1920)
최수봉	• 밀양 경찰서에 폭탄 투척(1920)
김익상	• 조선 총독부에 폭탄 투척(1921)
김상옥	• 종로 경찰서에 폭탄 투척(1923)
김지섭	• 일본 궁성에 폭탄 투척(1924)
나석주	• 동양 척식 주식회사에 폭탄 투척(1926)

(4) **노선 변경**: 1920년대 후반 개인 의열 투쟁에 한계를 느낌.

① 조직적인 항일 무장 투쟁으로 전환
• 군사 교육: 의열단원들의 중국 황푸 군관 학교 입학
• 군사 훈련: 중국 정부의 지원을 받아 조선 혁명 간부 학교 설립

② 중국 관내 독립운동 단체의 통합 운동: 민족 혁명당 결성 주도(1935)
┗ 독립운동 군사 간부를 양성하기 위한 군사 정치 학교

3 한인 애국단의 활동

(1) **조직**: 1931년 상하이에서 김구가 조직

(2) **활동 목적**: 침체된 대한민국 임시 정부에 활기를 불어넣고 위기 극복

(3) **주요 활동**

이봉창	• 일본 도쿄에서 일왕의 마차에 폭탄 투척(1932)
윤봉길	• 상하이 홍커우 공원에서 폭탄 투척(1932)
┗ 중국 국민당 정부가 대한민국 임시 정부를 적극 지원하는 계기가 되었다.

(4) **영향**

① 일제의 탄압이 증가함에 따라 대한민국 임시 정부가 상하이를 떠나 이동

② 중국 국민당이 대한민국 임시 정부 지원 → 한국 광복군 조직의 토대 마련
┗ 상하이 → 항저우(1932) → 전장(1935) → 창사(1937) → 광저우(1938) → 류저우(1938) → 치장(1939) → 충칭(1940)

자료 콕콕 ❷ 신채호의 「조선 혁명 선언」

폭력은 우리 혁명의 유일한 무기이다. 우리는 민중 속으로 들어가서 그들과 손을 맞잡아 끊임없는 폭력, 암살, 파괴, 폭동으로써 강도 일본의 통치를 타도하고, 우리 생활에 불합리한 일체의 제도를 개조하여, 인류로써 인류를 압박하지 못하며, 사회로써 사회를 수탈하지 못하는 이상적 조선을 건설할지니라.

「조선 혁명 선언」은 1923년 신채호가 김원봉의 부탁을 받아 작성한 의열단 선언서이다. 신채호는 민중에 의한 직접 혁명만이 일제를 몰아낼 수 있는 유일한 방법이라고 제시하며, 이를 이끌어내기 위해서 끊임없는 의열 투쟁이 이어져야 함을 주장하였다.

개념 체크

1 다음 설명이 맞으면 ○표, 틀리면 ×표를 해 보자.

(1) 의열 투쟁이란 대규모 부대를 육성하여 전쟁을 통해 독립을 쟁취하는 방식을 말한다. ( )

(2) 윤봉길 의사의 의거에 감명 받은 중국 국민당은 대한민국 임시 정부를 적극 지원하게 되었다. ( )

2 빈칸에 알맞은 말을 써 보자.

(1) ( )은/는 '문화 통치'를 주도하고자 새로 부임한 조선 제3대 총독 사이토 마코토에게 폭탄을 투척하는 의거를 벌였다.

(2) 신채호가 작성한 ( )은/는 의열단의 활동 지침이 되었다.

(3) 침체된 대한민국 임시 정부에 활기를 불어넣고 한국인에게 독립에 대한 희망을 주고자 김구는 1931년 ( )을/를 조직하였다.

3 서로 관련 있는 내용끼리 연결해 보자.

(1) 김상옥 • • ㉠ 일왕 저격 의거

(2) 김익상 • • ㉡ 조선 총독부 의거

(3) 이봉창 • • ㉢ 종로 경찰서 의거

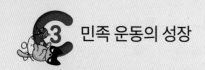

3 민족 운동의 성장

3 실력 양성 운동의 추진

1 실력 양성 운동의 등장
(1) 배경: 독립을 이루기 위해서는 우선 실력부터 기르자는 운동으로, 3·1 운동 이후 일부 민족주의자들이 주축이 되어 전개
(2) 내용
  ① 경제적 실력 양성 운동: 민족 기업 설립, 물산 장려 운동 등
  ② 교육·문화 운동: 민립 대학 설립 운동, 문맹 퇴치 운동 등

2 물산 장려 운동
(1) 배경: 「회사령」 폐지(1920)와 일본 관세 폐지(1923) → 일본 자본의 국내 침투로 인한 민족 기업들의 생존 위기 └→ 조선 총독부는 면직물과 주류를 제외한 일본에서 수입되는 모든 상품의 관세를 없애려 하였다.
(2) 목적: 토산품(국산품) 애용 운동을 통한 민족 경제의 자립 달성
(3) 전개
  ① 1920년대 초 조만식 등이 평양에서 조선 물산 장려회 조직 → '내 살림 내 것으로', '조선 사람 조선 것'이라는 구호와 함께 전국 확산
  ② 한국인 회사와 자본가들이 만든 제품을 구매·사용할 것을 장려 → 수요 증가
(4) 한계: 생산 능력에 비해 수요가 급격히 증가하면서 물가 상승, 자본가와 상인의 이익 추구에 이용되기도 함. → 사회주의자 계열의 비판 초래

3 민립 대학 설립 운동
(1) 배경
  ① 일제의 차별적인 교육 운영: 보통 교육과 실업 교육에만 치중
  ② 「제2차 조선 교육령」의 제정(1922): 한국인의 고등 교육(대학) 요구
(2) 목적: 한국인의 모금 활동을 통한 고등 교육 기관의 설립
(3) 전개
  ① 1922년 이상재 등이 '민립 대학 기성 준비회' 조직
  ② 구호: '한민족 1천만이 한 사람 1원씩'이라는 구호와 함께 전국적인 모금 운동 전개
(4) 결과: 일제의 감시와 탄압, 연이은 자연재해, 지방 유력자들의 인한 참여 부족으로 중단 → 일제에 의한 경성 제국 대학 설립(1924) └→ 한국인의 교육열을 무마하고, 조선에 거주하는 일본인의 고등 교육 제공을 위해 설립

4 문맹 퇴치 운동
(1) 대상: 정규 교육을 받지 못한 민중
(2) 목적: 한글 보급, 민중 계몽 교육
(3) 전개
  ① 3·1 운동 이후 야학과 강습소 설립 증가 ├→ 이 운동의 취지에 공감한 청년·학생들이 대거 참여하였고, 조선어 학회와 같은 문화 단체가 강습회를 후원하였다.
  ② 1920년대 후반 신문사가 중심이 되어 문맹 퇴치 운동 전개

문자 보급 운동	「조선일보」 주도, '아는 것이 힘, 배워야 산다.'라는 표어를 내걸음.
브나로드 운동	「동아일보」 주도, 한글 보급 및 농촌 계몽

(4) 결과: 일제가 민족 운동의 색채를 띤다는 이유로 탄압 → 1935년부터 전면 중단 └→ '민중 속으로'라는 뜻의 러시아어이다.

개념 체크

1 다음 설명이 맞으면 ○표, 틀리면 ×표를 해 보자.
(1) 독립을 이루기 위해 먼저 실력부터 기르자는 운동을 가리켜 실력 양성 운동이라 한다. (　　　)
(2) 민립 대학 설립 운동을 통해 모은 성금으로 경성 제국 대학을 설립할 수 있었다. (　　　)

2 빈칸에 알맞은 말을 써 보자.
(1) 1920년대 초, 토산품 애용을 통해 민족 경제의 자립을 이루자는 (　　　)이/가 전개되었다.
(2) 사회주의자들은 (　　　)을/를 조선인 기업가만을 위한 운동이었다며 비판하였다.
(3) 「동아일보」는 한글을 보급하고 농촌을 계몽하기 위해 (　　　) 운동을 전개하였다.

3 서로 관련 있는 내용끼리 연결해 보자.
(1) 이상재　·　　·㉠ 문자 보급 운동
(2) 조만식　·　　·㉡ 민립 대학 설립
(3) 「조선일보」·　　·㉢ 물산 장려 운동

4 민족 유일당 운동의 전개

1 사회주의 운동 세력의 등장

(1) **배경**: 러시아 혁명 이후 레닌의 식민지 독립운동 지원 약속 → 사회주의 사상에 대한 관심 고조

(2) **사회주의의 확산**: 사회주의 단체들의 조직, 독서회·강연회·언론 등을 통해 사회주의 사상 전파 → 조선 공산당 창당(1925)
└→ 1928년 말까지 국내에서 각종 사회 운동 주도

2 6·10 만세 운동(1926)

(1) **대규모 만세 시위 계획**: 민족주의 세력과 사회주의 세력 → 준비 과정 중에 지도부가 검거됨.

(2) **6·10 만세 운동의 전개**: 순종의 장례일(1926. 6. 10.)에 맞춰 학생들이 중심이 되어 서울 곳곳에서 만세 시위 전개 → 시민들의 가담 → 일제의 탄압

(3) **6·10 만세 운동의 영향과 의의**
① 학생 운동의 성장: 독서회·비밀 결사 조직, 동맹 휴학을 통해 식민지 교육 정책에 대항
② 민족 협동 전선의 토대 마련: 6·10 만세 운동 준비 과정에서 민족주의 세력과 사회주의 세력의 연대 경험

3 신간회의 결성(1927)

(1) **결성 배경**
① 국외적 배경: 국외의 민족 유일당 운동 움직임, 중국의 제1차 국·공 합작, 민족 통일 전선에 대한 코민테른의 지지
└→ 각국의 공산주의 운동을 지원하던 국제 공산당 조직 연합체
② 국내적 배경: 타협적 민족주의 세력 등장, 비타협적 민족주의 세력이 사회주의 세력과의 연대 모색 → '정우회 선언' 발표
└→ 일제와의 타협, 자치 운동 주장(최린, 이광수 등)

(2) **민족 협동 전선의 형성(1927)**: 신간회, 근우회 창립
└→ 여성 운동 세력의 좌우 합작 단체

(3) **활동**
① 계몽 운동의 전개: 전국 순회 강연, 토론회, 식민지 교육 제도 비판 활동
② 노동·농민 운동과의 연계: 소작 쟁의, 노동 쟁의 지원
③ 항일 운동 확산 지원: 광주 학생 항일 운동(1929) 진상 조사단 파견 → 민중 대회 개최 시도 → 지도부가 체포되면서 실패

(4) **해소**: 광주 학생 항일 운동 이후 온건한 활동 전개 → 사회주의 세력의 해소 주장 → 사실상 신간회의 해체(1931)
└→ 다른 운동으로 발전하기 위한 해체

4 광주 학생 항일 운동(1929)

(1) **배경**: 동맹 휴학, 비밀 결사 등을 통한 학생 운동의 조직화

(2) **발단**: 나주역에서 한·일 학생 간의 충돌 사건 → 일본 경찰의 편파적인 탄압

(3) **전개**: 광주 지역 학생들이 독서회 조직망을 활용하여 대규모 시위 전개 → 전국 194개 학교, 5만여 명 학생들 참여, 만주와 일본으로도 확산
└→ 식민지 교육 철폐, 구속 학생 석방 요구 등

(4) **의의**: 학생 중심의 운동, 사회 운동 단체와 연대한 전 민족적 항일 운동
└→ 신간회의 진상 조사단 파견

자료 콕콕 ② 정우회 선언(1926)

우리 정우회는 무의미한 분열을 멈추고 사상 단체들의 통일을 주장합니다. 민족주의 세력이 부르주아의 민주주의적 성질을 지니고 있음을 명백히 인식함과 동시에 그들이 과정적 동맹자의 성질도 가지고 있음을 인정해야 합니다. 그들이 타락하는 형태만 보이지 않는다면 적극적으로 제휴해야 합니다.

– 『조선일보』, 1926. 11. 17.

1926년 사회주의 단체인 정우회가 사회주의 운동의 새로운 방향을 밝힌 선언이다. 당초 사회주의 세력은 이념적으로 다른 사상을 지닌 민족주의 세력을 비판하며, 일정 거리를 두어 왔다. 하지만 일본 제국주의 타도와 독립이라는 공동의 목표를 위해 비타협적 민족주의 세력과의 적극적으로 연대하겠다는 뜻을 밝힌 이 선언을 계기로 민족 협동 전선인 신간회가 창립되었다.

개념 체크

1 다음 설명이 맞으면 ○표, 틀리면 ×표를 해 보자.

(1) 이광수는 자치 운동을 주장하며 일제와의 타협을 주장하였다. ( )

(2) 1927년 비타협적 민족주의 세력과 사회주의 세력이 연합하여 신간회를 창립하였다. ( )

2 빈칸에 알맞은 말을 써 보자.

(1) 일제의 탄압을 피한 학생들의 주도로 순종의 장례일에 맞춰 ( )이/가 일어났다.

(2) 1926년, 사회주의 세력은 ( )을/를 발표하여 비타협적 민족주의 세력과의 협동을 강조하였다.

(3) 신간회는 1929년 11월 ( )이/가 일어나자 진상 조사단을 파견하여 일제의 학생 운동 탄압에 항의하였다.

3 서로 관련 있는 내용끼리 연결해 보자.

(1) 근우회 ・　・㉠ 여성 운동

(2) 독서회 ・　・㉡ 학생 운동

(3) 조선 공산당・　・㉢ 사회주의 단체

01 다음 영화의 소재가 된 실제 역사 속 전투로 옳은 것은?

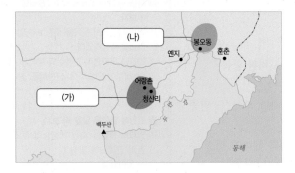

영화 줄거리

1919년 3·1 운동 이후 독립군의 무장 항쟁이 활발해진다. 일본은 신식 무기로 무장한 월강 추격 대대를 필두로 독립군 토벌 작전을 시작하고, 독립군은 불리한 상황을 이겨내기 위해 지형을 활용하기로 한다.
주인공들은 빗발치는 총탄과 포위망을 뚫고 죽음의 골짜기로 일본군을 유인한다. 죽음의 골짜기로 일본군이 들어서자, 3면 고지에서 매복하고 있던 독립군 연합 부대들이 일제히 집중 사격을 퍼붓는다.
1920년 6월, 역사에 기록된 독립군의 첫 승리!
죽음의 골짜기에 묻혔던 이야기가 지금부터 시작된다.

① 봉오동 전투 　② 쌍성보 전투
③ 영릉가 전투 　④ 청산리 전투
⑤ 흥경성 전투

중요
02 (가), (나)에 대한 설명으로 옳은 것을 〈보기〉에서 고른 것은?

[지도: (나) 봉오동, 엔지, 훈춘, 어랑촌, (가) 청산리, 백두산, 동해]

〈보기〉
ㄱ. (가) 전투에 이어서 (나) 전투가 일어났다.
ㄴ. (가), (나)에서 패배한 일제는 간도 참변을 일으켰다.
ㄷ. (나) 전투에서 김좌진의 북로 군정서군이 활약하였다.
ㄹ. (가), (나) 전투 모두 홍범도의 대한 독립군이 참전하였다.

① ㄱ, ㄴ 　② ㄱ, ㄷ 　③ ㄴ, ㄷ
④ ㄴ, ㄹ 　⑤ ㄷ, ㄹ

중요
03 (가), (나)에 들어갈 사건으로 옳은 것은?

(가)	1920년 10월부터 이듬해 4월까지 일본군은 독립군의 근거지를 없앤다는 명분을 내세워 간도에 사는 한국인들을 무차별 학살하고 마을을 파괴하였다.
(나)	밀산에서 전열을 재정비한 독립군 부대들은 소비에트 러시아 정부의 지원 약속을 받고 시베리아로 이동하였으나, 이후 러시아 적군에 의해 무장 해제를 당하는 과정에서 수많은 독립군이 희생되었다.

　　　　　(가)　　　　　　　(나)
① 　　간도 참변　　　　　자유시 참변
② 　　만주 사변　　　　　난징 대학살
③ 　　훈춘 사건　　　　　만주 사변
④ 　　자유시 참변　　　　간도 참변
⑤ 　제암리 학살 사건　　　훈춘 사건

04 1920년대 만주 지역의 3부에 대한 설명으로 옳은 것을 〈보기〉에서 고른 것은?

〈보기〉
ㄱ. 민정 조직과 군정 조직을 함께 갖추었다.
ㄴ. 태평양 전쟁이 일어나자 일본에 선전 포고를 하였다.
ㄷ. 통합 운동이 전개되어 국민부, 혁신 의회로 재편되었다.
ㄹ. 미쓰야 협정 체결 이후 활발한 항일 투쟁이 가능해졌다.

① ㄱ, ㄴ 　② ㄱ, ㄷ 　③ ㄴ, ㄷ
④ ㄴ, ㄹ 　⑤ ㄷ, ㄹ

05 1930년대 국외 독립군 부대와 〈보기〉의 활약한 전투가 옳게 연결된 것은?

〈보기〉
ㄱ. 영릉가 전투　　　　ㄴ. 쌍성보 전투
ㄷ. 흥경성 전투　　　　ㄹ. 대전자령 전투

	조선 혁명군	한국 독립군
①	ㄱ, ㄴ	ㄷ, ㄹ
②	ㄱ, ㄷ	ㄴ, ㄹ
③	ㄴ, ㄷ	ㄱ, ㄹ
④	ㄴ, ㄹ	ㄱ, ㄷ
⑤	ㄷ, ㄹ	ㄱ, ㄴ

중요
06 다음 선언서를 활동 지침으로 삼았던 단체에 대한 설명으로 옳지 <u>않은</u> 것은?

> 폭력은 우리 혁명의 유일한 무기이다. 우리는 민중 속으로 들어가서 그들과 손을 맞잡아 끊임없는 폭력, 암살, 파괴, 폭동으로써 강도 일본의 통치를 타도하고, 우리 생활에 불합리한 일체의 제도를 개조하여, 인류로써 인류를 압박하지 못하며, 사회로써 사회를 수탈하지 못하는 이상적 조선을 건설할지니라.

① 김원봉이 단장으로 활동하였다.
② 3·1 운동 이후 만주 지역에서 조직되었다.
③ 좌우 연합이었던 민족 혁명당 결성을 주도하였다.
④ 의열 투쟁을 통한 민중 직접 혁명의 달성을 목표로 하였다.
⑤ 단원 이봉창은 일본 도쿄에서 일왕의 마차에 폭탄을 던졌다.

중요
07 다음 인물들이 활동하였던 단체에 대한 설명으로 옳은 것을 〈보기〉에서 고른 것은?

> **〈보기〉**
> ㄱ. 조선 혁명 간부 학교를 설립해 인재를 길러냈다.
> ㄴ. 중국 국민당의 지원을 이끌어내는 계기를 만들었다.
> ㄷ. 황푸 군관 학교를 통해 체계적인 군사 훈련을 받았다.
> ㄹ. 대한민국 임시 정부의 침체를 극복하고, 독립운동에 활력을 불어넣고자 조직되었다.

① ㄱ, ㄴ   ② ㄱ, ㄷ   ③ ㄴ, ㄷ
④ ㄴ, ㄹ   ⑤ ㄷ, ㄹ

08 다음에서 설명하는 인물의 활동으로 옳은 것은?

> 옛 서울역 건물 앞에 설치된 이 동상의 주인공은 강우규 의사입니다.

① 미국 대통령에게 독립 청원서를 보냈다.
② 조선 총독 사이토 마코토를 향해 폭탄을 던졌다.
③ 대조선 국민 군단을 조직하여 군사 훈련을 하였다.
④ 일본 정부를 상대로 국권 반환 요구 운동을 계획하였다.
⑤ 최초의 근대 의료 기관으로 설립된 광혜원의 운영을 맡았다.

중요
09 다음 상황에 대응하고자 일어난 운동에 대한 설명으로 옳은 것은?

> • 회사령이 폐지되면서 한국인의 기업 활동이 활발해졌으나, 동시에 자본과 기술이 우수한 일본 기업의 한국 진출도 쉬워졌다.
> • 일제가 일본과 한국 사이의 관세 폐지를 검토하고 있다는 소식이 전해지면서 일본 상품이 조금 더 저렴한 가격으로 판매될 우려가 생겼다.

① 일본 의회에 한국인 대표를 포함시켜 줄 것을 건의하였다.
② 야학과 강습소를 중심으로 민중 계몽을 위한 교육을 하였다.
③ 토산물 애용을 통해 민족 산업을 보호·육성할 것을 주장하였다.
④ 일본으로부터 도입한 차관을 국민의 힘으로 갚기 위한 모금 활동을 전개하였다.
⑤ 조선 고유의 언어·역사·문화 등을 연구함으로써 민족 문화를 지키려고 노력하였다.

중요
10 다음에서 설명하는 운동의 배경으로 옳은 것은?

한민족 1천만이 한 사람 1원씩!

이곳의 이야기를 들어 보니 앞으로 모금 운동이 일어날 것 같네요.

그렇습니다! 3년 동안 천만 원의 기금을 모아 한국인의 힘으로 고등 교육 기관을 세울 것입니다.

① 학교 수업에서 조선어 과목이 폐지되었다.
② 독립군 양성을 위한 무관 학교의 필요성이 제기되었다.
③ 한국인에게는 보통 교육과 실업 교육의 기회만이 제공되었다.
④ 정규 교육을 받지 못한 민중들에게 한글의 보급이 이루어져야 하였다.
⑤ 학무아문이 설치되고 교육 제도가 신식 학제에 따라 개편되었다.

중요
11 다음의 격문이 사용된 운동에 대한 설명으로 옳지 <u>않은</u> 것은?

> [학생 대중이여! 굳세게 싸우자!]
> 조선인 본위의 교육 제도를 확립하라!
> 식민지적 노예 교육 제도를 철폐하라!
> 사회 과학 연구의 자유를 획득하라!
> 전국 학생 대표자 회의를 개최하라!

① 신간회에서 진상 조사단을 파견하여 지원하였다.
② 나주역에서 한·일 학생 간의 충돌이 발단이 되었다.
③ 광주 지역 독서회가 중심이 되어 대규모 시위를 전개하였다.
④ 이 운동이 시작된 날을 '학생 독립운동 기념일'로 지정하여 기념하고 있다.
⑤ 일본 경찰이 시위를 강경 진압하고 언론을 통제하는 바람에 전국으로 확산되지는 못하였다.

12 다음 작품의 줄거리와 관련된 자료로 적절한 것은?

역사 통합 검색

http://www.○○○○.co.kr

백과사전 ▾ | 상록수 ▾ | 검색

| 검색결과

[저자] 심훈
[장르] 소설
[줄거리] 수원고등농림 학생 박동혁과 신학교 여학생 채영신은 여름 방학을 이용해서 농촌 계몽 운동에 참여했다가 ○○일보사에서 주최한 보고회 겸 위로회 석상에서 만나 동지가 된다. 동혁은 가정 형편이 어려워 학업을 중도에 포기하고 고향 '한곡리'로 가 농촌 계몽 운동을 한다. 영신은 기독교 청년회 농촌 사업부의 특파원 자격으로 청석골로 내려온다. 그녀는 부녀회를 조직하는 한편 마을 예배당을 빌려 어린이 강습소를 운영한다. 그녀는 기부금을 얻어 새 건물을 지을 계획을 세운다.

13 다음에서 설명하는 사건으로 옳은 것은?

> • 순종의 장례식 날 일제의 감시망을 피한 학생들이 격문을 뿌리며 시위를 전개하였다.
> • 각지에서 만세 시위가 일어나 5,000여 명이 일제에 연행되었다.

① 3·1 운동
② 6·10 만세 운동
③ 국민 대표 회의
④ 서울 진공 작전
⑤ 광주 학생 항일 운동

14 만주 지역의 독립군 활동을 크게 제약하였던 다음 문서의
명칭을 쓰시오.

> 1. 조선인이 무기를 가지고 다니거나 조선으로 침입하는 것
>   을 엄금하며, 위반자는 검거하여 일본 경찰에 인도한다.
> 3. 일본이 지명하는 독립운동가를 체포하여 일본 경찰에 인
>   도한다.

_____

15 다음의 운동이 전개되는 과정에서 발생한 부작용에 대해
서술하시오.

_____

_____

16 다음 자료를 읽고 물음에 답하시오.

> 당시 중국 국민당 총통이었던 장제스는 훙커우 공원에서의
> 폭탄 투척 소식을 전해 듣고 "중국의 100만 대군도 이루지
> 못한 일을 한국의 청년 한 명이 해냈다니 정말 대단하다."
> 라고 감탄하였다.

(1) 밑줄 친 인물이 누구인지 쓰시오.

_____

(2) (1) 인물이 속한 단체가 조직된 배경을 서술하시오.

_____

_____

17 다음 선언과 관계 깊은 단체의 명칭을 쓰시오.

> 민족주의 세력이 부르주아의 민주주의적 성질을 지니고 있
> 음을 명백히 인식함과 동시에 그들이 과정적 동맹자의 성질
> 도 가지고 있음을 인정해야 합니다. 그들이 타락하는 형태
> 만 보이지 않는다면 적극적으로 제휴해야 합니다.

_____

18 다음 주장이 갖는 근본적인 한계를 비판하는 내용을 서술
하시오.

> 지금까지 해 온 정치적 운동은 전부 일본을 적대시하는 운
> 동뿐이었다. …… 우리는 조선 내에서 허락되는 범위 안에
> 서 정치적 결사를 조직해야 한다는 것이 우리의 주장이다.
> 이러한 공식적인 결사 조직이 있어야 민족의 권리와 이익을
> 옹호할 수 있기 때문이다. 또한 조선인을 정치적으로 훈련
> 하고 단결하여 민족의 정치적 중심 세력을 만들어야 앞으로
> 이어질 정치 운동의 기초를 다질 수 있다.
>
> – 「동아일보」, 1924. 1. 3.

_____

_____

_____

19 다음 자료를 읽고 물음에 답하시오.

> • 우리는 정치적 · 경제적 각성을 촉진한다.
> • 우리는 단결을 공고히 한다.
> • 우리는 기회주의를 일체 부인한다.

(1) 위 내용을 강령으로 발표한 단체를 쓰시오.

_____

(2) 밑줄 친 내용은 어떠한 주장을 말하는 것인지와 위
단체가 이를 비판하는 이유를 서술하시오.

_____

_____

4 사회·문화의 변화와 사회 운동의 전개

1 도시와 농촌의 변화

1 일제에 의한, 일제를 위한, 식민지 도시

(1) 도시화의 양상
　●영호남 철도의 분기점으로 성장한 도시 대전, 쌀 수송의
　　거점이 된 항만 도시 군산 등이 대표적이다.
　① 초기: 개항장 중심 → 교통 요충지로 확대
　② 1930년대: 공업 중심지에 신흥 도시 형성
　●한국을 병참 기지로 활용하기 위한
　　식민지 공업화 정책의 영향

(2) 식민지 도시 경성의 양면성
　① 남촌(일본인 거주지): 최신식 건물을 밀집시켜 근대화의 선전 공간으로 활용
　② 북촌(한국인 거주지): 한국인이 거주하는 낙후된 공간으로 남겨둠.
　③ 도시 변두리(토막민 거주지): 일자리를 찾아 농촌을 떠나온 사람들의 빈민촌
　　　└●땅을 파고 짚이나 거적을 두른 움집인 토막에서 생활

2 새로운 생활 양식과 대중문화의 확산

(1) 의식주의 변화
　●한복, 고무신 옷차림에 서양식 모자 착용

의(衣)	● 서양식 복장의 유행, 전통 복장과의 혼용, 단발머리 유행(신여성)
식(食)	● 일본, 중국, 서양 음식의 유행한 반면 서민들은 열악한 식단
주(住)	● 초가집(농촌 주택), 구식 기와집 외 개량 한옥, 2층 양옥(문화 주택)의 등장

　　　　　└●전통 한옥 구조에서 손님 접대
　　　　　　공간인 사랑방을 없앤 집이다.

(2) 대중문화의 유행
　① 대중 매체의 발달
　　● 신문, 각종 광고를 실은 벽보: 자본주의 소비 문화 자극
　　● 잡지: 「신여성」, 「삼천리」 등 → 패션과 화장법 소개
　　● 라디오 방송, 영화관, 축음기: 대중가요와 영화 유행
　　　　　　　　　　　　　　●나운규의 '아리랑'(1926) 등 →
　　　　　　　　　　　　　　1930년대에는 서양 영화 상영
　② 근대 스포츠 보급: 축구부·야구부 등 스포츠 클럽 조직 → 학교 대항전 추진

(3) '그림의 떡', 모던(Modern)
　① 모던 걸과 모던 보이: 서양식 옷차림에 백화점 쇼핑과 외식을 즐기는 사람
　② 대다수 한국인들의 삶과 괴리: 일반 서민들은 쌀이 부족하여 잡곡밥, 풀뿌리, 나무껍질 등으로 연명함.

3 피폐화된 농촌

(1) 배경: 일제가 시행한 토지 조사 사업, 산미 증식 계획의 영향 → 소작농의 증가
(2) 한국인 농민의 삶
　① 1930년대 소작농 → 도시 빈민, 화전민으로 전락
　② 일제는 농촌 문제의 원인을 농민 개인의 능력·노력의 부족으로 책임 전가

4 열악한 노동 조건

　　　　　　　　　┌●일본 자본의 유입
(1) 산업 구조의 변화: 1920년대 회사령 폐지, 1930년대 식민지 공업화 정책의 영향
　　→ 노동자의 증가
(2) 한국인 노동자의 삶: 열악한 작업 환경과 차별·착취에 시달리며 생존권을 위협받음.

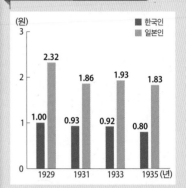
개념 체크

1 다음 설명이 맞으면 ○표, 틀리면 ×표를 해 보자.

(1) 일제 강점기 경성의 북촌 지역은 최신식 건물이 밀집한 번화가로 번성하였다.
　　　　　　　　　　　　　　　　(　　　)

(2) 한국인 노동자는 일본 노동자에 비해 저임금·장시간 노동에 시달려야만 했다.
　　　　　　　　　　　　　　　　(　　　)

2 빈칸에 알맞은 말을 써 보자.

(1) 철도와 항만이 발달한 지역을 중심으로 확대된 (　　　　　)은/는 주로 일제의 효율적인 식민 통치를 위해 이루어지는 경우가 많았다.

(2) (　　　　　)(이)라고 불린 빈민들은 도시 변두리에 거주하며 도시에 노동력을 제공하였다.

(3) 토지 조사 사업과 산미 증식 계획의 영향으로 많은 자작농이 (　　　　　)(으)로 몰락하였다.

3 서로 관련 있는 내용끼리 연결해 보자.

(1) 잡지　　　　● 　● ㉠ 대중가요 유행

(2) 신문 광고　● 　● ㉡ 소비·유행 자극

(3) 라디오 방송● 　● ㉢ 패션, 화장법 소개

2 다양한 사상의 수용과 발전

1 '개조 사상'의 수용

(1) 배경: 제1차 세계 대전을 계기로 제국주의의 옹호 논리였던 사회 진화론을 비판하고, 자유·평등·민주주의 등의 가치로 새로운 대안 모색

→ '약육강식'과 '적자생존'을 사회 발전의 원리라고 주장하는 입장으로 열강의 약소민족 지배를 정당화해 주었다.

(2) 영향: 제국주의 침략에 맞서는 독립운동의 사상적 근거로 활용

① 식민 지배를 인류 보편의 가치를 위배하는 억압 행위로 규정
  • 3·1 운동에 영향: 「3·1 독립 선언서」에 담겨 있는 '개조 사상'

② 제국주의 침략에 맞서는 다른 나라와의 연대 추구

③ 아나키즘: 개인의 자유를 쟁취하기 위해 국적을 불문한 개인 간 연대 주장
  • 의열 활동에 영향: 식민지 권력의 타도를 통한 아나키즘의 이상 실현 추구
    → 개인의 자유를 억압하는 모든 지배로부터의 해방을 추구하는 사상

2 민족주의와 사회주의

(1) 민족주의

① 의미: 역사와 언어를 공유하는 집단 구성원들을 지역, 신분, 계급을 뛰어넘은 운명 공동체인 민족으로 여기는 사상

② 목표: 불법적인 침략자들로부터 주권을 되찾아 민족의 독립을 회복하는 것 → 독립운동의 사상적 기반이 됨.

③ 민족주의 운동: 실력 양성 운동(민족 산업 육성, 교육 보급), 민족의 역사 및 문화 수호·연구, 무장 독립 투쟁, 외교 활동 등 다방면의 독립운동 전개

(2) 사회주의

① 의미: 계급 투쟁과 혁명을 통해 차별 없는 평등 사회의 건설을 추구하는 사상

② 목표: 지주·자본가 계급, 이를 지원하는 일본 제국주의 타도 → 독립이라는 공동의 목표를 위해 민족주의 세력과도 연대

③ 사회주의 계열의 대중 운동: 농민·노동자들의 단결을 촉진하고, 생존권 투쟁을 항일 투쟁·혁명적 조합 운동으로 발전시켜 나감(이재유 등).

3 여성 운동의 기반 형성

(1) 배경

① 여성들의 이중고: 봉건적·가부장적 문화 + 식민 지배하 계급적·민족적 억압

② 여성의 민족 운동 참가: 일부 여성들은 자신을 독립운동의 주체로 인식

③ 근대 교육의 보급: 근대 교육을 받은 신여성의 등장 ← 「대한 독립 여자 선언」 (1919)

(2) 신여성의 등장

① 신여성: 근대 교육을 받은 초기 세대로서 전통적인 여성과는 다른, 새로운 가치관을 갖고 여성 해방을 이끈 주체(차미리사, 나혜석) → 여성 억압적인 사회 구조적 모순에 대한 문제 제기
  → 여성 교육 강조, 근화 여학교 설립
  → 「이혼 고백서」: 남성 중심 사회를 비판하며 자유 연애와 자유 결혼 주장

② 사회 운동 주도: 여성의 사회적 지위 향상과 여성 해방 추구
  • 초기: 여성 교육과 계몽을 중시하는 단체 설립
  • 1924년 이후: 여성 해방을 목표로 하는 사회주의 계열의 단체 조직 → 여성 권리의 신장뿐만 아니라 민족 해방을 위한 여러 가지 사회 운동 주도

자료 콕콕 ② 3·1운동 속 '개조 사상'

낡은 시대의 유물인 침략주의와 강권주의에 희생되어, 우리 민족이 수천 년 역사상 처음으로 다른 민족에게 억눌리는 고통을 받은 지 십년이 지났다. …… 아, 새로운 세상이 눈앞에 펼쳐지는구나. 힘으로 억누르는 시대가 가고, 인도와 정의가 이루어지는 시대가 오는구나. 지난 수천 년 갈고 닦으며 길러온 인도적 정신이 이제 새로운 문명의 밝아오는 빛을 인류 역사에 비추기 시작하는구나.　－「3·1 독립 선언」

독립운동가들은 독립 이후 우리나라가 세계 흐름에 따라 국민이 주권을 가진 자유롭고 평등한 민주주의 국가여야 한다고 여기게 되었다. 총칼을 앞세워 관철시켰던 일제의 식민 지배를 자유, 평등, 민주주의라는 인류 보편의 가치를 위배하는 억압 행위로 규정하며 일본에 저항하였다. '개조 사상'은 이러한 저항들에 사상적 근거를 제공하였다.

개념 체크

1 다음 설명이 맞으면 ○표, 틀리면 ×표를 해 보자.

(1) 아나키즘은 독립운동의 한 방편으로 수용되었고, 의열 활동에 큰 영향을 주었다.
(　)

(2) 사회주의 세력은 자본가 계급을 포함하고 있는 민족주의 세력을 비판하기도 했지만, 독립이라는 목표를 위해 연대하기도 했다.
(　)

2 빈칸에 알맞은 말을 써 보자.

(1) 제국주의 침략과 사회 진화론을 비판하는 여러 근대 사상들은 (　 　)(이)라는 이름으로 수용되었다.

(2) (　 　)은/는 역사적으로 동일한 경로를 거쳐 온 한 집단의 사람들을 일컫는다.

(3) 1920년대에 근대 교육을 받은 (　 　)이/가 중심이 되어 여성의 사회적 지위 향상과 여성 해방을 추구하는 사회 운동이 활발해졌다.

3 서로 관련 있는 내용끼리 연결해 보자.

(1) 나혜석　　•　　• ㉠ 대중적 노동 운동

(2) 이재유　　•　　• ㉡ 근화 여학교 설립

(3) 차미리사　•　　• ㉢ 「이혼 고백서」 발표

4 사회·문화의 변화와 사회 운동의 전개

3 대중 운동의 확산

1 농민 운동과 노동 운동

(1) 배경 → 본 교재 p.112 참고

└→ 소작권이 이동되면 자신이 그동안 정성껏 일궈온 땅 대신 다른 땅을 새로 경작해야 했기에 소작농의 처지를 더욱 고통스럽게 하였다.

① 피폐화된 농촌 → 소작료 인하, 소작권 이동 반대 요구

② 열악한 노동 조건 → 노동 조건의 개선, 임금 인상, 민족 차별 철폐 요구

(2) 대표적인 농민·노동 운동

농민 운동	1923년 암태도 소작 쟁의(약 1년 동안 지속) → 전남 신안군 암태도 소작인회를 중심으로 소작료 인하 투쟁
노동 운동	1929년 원산 총파업(4개월간 지속) → 일본인 감독이 한국인 노동자를 구타한 사건에 대한 항의 파업, 일제 강점기 최대 규모의 노동 운동

└→ 파업 기간 중 국내는 물론 국외의 노동 단체까지 격려와 지지를 보내왔다.

(3) 사회주의 운동과의 결합

① 조선 노농 총동맹(1924): 노동자와 농민을 대표하는 전국 단위 조직

② 조선 농민 총동맹과 조선 노동 총동맹(1927): 각 분야별로 분리 개편

③ 1930년대 농민·노동 운동의 성격: 일제의 탄압 강화로 합법적인 운동의 불가능 → 생존권 투쟁에서 반제국적 항일 투쟁으로 변화, 혁명적 농민·노동조합을 중심으로 비합법적인 폭력 투쟁 전개

2 청년 운동, 소년 운동, 여성 운동

(1) 청년 운동

① 배경: 3·1 운동 이후 청년들이 스스로를 지식인이자 항일 운동 주체로 자각

② 활동: 여러 청년 단체 조직, 1924년 전국 단위 → 청년 단체들의 각종 대중 운동 지원

(2) 소년 운동: 방정환의 주도로 창립된 천도교 소년회 중심 → '어린이날' 제정, 어린이 노동의 폐지, 사회 복지 마련 주장

└→ 최초의 어린이날은 1922년 5월 1일이었다.

(3) 여성 운동: 1927년 통합 여성 단체인 근우회 조직 → 여성의 단결과 지위 향상 도모, 강연회·토론회 개최, 농민 운동 참여

└→ 신간회 결성을 계기로 결성된 통합 단체 (민족주의 계열 + 사회주의 계열)

3 형평 운동

→ 저울의 균형이 맞는 상태라는 뜻으로 '저울처럼 형평에 맞는 사회를 만들자.'라는 취지이다.

(1) 배경: 신분제 폐지 이후에도 남아 있는 백정에 대한 사회적 차별 지속

(2) 형평 운동 전개: 1923년 백정들이 진주에서 조선 형평사 조직, 백정의 인권 운동으로 시작 → 여러 사회 운동 단체들과도 협력 연대

└→ 일본의 도축업자 차별 철폐 운동 단체인 '수평사'와도 연대하였다.

4 종교계의 대중 운동

대종교	• 단군 숭배 사상(민족의식 고취), 중광단(북로 군정서) 조직 → 항일 무장 투쟁
천도교	• 문화 운동(『개벽』 창간), 농민·청년·소년·여성 운동 주도
불교	• 사찰령 폐지 운동, 불교 대중화 운동, 불교계 혁신(한용운)
원불교	• 새생활 운동 전개(근검 저축, 허례 폐지, 미신 타파, 금주·금연)
개신교	• 교육 사업(학교 설립), 신사 참배 거부 운동
천주교	• 사회 사업(보육원, 양로원 운영), 의민단 조직 → 항일 무장 투쟁

└→ 1911년 제정된 법령으로 한국의 사찰들을 조선 총독의 통제 아래 두었다.

자료 콕콕 ❶ 조선 형평사 설립 취지문

공평은 사회의 근본이요, 애정은 인류의 본성이다. 그러므로 우리는 계급을 타파하며, 모욕적 칭호를 폐지하며, 교육을 장려하여 참사람이 되기를 기약함이 본사의 주지이다. 지금까지 우리 백정은 여하한 지위와 어떠한 압박을 받아왔던가? …… 천하고, 가난하고, 열등하고, 약하며 굴종하는 자는 누구인가? 슬프다! 그것은 우리 백정이 아닌가! …… 단결하여 부조하고 생활의 안정을 꾀하며 공동의 존립책을 꾀하고자 이에 사십만여 명이 단결하여 본사를 세우고 그 주지를 천명하여 표방하고자 한다.

– 「조선일보」, 1923. 4. 30.

1894년 갑오개혁으로 신분제가 폐지되면서 백정이라는 신분은 법적으로 사라졌으나, 백정 출신의 호적에는 붉은 점이 표시되었고, 백정이라는 이유로 학교 입학과 교회 예배를 거부당하는 등 여전히 사회적 차별을 받아야만 하였다. 이에 1923년, 백정들이 모여 조선 형평사를 조직하고 형평 운동을 전개하였다.

개념 체크

1 다음 설명이 맞으면 ○표, 틀리면 ×표를 해 보자.

(1) 암태도 소작 쟁의는 고율의 소작료를 크게 낮추는 성과를 이루었다. (   )

(2) '어린이'는 동등한 하나의 인격체로 존중하고자 방정환이 만든 호칭이다. (   )

2 빈칸에 알맞은 말을 써 보자.

(1) (   )은/는 일제 강점기에 일어난 가장 큰 규모의 노동 쟁의였다.

(2) (   )은/는 1927년 창립된 최초의 전국적인 여성 조직으로, 여성의 지위 향상을 목표로 활동하였다.

(3) 백정들은 사회적 차별 대우를 폐지하여 '저울처럼 형평에 맞는 사회를 만들자.'고 주장하며 (   )을/를 전개하였다.

3 서로 관련 있는 내용끼리 연결해 보자.

(1) 개신교 •   • ㉠ 새생활 운동

(2) 대종교 •   • ㉡ 민족의식 고취

(3) 원불교 •   • ㉢ 신사 참배 거부

4 다양한 문예 활동과 민족 문화 수호를 위한 노력

1 일제 강점기의 문예 활동

(1) 1920년대: 3·1 운동 이후 여러 경향을 보임.
  ① 다양한 문예 사조 등장: 낭만주의, 자연주의, 사실주의 문학 등
  ② 신경향파 문학: 사회주의의 영향, 식민지 현실의 계급 모순 비판 → 카프 등
  └ 식민지 현실과 계급 모순을 적극적으로 비판하는 신경향파 문학의 대표적 단체이다.

(2) 1930년대 이후의 문예 활동: 일제의 대륙 침략 본격화 → 현실 비판적인 예술에 대한 통제 강화
  └ 식민 통치에 대한 저항의식을 담은 작품: 심훈 「그날이 오면」, 윤동주 「서시」, 이육사의 「광야」
  ① 저항 문학: 식민 통치에 대한 저항 반영 → 심훈, 윤동주, 이육사 등
  ② 순수 문학: 식민지 현실을 애써 외면하고 예술성 강조
  ③ 친일 문학·예술: 일제의 식민 통치 인정·찬양, 침략 전쟁 미화
  └ 김기창의 그림 「총후병사」, 노천명의 시 「님의 부르심을 받고서」 등

2 민족 문화 수호를 위한 노력

(1) 식민 사관에 맞선 역사 연구
  ① 식민 사관: 일제의 침략과 식민 지배를 합리화하기 위해 한국사 왜곡

정체성론	'한국사는 중세 봉건 사회로 발전하지 못하고, 고대 사회 단계 수준에 머물러 있다'라는 주장
타율성론	'한국은 주체성 없이 주변 국가의 영향을 강하게 받아왔다.'라는 주장
당파성론	조선의 붕당 정치를 당파 싸움으로 규정 → 우리 민족성으로 일반화

  ② 역사 연구
  └ 국혼 강조 → 「한국통사」, 「한국독립운동지혈사」 저술
  └ 조선학 운동 전개(안재홍, 문일평) - 「여유당전서」 간행

민족주의 사학	박은식, 신채호, 정인보 등이 민족을 역사의 주체로 서술, 민족의 고유성과 자주성 강조 └ 고대사 연구에 집중 → 「조선상고사」, 「조선사연구초」 서술
사회 경제 사학	마르크스의 유물 사관에 따라 한국사에 세계사의 보편적 발전 법칙 적용, 백남운이 「조선사회경제사」 저술 → 일제의 정체성론 반박
실증 사학	문헌 고증을 통해 역사가의 주관적인 판단을 담지 않고, '있는 그대로의 사실'을 서술하는 것을 지향 → 진단 학회 조직

(2) 민족 말살 정책에 맞선 한글 연구
  ① 배경: 일본어 과목 명칭을 '국어'로 수정, 일본어 교육 시간 증편 → 조선어를 필수 과목에서 선택 과목으로 변경 → 조선어 과목 폐지, 우리말 사용 금지
  └ 「제1차 조선 교육령」 (1911)
  └ 「제3차 조선 교육령」 (1938)
  ② 한글 연구

국문 연구소(1907)	대한 제국기 시기에 한글 연구, 주시경·지석영의 연구 활동
조선어 연구회(1921)	조선어 강습회, 가갸날(한글날) 제정, 기관지 「한글」 간행
조선어 학회(1931)	「한글 맞춤법 통일안」, 표준어 제정, 「조선말 큰사전」 편찬

  └ 조선어 학회 사건(1942)으로 중단

(3) 문화재를 지키려는 노력
  ① 배경: 국권 상실 이후 문화재 도굴·파괴·매매 가속화 → 국외 유출
  ② 전형필: 대부호의 아들로 물려받은 막대한 유산으로 우리 문화재 매입
    • 도자기(청자상감 운학문매병 등), 훈민정음 정본(서문/예의/해례본), 각종 서화
    • 보화각 건립: 한국 최초의 근대 사립 미술관(오늘날 간송 미술관)

4. 사회·문화의 변화와 사회 운동의 전개 ● **115**

자료 콕콕 ❷ 저항 문학

그날이 오면, 그날이 오면은
삼각산이 일어나 더덩실 춤이라도 추고,
한강물이 뒤집혀 용솟음칠 그 날이
이 목숨 끊기기 전에 와 주기만 할 양이면,
나는 밤하늘에 날으는 까마귀와 같이
종로의 인경을 머리로 들이받아 울리오리다.
두개골이 깨어져 산산조각이 나도
기뻐서 죽사오매 오히려 무슨 한이 남으오리까. ……

– 심훈, 「그날이 오면」

심훈이 쓴 「그날이 오면」이라는 시에는 조국 광복의 날에 대한 간절한 염원이 담겨 있다. 그는 1932년 시집을 출간하려 하였으나, 일제의 검열로 뜻을 이루지 못하였다. 일제의 침략 전쟁이 본격화하면서 이처럼 현실 비판적인 예술에 대한 통제가 강화되었고, 강압적인 분위기 속에서 일부 예술가들은 친일파로 변절하게 된다.

개념 체크

1 다음 설명이 맞으면 ○표, 틀리면 ×표를 해 보자.
(1) 한국사가 세계사의 보편적 법칙에 따라 발전하지 못하고, 고대 사회 단계에 머물러 있다는 것을 식민사관의 타율성론이라고 한다. (   )
(2) 전형필은 자신의 재산을 털어 우리 문화재를 지키기 위해 힘썼다. (   )

2 빈칸에 알맞은 말을 써 보자.
(1) (   )은/는 「한국통사」, 「한국독립운동지혈사」 등을 저술하여 일제의 침략을 비판하였다.
(2) 일제는 (   )의 「조선말 큰사전」 편찬 작업을 민족 운동으로 규정하고 가혹하게 탄압하였다.

3 서로 관련 있는 내용끼리 연결해 보자.
(1) 백남운 •   • ㉠ 조선학 운동
(2) 신채호 •   • ㉡ 「조선상고사」
(3) 정인보 •   • ㉢ 「조선사회경제사」

01 (가) 학생의 감상에 문제의식을 갖고 답변한 내용으로 옳은 것만을 〈보기〉에서 있는 대로 고른 것은?

일제 강점기 당시 경성 본정(충무로)

(가) 학생: "당시 경성의 모습은 참 화려했던 것 같아."

〈보기〉
ㄱ. 남촌과 북촌의 경제 격차는 점차 완화되었어.
ㄴ. 이러한 도시화는 한국인의 편의를 위해 이루어졌지.
ㄷ. 경성 내 한국인 거주지의 도시 정비 노력은 미흡했어.
ㄹ. 도시 변두리에는 토막민들이 빈민촌을 형성하고 있었어.

① ㄱ   ② ㄴ   ③ ㄷ, ㄹ
④ ㄱ, ㄴ, ㄷ   ⑤ ㄴ, ㄷ, ㄹ

02 다음 글이 작성된 시기의 모습으로 옳지 않은 것은?

모던 걸 아가씨들 동근 종아리 데파트 출입에 굵어만 가고,
저 모던 보이들의 굵은 팔뚝은 네온의 밤거리에 야위어 가네.
뚱딴지 서울 꼴불견 많다. 뚱딴지 뚱딴지 뚱딴지 서울 ……

① 흑백 텔레비전이 생활필수품이 되었다.
② 대중문화로 극장의 영화가 인기를 끌었다.
③ 도시 곳곳에 개량 한옥과 문화 주택이 지어졌다.
④ 대부분 사람은 여전히 한복에 고무신을 신고 모자를 썼다.
⑤ 서양식 옷차림에 쇼핑과 외식을 즐기는 사람들이 등장하였다.

03 다음과 같은 체조의 지속적 시행을 가능하게 하였던 대중 매체로 옳은 것을 〈보기〉에서 고른 것은?

일제는 '국민 건강 향상'이라는 명목으로 위와 같은 체조 동작을 제작하여 제국 내에 전면적으로 보급하였다. 일정 시간마다 음악 반주 및 구령에 맞추어 실시된 이 체조를 통해 일제는 전쟁을 수행할 체력을 지닌 황국 신민을 길러내고, 모든 국민에게 체조라는 똑같은 행위를 동시에 하게 함으로써 집단성을 형성하고자 하였다.

〈보기〉
ㄱ. 벽보   ㄴ. 신문   ㄷ. 잡지
ㄹ. 라디오   ㅁ. 축음기   ㅂ. 텔레비전

① ㄱ, ㄴ   ② ㄴ, ㄷ   ③ ㄷ, ㄹ
④ ㄹ, ㅁ   ⑤ ㅁ, ㅂ

04 다음 상황에 영향을 끼친 요인으로 옳은 것만을 〈보기〉에서 있는 대로 고른 것은?

우리가 (조선) 농촌에서 보고 들은 것은 아무리 말해도 상상할 수 없는 사실이 많다. …… 가난한 농민은 잡곡 한 홉 정도에 풀뿌리나 나무껍질을 섞어 끓여서 먹는다. 어떤 지방에서는 고령토를 먹는 사례도 있다. 내지(일본)에서는 전혀 보이지 않는 비참한 현상이다.

〈보기〉
ㄱ. 많은 농민이 소작농으로 몰락하였다.
ㄴ. 대공황의 여파로 농산물 가격이 급락하였다.
ㄷ. 농민들은 막대한 소작료와 세금을 부담하였다.
ㄹ. 산미 증식 계획으로 인해 지주제가 점차 약화되었다.

① ㄱ   ② ㄴ   ③ ㄷ, ㄹ
④ ㄱ, ㄴ, ㄷ   ⑤ ㄴ, ㄷ, ㄹ

중요
05 식민지 공업화 이후 한국인 도시 노동자의 삶에 대한 설명으로 옳지 <u>않은</u> 것은?

① 열악한 작업 환경 속에서 장시간 노동에 시달렸다.
② 일본인 노동자의 절반 수준의 임금 밖에 받지 못하였다.
③ 회사령의 시행으로 취업할 수 있는 기업 자체가 적었다.
④ 일본인 작업 감독의 민족 차별에 따른 학대 행위가 많았다.
⑤ 도시로 몰려드는 노동자를 위한 거주 대책은 따로 마련되지 않았다.

중요
06 다음 인물의 주요 활동과 관련된 사상에 대한 설명으로 옳은 것을 〈보기〉에서 고른 것은?

이재유(1903~1944)

• 일본에 건너가 노동 운동에 흥미를 갖고 비합법 운동에 참여
• 치안 유지법 위반 혐의 등으로 수차례 체포
• 출옥 후 한국에서 대중적 노동 운동을 전개하다가 체포
• 탈옥 후 혁명적 노동조합 조직 활동 전개

〈보기〉
ㄱ. 민족의 뿌리와 고유성을 찾는 것이 중요하다.
ㄴ. 지주·자본가를 지원하는 제국주의를 타도해야 한다.
ㄷ. 지역, 신분, 계급을 뛰어넘어 민족 단위로 뭉쳐야 한다.
ㄹ. 평등 사회 건설을 위해 농민·노동자와 단결하여야 한다.

① ㄱ, ㄴ ② ㄱ, ㄷ ③ ㄴ, ㄷ
④ ㄴ, ㄹ ⑤ ㄷ, ㄹ

07 다음 언어가 만들어진 취지에 부합하는 생각으로 옳은 것을 〈보기〉에서 고른 것은?

〈보기〉
ㄱ. 개인 간의 자발적 협동이 사회를 발전시킨다.
ㄴ. 국가 간 갈등은 서로의 언어가 다른 데에서 비롯한다.
ㄷ. 백인에게는 전 세계에 문명을 전파해야 할 의무가 있다.
ㄹ. 적자생존의 원리에 따라 강한 나라가 식민지를 거느린다.

① ㄱ, ㄴ ② ㄱ, ㄷ ③ ㄴ, ㄷ
④ ㄴ, ㄹ ⑤ ㄷ, ㄹ

08 다음과 같은 주장을 극복하고자 하였던 여성들이 전개한 활동으로 옳은 것을 〈보기〉에서 고른 것은?

강향란이라는 기생이 돌연히 머리를 깎고 남자 옷을 입고 정치 강습원에 통학 중이라 한다. 암탉이 새벽에 우는 것도 그 집안이 기우는 장본이라 하였다. 하물며 여자가 남자로 환형한 그것이야 변괴가 아니고 무엇이리오. 이렇게 천한 물건은 우리 사회에서 하루라도 빨리 매장해 버려야 할 것을 …….
– 「시사평론」, 1922. 7.

〈보기〉
ㄱ. 조선 고유의 문화 전통을 연구하였다.
ㄴ. 여학교를 세우고, 여성 교육과 계몽 활동에 힘썼다.
ㄷ. 남성 중심 사회를 비판하고 자유 결혼을 주장하였다.
ㄹ. 여성의 투표권을 요구하는 참정권 운동을 전개하였다.

① ㄱ, ㄴ ② ㄱ, ㄷ ③ ㄴ, ㄷ
④ ㄴ, ㄹ ⑤ ㄷ, ㄹ

09 다음에서 설명하는 사건의 명칭으로 옳은 것은?

> 1928년 9월, 영국인이 경영하는 문평 라이징 선 석유회사의 일본인 감독이 한국인 노동자를 멸시하고 구타한 것에서 촉발된 사건이다. 노동자들은 폭행에 대한 항의와 함께 임금 인상, 8시간 노동제 실시 등을 요구하며 집단적으로 작업을 중단하였다. 강인하고 조직적이었던 4개월에 걸친 항쟁 기간 동안 중국 · 소련 · 프랑스의 노동 단체들이 지지하였으며, 전국 각지의 노동조합 · 청년 단체 · 농민 단체들로부터 후원이 이어졌다.

① 3 · 1 운동   ② 6 · 10 만세 운동
③ 원산 총파업   ④ 암태도 소작 쟁의
⑤ 광주 학생 항일 운동

중요
10 (가)에 들어갈 단체와 관련 있는 자료로 옳은 것은?

> 일제 강점기 여성의 사회적 지위 향상과 여성 해방을 목표로 여러 여성 단체가 결성되었다. 민족주의 계열과 사회주의 계열로 나누어져 있던 여성 단체들은 1927년 신간회의 창립을 계기로 통합 단체인 (가) 를 창립하였다.

①
②
③
④
⑤

11 다음 작품이 쓰였을 당시 문학 · 예술계의 상황으로 옳은 것을 〈보기〉에서 고른 것은?

> 죽는 날까지 하늘을 우러러 한점 부끄럼이 없기를
> 잎새에 이는 바람에도 나는 괴로워했다.
> 별을 노래하는 마음으로 모든 죽어가는 것들을 사랑해야지
> 그리고 나한테 주어진 길을 걸어가야겠다.
> 오늘밤에도 별이 바람에 스치운다.

〈보기〉
ㄱ. 현실 비판적인 예술에 대한 통제가 강화되었다.
ㄴ. 전통적 한문학이 퇴조하고 신체시가 발표되었다.
ㄷ. 계몽 사상을 다룬 신소설이 등장하여 인기를 끌었다.
ㄹ. 일부 예술가들은 변절하여 일제의 정책을 찬양하였다.

① ㄱ, ㄴ   ② ㄱ, ㄹ   ③ ㄴ, ㄷ
④ ㄴ, ㄹ   ⑤ ㄷ, ㄹ

중요
12 다음 사건으로 해산된 단체가 전개한 활동으로 옳은 것을 〈보기〉에서 고른 것은?

> 1942년 한 여학생이 기차 안에서 일본어를 사용하지 않았다는 이유로 경찰의 취조를 받게 되었다. 경찰은 학생 집을 수색하다가 일기장에서 '일본어를 사용했다가 꾸지람을 들었다.'라는 구절을 발견하고는 해당 교사를 체포하였다. 그리고 그가 속한 단체가 민족주의 단체이며, 독립운동을 목적으로 하고 있다는 억지 자백을 받아냈다. 그해 10월, 이 단체의 회원과 그 사업에 협조한 32명이 검거되었고, 그 가운데 2명은 옥중에서 사망하였으며, 12명은 2년에서 6년까지의 징역형을 선고받았다.

〈보기〉
ㄱ. 「조선말 큰사전」 편찬 작업을 진행하였다.
ㄴ. 식민 사관 극복을 위한 역사 연구에 집중하였다.
ㄷ. 「한글 맞춤법 통일안」을 발표하고, 표준어를 제정하였다.
ㄹ. 어린이를 소중히 여기고 인격체로 대하자는 운동을 전개하였다.

① ㄱ, ㄴ   ② ㄱ, ㄷ   ③ ㄴ, ㄷ
④ ㄴ, ㄹ   ⑤ ㄷ, ㄹ

13 다음 설명과 관계 깊은 농민 운동을 쓰시오.

> 1923년 전라남도 신안군 암태도의 농민들이 매년 고액의
> 소작료를 책정하는 지주와 그를 비호하는 일제 관헌에 대
> 항하여 1년여에 걸쳐 항의하였던 사건이다. 그 결과 고액의
> 소작료를 크게 낮추는 성과를 거두었다.

14 자료와 관련된 사람들이 식민지 경성에 등장하게 된 배경
을 서술하시오.

> 토막민은 청계천 일대와 같
> 은 도시 변두리에 땅을 파
> 고 짚이나 거적을 두른 움
> 집인 토막에서 생활하던 사
> 람들을 일컫는 말이다.

15 다음의 기반이 된 '사상'이 한국의 독립운동에 끼친 영향
에 대해 서술하시오.

> 낡은 시대의 유물인 침략주의와 강권주의에 희생되어, 우
> 리 민족이 수천 년 역사상 처음으로 다른 민족에게 억눌리
> 는 고통을 받은 지 십년이 지났다. …… 아, 새로운 세상이
> 눈앞에 펼쳐지는구나. 힘으로 억누르는 시대가 가고, 인도
> 와 정의가 이루어지는 시대가 오는구나.

16 다음 자료를 보고 물음에 답하시오.

(1) 위 포스터와 연관된 운동의 명칭을 쓰시오.

(2) (1)의 운동에서 요구하였던 주장을 서술하시오.

17 다음 내용과 관계 깊은 인물을 쓰시오.

> • 대부호의 아들로 물려받은 막대한 유산으로 우리 문화재
>   를 되찾아오는 데 힘썼다.
> • 한국 최초의 근대 사립 미술관인 보화각을 세워 문화재를
>   소중히 보존하고자 노력하였다.

18 다음 자료를 읽고 물음에 답하시오.

> 우리 조선 역사 발전의 전 과정은 대체로 세계사의 발전 법
> 칙에 의하여 다른 여러 민족과 거의 동일한 과정을 거쳤다.
> – 「조선사회경제사」

(1) 위와 같은 주장을 한 인물을 쓰시오.

(2) 위 주장을 통해 반박하고자 한 일제의 왜곡 논리에
   대해 서술하시오.

5 전시 동원 체제와 민중의 삶

1 일제의 침략 전쟁과 식민지 공업화 정책

1 제1차 세계 대전 전후의 국제 정세

┌→ 주식 시장의 주가 폭락, 수많은 기업의 도산, 실업자 급증

(1) **대공황**: 1929년부터 1939년까지 지속된 세계 최대의 경제 위기

① 영국, 프랑스: 다수의 식민지를 경제적으로 결속하는 '블록 경제' 강화

② 이탈리아, 독일, 일본: 전체주의 대두 → 군비 증강, 대외 침략

(2) **침략 전쟁**
┌→ 민족이나 국가의 이익을 위해 개인이 희생해야 한다는 사상
→ 이탈리아 파시즘, 독일 나치즘, 일본 군국주의

① 독일: 폴란드 침공(1939) → 제2차 세계 대전 시작

② 일본: 만주 사변(1931) → 중·일 전쟁(1937) → 태평양 전쟁(1941)

• 일제의 '대동아 공영권' 건설: 자신들의 침략 전쟁을 정당화하려는 논리
└→ 서양 제국주의를 물리치고, 아시아 민족 전체가 함께 번영을 이루자는 것이다.

2 한반도의 병참 기지화

(1) **배경**: 일제의 침략 전쟁이 이루어지는 대륙과 가까운 한반도의 가치 부각

(2) **식민지 공업화 정책의 추진**: 한국을 침략 전쟁에 필요한 병참 기지로 활용

① 남북 간 산업 편중 심화 ┌→ 대륙과 가깝고 지하자원이 풍부하여 군수 산업이 발달하였다.

• 한반도 북부 지방: 군수 산업 중심의 중화학 공업

• 한반도 남부 지방: 소비재 중심의 경공업

② 남면북양 정책(공업 원료 생산 정책)

• 한반도 북부 지방: 양 사육

• 한반도 남부 지방: 면화 재배

(3) **농촌 진흥 운동**: 농민 경제 안정을 명분으로 추진 → 근본적 해결이 되지 못함.
└→ 일제는 농민 빈곤의 원인을 개인의 책임과 정신력 문제로 돌렸다.

2 '애국'의 이름으로 강요된 전쟁과 수탈

1 한국인의 황국 신민화

(1) **배경**: 일제의 침략 전쟁 확대 → 전시 동원 체제 확립

(2) **황국 신민화**: 한국인들을 '천황 나라의 신하와 백성'으로 만들기 → 한국인의 민족 정체성을 없애려는 민족 말살 정책

(3) **민족 말살 정책(황국 식민화 정책)** ┌→ 내선일체의 '내(內)'는 일본 본토를 의미하며, '선(鮮)'은 조선을 가리킨다.

① 내선일체 표어 선전: '일본인과 한국인은 본래부터 하나다.'

② 황국 신민 서사 암송: 일왕에게 충성을 다할 것을 선서하게 하는 의식

③ 궁성 요배: 일왕이 사는 도쿄를 향해 아침마다 절하게 하는 의식

④ 신사 참배: 일본 고유 종교 및 일본 황실과 침략 전쟁 전사자 숭배 강요

⑤ 학교 명칭 변경: 소학교 → 국민학교 ┌→ 황국 신민 학교라는 의미

⑥ 「제3차 조선 교육령」: 일본어 상용, 조선어 교육 사실상 폐지 ┌→ 「제3차 조선 교육령」(1938)에서 조선어는 필수 과목에서 선택 과목으로 격하, 「제4차 조선 교육령」(1943)에서 조선어 교과 공식적 폐지

⑦ 창씨개명: 성과 이름을 일본식으로 바꿀 것을 강요
└→ 창씨개명을 하지 않는 국민에게는 식량 배급과 상급 학교 진학에 불이익을 주었다.

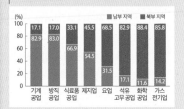
개념 체크

1 다음 설명이 맞으면 ○표, 틀리면 ×표를 해 보자.

(1) 민족이나 국가의 이익을 위해 개인이 희생해야 한다는 사상을 전체주의라 한다.
( )

(2) 일제가 실시한 농촌 진흥 운동으로 대다수의 소작농이 지주로 성장할 수 있었다.
( )

2 빈칸에 알맞은 말을 써 보자.

(1) 일본은 태평양 전쟁을 '( )'(이)라고 부르며 자신들의 침략 전쟁을 정당화하였다.

(2) 일제는 공업 원료를 생산하기 위해 한반도 남부 지방에서 면화를 재배하고, 북부 지방에서는 양을 기르는 ( ) 정책을 시행하였다.

(3) 일제는 민족 말살 정책의 일환으로 한국인의 성과 이름을 일본식 성명으로 바꾸는 ( )을/를 강요하였다.

3 서로 관련 있는 내용끼리 연결해 보자.

(1) 궁성 요배 • • ㉠ 도쿄를 향해 절

(2) 신사 참배 • • ㉡ 일본 고유의 종교

(3) 황국 신민 • • ㉢ 일왕에게 충성 맹서사 세

2 일상생활 통제 강화

(1) **국민정신 총동원 운동** 조선 연맹의 조직
 ① 목적: 한국인에 대한 통제 강화, 침략 전쟁 동참 강요
 ② **애국반**: 연맹의 가장 하부 조직 ┌→10가구 정도를 하나의 단위로 조직
 ③ 반상회: 일본어 사용, 전쟁을 위한 애국 저금 등 조선 총독부의 정책 홍보, 황
  국 신민 사상 주입, 일상생활 감시 └→물가가 치솟는 전시 상황에서의 저금은
  결국 개인 재산의 손실을 야기함.

(2) 언론 통제 강화: 「조선일보」, 「동아일보」 등 한글 신문 폐간

(3) 「조선 사상범 예방 구금령」: 독립운동가들을 재판 없이도 구금할 수 있게 됨.

3 일상적 궁핍에 빠진 한국인들

(1) 「국가 총동원법」 제정(1938): 전쟁에 필요한 위한 물자와 인력 수탈의 법적 근거 마련

(2) 산미 증식 계획의 재개: 전쟁 확대에 따른 군량미 조달 → 미곡 공출과 식량 배급 실시
 ① 식량 배급량의 감소: 잡곡 비율 증가, 콩깻묵을 식용으로 지급
 ② 한국인의 희생 강요: 죽 한 그릇 먹기 운동, 절미 운동 등 ┌→콩에서 기름을 짜내고
  남은 찌꺼기

(3) 금속 공출: 전쟁 물자를 조달하기 위해 놋그릇, 학교 종, 종교 시설 상징물까지도
  강제로 수거

3 해결되지 않은 일제 강점기의 상처

1 고국을 떠나야만 했던 사람들

(1) 국외 이주의 역사: 19세기에 시작되어 일제 강점기에 더욱 증가, 오늘날에도 이들
  의 후손 상당수가 해외 거주 중 └→이주 사유: 생계, 독립운동, 일제의 강제 동원 등

만주	• 무장 독립 투쟁을 위한 독립운동의 핵심 기지 ┌→간도 참변, 「미쓰야 협정」으로 큰 고통 • 1931년 이후 일제의 만주 개척을 위해 강제 이주 당함. • 후손은 오늘날 조선족으로 살고 있음.
연해주, 중앙 아시아	• 연해주(블라디보스토크): 러시아 영토 내 한국 민족 운동의 중심 • 중앙아시아로 강제 이주(1937): 수많은 인명과 재산 피해 • 후손은 오늘날 카레이스키(고려인)라 부름. └→소련 공산당 서기장 스탈린의 명령
일본	• 일제가 저임금의 노동력을 확보하기 위해 이주 허용 • 관동 대학살(1923): 관동 대지진 때 한인을 사회 불안 요인으로 규정하여 학살 • 강제 징용: 한국인이 일본 각지와 사할린 지역으로 끌려가 강제 노역
미주	• 독립운동을 재정적으로 적극 지원, 외교 활동의 주요 무대 • 태평양 전쟁 발발(1941)로 일본인과 함께 생활에 제약을 받음.

2 삶을 송두리째 빼앗긴 사람들 ┌재미 한족 연합 위원회(1941): 일제 식민 지배의 부당성 폭로, 대한
  민국 임시 정부의 승인과 한국을 연합군의 일원으로 인정 요청 등

(1) 지원·징병제: 「지원병제」(1938), 「학도 지원병제」(1943), 「징병제」(1944) 등 조직적
  으로 한국인 청년과 학생들을 군인으로 동원

(2) 「국민 징용령」(1939): 일본군 점령지의 광산, 군수 공장, 군용 활주로 공사 등에
  한국인 노동력 강제 동원 └→일본, 조선, 중국, 동남아시아, 사할린 등지

(3) 「조선 여자 정신대 근무령」(1944): 한국인 여성들을 노동력, 성노예로 동원
  ┌성노예는 성적 착취를 위한 목적으로 부리는 인간 노예를 일컫는
  말이다. 일제 강점기 당시 일본군 '위안부'가 대표적 사례이다.

자료 콕콕 ② 국가 총동원법(1938)

제1조: 본 법에서 국가 총동원이란 전시
(전쟁에 준하는 사변의 경우를 포함. 이
하 동일)에 국방 목적 달성을 위해 국
가의 전력을 가장 유효하게 발휘하도록
인적 · 물적 자원을 통제 운용하는 것을
가리킨다.

제4조: 정부는 전시에 국가 총동원상 필
요한 경우에는 칙령이 정하는 바에 따
라 제국 신민을 징용하여 총동원 업무
에 종사시킬 수 있다.

제20조: 정부는 전시에 국가총동원상
필요할 때는 칙령이 정하는 바에 따라
신문지, 기타 출간물의 게재에 대하여
제한 또는 금지를 행할 수 있다.

「국가 총동원법」은 1938년에 일본이 전쟁
에 전력을 집중하기 위해 인적, 물적 자원
을 통제하고 동원할 목적으로 만든 법이다.
이 법률을 근거로 개인과 기업, 언론의 권
한을 제약하는 법령이 공포되었을 뿐만 아
니라 징용, 징병과 같은 제도도 만들어졌다.

개념 체크

1 다음 설명이 맞으면 O표, 틀리면 ×표를
  해 보자.
(1) 「조선 사상범 예방 구금령」의 제정에 따라
  독립운동가들이 재판 없이도 구금되었다.
  (   )
(2) 일제는 전쟁에 필요한 노동력을 강제로
  동원하기 위해 징병제를 실시하였다.
  (   )

2 빈칸에 알맞은 말을 써 보자.
(1) 일제는 (   )을/를 제정하여
  전쟁 수행을 위한 물자와 인력 수탈의 법
  적 근거를 마련하였다.
(2) 일제는 태평양 전쟁 막바지인 1944년에는
  (   )을/를 실시하여 수많은
  한국인 청년을 전쟁터로 끌고 갔다.
(3) 일본군 '(   )'은/는 전쟁터에
  성노예로 강제 동원되어 갖은 수모와 고
  통을 겪었다.

3 서로 관련 있는 내용끼리 연결해 보자.
(1) 일본   •   • ㉠ 조선족
(2) 만주   •   • ㉡ 카레이스키
(3) 중앙아시아 •   • ㉢ 관동 대학살

중요
01 (가) 상황에서 각 나라의 대응으로 옳은 것은?

> 제1차 세계 대전 이후 상품 생산력은 빠르게 증가하였지만, 대중의 구매력은 이를 따라가지 못하였다. 재고가 쌓이면서 파산하는 회사가 늘어났고, 실업자가 증가하면서 수요와 공급의 불균형이 계속 심해졌다. 결국 뉴욕 주식 시장의 주가가 대폭락하면서 (가) 이/가 시작되었다.

① 영국 – 전체주의 체제가 성립하였다.
② 독일 – 침략을 위해 군비를 확장하였다.
③ 일본 – 공산주의 계획 경제 체제를 강화하였다.
④ 프랑스 – 대외 침략으로 위기를 극복하려 하였다.
⑤ 이탈리아 – 식민지 국가와 경제 결속을 강화하였다.

02 일제의 침략 과정을 일어난 순서대로 배열한 것으로 옳은 것은?

> (가) 일본은 중·일 전쟁을 일으켜 난징을 점령하였다.
> (나) 일본이 만주를 전면적으로 침략하여 꼭두각시 국가인 만주국을 세웠다.
> (다) 일본 군부 강경파가 하와이 진주만에 정박 중이던 미국 함대를 기습하여 태평양 전쟁을 일으켰다.

① (가) → (나) → (다)
② (가) → (다) → (나)
③ (나) → (가) → (다)
④ (나) → (다) → (가)
⑤ (다) → (나) → (가)

03 농촌 진흥 운동에 대한 설명으로 옳은 것은?

① 농촌의 구조적 모순을 해결할 수 있었다.
② 농민 개인의 책임과 정신력만을 강조하였다.
③ 관개 시설을 축조·관리하는 수리 조합을 전국에 조직하였다.
④ 정규 교육을 받지 못한 농민을 대상으로 한글을 보급하였다.
⑤ 토지 대장에 누락된 토지들을 파악하여 지세 수입을 늘렸다.

중요
04 다음 그래프에 대한 설명으로 옳지 않은 것은?

(%) ■ 남부 지역 ■ 북부 지역

	기계 공업	방직 공업	식료품 공업	제지업	요업	석유 고무 공업	화학 공업	가스 전기업
북부	17.1	17.0	33.1	45.5	68.5	82.9	88.4	85.8
남부	82.9	83.0	66.9	54.5	31.5	17.1	11.6	14.2

① 회사령의 제정을 계기로 추진된 식민지 공업화와 관련 있다.
② 중·일 전쟁 이후 전시 체제가 본격화되면서 위와 같은 경향은 더욱 심해졌다.
③ 중화학 분야가 북부 지방에 집중되어 남북 간 산업 분야의 불균형이 심화되었다.
④ 일제는 한반도를 침략 전쟁에 필요한 자원을 보급하는 병참 기지로 활용하려 하였다.
⑤ 대륙과 가깝고 지하자원을 확보하기 쉬운 한반도 북부 지방에 군수 산업이 집중되었다.

중요
05 다음의 목표를 위해 일제가 시행한 정책으로 옳지 않은 것은?

> "내지인과 조선인은 한 몸과 같다. 조선인 또한 천황 폐하와 대일본 제국을 위해 기꺼이 몸과 마음을 바치는 충성스러운 황국 신민으로 거듭나야 마땅하다!"

① 소학교의 명칭을 국민학교로 변경하였다.
② 전국 곳곳에 신사를 세우고 참배를 강요하였다.
③ 성과 이름을 일본식으로 바꾸는 창씨개명을 강요하였다.
④ 일왕이 머무는 도쿄를 향해 아침마다 감사의 절을 시켰다.
⑤ 교원에게 칼을 착용하게 하여 위압적인 분위기를 조성하였다.

06 다음은 어떤 인물의 일대기를 표로 정리한 것이다. (가)에 들어갈 설명으로 옳은 것은?

1868년	평안북도 자성 출생
1907년	일제의 무기 회수에 반발하여 의병으로 활동
1919년	대한 독립군 총사령관 취임
1920년	봉오동 전투, 청산리 전투에서 연이어 승리
1921년	자유시 참변을 겪음.
1937년	((가))
1943년	카자흐스탄에서 사망

① 일제의 만주 개척을 위해 강제로 이주되었다.

② 사탕수수 농장에서 일하며 '애니깽'이라 불렸다.

③ 이때 옮겨간 한국인들을 오늘날 '조선족'이라고 부른다.

④ 스탈린의 명령으로 인하여 중앙아시아로 강제 이주되었다.

⑤ 대지진 후 자경단원들에 의해 많은 한국인이 살육당하였다.

07 밑줄 친 (가)가 이루어진 시기의 모습으로 옳지 <u>않은</u> 것은?

2015년 7월 5일, 일본 '메이지 산업 혁명 유산'이 유네스코의 세계유산으로 등재되었다. 일본 정부 대표단은 이날 등재 결정 직전에 위원국을 상대로 한 발언에서 (가) "1940년대에 일부 시설에서 수많은 한국인과 여타 국민이 자기 의사에 반해 동원되어 가혹한 조건하에서 노역을 당했다."라고 밝혔고, 등재 결정문에서는 각주를 통해 "세계유산 위원회는 일본의 발표를 주목한다."라고 명시하였다.

① 헌병 경찰에게 태형을 집행할 수 있는 권한을 부여하였다.

② 여성을 일본군 '위안부'로 강제 연행하여 인권을 유린하였다.

③ 가정의 놋그릇, 학교 종과 같은 금속을 강제로 공출하였다.

④ 군량미를 조달하기 위해 산미 증식 계획을 다시 시행하였다.

⑤ 지원병제, 징병제를 통해 수많은 청년을 전쟁터로 끌고 갔다.

사고력을 키우는 서술형

08 다음 주장을 비판적으로 반박하여 서술하시오.

미국과 영국은 자국의 번영을 위해 타민족을 억압하고 …… 대동아를 예속화하고 안정을 해치려고 하였다. 이것이 대동아 전쟁의 원인이다. 대동아 각국은 제휴하여 …… 대동아를 미국과 영국의 속박으로부터 벗어나 공존공영, 자주독립, 인종적 차별이 없는 공영권을 건설함으로써 세계 평화의 확립에 이바지하고자 한다.

– 일본 외무성, 『일본 외교 연표와 주요 문서』

_____

_____

_____

09 다음 자료를 읽고 물음에 답하시오.

1. 우리들은 대일본 제국의 신민입니다.
2. 우리들은 마음을 합하여 천황 폐하에게 충의를 다하겠습니다.
3. 우리들은 인고단련하여 훌륭하고 강한 국민이 되겠습니다.

(1) 위 선서의 명칭을 쓰시오.

_____

(2) 일제가 위 글을 학생들에게 암송시켰던 궁극적인 목적을 서술하시오.

_____

_____

6 광복을 위한 노력

1 항일 연합 전선의 형성

1 민족 연합 전선을 위한 노력

(1) 독립운동 단체들의 근거지 이동
  ① 배경: 만주 사변(1931) 이후 만주 지역에서 일제의 감시와 탄압 심화
  ② 이동: 만주 지역의 독립운동 단체들이 대거 중국 관내로 이동
      └ 관문의 안쪽이라는 뜻으로 만리장성의 이남인 중국 본토 지역을 말한다.

(2) 독립운동 단체들의 결집
  ① 취지: 노선의 차이를 뛰어넘어 하나로 단결
  ② 민족 혁명당 창당(1935): 민족주의 계열과 사회주의 계열 단체들의 연합
  ③ 한계 ┌ 민족 혁명당으로의 단일당 형성은 기존 단체들의 해체를 전제로 하는 것이었기 때문이다.
    • 김구 불참: 대한민국 임시 정부 유지 주장
    • 조소앙, 지청천 등(민족주의 계열 운동가들)의 탈퇴: 김원봉의 의열단 계열이 당을 주도하는 것에 대한 반발

2 조선 의용대의 조직과 활동

(1) 배경: 중·일 전쟁의 발발(1937)
(2) 조선 민족 전선 연맹의 결성 ┌ 중국 국민당 정부는 중국 공산당과 협력하여 일본에 공동으로 맞섰다(제2차 국·공 합작).
  ① 구성: 조선 민족 혁명당 중심으로 여러 단체들이 연합
  ② 조선 의용대 성립(1938): 중국 국민당 정부의 지원을 받아 중국 관내 최초로 한 국인 무장 부대 조직 └ 민족주의 계열 운동가들이 탈퇴한 이후의 민족 혁명당을 계승하여 결성

(3) 조선 의용대의 활동
  ① 역할: 중·일 전쟁 당시 중국 국민당을 보조(후방 공작, 일본군 대상 심리전)
  ② 이동: 더욱 적극적인 항일 투쟁을 위해 중국 공산당이 일제를 상대로 전투를 벌이고 있는 화베이 지역으로 이동 → 조선 의용대 화북 지대 결성
  ③ 중국 공산당의 팔로군과 연대: 호가장 전투와 반소탕전에서 활약

(4) 조선 의용대의 분화 └ 중국 국민당은 자신들의 작전을 보조하던 조선 의용대가 중국 공산당의 관할 구역으로 넘어가자 당혹스러워 하였다.
  ① 조선 의용대 화북 지대 → 조선 독립 동맹 산하 조선 의용군으로 재편
  ② 화베이로 이동하지 않았던 잔류 병력 → 한국 광복군에 합류(김원봉 등)

3 좌우 연합 전선을 형성한 대한민국 임시 정부

(1) 대한민국 임시 정부의 이동: 윤봉길 의거 후 일제의 감시와 탄압을 피해 상하이를 떠나 여러 차례 이동 → 1940년 중국 국민당 정부를 따라 충칭에 정착
(2) 대한민국 임시 정부의 조직 정비: 무장 독립 투쟁 및 외교 활동 주도
  ① 한국 독립당 창당: 김구, 조소앙, 지청천 등 민족주의 계열 정당이 통합
  ② 헌법 개정: 주석 중심의 지도 체제 마련, 김구를 주석으로 선출
  ③ 한국 광복군 창설(1940): 중국 국민당의 지원을 받아 지청천을 사령관으로 함.
      대한민국 임시 정부에 대한 국제 사회의 승인 및 한국 독립 요구 ┘

자료 콕콕 ① 조선 의용대 성립 선언

이번 전쟁에서 조선 민족 내지 동방의 모든 약소민족은 마땅히 중국의 입장에 서서 모든 힘을 다하여 중국의 항전을 지원해야 한다. …… 우리의 진정한 적인 일본 파시스트 군벌을 타도함으로써 동아의 영구적인 평화를 실현해야 한다. …… 용감한 중국의 형제들과 손을 잡고 …… 항일 전선을 향해 용감히 전진하자!

– 『중앙일보』, 1938. 7. 12.

중·일 전쟁의 발발은 공동의 적(일본)을 둔 중국인과 한국인의 협력과 단결을 더욱 강화하게 하는 계기가 되었다. 이러한 상황 속에서 창설된 조선 의용대는 중·일 전쟁에서 중국을 돕는 것이 곧 한국 독립을 위한 길임을 인지하였다.

개념 체크

1 다음 설명이 맞으면 ○표, 틀리면 ×표를 해 보자.
(1) 한국 광복군은 중국 국민당 정부의 지원으로 조직된 관내 최초 한국인 무장 부대이다. ( )
(2) 1941년 헌법 개정을 통해 주석제를 도입한 대한민국 임시 정부는 김구 중심의 지도 체제를 확립하였다. ( )

2 빈칸에 알맞은 말을 써 보자.
(1) 1935년 중국 관내의 민족주의와 사회주의 계열 독립운동 단체를 결집한 ( )이/가 창당되었다.
(2) 화베이로 이동하지 않았던 조선 의용대 일부는 김원봉과 함께 ( )에 합류하였다.
(3) 김구, 조소앙, 지청천 등의 민족주의 계열은 1940년 대한민국 임시 정부를 이끌어 갈 정당으로 ( )을/를 창당하였다.

3 서로 관련 있는 내용끼리 연결해 보자.
(1) 한국 독립당 • • ㉠ 조선 의용군
(2) 조선 독립 동맹 • • ㉡ 조선 의용대
(3) 조선 민족 전선 연맹 • • ㉢ 한국 광복군

4 한국 광복군의 활동

(1) 초기: 중국 국민당의 군사 원조를 받았기 때문에 일정한 제약(한국 광복군 행동 9개 준승)을 받음. → 이후 독자적인 지휘권 회복

(2) 주요 활동 ┌ 태평양 전쟁의 발발을 계기로 대한민국 임시 정부에서 발표한 선전 포고이다.

① 「대일 선전 성명서」 발표(1941): 연합군과의 합동 작전에 주력

② 인도·미얀마 전선 파견(1943): 영국군 지원(포로 심문, 정보 수집, 선전 활동)

③ 국내 진공 작전 준비(1944~1945): 미국 전략 정보국(OSS)의 지원으로 특수 요원을 양성하여 한반도로 침투, 연합군의 작전을 위한 첩보 활동 계획
└ 오늘날 미국 CIA의 전신이다.

2 독립운동가들이 꿈꾸었던 나라

1 국내외에서 나타난 신국가 건설의 움직임

(1) 배경: 태평양 전쟁 이후 일제의 패망 임박 예상 → 광복 이후 건설될 새로운 나라의 모습을 구체적인 강령으로 구상

(2) 국내외의 건국 준비 활동

「대한민국 건국 강령」 (1941)	• 개요: 삼균주의 사상을 기초로 한 대한민국 임시 정부(충칭)의 건국 구상 ┌ 정치·경제·교육 분야의 균등을 추구해야 한다는 조소앙의 사상 • 주요 내용: 보통 선거를 통한 민주 공화정 수립, 토지와 주요 산업(대기업)의 국유화, 의무 교육 제도 시행, 노동권 보장 등
「조선 독립 동맹의 강령」 (1942)	• 개요: 옌안에 근거지를 둔 사회주의 계열의 조선 독립 동맹의 건국 구상 └ 김두봉 중심 • 주요 내용: 일본 제국주의 타도, 보통 선거를 통한 민주 공화정 수립, 남녀평등권 확립, 대기업 국유화, 토지 분배, 의무 교육 제도 시행
「조선 건국 동맹의 강령」 (1944)	┌ 여운형이 일제 항복 이후 조선 건국 준비 위원회로 개편 • 개요: 민족주의, 사회주의 계열의 독립운동가들을 아우른 국내의 비밀 결사인 조선 건국 동맹의 건국 구상 • 주요 내용: 일본 제국주의의 모든 세력을 추방, 민주주의 원칙에 바탕을 둔 국가 건설, 노동자·농민 대중의 해방

2 국제 사회에서 논의된 한국의 독립 문제

(1) 전후 처리를 위한 회담 ┌ 카이로 선언에는 소련 역시 동의하였다.

카이로 회담 (1943. 11.)	미국(루스벨트)·영국(처칠)·중국(장제스) 참여, 일본이 침략 전쟁으로 차지한 영토 회수 등 합의, 최초로 한국의 독립 보장
얄타 회담 (1945. 2.)	미국(루스벨트)·영국(처칠)·소련(스탈린) 참여, 소련의 대일전 참전, 종전 이후 민주적인 임시 정부의 구성 합의
포츠담 회담 (1945. 7.)	미국(트루먼)·영국(처칠, 애틀리)·소련(스탈린) 참여, 일본의 무조건 항복, 카이로 선언의 모든 조항의 이행 재확인

└ 회담 도중에 선거 개표 결과에 의해 총리가 바뀌었다.

(2) 결과: 우리나라의 독립을 국제 사회로부터 인정받음.

(3) 일본의 항복: 미국의 원자 폭탄 투하, 소련의 대일전 참전 → 일본의 무조건 항복, 한국의 광복
└ 1945년 4월, 루스벨트의 사망으로 트루먼이 대통령직 승계

자료 콕콕 2 한국 광복군 행동 9개 준승

제1항: 한국 광복군은 중국의 항일 작전 기간에 중국 군사 위원회에 직할 예속하고, 참모총장이 장악·운용한다.

제2항: 한국 광복군은 중국 군사 위원회에서 통할 지휘하되 중국이 항전을 계속하는 기간 및 한국 독립당·임시 정부가 한국 국경 내로 추진하기 전까지는 중국 최고 통수부의 군령만을 접수할 뿐이고, …… 한국 독립당·임시 정부와의 관계는 중국의 군령을 받는 기간에 있어서는 고유한 명의 관계를 보류한다.

「한국 광복군 행동 9개 준승」에는 한국 광복군의 자주성과 임시 정부의 권위를 부정하는 방침이 드러나 있다. 그러나 중국의 재정 지원 없이는 한국 광복군의 활동을 지속하는 것이 불가능했던 임시 정부는 이를 수락한다. 이후 임시 정부는 한국 광복군의 자주권 회복을 위한 끈질긴 노력을 전개한 끝에 1944년 8월 「9개 준승」의 취소를 이끌어냈고, 이를 바탕으로 '국내 진공 작전'을 준비할 수 있었다.

개념 체크

1 다음 설명이 맞으면 ○표, 틀리면 ×표를 해 보자.

(1) 조선 건국 동맹은 여운형을 중심으로 사회주의 계열의 인사들만 참여한 단체였다. ( )

(2) 미국, 영국, 중국이 합의한 카이로 선언을 소련 역시 동의하였다. ( )

2 빈칸에 알맞은 말을 써 보자.

(1) 일제가 태평양 전쟁을 일으키자 ( )은/는 「대일 선전 성명서」를 발표하였다.

(2) 대한민국 임시 정부의 「대한민국 건국 강령」은 조소앙의 ( ) 사상이 반영되었다.

(3) ( )의 강령은 보통 선거, 민주 공화제, 대기업 국유화, 의무 교육 제도 시행 등을 담은 「대한민국 건국 강령」과 유사한 점이 많았다.

3 서로 관련 있는 내용끼리 연결해 보자.

(1) 김두봉 • • ㉠ 삼균주의

(2) 여운형 • • ㉡ 조선 건국 동맹

(3) 조소앙 • • ㉢ 조선 독립 동맹

01 다음 구조도와 관련된 설명으로 옳지 <u>않은</u> 것은?

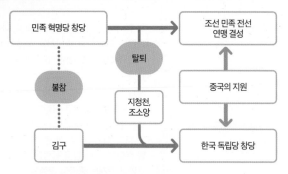

① 민족 혁명당은 중국 관내의 독립운동 단체들의 힘을 하나로 통합하고자 만들어졌다.

② 대한민국 임시 정부의 유지를 원했던 김구는 민족 혁명당의 창당에 참여하지 않았다.

③ 의열단 계열이 민족 혁명당의 주도권을 차지하자, 지청천, 조소앙 등의 민족주의 계열 운동가들이 이탈하였다.

④ 조선 민족 전선 연맹과 한국 독립당 산하에 조직된 각각의 무장 부대들은 중국 공산당으로부터 재정적인 지원을 받았다.

⑤ 민족주의 계열이 뭉쳐 창당된 한국 독립당은 대한민국 임시 정부의 헌법을 개정해 김구 주석 중심의 지도 체제를 확립하였다.

02 다음 인물이 설명하는 항일 무장 부대의 명칭으로 옳은 것은?

우리는 중·일 전쟁을 계기로 1938년 중국 우한에서 조직되었습니다. 우리는 이 동아에서 일본 제국주의자를 완전히 구축할 것입니다. 중국의 형제들 긴밀히 악수합시다.

① 북로 군정서 ② 조선 의용대
③ 조선 혁명군 ④ 한국 독립군
⑤ 한국 광복군

03 밑줄 친 (가)를 위한 훈련을 받은 항일 무장 부대에 대한 설명으로 옳은 것은?

왜적의 항복! 이 소식은 내게 희소식이라기보다는 하늘이 무너지고 땅이 꺼지는 일이었다. …… 서안훈련소와 부양 훈련소에서 훈련받은 우리 청년들을 조직적·계획적으로 각종 비밀 무기와 무전기를 휴대시켜 산둥반도에서 미국 잠수함에 태워 본국으로 침입하게 하여 …… 전신으로 통지하여 무기를 비행기로 운반하여 사용할 것을 미국 육군성과 긴밀히 합작하였다. 그런데 (가)이러한 계획을 한번 실시해 보지도 못하고 왜적이 항복하였으니, 지금까지 들인 정성이 아깝고 다가올 일이 걱정되었다. — 김구, 『백범일지』

① 중국 관내 최초의 한국인 무장 부대였다.

② 만주에서 중국인 부대와 연합하여 일본군에 맞섰다.

③ 중국 공산당 세력과 함께 항일 무장 투쟁을 벌였다.

④ 영국군의 요청에 따라 인도·미얀마 전선에 참가하였다.

⑤ 중국으로부터 끝내 독자적인 지휘권을 획득하지 못하였다.

04 다음 대화를 바탕으로 한 탐구 주제로 가장 적절한 것은?

태우: 그는 윤봉길의 의거를 비롯하여 한국인의 끈질긴 독립 의지에 큰 감명을 받았기에 김구의 요청을 따랐을 거야.

윤정: 향후 한국에 대한 그들의 영향력을 강화하려는 의도도 있었을 거라 생각해. 일본의 세력을 약화시킬 필요도 있었을 거고.

① 미국은 왜 소련의 대일전 참전을 촉구하였는가?

② 미군정은 왜 대한민국 임시 정부를 인정하지 않았을까?

③ 카이로 회담에서 장제스는 왜 한국의 독립을 주장하였을까?

④ 중국 국민당 정부는 관내 최초의 한국인 무장 부대의 조직을 왜 도왔는가?

⑤ 스탈린은 왜 연해주 지역의 한국인들을 중앙아시아로 강제 이주시켰는가?

중요

05 (가)에 들어갈 내용으로 옳은 것만을 〈보기〉에서 있는 대로 고른 것은?

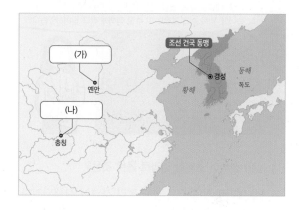

제○○호　　한국사 신문　　○○○○년 ○○월 ○○일

임정, 대한민국 건국 강령 발표!
광복 이후 재건될 국가의 미래 청사진 그리다

현재 충칭에 자리 잡은 대한민국 임시 정부가 「대한민국 건국 강령」을 제정·공포하였다는 소식이다. 이 건국 강령에 따르면 국가 건설 과정은 '독립 선포−정부 수립−국토 수복−건국'의 과정이므로, 우리의 국토를 되찾은 이후 어떻게 국가를 꾸려나갈 것인가에 대한 원칙을 세웠다는 것에 그 의의가 있다. 건국 강령에 담긴 주요 원칙들은 아래와 같다.

(가)

〈보기〉
ㄱ. 토지 및 주요 산업의 국유화
ㄴ. 보통 선거를 통한 민주 공화정의 수립
ㄷ. 정치, 경제, 교육의 균등을 바탕으로 한 삼균주의
ㄹ. 국제 분쟁을 해결하는 수단으로써 무력 행사 포기

① ㄱ　　　　② ㄱ, ㄹ　　　　③ ㄴ, ㄷ
④ ㄱ, ㄴ, ㄷ　　　　⑤ ㄴ, ㄷ, ㄹ

06 조선 건국 동맹에 대한 설명으로 옳지 <u>않은</u> 것은?

① 일제의 후방을 교란할 목적으로 군사 위원회를 조직하였다.
② 일제가 항복을 선언하자 조선 건국 준비 위원회로 개편하여 활동하였다.
③ 비밀 결사로서 김종백을 중심으로 학도병 지원 거부자들이 조직하였다.
④ 대한민국 임시 정부, 조선 독립 동맹과 같은 국외 항일 세력과도 연락하였다.
⑤ 전국에 지방 조직을 만들고, 산하에 노동자·농민·청년 등 다양한 계층을 포함한 조직을 구성하였다.

사고력을 키우는 서술형

07 광복 이후 신국가 건설을 목표로 (가), (나) 지역의 단체가 발표한 건국 강령들의 유사한 내용을 서술하시오.

_____

_____

08 다음 자료를 읽고 물음에 답하시오.

이곳은 중국 산시성에 위치한 윤세주, 진광화의 옛 무덤이다. 그들은 조선 의용대 화북 지대 소속으로서 팔로군과 함께한 반소탕전에서 분전 중에 전사하였습니다.

(1) 이들이 화베이 지역으로 이동한 이유를 서술하시오.

_____

_____

(2) 위 사건 이후 이들이 속한 부대가 조선 독립 동맹 산하로 재편되어 어떤 명칭으로 바뀌었는지 쓰시오.

_____

Day 41

2018학년도 수능

이 건물은 옛 익옥 수리 조합 사무소로 일제에 의한 수탈의 역사를 보여 줍니다. 제1차 세계 대전 이후 일제는 자국의 식량 부족 문제를 해결하기 위해, 식민지 조선에서 경지 정리와 개간, 보리 품종 개량, 대규모 수리 조합 창설 등을 추진하는 (가) 을/를 실시하였습니다. 익옥 수리 조합도 이 수탈 정책에 적극 참여하였습니다.

01 (가) 정책이 초래한 결과로 옳은 것은?

① 메가타의 주도로 화폐 정리 사업이 시행되었다.
② 회사 설립을 허가제로 규정한 회사령이 공포되었다.
③ 육의전을 제외한 시전 상인의 독점 판매권이 폐지되었다.
④ 한국인의 식량 사정 악화로 다량의 만주산 잡곡이 수입되었다.
⑤ 곡물 유출을 막기 위해 함경도 등지에서 방곡령이 선포되었다.

활용
02 (가)에 대한 설명으로 옳은 것은?

① 소작료의 대폭 인하로 지주들은 손실을 입었다.
② 많은 논을 상품 작물 재배를 위한 밭으로 바꾸었다.
③ 일본으로 유출되는 양보다 증산되는 쌀의 양이 더 많았다.
④ 수리 시설 건설에 드는 비용을 대지주들이 떠맡아야만 하였다.
⑤ 쌀농사 위주의 단작 농업이 정착됨에 따라 쌀 가격 변동에 취약해졌다.

서술형
03 (가) 정책이 처음 실시될 당시 일제가 표방하던 식민지 지배 정책의 내용과 그 실상을 함께 서술하시오.

_____

_____

2019학년도 수능

| (가) 의 주요 의거 ||
실행 인물	의거 내용
	전기 수리공으로 위장하고 조선 총독부 청사로 돌아가 폭탄을 투척하였다.
	종로 경찰서에 폭탄을 던져 건물을 파괴하였다. 일제 경찰이 추적하자 총격전을 벌이다 순국하였다.

04 (가) 단체에 대한 설명으로 옳은 것은?

① 임오군란에 가담하였다.
② 교조 신원 운동을 전개하였다.
③ 김원봉을 중심으로 결성되었다.
④ 오산 학교와 대성 학교를 설립하였다.
⑤ 고종 강제 퇴위 반대 운동을 주도하였다.

활용
05 (가) 단체가 선정한 암살 대상으로 옳지 않은 것은?

① 타이완 총독
② 일본군의 수뇌부
③ 조선 총독 및 고관
④ 일본 태생의 민간인
⑤ 반민족적 악덕 지방 유지

서술형
06 (가) 단체가 추구한 목표를 신채호가 작성한 「조선 혁명 선언」의 내용과 연관 지어 서술하시오.

_____

_____

_____

2020학년도 수능

독립 유공자 공훈록

- 성명: ○○○
- 훈격: 건국포장

공훈록

1929년 10월 나주역에서 일본인 중학생이 광주여자고등보통학교 학생들을 희롱하였다. 이것이 발단이 되어 일어난 일본인 학생과 한국인 학생 간 충돌은 3·1 운동 이후 최대 규모의 항일 운동인 (가) (으)로 발전하였다. 광주여자고등보통학교 학생이었던 ○○○은 11월 3일 광주 지역 학생들의 시위에 학생들을 이끌고 적극 참여하였다. 이후 식민지 교육 철폐 등을 요구하는 시위가 전국으로 확산되자, 이에 호응하여 백지 동맹을 주도하였다.

07 (가) 민족 운동에 대한 설명으로 옳은 것은?

① 이만손 등이 영남 만인소를 올렸다.
② 통감부의 방해와 탄압으로 좌절되었다.
③ 제너럴 셔먼호 사건을 계기로 일어났다.
④ 헌병 경찰제가 시행되는 결과를 가져왔다.
⑤ 신간회가 진상 조사단을 파견하여 지원하였다.

활용
08 (가) 민족 운동과 6·10 만세 운동의 공통점으로 옳은 것은?

① 순종의 죽음을 계기로 일어났다.
② 학생들이 중심이 되어 시위를 전개하였다.
③ 중국의 제1차 국·공 합작에 영향을 받았다.
④ 신간회가 전국적인 항일 운동으로 확산시키고자 하였다.
⑤ 일제의 무단 통치가 문화 통치로 전환되는 계기를 만들었다.

서술형
09 학생들이 철폐를 요구하였던 당시 '식민지 교육'의 현실에 대해 서술하시오.

_____
_____
_____

2020학년도 수능

기념일로 보는 한국사

8월 14일, 일본군 '위안부' 피해자 기림의 날

1991년 8월 14일 고(故) 김학순 할머니가 일본군 '위안부' 생존자 중 최초로 피해 사실을 공개 증언하였다. 고(故) 김학순 할머니는 중·일 전쟁 이후 일제가 국가 총동원법을 시행하여 인력과 물자를 수탈하던 시기에 끌려가 일본군 '위안부'로 고통을 당하였다. 정부는 일본군 '위안부' 문제를 국내외에 알리고 피해자를 기리기 위하여 8월 14일을 국가 기념일로 제정하였다.

10 밑줄 친 '시기'에 일제가 실시한 정책으로 옳은 것은?

① 별기군을 창설하였다.
② 전시과를 실시하였다.
③ 군국기무처를 설치하였다.
④ 미곡 공출제를 시행하였다.
⑤ 교육입국 조서를 반포하였다.

활용
11 밑줄 친 '시기'에 볼 수 있는 풍경으로 적절치 않은 것은?

① 면협의회 의원 선거 날 투표를 위해 줄 서있는 소작농들
② 공출로 빼앗긴 놋그릇 대신 사기그릇으로 식사를 하는 가족
③ 라디오에서 나오는 음악 반주 및 구령에 맞추어 일정 시간에 체조를 행하는 국민
④ 애국반에서 개최하는 반상회에 참석하기 위해 내키지 않는 마음으로 집을 나서는 주민들
⑤ 창씨개명을 하지 않았다는 이유로 상급 학교 진학에 불이익을 받게 되자 깊은 고민에 빠진 학생

서술형
12 위의 경우 외에 일제가 밑줄 친 '시기'에 수탈한 인력의 사례에는 어떠한 것이 있었는지 서술하시오.

_____
_____
_____

01 다음 공고된 사업이 시행될 당시 학교의 모습으로 옳은 것만을 〈보기〉에서 있는 대로 고른 것은?

공 고
토지를 소유하고 있는 모든 민간인은 토지 소유를 증명할 수 있는 서류를 갖추어 기한 내에 관청에 신고하시오.
– 조선 총독부 –

〈보기〉
ㄱ. 조선어 교육이 폐지되었다.
ㄴ. 국어 시간에 일본어를 배웠다.
ㄷ. 교원이 제복을 입고 칼을 휴대하고 다녔다.
ㄹ. 학생 근로 보국대에 동원된 학생들이 노동을 하였다.

① ㄱ ② ㄱ, ㄴ ③ ㄴ, ㄷ
④ ㄱ, ㄴ, ㄷ ⑤ ㄴ, ㄷ, ㄹ

02 다음 그래프의 추이에 영향을 준 일제의 정책으로 옳은 것을 〈보기〉에서 고른 것은?

일제 강점기 농민의 계층별 구성

〈보기〉
ㄱ. 남면북양 정책   ㄴ. 미곡 공출 제도
ㄷ. 산미 증식 계획   ㄹ. 토지 조사 사업

① ㄱ, ㄴ ② ㄱ, ㄷ ③ ㄴ, ㄷ
④ ㄴ, ㄹ ⑤ ㄷ, ㄹ

03 다음은 어느 인물의 활동을 정리한 것이다. (가)~(다) 단체에 대한 설명으로 옳지 않은 것은?

• 1917년: (가) 대한 광복회 부사령
• 1919년: (나) 북로 군정서 총사령관
• 1925년: (다) 신민부 군사부 위원장 및 총사령관
• 1929년: 한족 총연합회 주석
• 1930년: 순국

① (가) – 공화정 수립을 목표로 국내에서 결성된 비밀 결사이다.
② (가) – 박상진 등이 체포되어 큰 타격을 받았다.
③ (나) – 봉오동에서 일본군을 크게 무찔렀다.
④ (나) – 대종교 간부들이 중심이 된 중광단에서 발전하였다.
⑤ (다) – 민정과 군정 조직을 갖추고, 북만주 지역을 관할하였다.

04 다음 자료를 통해 3·1 운동을 분석한 내용으로 옳은 것을 〈보기〉에서 고른 것은?

〈3·1운동 당시 수감자의 계층 구성〉

〈보기〉
ㄱ. 시위를 주도한 학생들은 「치안 유지법」으로 처벌받았다.
ㄴ. 준비 과정에서 민족주의와 사회주의 세력이 연대하였다.
ㄷ. 토지 조사 사업으로 피해를 본 농민들의 저항이 강하였다.
ㄹ. 청년·여성·농민·노동자 계층이 사회 운동을 이끌게 되었다.

① ㄱ, ㄴ ② ㄱ, ㄷ ③ ㄴ, ㄷ
④ ㄴ, ㄹ ⑤ ㄷ, ㄹ

05 (가)~(마)에 대한 설명으로 옳은 것은?

대한민국 임시 정부의 역사에서 인상 깊었던 장면	
(가)	통합된 임시 정부의 수립
(나)	연통제와 교통국을 조직
(다)	국민대표 회의 개최
(라)	한인 애국단 윤봉길의 훙커우 의거
(마)	「한국 광복군 행동 9개 준승」의 폐기

① (가) – 통합된 임시 정부의 소재지는 항일 무장 투쟁에 적합한 연해주가 되었다.

② (나) – 이때 설치된 국내와의 연락망은 광복을 맞이할 때까지 온전히 유지되었다.

③ (다) – 독립운동의 방향을 놓고 개조파와 창조파 간에 합의가 이루어졌다.

④ (라) – 중국 공산당의 적극적인 지원을 받는 계기가 되었다.

⑤ (마) – 한국 광복군에 대한 대한민국 임시 정부의 독자적인 지휘권이 회복되었다.

06 다음은 어떤 인물의 일대기를 정리한 것이다. (가)~(마)에 대한 설명으로 옳지 <u>않은</u> 것은?

독립운동가 (가) 의 삶

• 1919년 만주 지린성에서 의열단 조직
• 1926년 (나) 황푸 군관 학교 입학
• 1935년 (다) 민족 혁명당 결성
• 1938년 (라) 조선 의용대 조직
• 1942년 (마) 한국 광복군 부사령관 취임

① (가) – 빈칸에 들어갈 인물은 김원봉이다.

② (나) – 의열 투쟁에 한계를 느끼고 더욱 조직적인 항일 투쟁 노선으로 전환한 것이다.

③ (다) – 민족주의·사회주의 계열 독립운동 단체를 결집하였으나 대한민국 임시 정부를 포섭하지 못했다.

④ (라) – 주로 후방 공작 활동과 일본군에 대한 심리전에서 활약하였다.

⑤ (마) – 조선 의용군 병력을 이끌고 대한민국 임시 정부에 합류한 것과 관련이 있다.

07 (가) 운동의 배경으로 옳은 것을 〈보기〉에서 고른 것은?

〈보기〉

ㄱ. 한국·일본 기업 간의 자본 및 기술 격차가 컸다.
ㄴ. 회사령이 공포되면서 회사 설립을 허가제로 정하였다.
ㄷ. 한국·일본 사이에 관세를 폐지한다는 소식이 전해졌다.
ㄹ. 침략 전쟁을 위한 병참 기지로 한국이 활용되고 있었다.

① ㄱ, ㄴ　　　② ㄱ, ㄷ　　　③ ㄴ, ㄷ
④ ㄴ, ㄹ　　　⑤ ㄷ, ㄹ

08 다음 인물의 주장과 같은 뜻을 지닌 운동을 탐구하기 위해 조사할 내용으로 옳은 것은?

우리가 성취하려는 것은 민족 혁명이고 우리의 혁명은 일제 식민 통치의 타파와 새로운 국가의 건설입니다. 그러니 이념의 문제로 우리끼리 다투지 말고 이천만 동포가 모두 함께 힘을 합하여 일제와 싸워야 합니다.

– 안창호, 1926. 7.

① 정우회 선언에 담긴 주장을 조사한다.

② 제1차 국·공 합작이 결렬된 이유를 조사한다.

③ 신간회의 해소가 근우회에 끼친 영향을 조사한다.

④ 물산 장려 운동에 대한 사회주의자들의 입장을 조사한다.

⑤ 광주 학생 항일 운동 이후에 새롭게 구성된 신간회 지도부의 활동을 조사한다.

09 (가) 의견의 근거로 적절한 것을 〈보기〉에서 고른 것은?

요즘 옛날 감성을 새롭게 즐기는 경향인 뉴트로(New-tro)가 유행하면서 일상에서 '경성 시대'라는 문구를 자주 접할 수 있는데요. 이 용어를 어떻게 생각하세요?

식민지 도시화의 상징인 '경성'이라는 이름으로 미화하고 있는 시대상이 판타지에 불과해요.

(가)

〈보기〉
ㄱ. 토막민의 거주지
ㄴ. 일반 서민들의 식생활
ㄷ. 남촌의 본정(충무로) 거리
ㄹ. 모던 걸, 모던 보이의 소비문화

① ㄱ, ㄴ   ② ㄱ, ㄷ   ③ ㄴ, ㄷ
④ ㄴ, ㄹ   ⑤ ㄷ, ㄹ

10 밑줄 친 (가)에 대한 설명으로 가장 적절한 것은?

• 한국 정부는 일본 정부가 표명한 조치를 착실히 실시한다는 것을 전제로 이번 발표를 통해 일본 정부와 함께 (가) 이 문제가 최종적 및 불가역적으로 해결될 것임을 확인함.
• 한국 정부는 일본 정부가 주한 일본 대사관 앞의 소녀상에 대해 공관의 안녕·위엄의 유지라는 관점에서 우려하고 있는 점을 인지하고, 한국 정부로서도 가능한 대응 방향에 대해 관련 단체와의 협의 등을 통해 적절히 해결되도록 노력함.

‒ 2015. 12. 28.

① 친일 세력을 늘려 민족을 이간시키려 하였다.
② 부족한 병력을 보충하기 위해 일제가 실시하였다.
③ 부족한 전쟁 물자를 조달하기 위해 실시한 방안이었다.
④ 정식 재판 없이도 헌병 경찰에 의해 태형이 실시되었다.
⑤ 일본군의 점령지에 성노예로 강제 동원되어 혹사당하였다.

11 일제 강점기 종교계의 활동으로 옳지 않은 것은?

① 불교 ‒ 사찰령 폐지 운동을 전개하였다.
② 개신교 ‒ 신사 참배 거부 운동을 전개하였다.
③ 천주교 ‒ 주로 보육원, 양로원 운영과 같은 사회 사업을 벌였다.
④ 원불교 ‒ 단군 숭배 사상을 널리 전파하여 민족의식을 높이고자 하였다.
⑤ 천도교 ‒ 어린이를 어른과 같이 하나의 인격체로 대하자는 소년 운동을 전개하였다.

12 다음과 같은 학생들의 등교 모습을 볼 수 있었던 시기의 문예 활동으로 옳지 않은 것은?

다리에 각반을 차고 거수경례를 하며 등교하는 학생들

① 홍난파는 일제의 침략하는 노래들을 만들었다.
② 김기창은 일제의 침략을 미화하는 그림을 남겼다.
③ 조선어 학회에서 「조선말 큰사전」을 편찬하고자 하였다.
④ 이육사와 윤동주는 식민 통치에 대한 저항과 민족의식을 담은 시를 지었다.
⑤ 토월회에서 남녀평등, 봉건적 인습 비판 등을 주제로 한 연극을 공연하였다.

13 조선 독립 동맹에 대한 설명으로 옳은 것을 〈보기〉에서 고른 것은?

〈보기〉
ㄱ. 일제 타도와 민주 공화국 수립을 목표로 삼았다.
ㄴ. 재정 모금을 통해 대한민국 임시 정부를 지원하였다.
ㄷ. 조선 의용대 화북 지대를 조선 의용군으로 재편하였다.
ㄹ. 미국 OSS의 지원을 받아 국내 진공 작전을 계획하였다.

① ㄱ, ㄴ   ② ㄱ, ㄷ   ③ ㄴ, ㄷ
④ ㄴ, ㄹ   ⑤ ㄷ, ㄹ

다음 자료를 읽고 물음에 답해 보자.

(가) 국제 사회 호소를 통한 독립 회복 노력

• 이승만의 「위임 통치 청원서」 | 연합국 열강이 장래에 한국의 완전한 독립을 보장한다는 조건으로 현재와 같은 일본의 통치로부터 한국을 해방하여 국제 연맹의 위임 통치 아래에 두는 조치를 하도록 …… 간절히 청하는 바입니다. 이것이 이루어질 수 있다면 한반도는 모든 나라에 이익을 제공할 중립적 통상 지역으로 변할 것입니다. 아울러 이러한 조치는 극동에 새로운 하나의 완충국을 탄생시킴으로써 …… 평화를 유지하는 데 도움이 될 것입니다.

(나) 외교 독립론에 대한 비판

• 신채호의 「조선 혁명 선언」 | 강도 일본을 몰아서 내쫓을 것을 주장하는 가운데 또 다음과 같은 논자들이 있으니, 첫째는 외교론이니 …… 이들은 한 자루의 칼과 한 방의 총알로 어리석고 탐욕스러우며 포악한 관리나 나라의 원수에게 던지지 못하고, 청원서나 여러 나라 공관에 던지며 탄원서나 일본 정부에 보내 국세(國勢)의 외롭고 약함을 슬피 호소하여 국가 존망, 민족 사활의 대문제를 외국인, 심지어 적국인의 처분으로 결정하기만 기다리었도다.

(다) 기존의 임시 정부를 대체할 새로운 기관의 창설

• 창조파의 '국민대표 회의 안건에 대한 의견' | 국제적으로 열강이 우리 독립운동에 주목하지 않고 내적으로도 독립운동 단체의 움직임이 위축되고 있는 것은 단체들이 통일되지 못했기 때문이다. 지금 임시 정부는 이러한 사태에 어떠한 대응도 하지 못하고 그저 어딘가에 있다는 말만 듣는 정도이니 다시금 무장 운동을 준비할 책임 있는 독립운동 기관을 하나 세워야 할 것이다.

논술 길라잡이

• 외교 독립론의 취지와 한계 및 임시 정부 개편을 둘러싼 창조파와 개조파의 견해 차이를 파악하여 정리한다.
• 제시된 독립운동의 여러 방법론들을 검토하고 이를 보완할 수 있는 내용이나 새로운 대안을 제시한다.

더 알아보기

• 국세(國勢): 인구, 산업, 자원 따위의 방면에서 한 나라가 지니고 있는 힘

01 (가)와 같은 활동들이 독립운동의 유력한 방법으로 부각되었던 이유를 당시 국제 정세의 변화와 연관 지어 서술하시오.

02 (나)와 (다)의 입장에서 (가) 활동이 지닌 한계를 검토하고, 그 시대에 가장 적절하였을 독립운동 방법론을 제시하시오.

IV 대한민국의 발전

이번 대주제에서는

✚ 8·15 광복 이후 전개된 대한민국의 수립 과정을 파악하고, 6·25 전쟁의 발발 배경 및 전개 과정과 전후 복구 노력을 살펴본다.

✚ 4·19 혁명으로부터 오늘날까지 이룩한 자유 민주주의의 발전 과정을 이해한다.

✚ 경제 성장의 성과 및 과제를 이해하고, 그 과정에서 나타난 사회·문화의 변화 내용을 설명한다.

✚ 북한 사회의 변화와 오늘날의 실상을 살펴보고, 평화 통일을 위해 남북한 사이에서 전개된 화해와 협력의 노력을 탐구한다.

학습 계획표
- 자신의 일정에 맞게 계획을 세워보고, 실제 학습일을 적어 봅시다.
- 학습을 마무리한 후 얼마나 학습 목표를 달성하였는지 스스로 점검해 봅시다.

8·15 광복과 통일 정부 수립을 위한 노력

1 8·15 광복과 통일 정부 수립을 위한 노력

1 냉전 체제의 형성과 동아시아의 정세 변화

(1) 냉전 체제의 형성

① 제2차 세계 대전 종전 직후 → 국제 연합(UN) 창설(1945)

② 미국과 소련의 대립 시작 → 냉전 체제 형성
┗ㅇ직접적 무력 대결을 동반하지 않는
미국과 소련의 진영 대립을 의미한다.

(2) 동아시아의 정세 변화

중국	국·공 내전에서 중국 공산당 승리 → 중화 인민 공화국 수립(1949)
일본	미군정 통치 아래 동아시아의 반공 기지화
한반도	미국과 소련의 분할 점령 → 6·25 전쟁 발발(1950)

┗ㅇ일본이 항복한 이후 중국에서 국민당과 공산당 간에 벌어진 내전. 마오쩌둥이 이끄는 공산당이
승리하여 1949년 중화 인민 공화국이 수립되고, 패배한 국민당은 타이완으로 밀려났다.

2 군사 분계선으로 설정된 38도선

(1) 과정: 미국이 일본에 원자 폭탄 투하 → 소련의 대일전 참전 및 한반도 진출 →
미국의 한반도 분할 점령 제안 → 소련의 수용 ┗ㅇ일본과 불가침 조약을 체결하고 있던 소련
은 얄타 회담에서 일본과의 전쟁에 나설 것
을 약속하였다. 소련 참전은 미국이 원자 폭
탄을 일본에 터뜨린 뒤에 가능하였다.

(2) 38도선의 의미 변화: 군사 분계선 → 분단선

3 미국과 소련의 한반도 분할 점령

ㅇ조선 총독부에서 일하였던 관료와 경찰을 기용
하는 등 기존의 행정 체제를 활용하였다.

(1) 미국

① 과정: 38도선 이남 지역 점령 → 군정청 설치, 직접 통치 선포

② 영향: 대한민국 임시 정부의 정부 자격 부인, 인민 위원회 등 자치 기구 해산

(2) 소련

① 과정: 38도선 이북 지역 점령 → 행정권을 인민 위원회에 이양, 간접 통치

② 영향: 공산주의 세력의 주도권 장악

4 조선 건국 준비 위원회의 활동

ㅇ일제 강점기 대한민국 임시 정부 외무부 차장
역임. 광복 이후 조선 건국 준비 위원회 결성,
좌우 합작 운동 주도. 1947년 암살당함.

(1) 결성: 조선 건국 동맹을 기반으로 여운형 등이 결성

(2) 활동: 지부 설치, 행정 및 치안 담당, 조선 인민 공화국 수립 선포

(3) 해체: 우익 세력과의 갈등, 미군정의 불인정
┗ㅇ일제가 패망하기 1년여 전 여운형 등이 조국 광복에
대비하기 위해 비밀에 조직한 단체이다.

5 다양한 정치 세력의 형성

우익 세력	• 송진우, 김성수 등: 한국 민주당 결성 • 이승만: 독립 촉성 중앙 협의회 결성 • 김구 등 대한민국 임시 정부 요인: 한국 독립당 중심으로 활동
좌익 세력	• 박헌영: 조선 공산당을 기반으로 활동 • 김일성: 소련 후원하에 북한의 권력 장악

개념 체크

1 다음 설명이 맞으면 ○표, 틀리면 ×표를
해 보자.

(1) 소련의 대일 선전 포고와 한반도 진출은
미국의 원자 폭탄 투하 이전에 벌어졌다.
(   )

(2) 미군정은 대한민국 임시 정부를 정부로
인정하고 지원하였다.   (   )

2 빈칸에 알맞은 말을 써 보자.

(1) 여운형을 비롯한 (   )의 핵심
인사들은 광복이 되자 조선 건국 준비 위
원회를 조직하였다.

(2) 조선 건국 준비 위원회는 미군이 한반도
에 주둔하기 전 (   )의 수립
을 선포하였다.

3 서로 관련 있는 내용끼리 연결해 보자.

(1) 한국 민주당 •   • ㉠ 대한민국 임시
정부 요인

(2) 한국 독립당 •   • ㉡ 이승만

(3) 독립 촉성 중•   • ㉢ 송진우, 김성수
앙 협의회

(4) 조선 공산당 •   • ㉣ 박헌영

2 통일 정부 수립을 둘러싼 갈등

1 모스크바 3국 외상 회의와 신탁 통치 문제

(1) 모스크바 3국 외상 회의

개최	1945년 12월, 미국·영국·소련의 외무 장관 간 회의
결정 사항	• 민주주의 임시 정부 수립 • 미·소 공동 위원회 설치 • 최고 5년간 신탁 통치 시행 → 반탁 운동 전개의 계기

(2) 신탁 통치 반대(반탁) 운동의 전개

① 우익 세력: 반탁 운동 주도

② 좌익 세력: 처음에는 신탁 통치 반대 → 회의 결정 사항의 총체적 지지 ┐ 회의의 전체적인 내용이 알려지자 회의 결정의 본질이 민주주의 임시 정부 수립에 있다고 보고, 결정 사항 모두를 지지한다는 입장으로 바뀌었다.

③ 중도 세력: 신탁 통치 반대, 미·소 공동 위원회 개최에 협조 주장

2 미·소 공동 위원회의 결렬과 좌우 합작 운동

(1) 제1차 미·소 공동 위원회(1946. 3.): 협의 대상에 참여할 정당 및 사회단체의 범위 문제로 결렬

┌ 대한민국 임시 정부 요인, 한국 민주당 등

소련 입장	모스크바 3국 외상 회의 결정 사항 반대 세력 배제 주장 → 우익 세력 배제 의도
미국 입장	표현의 자유 존중 주장 → 우익 세력 포함 의도

(2) 이승만의 '정읍 발언': 남한 단독 정부 수립 주장 → 분단 위기감 확산

(3) 좌우 합작 운동

① 주도 세력: 여운형, 김규식 등의 중도 세력 ┐ 중도 우익 세력을 대표하는 김규식, 중도 좌익 세력을 대표하는 여운형 등이 중도 세력으로 분류된다.

② 결과: 좌우 합작 7원칙 발표(1946. 10.) → 여운형의 암살 이후 실패

3 국제 연합의 남한 단독 선거 결정 과정

(1) 제2차 미·소 공동 위원회(1947. 5.): 미·소 간의 견해 차이로 결렬 → 미국의 한반도 문제 국제 연합(UN)에 상정

(2) 국제 연합의 한반도 문제 논의: 유엔 총회에서 인구 비례에 따른 남북한 총선거 결정 → 유엔 한국 임시 위원단 파견 → 북한과 소련의 위원단 입북 거부 → 유엔 소총회에서 선거가 가능한 지역에서의 총선거 실시 결의

4 남북 협상 추진과 정부 수립을 둘러싼 갈등

남북 협상	• 전개: 김구, 김규식 등이 북한과 협상을 통한 통일 정부 수립 추구 → 평양에서 남북 지도자 회의 개최(1948. 4.) → 공동 선언문 발표(외국 군대 철수, 남한 단독 선거 반대 등) • 결과: 국제 연합의 남한 단독 선거 결정, 남북에 각기 다른 정부 수립, 김구 암살 등으로 실패
제주 4·3 사건	• 배경: 1947년 3·1절 기념식에서 경찰 발포 • 전개: 좌익 세력 무장 봉기(1948. 4. 3.), 진압 과정에서 주민들 대규모 희생
여수 순천 10·19 사건	• 좌익 세력의 제주도 출동 반대, 통일 정부 수립 주장 → 군경의 진압 → 일부 군인들은 지리산 등에서 활동 지속

• 모스크바 3국 외상 회의 결정에 따라 남북을 통한 좌우 합작으로 민주주의 임시 정부 수립

• 미·소 공동 위원회 속개를 요청하는 성명 발표

• 토지는 몰수·유조건 몰수·매수하여 농민에게 무상 분배, 중요 산업 국유화, 지방 자치제 확립

• 친일파, 민족 반역자 처리 법안 마련

제1차 미·소 공동 위원회가 개최된 지 2개월만에 결렬되고 휴회에 들어가게 되자, 여운형과 김규식을 비롯한 중도 세력은 위원회의 속개를 목표로 좌우 합작 운동을 전개하였다. 그 결과 좌우 합작 7원칙이 발표되었다.

개념 체크

1 다음 설명이 맞으면 ○표, 틀리면 ×표를 해 보자.

(1) 제1차, 제2차 미·소 공동 위원회가 결렬된 이유는 협의 대상 정당 및 사회단체의 범위를 둘러싼 대립 때문이었다. (　　)

(2) 제1차 미·소 공동 위원회의 결렬 이후 남한 단독 정부 수립을 주장한 사람은 여운형이다. (　　)

2 빈칸에 알맞은 말을 써 보자.

(1) 모스크바 3국 외상 회의에서는 민주주의 임시 정부 수립, (　　　　) 설치, 최고 5년간 신탁 통치 실시를 결정하였다.

(2) 제2차 미·소 공동 위원회의 결렬 이후 미국은 한반도 문제를 (　　　　)에 상정하였다.

(3) 소련이 유엔 한국 임시 위원단의 방문을 거부한 뒤, 유엔 소총회에서는 선거가 가능한 지역에서만 (　　　　)을/를 실시하도록 결의하였다.

3 서로 관련 있는 내용끼리 연결해 보자.

(1) 남북 협상　　• 　　• ㉠ 이승만

(2) 정읍 발언　　• 　　• ㉡ 김구, 김규식

(3) 좌우 합작 운동 • 　• ㉢ 여운형, 김규식

01 (가)의 형성 직후 동아시아 정세에 대한 설명으로 옳은 것을 〈보기〉에서 고른 것은?

제2차 세계 대전 이후 세계는 미국 중심의 자본주의 진영과 소련 중심의 공산주의 진영으로 재편되었다. 두 진영은 무력을 직접적으로 사용하지는 않았지만 세계 곳곳에서 대립하였는데, 이를 (가) 체제라고 부른다.

〈보기〉
ㄱ. 대한민국 건국 강령이 발표되었다.
ㄴ. 일본이 무조건 항복을 수용하였다.
ㄷ. 한반도에서 6 · 25 전쟁이 일어났다.
ㄹ. 국 · 공 내전에서 중국 공산당이 승리하였다.

① ㄱ, ㄴ ② ㄱ, ㄷ ③ ㄴ, ㄷ
④ ㄴ, ㄹ ⑤ ㄷ, ㄹ

02 다음과 같은 정책의 추진 결과로 옳은 것을 〈보기〉에서 고른 것은?

제1조 북위 38도선 이남의 조선 영토와 인민에 대한 통치의 모든 권한은 당분간 본관의 권한 아래에서 시행한다.
제2조 정부 등 모든 공공 기관에 종사하는 유급 또는 무급 직원과 고용인, 그리고 기타 제반 중요한 사업에 종사하는 자는 별도의 명령이 있을 때까지 종래의 정상 기능과 업무를 수행할 것이며 모든 기록 및 재산을 보 · 보존하여야 한다.

〈보기〉
ㄱ. 조선 건국 동맹이 결성되었다.
ㄴ. 일제의 관리와 경찰을 그대로 기용하였다.
ㄷ. 38도선 이북에서 사회주의자들이 권력을 장악하였다.
ㄹ. 대한민국 임시 정부 지도자들이 개인 자격으로 귀국하였다.

① ㄱ, ㄴ ② ㄱ, ㄷ ③ ㄴ, ㄷ
④ ㄴ, ㄹ ⑤ ㄷ, ㄹ

중요 03 다음과 같은 강령을 내세운 단체에 대한 설명으로 옳은 것을 〈보기〉에서 고른 것은?

1. 우리는 완전한 독립 국가의 건설을 기함.
2. 우리는 전 민족의 정치 · 경제 · 사회적 기본 요구를 실현할 수 있는 민주주의적 정권의 수립을 기함.
3. 우리는 일시적 과도기에 있어 국내 질서를 자주적으로 유지하며 대중 생활의 확보를 기함.

〈보기〉
ㄱ. 자치적으로 행정과 치안을 담당하였다.
ㄴ. 조선 인민 공화국의 수립을 선포하였다.
ㄷ. 독립 촉성 중앙 협의회 결성을 주도한 인물이 만들었다.
ㄹ. 김성수 등을 비롯한 지주 · 자본가 출신 인사들이 주도하였다.

① ㄱ, ㄴ ② ㄱ, ㄷ ③ ㄴ, ㄷ
④ ㄴ, ㄹ ⑤ ㄷ, ㄹ

중요 04 밑줄 친 '중요한 결정'의 내용으로 옳은 것을 〈보기〉에서 고른 것은?

제2차 세계 대전을 승리로 이끈 연합국은 전후 처리 문제를 다루기 위해 1945년 12월 모스크바에서 이 회의를 개최하였다. 이 회의에는 미국, 영국, 소련의 외무 장관들이 참석하였기에 모스크바 3국 외상 회의라고 불리는데, 한반도 문제와 관련하여 중요한 결정이 이루어졌다. 새로운 국가 건설 운동에서 제2차 세계 대전을 승리로 이끈 연합국의 의지는 대단히 중요한 문제였으므로 한국인들에게 이 회의는 큰 주목을 받았다.

〈보기〉
ㄱ. 조선에 민주주의 임시 정부를 수립한다.
ㄴ. 남북한 총선거를 통해 정부를 수립한다.
ㄷ. 5년을 기한으로 조선에 대한 신탁 통치를 실시한다.
ㄹ. 총선거를 관할하기 위해 유엔 한국 임시 위원단을 파견한다.

① ㄱ, ㄴ ② ㄱ, ㄷ ③ ㄴ, ㄷ
④ ㄴ, ㄹ ⑤ ㄷ, ㄹ

중요
05 (가), (나)의 대립이 나타나게 대한 배경에 대한 탐구 활동으로 가장 적절한 것은?

> (가) 동포여! 8·15 이전과 이후 피차의 과오와 마찰을 청산하고서 우리 정부 밑에 뭉치자. 그리하여 그 지도하에 3천만의 총역량을 발휘하여서 신탁 관리제를 배격하는 국민 운동을 전개하여 자주독립을 완전히 얻기까지 3천만 전 민족의 최후의 피 한방울까지라도 흘려서 싸우는 항쟁 개시를 선언한다.
>
> (나) 카이로 선언이 조선 독립을 적당한 시기에 준다는 것인데, 이 적당한 시기라는 것이 이번 회담에서 5년 이내로 규정된 것이다. 이것은 우리가 5년 이내에 통일되고 우리의 발전이 상당한 때에는 단축될 수 있다는 것이니 이것은 오직 우리의 역량 발전에 달린 것이다.

① 모스크바 3국 외상 회의의 결정 사항을 파악한다.
② 국채 보상 운동을 주도한 단체를 알아본다.
③ 조선 중립화론이 제기된 계기를 조사한다.
④ 동학 농민 운동의 전개 과정을 살펴본다.
⑤ 갑오개혁의 주요 내용을 찾아본다.

중요
06 다음과 같은 내용이 합의된 시기를 연표에서 고른 것은?

> • 모스크바 3국 외상 회의 결정에 따라 남북을 통한 좌우 합작으로 민주주의 임시 정부 수립
> • 미·소 공동 위원회 속개를 요청하는 성명 발표
> • 토지는 몰수·유조건 몰수·매수 하여 농민에게 무상 분배, 중요 산업 국유화, 지방 자치제 확립
> • 친일파, 민족 반역자 처리 법안 마련

	(가)	(나)	(다)	(라)	(마)	
8·15 광복		제1차 미·소 공동 위원회 결렬	제2차 미·소 공동 위원회 개최	남북 협상 개최	5·10 총선거 실시	6·25 전쟁 발발

① (가) ② (나) ③ (다)
④ (라) ⑤ (마)

사고력을 키우는 서술형

07 다음 가상 일기를 읽고 물음에 답하시오.

> 8·15 광복도 벌써 한 달이 넘었다. 미군이 들어왔지만, 일상생활에서 이전과 크게 달라진 것은 없다. 미군정이 통치하는 지역은 _____(가)_____ 이라고 하던데, 그렇다면 나머지 지역은 어찌 된다는 말인가? …… 이제 곧 광복을 맞이하였으니 김구 선생 등 (나) 대한민국 임시 정부 요인들도 곧 귀국할 것이고 새로운 국가도 머지 않아 들어설 것이다. ……

(1) (가) 지역을 위도 개념을 활용하여 쓰시오.

_____

(2) (나)의 기대와 달리, 임시 정부 요인들이 정부 자격이 아닌 개인 자격으로 귀국하게 된 이유를 서술하시오.

_____

_____

_____

08 다음 자료를 읽고 물음에 답하시오.

> 무기 휴회된 위원회가 재개될 기색도 보이지 않으며, 통일 정부를 고대하나 여의치 않으니, 우리 남방만이라도 임시 정부 혹은 위원회 같은 것을 조직하여 38도선 이북에 있는 소련을 철퇴하도록 세계 공론에 호소하여야 할 것이니 여러분도 결심하여야 할 것입니다.

(1) 밑줄 친 '위원회'의 구체적인 명칭을 쓰시오.

_____

(2) 위 글의 핵심적인 주장은 무엇인지 서술하시오.

_____

_____

_____

2 대한민국 정부의 수립

1 대한민국 정부의 수립 과정

1 제헌 헌법의 제정과 대한민국 정부 수립

(1) 5·10 총선거(1948)

① 배경: 유엔 소총회 결의 → 남한 단독 선거를 통한 정부 수립

② 총선거 시행: 1948년 5월 10일 38도선 이남 지역에서 실시, 김구·김규식 등 남북 협상파 선거 불참

김구와 김규식은 5·10 총선거가 통일 정부가 아닌 남한만의 단독 정부 수립으로 이어질 것이라는 우려 탓에 선거 불참을 선언하였다.

③ 결과: 재적 의원 200명 중 198명의 국회 의원 선출(제주 4·3 사건으로 인해 제주도 3개 선거구 중 2곳 미실시)

④ 의의: 21세 이상 모든 국민에게 투표권 부여, 우리나라 최초의 보통 선거

(2) 제헌 국회 구성

① 국호 제정: 대한민국

② 「제헌 헌법」 공포: 삼권 분립에 입각한 헌법 공포(1948. 7. 17.)

(3) 제헌 헌법의 주요 내용

① 특징: 대한민국 임시 정부의 법통 계승 명문화 → 국민 주권에 바탕을 둔 민주 공화국 명시

② 정부 형태: 대통령 중심제 채택 → 대통령·부통령은 국회에서 간선제 방식으로 선출

초대 국회 의원의 임기는 2년으로 제한하였다.

(4) 대한민국 정부 수립(1948. 8. 15.)

① 정부 수립 선포: 초대 대통령에 이승만, 부통령에 이시영 선출 → 1948년 8월 15일 대한민국 정부 수립 선포

대한민국 임시 정부 국무위원 등을 지냈고, 독립운동으로 유명한 이회영 6형제 일가의 다섯째이다.

② 파리 유엔 총회: 대한민국이 선거가 가능하였던 한반도 내의 유일한 합법 정부라는 결의안을 통과시킴.

2 북한 정권의 수립

(1) 광복 이후 북한 지역의 정치 활동

① 민족주의 계열: 조만식 등 → 평안남도 건국 준비 위원회 중심으로 국가 건설 운동 참여

② 사회주의 계열: 국내의 사회주의 인사 집결 → 인민 위원회 기반으로 정치적 주도권 장악

(2) 북조선 임시 인민 위원회의 결성(1946. 2.)

① 주요 활동: 친일파 청산, 토지 개혁(무상 몰수·무상 분배), 주요 산업 국유화 등 추진

② 의의: 각종 개혁 추진 → 북한 통치의 기반 마련(김일성의 권력 장악)

(3) 북조선 인민 위원회 결성(1947. 2.): 조선 인민군 창설, 헌법 초안 확정

(4) 북한 정권 수립: 조선 민주주의 인민 공화국 수립 선포(1948. 9. 9.)

자료 콕콕 ❶ 제헌 헌법

유구한 역사와 전통에 빛나는 우리 대한 국민은 기미 3·1 운동으로 대한민국을 건립하여 세계에 선포한 위대한 독립 정신을 계승하여 이제 민주 독립 국가를 재건함에 있어서 ……

제1조 대한민국은 민주 공화국이다.

제2조 대한민국의 주권은 국민에게 있고 모든 권력은 국민으로부터 나온다.

제헌 헌법은 3·1 운동으로 대한민국이 건립되었고, 1948년 대한민국이 재건되었다고 표현하여, 대한민국 정부가 임시 정부의 법통성을 계승하고 있음을 명확히 하였다. 또한 대한민국 주권의 원천이 국민에게 있음을 밝히며, 민주 공화국의 원리를 명확히 표방하였다.

개념 체크

1 다음 설명이 맞으면 ○표, 틀리면 ×표를 해 보자.

(1) 5·10 총선거는 일제 강점기에 이어 두 번째 실시된 보통 선거였다. (   )

(2) 제헌 헌법은 국민들의 직선제로 대통령을 뽑는다는 규정을 명문화하였다. (   )

2 빈칸에 알맞은 말을 써 보자.

(1) 5·10 총선거는 (   ) 사건으로 인해 미실시된 제주 2곳의 국회 의원을 제외한 총 198명의 국회 의원을 선출하였다.

(2) 제헌 헌법은 대한민국이 3·1 운동으로 수립된 (   )의 법통을 계승하였음을 명문화하였다.

(3) 1946년 2월 조직된 (   )은/는 친일파 청산, 토지 개혁 등의 각종 개혁 정책을 추진하였다.

3 서로 관련 있는 내용끼리 연결해 보자.

(1) 이시영 •　　　• ㉠ 북조선 임시 위원회 위원장

(2) 김일성 •　　　• ㉡ 초대 대통령

(3) 이승만 •　　　• ㉢ 초대 부통령

2 식민지 잔재 청산을 위한 노력

1 반민족 행위자 처벌을 위한 노력

(1) **미군정기**: 미군정청의 통치 정책 등으로 인해 일제 잔재 청산이 진행되지 못함.

(2) **정부 수립 이후의 노력**

① **반민족 행위 처벌법 제정**: 제헌 국회 주도로 제정(1948. 9.) → 국회 내 반민족 행위 특별 조사 위원회(반민 특위) 구성

② **반민족 행위 특별 조사 위원회의 활동**

- 1949년 1월부터 본격적인 활동 실시
- 특별 경찰대, 특별 감찰부, 특별 재판부 등 운영
- 친일 혐의자 체포 및 조사(각종 자료·증언 및 투서함을 통한 신고)

(3) **좌절된 친일파 청산** ┌ 반민 특위 소속 국회 의원들 중 일부가 공산당과 내통하였다는 혐의로 검거·구속되었다.

① **이승만 정부의 반민 특위 활동 반대**: 국회 프락치 사건(반민 특위 활동 국회 의원 구속), 일부 경찰의 반민 특위 습격 사건 발생

② **반민 특위 해체**: 국회에서 반민족 행위 처벌법 개정(친일파 처벌 기한 단축) → 반민족 행위자 처벌이 아닌 친일 행위 조사에 그침. → 친일파 청산 노력 좌절

(4) **반민 특위 활동 결과**

① **내용**: 682건의 친일 행위 조사, 실형을 선고 받은 자도 대부분 감형·형 집행 정지로 풀려남.

〈반민 특위의 실적〉

취급 건수	682건	기소	221건
영장 발부	408건	재판 종결	38건

② **한계**: 친일파 청산 좌절, 친일파에 면죄부 부여

┌ 기소된 사람 중 재판부에서 실형을 선고받은 사람은 이광수 등 소수에 불과하였다. 실제로 사형이 집행된 것은 한 건도 없었으며, 형 집행 정지 등으로 전원 석방되었다.

2 농지 개혁의 시행 ┌ 일본인 소유의 토지만 농민들에게 유상 분배하였고, 한국인 지주의 토지는 정치 세력(한국 민주당 등)의 반대에 부딪혀 농민들에게 분배하지 못하였다.

(1) **미군정기**: 토지 개혁에 소극적, 귀속 농지의 민간 매각

(2) **정부 수립 이후 농지 개혁법 시행**

① **제정**: 제헌 국회에서 농지 개혁법 제정(1946. 6.) → 이승만 정부가 시행

② **주요 내용**

유상 매수	가구당 토지 소유 상한선을 3정보로 제한하고, 이를 초과하는 토지를 정부가 사들임.
유상 분배	분배받은 농지는 연간 평균 수확량의 1.5배를 5년에 걸쳐 분할 상환

③ **결과**: 지주 계급 소멸, 대부분의 농민이 자신의 토지 소유 실현

④ **의의**: 토지 소유 불균등으로 인한 사회적 갈등이 상당 부분 해소 → 사회 안정에 도움

자료 콕콕 ❷ 반민족 행위 처벌법

(제헌 헌법) 제101조 이 헌법을 제정한 국회는 단기 4278년 8월 15일 이전의 악질적인 반민족 행위를 처벌하는 특별법을 제정할 수 있다.

(반민족 행위 처벌법) 제1조 일본 정부와 공모하여 국권 피탈에 적극적으로 협력한 자, 한국의 주권을 침해하는 조약 또는 문서에 조인한 자와 모의한 자는 사형 또는 무기 징역에 처하고, 그 재산과 유산의 전부 혹은 2분의 1 이상을 몰수한다.

대한민국 정부 수립 직후 제헌 국회는 제헌 헌법 제101조의 조항을 근거로 하여 반민족 행위 처벌법을 제정하였다. 국회 내에 반민족 행위 특별 조사 위원회가 설치되고 1949년 1월부터 본격적인 활동에 돌입했지만, 이승만 정부의 소극적 태도와 일부 경찰의 반민 특위 습격 등으로 인해 어려움을 겪으며 활동이 유명무실해졌다.

개념 체크

1 다음 설명이 맞으면 ○표, 틀리면 ×표를 해 보자.

(1) 미군정청의 주도로 반민족 행위 처벌법이 제정되었다. ( )

(2) 이승만 정부의 농지 개혁은 무상 매입, 무상 분배의 원칙하에 추진되었다. ( )

2 빈칸에 알맞은 말을 써 보자.

(1) 제헌 국회는 반민족 행위 처벌법을 제정하였고, 이를 근거로 ( )이/가 조직되었다.

(2) 이승만 정부는 반민 특위 활동을 반대하며, 반민 특위 활동을 주도하던 국회 의원들을 간첩 혐의로 구속한 ( ) 사건을 일으키기도 하였다.

(3) 이승만 정부는 농지 개혁을 위해 가구당 토지 소유 상한선을 ( )(으)로 제한하였다.

3 서로 관련 있는 내용끼리 연결해 보자.

(1) 반민족 행위 • • ㉠ 지주 계급 소멸
처벌법

(2) 농지 개혁법 • • ㉡ 이광수, 최남선 등

중요
01 밑줄 친 '이 선거'에 대한 설명으로 옳지 <u>않은</u> 것은?

> 유엔 소총회의 결의에 따라 시행된 이 선거에는 48개 정당 및 사회 단체 그리고 무소속 등 총 948명이 참여하였다. 당선자는 무소속이 85명으로 가장 많았으며, 대한 독립 촉성 국민회 55명, 한국 민주당이 29명, 대동 청년단이 12명, 조선 민족 청년단이 6명 등이었다.

① 우리나라 최초의 보통 선거였다.
② 남북한 지역에서 동시에 실시되었다.
③ 좌익 세력은 선거 반대 투쟁을 벌였다.
④ 김구, 김규식 등은 선거에 불참하였다.
⑤ 제주 두 곳의 선거가 무효 처리되었다.

중요
02 다음과 같이 구성된 국회에 대한 설명으로 옳은 것을 〈보기〉에서 고른 것은?

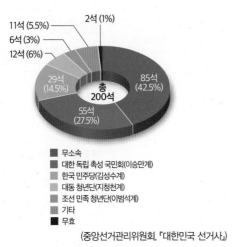

- 무소속
- 대한 독립 촉성 국민회(이승만계)
- 한국 민주당(김성수계)
- 대동 청년단(지청천계)
- 조선 민족 청년단(이범석계)
- 기타
- 무효

(중앙선거관리위원회, 『대한민국 선거사』)

〈보기〉
ㄱ. 양원제로 운영되었다.
ㄴ. 초대 대통령을 선출하였다.
ㄷ. 농지 개혁법을 제정하였다.
ㄹ. 4·19 혁명의 결과 구성되었다.

① ㄱ, ㄴ　　② ㄱ, ㄷ　　③ ㄴ, ㄷ
④ ㄴ, ㄹ　　⑤ ㄷ, ㄹ

03 다음과 같은 결의문이 발표된 시기를 연표에서 옳게 고른 것은?

> 유엔 한국 임시 위원단이 총선거를 감시하고 협의할 수 있었던 남한 지역에서 효과적인 통제 및 사법권을 보유한 합법 정부가 수립되었으며, …… 이 정부는 선거가 가능하였던 한반도 내에서 유일한 합법 정부임을 승인한다.
> – 유엔 총회 결의 제195(Ⅲ)호

	(가)	(나)	(다)	(라)	(마)	
8·15 광복		모스크바 3국 외상 회의 개최	좌우 합작 7원칙 발표	남북 협상 개최	6·25 전쟁 발발	4·19 혁명 발생

① (가)　　　　② (나)　　　　③ (다)
④ (라)　　　　⑤ (마)

중요
04 (가), (나) 시기 사이에 있었던 사실로 옳은 것을 〈보기〉에서 고른 것은?

> (가) 38도선 이남에서는 1945년 9월 초에 미군이 진주하여 조선 총독의 항복을 받았다. 미군은 군정청을 설치하고, 38도선 이남 지역에 대한 직접 통치를 선포하였다.
> (나) 국회는 대통령에 이승만, 부통령에 이시영을 선출하였다. 이승만은 곧바로 내각을 조직하고, 1948년 8월 15일에 대한민국 정부 수립을 국내외에 선포하였다.

〈보기〉
ㄱ. 5·10 총선거가 실시되었다.
ㄴ. 미·소 공동 위원회가 개최되었다.
ㄷ. 조선 건국 준비 위원회가 결성되었다.
ㄹ. 조선 민주주의 인민 공화국의 수립이 선포되었다.

① ㄱ, ㄴ　　② ㄱ, ㄷ　　③ ㄴ, ㄷ
④ ㄴ, ㄹ　　⑤ ㄷ, ㄹ

05 (가), (나)가 추진한 정책으로 옳은 것을 〈보기〉에서 고른 것은?

> 소련은 인민 위원회에 실질적인 권한을 넘겼으나, 북한 지역의 정치 활동에 큰 영향을 미쳤다. 김일성이 북한 정권의 토대를 닦은 (가) 북조선 임시 인민 위원회 위원장이 될 수 있었던 것도 소련의 적극적인 후원이 있었기 때문이었다. 1947년 2월에는 (나) 북조선 인민 위원회가 들어서 실질적인 국가 체계를 갖추었다. 이후 남북 협상에 참여하며 분단을 막기 위한 노력을 하였다는 명분을 쌓았고, 대한민국 정부가 수립되자 곧이어 조선 민주주의 인민 공화국의 수립을 선포하였다.

> [보기]
> ㄱ. (가) – 북한 헌법 초안을 확정하였다.
> ㄴ. (가) – 주요 산업을 국유화하였다.
> ㄷ. (나) – 조선 인민군을 창설하였다.
> ㄹ. (나) – 무상 몰수, 무상 분배 방식의 토지 개혁을 시행하였다.

① ㄱ, ㄴ　　② ㄱ, ㄷ　　③ ㄴ, ㄷ
④ ㄴ, ㄹ　　⑤ ㄷ, ㄹ

중요
06 다음 자료에 대한 설명으로 옳지 <u>않은</u> 것은?

> 제1조　대한민국은 민주 공화국이다.
> 제2조　대한민국의 주권은 국민에게 있고, 모든 권력은 국민으로부터 나온다.
> 제86조　농지는 농민에게 분배하며 그 분배의 방법, 소유의 한도, 소유권의 내용과 한계는 법률로써 정한다.
> 제101조　이 헌법을 제정한 국회는 단기 4278년 8월 15일 이전의 악질적인 반민족 행위를 처벌하는 특별법을 제정할 수 있다.

① 대한민국 임시 헌장이다.
② 주권 재민의 원칙을 천명하였다.
③ 농지 개혁법 제정의 토대를 마련하였다.
④ 반민족 행위 처벌법이 마련되는 근거가 되었다.
⑤ 5·10 총선거의 결과 구성된 국회에서 제정하였다.

사고력을 키우는 서술형

07 (나)를 참고하여 (가)의 상단에 표기된 날짜의 의미가 무엇인지 자신의 생각을 서술하시오.

(가) ← 대한민국 30년 9월 1일

> (나) 유구한 역사와 전통에 빛나는 우리들 대한 국민은 기미 3·1 운동으로 대한민국을 건립하여 세계에 선포한 위대한 독립 정신을 계승하여 이제 민주 독립 국가를 재건함에 있어서 ……

08 밑줄 친 입장이 반영된 사건을 <u>두 가지</u> 서술하시오.

> 제헌 국회는 반민족 행위 처벌법을 제정하였고, 이를 근거로 반민족 행위 특별 조사 위원회가 조직되었다. 하지만 <u>이승만 정부는 반공이 우선이라는 주장을 펴며 반민 특위 활동을 공개적으로 반대하였다.</u>

09 다음 자료를 읽고 물음에 답하시오.

> 이승만 정부는 3정보를 초과하는 토지는 정부가 사들이고, 이를 농민에게 대가를 받고 분배하는 (㉠) 매입, (㉠) 분배 방식으로 <u>농지 개혁</u>을 추진하였다.

(1) ㉠에 공통으로 들어갈 용어를 정확히 쓰시오.

(2) 밑줄 친 '농지 개혁'의 결과를 서술하시오.

3 6·25 전쟁과 남북 분단의 고착화

1 동족상잔의 비극, 6·25 전쟁

1 6·25 전쟁 무렵의 국내외 정세

(1) 남한과 북한의 대립: 38도선 부근의 잦은 교전, 1949년 말부터 차츰 진정됨.

(2) 동아시아의 냉전 체제

① 국·공 내전에서 중국 공산당 승리 → 중화 인민 공화국 탄생

② 미국의 동아시아 반공 정책: 일본의 반공 기지화 전략, 미국 국무장관 애치슨의 극동 방위선(애치슨 라인) 발표
   └─● 한국과 타이완 등이 제외되어 혼란을 유발하였고, 북한은 이러한 정세를 이용하여 전쟁을 준비하였다.

2 북한 정권의 전쟁 준비

(1) 북한의 전쟁 준비

① 소련: 무기(비행기·전차 등), 군사 고문단 지원

② 중국: 비밀 군사 협정 체결, 조선 의용군을 북한 인민군으로 편입

(2) 남한의 상황: 열악한 군사력, 주한 미군 철수
   ●1942년 조선 의용대 화북 지대를 개편한 군사 조직으로, 중국 내전에 참여하였다.

3 6·25 전쟁의 발발

(1) 북한 남침 과정: 북한의 전면적 남침(1950. 6. 25.) → 전쟁 시작 3일만에 서울 함락 → 낙동강 일대를 제외한 남한 대부분 지역 장악

(2) 남한의 대응: 부산으로 수도 이전, 미국에 도움 요청 → 일본 주둔 미군 파병
   ●1950년 8월 18일부터 1953년 8월 15일까지 대한민국의 임시 수도 역할을 하였다.

4 유엔군의 참전과 중국군의 개입

(1) 유엔군의 참전
   ●국제 연합의 핵심 기구. 현재 5개 상임 이사국과 10개 비상임 이사국으로 구성되어 있다.
   6·25 전쟁 당시 상임 이사국이었던 소련이 불참한 상태에서 유엔군 파병을 결의하였다.

① 유엔 안전 보장 이사회: 유엔군 파병 결의 → 16개국의 유엔군 구성 → 국군 지휘권을 유엔군 사령관에게 이관

② 유엔군 참전: 인천 상륙 작전 성공 → 서울 수복 → 국군과 유엔군의 38도선 돌파 → 압록강 일대까지 진격
   └─● 이를 기념하여 10월 1일을 국군의 날로 삼았다.

(2) 중국군의 개입과 반전: 중국군의 대규모 파병 → 국군과 유엔군의 철수 → 1·4 후퇴(1951. 1.) → 국군과 유엔군의 서울 재수복(1951. 3.)

5 정전 협정 체결

(1) 정전 협정의 쟁점
   ●개인의 자유 의사 여부를 타진하여 송환국을 결정하는 방식이다.

주요 쟁점	유엔군(미국)	북한 및 중국	최종 합의
군사 분계선	정전 협정 조인 시 접촉선	38도선	정전 협정 조인 시 접촉선
포로 송환	자유 송환	본국 송환	자유 송환

(2) 정전 협정 체결(1953. 7. 27.): 중립국 감시 위원단과 군사 정전 위원회 설치, 비무장 지대(DMZ) 설치 합의
   ●포로 개인의 의사와 무관하게 포로가 속한 국가로 돌려보내는 것이다.
   남한에 수용된 북한 인민군 포로 중 상당수가 강제 징집된 남한 출신 군인들이었고, 이들은 북한으로의 송환을 원하지 않았다.

1950년 1월 미국 국무장관 애치슨은 미국의 태평양 지역 방위선이 '알류산 열도 – 일본 – 오키나와 – 필리핀'을 연결한다고 발표하였다. 이 방위선에서 한반도와 타이완은 빠져 있다. 북한은 이러한 정세를 이용하여 전쟁을 준비하였다.

개념 체크

1 다음 설명이 맞으면 ○표, 틀리면 ×표를 해 보자.

(1) 미국 국무장관 애치슨은 1950년 1월 대한민국을 반공의 전진 기지로 삼은 극동 방위선을 제시하였다. ( )

(2) 1·4 후퇴는 1951년 1월 중국군과 북한군에 의해 서울이 함락되어 국군과 유엔군이 서울 이남으로 후퇴하게 된 사건을 일컫는다. ( )

2 빈칸에 알맞은 말을 써 보자.

(1) 1950년 6월 25일 남침을 시작한 북한은 7월 말 ( ) 일대를 제외한 남한 대부분 지역을 장악하였다.

(2) 6·25 전쟁 발발 후 유엔군이 구성되자 이승만 정부는 국군 지휘권을 ( )에게 이관하였다.

(3) 정전 회담이 2년 가까이 진행된 이유는 ( ) 송환 문제와 ( ) 설정 문제 때문이었다.

3 서로 관련 있는 내용끼리 연결해 보자.

(1) 정전 협정 체결 ● ● ㉠ 7월 27일

(2) 국군과 유엔군 38도선 돌파 ● ● ㉡ 10월 1일

(3) 6·25 전쟁 발발 ● ● ㉢ 6월 25일

2 전쟁의 상처와 남북 분단의 고착화

1 6·25 전쟁이 남긴 상처

(1) 인적 피해: 대규모의 민간인 및 군인 사상자 발생, 이산가족·전쟁고아 발생

(2) 경제적 피해: 사회 기반 시설 파괴, 식량 및 생활필수품 부족 현상

(3) 대규모 민간인 희생

① 국민 보도 연맹 사건: 남한 군경에 의한 주민 희생

② 인민 재판과 처형: 북한 인민군의 점령 지역 내 주민 희생

• 1949년 4월 좌익 전향자를 계몽·지도하기 위해 조직된 관변 단체로, 6·25 전쟁 발발 직후 군과 경찰에 의해 상당수의 국민 보도 연맹원들이 살해당하였다.

2 전쟁 이후 국내외 정세 변화

(1) 국내 정세의 변화

① 남한: 반공주의를 앞세운 이승만 정부의 장기 집권

② 북한: 공산화를 앞세운 김일성을 정점으로 사회주의 독재 체제 확립

(2) 국제 정세의 변화

미국	한·미 상호 방위 조약 체결, 주한 미군을 통해 동아시아에 강력한 영향력 행사
중국	유엔군과 대등한 군사력 확인 → 국제 사회에서 정치적 위상이 크게 높아짐.
일본	전쟁 특수로 막대한 경제적 이익 획득

• 일본은 치안 유지 명분으로 자위대를 조직함으로써 재무장할 수 있는 토대를 마련하였다.

3 6·25 전쟁과 사회·문화의 변화

(1) 사회적 변화

① 인구 변화: 인구 감소, 사회적 이동 활발

② 가족 제도: 가족 공동체 의식 약화, 여성의 사회 활동 증가

(2) 문화적 변화

① 서구의 대중문화 유입: 문화의 폭 확장, 전통적 가치관과 충돌

② 의생활의 변화: 나일론 보급 → 의복의 다양화

4 전후 복구 사업과 원조 경제

(1) 남한의 전후 복구 사업

① 이승만 정부: 일본인 소유 귀속 재산 및 미국의 원조 물자 민간 매각 → 전후 복구에 활용, 매각 과정에서 일부 기업의 특혜

② 미국의 원조 경제

• 원조 물품: 밀, 사탕수수, 면화 → 제분, 원당, 면방직 공업 발달

• 영향 └ 소비재 산업

| 긍정적 | 식량 문제 다소 해결, 삼백 산업 발달(제분·원당·면방직 공업) |
| 부정적 | 국내 농산물 가격 하락, 경제 자립 능력 약화, 제조업 발달에는 큰 도움이 되지 못함. |

(2) 북한의 전후 복구

① 사회주의 국가들의 지원: 소련 등의 도움을 받아 전후 복구 사업 전개

② 사회주의 경제 체제 확립: 모든 농지의 협동조합화, 천리마 운동 전개

③ 한계: 중공업과 군수 산업에 치중 → 생활 수준 낙후, 산업 간 불균형 심화

1950년대 후반 대중의 노동력 동원을 바탕으로 사회주의 경제를 건설하기 위해 실시하였다.

자료 콕콕 ② 한·미 상호 방위 조약(1953)

제2조 당사국 중 어느 일국의 정치적 독립 또는 안전이 외부로부터의 무력 공격에 의하여 위협을 받고 있다고 인정할 때는 언제든지 양국은 서로 협의한다.

제4조 대한민국은 상호 합의에 의해 미합중국의 육군, 해군, 공군을 대한민국의 영토 내와 그 부근에 배치하는 것을 허락하고 미합중국은 이를 수락한다.

한국과 미국은 정전 협정을 맺은 지 3개월 만에 1953년 10월 한·미 상호 방위 조약을 체결하였다. 전쟁 이전에 맺은 한·미 상호 방위 원조 협정이 군수 물자의 제공에 치중했다면, 새롭게 맺은 한·미 상호 방위 조약은 한국과 미국의 관계를 실질적인 군사 동맹국으로 격상시켰다.

개념 체크

1 다음 설명이 맞으면 ○표, 틀리면 ×표를 해 보자.

(1) 6·25 전쟁이 끝난 직후 대한민국은 평화적인 정권 교체를 하였다. ( )

(2) 대한민국은 전후 복구 과정에서 노동 강화 운동인 천리마 운동을 추진하였다. ( )

2 빈칸에 알맞은 말을 써 보자.

(1) 한국과 미국은 1953년 10월 한국이 외부로부터의 무력 공격을 받을 경우 미국이 군사 원조를 한다는 내용의 ( ) 조약을 체결하였다.

(2) 이승만 정부는 전후 복구 사업에 필요한 재정을 확보하기 위해 일본인 소유였던 귀속 재산과 미국의 ( ) 물자를 민간에 매각하는 등의 조치를 취하였다.

(3) 미국이 제공한 잉여 농산물은 식량 부족 문제에 도움을 주었고, ( )와/과 같은 소비재 산업 발달에 영향을 미쳤다.

3 서로 관련 있는 내용끼리 연결해 보자.

(1) 밀 • • ㉠ 원당

(2) 사탕수수 • • ㉡ 면방직

(3) 면화 • • ㉢ 제분

01 다음 선언이 발표된 이후의 사실로 옳지 <u>않은</u> 것은?

> 이 방위선은 알류샨 열도에서 일본을 거쳐 오키나와, 필리핀 군도로 이어진다. …… 기타 태평양 지역은 …… 군사적 공격으로부터 안전을 보장할 수 없다는 점을 명백히 밝힌다.

① 정전 회담이 추진되었다.
② 인천 상륙 작전이 전개되었다.
③ 반민족 행위 처벌법이 제정되었다.
④ 북한 인민군이 전면적인 남침을 감행하였다.
⑤ 유엔 안전 보장 이사회가 유엔군 파병을 결정하였다.

중요
02 밑줄 친 '준비'에 해당하는 사실로 옳은 것을 〈보기〉에서 고른 것은?

> 1949년에 접어들면서 38도선 일대에서는 크고 작은 교전이 일어나기도 하였다. 남북한 간의 군사적 충돌은 1949년 말부터 차츰 진정되는 양상을 보였다. 하지만 이 시기에 김일성은 전쟁 <u>준비</u>에 박차를 가하였다.

〈보기〉
ㄱ. 한·미 상호 방위 조약을 체결하였다.
ㄴ. 미국 원조 물자를 민간에 매각하였다.
ㄷ. 조선 의용군이 북한 인민군으로 편입되었다.
ㄹ. 소련으로부터 무기와 군사 고문단 지원을 받았다.

① ㄱ, ㄴ
② ㄱ, ㄷ
③ ㄴ, ㄷ
④ ㄴ, ㄹ
⑤ ㄷ, ㄹ

03 (가)에 들어갈 인물로 옳은 것은?

> 6·25 전쟁이 발생하자 유엔 안정 보장 이사회는 파병을 결의하였고, 유엔군은 미국을 중심으로 16개국 군대로 구성되었다. 대한민국 정부는 군사 작전을 효과적으로 수행하기 위해 국군 지휘권을 유엔군 사령관인 (가) 에게 이관하였다.

① 이승만
② 맥아더
③ 트루먼
④ 스탈린
⑤ 마오쩌둥

04~05 다음 연표를 보고 물음에 답하시오.

	(가)	(나)	(다)	(라)	(마)	
대한민국 정부 수립		6·25 전쟁 발발		인천 상륙 작전		1·4 후퇴		정전 회담 시작		정전 협정 체결

04 (가) 시기의 사실로 옳은 것을 〈보기〉에서 고른 것은?

〈보기〉
ㄱ. 주한 미군이 대부분 철수하였다.
ㄴ. 북한과 중국이 군사 협정을 맺었다.
ㄷ. 한국과 미국이 군사 동맹 관계로 격상되었다.
ㄹ. 유엔 총회에서 남북한 총선거 시행이 결정되었다.

① ㄱ, ㄴ
② ㄱ, ㄷ
③ ㄴ, ㄷ
④ ㄴ, ㄹ
⑤ ㄷ, ㄹ

05 다음과 같은 사건이 발생한 시기를 연표에서 고른 것은?

> 중국은 국군과 유엔군의 북진을 경계하며, 대규모 군대를 파병하여 북한군을 지원하였다. 중국군의 대대적인 공세로 국군과 유엔군은 북한 지역에서 철수하였다.

① (가)
② (나)
③ (다)
④ (라)
⑤ (라)

중요
06 빈칸 ㉠ 국가에 대한 설명으로 옳은 것은?

> • (㉠)이/가 불참한 가운데 열린 유엔 안전 보장 이사회는 유엔군 파병을 결의하였다.
> • 전쟁이 교착 상태에 빠지자, (㉠)은/는 국제 연합에 정전을 제안하였다.

① 미·소 공동 위원회에 참여하였다.
② 광복 직후 38도선 이남 지역을 점령하였다.
③ 유엔 한국 임시 위원단의 방문을 환영하였다.
④ 태평양(극동) 방위선에서 한반도를 제외하였다.
⑤ 히로시마와 나가사키에 원자 폭탄을 투하하였다.

중요
07 다음 협정과 관련한 설명으로 옳지 <u>않은</u> 것은?

> 제1조 1항 한 개의 군사 분계선을 확정하고, 쌍방이 선으로부터 각기 2 km씩 후퇴하여 적대 군대 간에 한 개의 비무장 지대를 설정한다.
>
> 제3조 51항 쌍방은 그 수용하에 있는 송환을 주장하는 모든 전쟁 포로를 포로된 당시에 그들이 속한 일방에 집단적으로 나누어 직접 송환 인도하며 어떠한 방해도 가하지 못한다.

① 이승만 정부의 제안으로 시작되었다.
② 포로 송환 문제로 최종 합의가 지연되었다.
③ 주요 쟁점은 군사 분계선 설정과 포로 송환 문제였다.
④ 회담이 시작된 지 2년 만에 판문점에서 정전이 체결되었다.
⑤ 회담 중에도 38도선 부근에서는 크고 작은 교전이 계속 벌어졌다.

08 (가), (나)에 대한 설명으로 옳은 것을 〈보기〉에서 고른 것은?

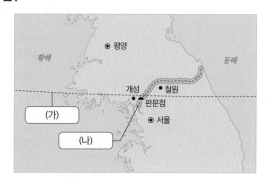

〈보기〉
ㄱ. (가)-유엔군이 제안한 군사 분계선이다.
ㄴ. (가)-광복 당시 미·소 간의 분할 점령선이다.
ㄷ. (나)-6·25 전쟁 발발 당시의 양측 간 경계선이다.
ㄹ. (나)-정전 협정 체결 직전의 양측 간 군사 접촉선이다.

① ㄱ, ㄴ   ② ㄱ, ㄷ   ③ ㄴ, ㄷ
④ ㄴ, ㄹ   ⑤ ㄷ, ㄹ

사고력을 키우는 서술형

09 6·25 전쟁 중 형성된 특정 시점의 전선을 나타낸 지도이다. (가)와 (나) 시기 사이의 전쟁 양상을 서술하시오.

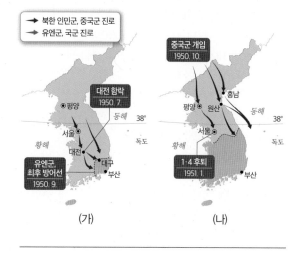

(가)   (나)

_____

_____

_____

10 (가)에 들어갈 유엔군 입장을 쓰고, 그 이유를 서술하시오.

정전 회담 쟁점 비교	유엔군	북한 및 중국군
포로 송환	(가)	본국 송환

_____

_____

11 다음 자료를 읽고 물음에 답하시오.

> 제2조 당사국 중 어느 일국의 정치적 독립 또는 안전이 외부로부터의 무력 공격에 의하여 위협을 받고 있다고 인정할 때는 언제든지 양국은 서로 협의한다.
>
> 제4조 (㉠)은 상호 합의에 의해 (㉡)의 육군, 해군, 공군을 (㉡)의 영토 내와 그 부근에 배치하는 것을 허락하고 (㉡)은 이를 수락한다.

(1) 위 조약의 명칭을 쓰시오.

_____

(2) 빈칸 ㉠, ㉡에 들어갈 국가를 쓰시오.
㉠:   ㉡:

4·19 혁명과 민주화를 위한 노력

1 민주화를 열망한 4·19 혁명

1 장기 집권을 위한 헌법 개정

(1) 발췌 개헌(1952)

① 배경: 제2대 국회 의원 선거(1950. 5.) 결과 이승만 정부에 비판적인 국회 의원 대거 당선→ 기존 대통령 선출 방식인 국회 의원에 의한 간선제로 재선 가능성이 낮아짐.
└→ 1952년 비상계엄령을 선포하고 직선제 개헌을 반대하는 다수의 야당 국회 의원들을 체포한 사건이다.

② 과정: 자유당 창당 → 부산 정치 파동 → 발췌 개헌 통과 → 제2대 대통령 선거에서 이승만 당선
└ 1951년 2대 대통령 선거를 앞두고 직선제 개헌을 위해 지지 세력을 모아 만든 여당. 4·19 혁명 이후 해산하였다.

(2) 사사오입 개헌(1954)

① 배경: 당시 헌법으로 대통령은 재선까지만 가능 → 정권 연장을 위한 헌법 개정 추진

② 과정: 여당인 자유당이 이승만 대통령 중임 제한 폐지를 골자로 하는 개헌안 발의 → 투표 결과 정족수 1명 부족으로 부결 → 사사오입 논리를 내세워 국회 통과 선포
└→ 203명의 3분의 2는 135.3이므로 3분의 2의 최저 인원수는 136명이어야 하나, 135.3을 반올림하면 135가 되므로 203명의 3분의 2는 135명이라는 논리를 말한다.

(3) 제3대 대통령 선거 결과와 이승만 정부의 대응

① 제3·4대 정·부통령 선거(1956) 결과

• 대통령은 여당 후보 이승만 당선, 부통령은 야당 후보 장면 당선

• 무소속 대통령 후보 조봉암의 돌풍(유효 투표의 30% 획득)

② 이승만 정부의 대응: 조봉암 사형(진보당 사건), 언론 탄압(경향신문 폐간 등)
└• 1대 부통령이었던 이시영이 중간에 사퇴하여 새로운 부통령 선거를 한 바가 있어, 정통령과 부통령의 선거 횟수가 일치하지 않는다.

2 4·19 혁명의 전개

(1) 발단

① 제4·5대 대통령 선거의 여당 목표: 고령인 이승만이 재임 중 사망할 경우 그 직을 계승할 부통령을 여당에서 배출하는 것

② 3·15 부정 선거(1960): 4할 사전 투표, 3인조 또는 9인조 공개 투표 등

(2) 전개: 마산에서 부정 선거 규탄 시위(3. 15.) → 김주열 학생 시신 발견(4. 11.) → 경무대 앞 대규모 시위, 대규모 사상자 발생, 비상계엄 선포(4. 19.) → 대학교수단 시위(4. 25.) → 이승만 하야(4. 26.)
└→ 투표 용지를 빼돌려 자유당 후보표를 만든 뒤 투표 시작 전 선거함에 투표 용지를 넣어 두는 방식으로, 전체 유권자 중 40%의 기표를 자유당 표로 만든 부정 행위이다.

3 내각제 개헌과 장면 내각

(1) 허정 과도 정부: 3·15 부정 선거 무효화, 헌법 개정(양원제 국회, 내각 책임제)

(2) 장면 내각
└• 대통령의 망명과 부통령의 사망으로 외무부 장관이었던 허정이 과도 정부의 책임을 맡게 되었다.

① 성립 과정: 개정 헌법에 따른 국회 의원 선거에서 민주당 압승 → 대통령에 윤보선, 국무총리에 장면 당선 → 장면 내각 수립

② 추진 정책: 경제 개발 5개년 계획 수립, 지방 자치제 시행

③ 한계: 시민들의 다양한 민주화 요구를 수용하지 못함.
└• 학원 민주화, 평화 통일 운동, 민간 차원에서 남북 회담이 추진되기도 하였다.

개념 체크

1 다음 설명이 맞으면 ○표, 틀리면 ×표를 해 보자.

(1) 발췌 개헌을 통해 초대 대통령인 이승만은 중임 제한을 받지 않게 되었다. (   )

(2) 1956년 제3대 대통령 선거에서 조봉암은 민주당의 대통령 후보로 출마하였다. (   )

2 빈칸에 알맞은 말을 써 보자.

(1) 1960년 정·부통령 선거에서 (   )을/를 부통령으로 당선시키기 위해 이승만 정부는 공권력을 총동원하여 부정 선거를 자행하였다.

(2) 3·15 부정 선거를 규탄하는 시위에 참여했다가 실종된 (   )의 시신이 발견된 후 시위는 격렬하게 확대되었다.

(3) 4·19 혁명으로 개정된 헌법에 따라 구성된 국회 의원 선거 결과 (   ) 내각이 수립되었다.

3 서로 관련 있는 내용끼리 연결해 보자.

(1) 2대 대통령 선거 •   • ㉠ 4·19 혁명

(2) 3대 대통령 선거 •   • ㉡ 발췌 개헌

(3) 3·15 부정 선거 •   • ㉢ 사사오입 개헌

2 박정희 정부의 성립과 유신 체제

1 5·16 군사 정변과 박정희 정부의 성립

(1) 5·16 군사 정변(1961)
  ① 발생: 박정희 등 일부 군인이 정변을 일으킴.
  ② 군정 실시: 헌정 중단, 국가 재건 최고 회의 구성
    • 사회 통제: 정치 활동 금지, 언론 규제, 중앙 정보부 창설
    • 민생 정책: 부정 축재자 처벌, 농어민 부채 탕감, 경제 개발 5개년 계획 추진

(2) 박정희 정부의 성립(1963)
  ① 배경: 헌법 개정(대통령 중심제, 단원제), 민주 공화당 창당
  ② 성립: 박정희가 윤보선을 누르고 제5대 대통령 당선

2 한·일 국교 정상화

(1) 배경

미국	한·미·일 집단 안보 체제 구상 → 국교 재개 요구
일본	경제 호황에 따른 시장 확보 필요
한국	경제 개발을 위한 자금 확보 필요

(2) 과정: 식민 지배에 대한 사죄와 배상 없는 국교 회담 → 국민들의 정권 퇴진 운동 (6·3 시위, 1964) → 비상계엄 선포 → 한·일 협정 체결(1965)

3 베트남 파병

(1) 배경: 베트남과 전쟁을 벌인 미국의 요청, 한국의 경제 발전 자금 마련
(2) 과정: 1964부터 1973년까지 32만여 명 파병, 브라운 각서 체결
  └ 미국이 베트남 전쟁 파병의 대가로 차관 제공, 국군 현대화, 한국 기업의 베트남 건설 사업 참여를 약속하였다.

4 3선 개헌과 유신 체제의 성립

(1) 3선 개헌(1969): 대통령 중임 제한 철폐 → 박정희의 장기 집권 기반 마련
(2) 유신 체제
  ① 배경: 제7대 대통령 선거에서 야당 후보(김대중)에 힘겹게 승리, 닉슨 독트린 발표(미·중 관계 개선), 7·4 남북 공동 성명 발표
  ② 과정: 비상계엄 선포 → 유신 헌법 제정 → 국민투표로 확정 → 박정희 제8대 대통령 취임(유신 체제 성립)
    └ 명분은 통일 정책을 결정하는 최고 회의 기구이나 실제로는 대통령 간접 선거 기구의 역할을 맡음.
  ③ 유신 헌법 내용: 대통령 선거(임기 6년으로 연장, 통일 주체 국민 회의에 의한 간선제, 연임 제한 폐지), 대통령 권한 강화(국회 의원 3분의 1 추천권, 국회 해산권, 긴급 조치권 등)

5 유신 체제에 맞선 민주화 운동

(1) 민주화 운동: 개헌 청원 100만 명 서명 운동(1973), 3·1 민주 구국 선언(1976)
  └ 유신 헌법 제정 1년 후인 1973년 12월 유신헌법 개정을 요구하며 벌인 개헌 청원 운동. 이에 대해 정부는 긴급 조치 1, 2호를 선포하여 장준하, 백기완 등을 구속함.
(2) 유신 체제의 붕괴
  ① 배경: 한국 정치 상황에 대한 국제 여론 악화, 제2차 석유 파동
  ② 과정: YH 무역 사건 → 부·마 민주화 운동 → 10·26 사태
    └ 1979년 회사의 폐업 조치에 항의하던 YH 무역 여성 노동자가 경찰의 강제 집압으로 사망하는 사건이 발생하였다.
    └ 1976년 명동 성당의 3·1절 기념 미사에서 윤보선, 김대중, 함석헌 등이 중심이 되어 발표한 유신 체제 비판 선언이다.

자료 콕콕 ❷ 유신 헌법(1972)

제39조 대통령은 통일 주체 국민 회의에서 토론 없이 무기명 투표로 선거한다.

제40조 통일 주체 국민 회의는 국회 의원 정수의 3분의 1에 해당하는 수의 국회 의원을 선거한다.

제53조 대통령은 천재지변 또는 중대한 재정·경제상의 위기에 처하거나, 국가의 안전 보장 또는 공공의 안녕질서가 중대한 위협을 받거나 받을 우려가 있어 신속한 조치를 할 필요가 있다고 판단할 때에는 내정·외교·국방·경제·재정·사법 등 국정 전반에 걸쳐 필요한 긴급 조치를 할 수 있다.

1971년 대통령 선거에서 상대 후보에 어렵게 이긴 박정희는 다음해 통일을 대비한다는 명목으로 유신 헌법을 도입하였다. 유신 헌법에서 대통령의 권한은 막강하였고, 간선제의 특성상 얼마든지 장기 집권이 가능하였다.

개념 체크

1 다음 설명이 맞으면 ○표, 틀리면 ×표를 해 보자.

(1) 5·16 군사 정변을 통해 들어선 군사 정부는 내각 책임제로 헌법을 개정하였다. ( )

(2) 한·일 국교 정상화와 베트남 파병은 박정희 정부의 경제 개발 추진에 큰 도움이 되었다. ( )

2 빈칸에 알맞은 말을 써 보자.

(1) 1961년 5월, 박정희와 일부 군인들이 정변을 일으켜 헌정을 중단하고 ( ) 을/를 구성하여 군정을 시행하였다.

(2) 유신 헌법 제정 당시 앞서 남북 합의로 발표된 ( )이/가 개헌의 명분으로 활용되었다.

(3) 유신 헌법에서 대통령은 ( ) 에서 선출되어 장기 집권이 가능해졌다.

3 서로 관련 있는 내용끼리 연결해 보자.

(1) YH 무역 사건 • ⦁ ㉠ 브라운 각서
(2) 베트남 전쟁 • ⦁ ㉡ 6·3 시위
(3) 한·일 국교 정상화 • ⦁ ㉢ 부·마 민주화 운동

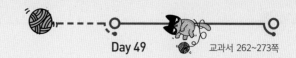
3 5·18 민주화 운동의 전개

1 신군부 세력의 권력 장악
> • 국무총리였던 최규하가 통일 주체 국민 회의를 통해 대통령에 선출되었다.

(1) 과도 시기: 제10대 최규하 대통령 선출 → 실권은 군부가 주도

(2) 군 내부의 움직임: 군부는 민주화를 지지하는 측과 신군부 세력 대립

(3) 12·12 사태

① 과정: 1979년 12월 전두환 중심 신군부 세력의 쿠데타 → 계엄 사령관 체포

② 결과: 신군부 세력의 권력 장악

2 서울의 봄
> • 1979년 10·26 사태 이후 1980년 5·17 비상계엄 전국 확대 조치 전까지의 정치적 과도기를 뜻한다.

(1) 정치적 상황

① 김영삼, 김대중 등 유력 정치인들의 새 정부 수립 준비

② 정치범 석방, 해직 교수 복직, 제적 학생 복교 등 시행

(2) 학생·시민의 시위(서울의 봄)

① 유신 헌법 철폐, 비상계엄령 해제, 신군부 퇴진 등 요구

② 시위 지도부의 해산 결정 → 신군부의 비상계엄 전국 확대(5.17.)

3 5·18 민주화 운동의 전개

배경	12·12 사태 이후 신군부의 권력 장악, 5월 17일 비상계엄 전국 확대
과정	5월 18일 전남대 앞 시위 → 계엄군의 학생·시민 무차별 진압 → 시민들 대규모로 시위에 동참 → 계엄군 집단 발포 → 시민군 조직 → 계엄군 철수 및 외곽 봉쇄 → 계엄군이 재진입하여 전남 도청 시민군 무력 진압
결과	이후 민주화 운동에 큰 영향, 국군 작전 통제권을 지니고 있던 미국의 책임 문제 제기

4 전두환 정부의 출범과 강압 정치

(1) 전두환 정부 출범

① 배경: 12·12 사태로 신군부의 권력 장악, 5·18 민주화 운동 진압

② 전두환 정부의 성립

• 국가 보위 비상 대책 위원회(국보위) 조직: 입법·사법·행정 3권을 포괄하는 초헌법적 기구

• 부정부패 고위 공직자 처벌, 중화학 공업 투자 재조정, 과외 금지 등

• 정치 활동 규제, 언론사 통폐합, 삼청 교육대 운영

• 전두환 제11대 대통령 선출(1980) → 개헌(대통령 7년 단임제 및 선거인단에 의한 간선제) → 전두환 제12대 대통령 선출(1981)
> • 사회를 혼란스럽게 하는 불량배들을 검거하겠다며 사람들을 끌고 가 군대식 훈련과 노동 강요. 이 과정에서 인권 유린이 발생하기도 하였다.

(2) 전두환 정부의 강압 정치

① 강압 정치: 보도 지침을 통한 언론 통제, 국가 기관의 사회 운동 탄압

② 유화 정치: 학원 자율화, 야간 통행 금지 해제, 해외 여행 자유화

③ 한계: 각종 권력형 부정과 비리 사건 발생 → 국민들의 불만 고조

우리는 왜 총을 들 수밖에 없었는가? …… 각 학교에 공수 부대를 투입하고 이에 반발하는 학생들에게 대검을 꽂고 '돌격 앞으로'를 감행하였고, …… 너무나 경악스러운 또 하나의 사실은 20일 밤부터 계엄 당국은 발포 명령을 내려 무차별 발포를 시작했다는 것이다. …… 그래서 우리는 이 고장을 지키고 우리의 부모 형제를 지키고자 손에 총을 들었던 것이다

시민군이 계엄군을 철수시키고 광주 지역의 치안을 통제하고 있던 시기에 작성된 것으로, 광주 시민들이 궐기한 결정적인 이유가 공수 부대의 무차별적 진압이었음을 밝히고 있다.

개념 체크

1 다음 설명이 맞으면 ○표, 틀리면 ✕표를 해 보자.

(1) 10·26 사태가 발생하자 전두환이 대통령직을 승계하였다.　　　　　　(　　)

(2) 5·18 민주화 운동 과정에서 학생들과 계엄군 간의 최초의 충돌은 전남 도청 앞에서 발생하였다.　　(　　)

2 빈칸에 알맞은 말을 써 보자.

(1) 1979년 12월, 전두환 중심의 신군부 세력은 계엄 사령관을 체포한 (　　　　) 을/를 통해 권력을 장악하였다.

(2) 1979년 10·26 사태 이후 1980년 5·17 비상계엄 전국 확대 조치 전까지의 정치적 과도기를 이른바 (　　　　)(이)라 부른다.

(3) 5·18 민주화 운동 과정에서 계엄군이 전남 도청 앞에서 시민들을 향해 집단 발포하였고, 이에 대응하여 시민들은 자발적으로 (　　　　)을/를 조직하였다.

3 서로 관련 있는 내용끼리 연결해 보자.

(1) 국가 재건 최고　•　　•⊙ 신군부 정권 회의　　　　　　　　　　장악

(2) 국가 보위 비상　•　　•ⓒ 유신 체제 대책 위원회

(3) 통일 주체 국민　•　　•ⓒ 5·16 군사 회의　　　　　　　　　　정변

문제 유형 익히기

01 밑줄 친 (가), (나)에 대한 설명으로 옳은 것을 〈보기〉에서 고른 것은?

> 제2대 국회 의원 선거 결과, 이승만 정부에 비판적인 의원들이 대거 당선되었다. 이승만은 (가) 기존 헌법의 대통령 선출 방식으로는 재선이 어려워지자 지지 세력을 모아 자유당을 창당하고, 이듬해에 (나) 발췌 개헌을 통과시켰다.

〈보기〉
ㄱ. (가)-국민들이 직접 대통령을 선출하게 하였다.
ㄴ. (가)-5·10 총선거로 구성된 국회에서 제정하였다.
ㄷ. (나)-부산 정치 파동 직후 가결되었다.
ㄹ. (나)-선거인단을 통한 대통령 선출 규정을 두었다.

① ㄱ, ㄴ   ② ㄱ, ㄷ   ③ ㄴ, ㄷ
④ ㄴ, ㄹ   ⑤ ㄷ, ㄹ

중요
02 밑줄 친 '대통령'에 대한 설명으로 옳은 것은?

> 제55조 대통령과 부통령의 임기는 4년으로 한다. 단, 재선에 의하여 1차 중임할 수 있다.……
> 부칙   이 헌법 공포 당시의 대통령에 대하여는 제55조 제1항 단서의 제한을 적용하지 아니한다.

① 남북 협상에 참여하였다.
② 유신 헌법을 선포하였다.
③ 평화 통일론을 주장하였다.
④ 4·19 혁명으로 하야하였다.
⑤ 5·16 군사 정변을 통해 집권하였다.

03 (가)와 (나) 시기 사이에 들어갈 사건으로 옳지 않은 것은?

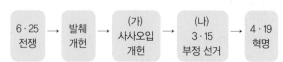

① 진보당 사건   ② YH 무역 사건
③ 경향 신문 폐간   ④ 국가 보안법 개정
⑤ 제3·4대 정·부통령 선거

중요
04 다음과 같은 벽보가 등장하였던 선거에 대한 설명으로 옳은 것을 〈보기〉에서 고른 것은?

〈보기〉
ㄱ. 발췌 개헌 직후 치러졌다.
ㄴ. 이승만이 대통령으로 선출되었다.
ㄷ. 조봉암이 대통령 후보로 출마하였다.
ㄹ. 집권 여당 부통령 후보가 당선되었다.

① ㄱ, ㄴ   ② ㄱ, ㄷ   ③ ㄴ, ㄷ
④ ㄴ, ㄹ   ⑤ ㄷ, ㄹ

중요
05 다음 선언문에 대한 설명으로 옳은 것을 〈보기〉에서 고른 것은?

> 나이 어린 학생 김주열의 참혹한 시신을 보라! 그것은 가식 없는 전제주의 전횡의 발가벗은 나상(나체상)밖에 아무 것도 아니다. 저들을 보라! 비굴하게도 위하(위협)와 폭력으로써 우리들을 대하려 한다... 보라! 우리는 캄캄한 밤의 침묵에 자유의 종을 난타하는 타수(打手)의 일익(一翼)임을 자랑한다. 일제의 철퇴하에 미칠 듯 자유를 환호한 나의 아버지 형제들과 같이 양심은 부끄럽지 않다. 외롭지도 않다.

〈보기〉
ㄱ. 6·25 전쟁 중에 작성되었다.
ㄴ. 5·18 민주화 운동을 옹호하였다.
ㄷ. 이승만 정부의 부도덕성을 비판하였다.
ㄹ. 3·15 부정 선거 규탄 과정에서 발표되었다.

① ㄱ, ㄴ   ② ㄱ, ㄷ   ③ ㄴ, ㄷ
④ ㄴ, ㄹ   ⑤ ㄷ, ㄹ

06 다음 강령을 내세운 정당에 대한 탐구 활동으로 적절한 것은?

> 1. 우리는 공산 독재는 물론 자본가와 부패 분자의 독재도 이를 배격하고 진정한 민주주의 체제를 확립하여 책임 있는 혁신 정치의 실리를 기한다.
> 3. 우리는 안으로 민주 세력의 대동단결을 추진하고, 밖으로 민주 우방과 긴밀히 제휴하여 민주 세력이 결정적 승리를 얻을 수 있는 평화적 방식에 의한 조국 통일의 실현을 기한다.

① 기묘 사화의 원인을 이해한다.
② 3 · 1 운동의 전개 과정을 알아본다.
③ 유교 정치의 확립 과정을 분석한다.
④ 조봉암이 사형을 당한 이유를 파악한다.
⑤ 물산 장려 운동의 추진 세력을 살펴본다.

중요
07 (가) 내각에 대한 설명으로 옳은 것을 〈보기〉에서 고른 것은?

> (가) 내각은 경제 건설을 전면에 내세웠다. 경지 정리, 산림 녹화 등 국토 건설 사업을 전개하는 한편, 경제 개발 5개년 계획을 수립하여 장기적인 경제 건설을 추진하였다. 또한 지방 자치제 시행, 경찰 중립화 등을 통해 국민의 기본권을 신장하는 데에도 관심을 기울였다. 그러나 이 시기에 사회 전반에 걸친 민주적 변화는 크게 진척되지 못하였다. (가) 내각은 부정 선거 및 부정 축재 관련자의 처벌에 소극적으로 대처하였으며, 각종 민주화 요구를 적극적으로 수용하지도 못하였다.

〈보기〉
ㄱ. 4 · 19 혁명을 초래하였다.
ㄴ. 내각 책임제로 운영되었다.
ㄷ. 발췌 개헌의 결과 구성되었다.
ㄹ. 윤보선이 대통령으로 재임하였다.

① ㄱ, ㄴ   ② ㄱ, ㄷ   ③ ㄴ, ㄷ
④ ㄴ, ㄹ   ⑤ ㄷ, ㄹ

08 다음과 같은 내용이 발표된 시기를 연표에서 고른 것은?

> 1. 반공을 국시의 제일로 삼고, 지금까지 형식적이고 구호에만 그친 반공 체제를 재정비, 강화한다.
> 2. 유엔 헌장을 준수하고 국제 협약을 충실히 이행할 것이며, 미국을 비롯한 자유 우방과의 유대를 더욱 공고히 한다.
> 4. 민생고를 시급히 해결하고 국가 자주 경제 재건에 총력을 기울인다.
> 6. 이와 같은 과업이 성취되면 참신하고도 양심적인 정치인들에게 언제든지 정권을 이양하고 우리들 본연의 임무에 복귀할 준비를 갖춘다.

	(가)	(나)	(다)	(라)	(마)	
3 · 15 부정 선거		이승만 대통령 하야		장면 내각 성립		한 · 일 협정 체결

3 · 15   이승만   장면   한 · 일   유신   12 · 12
부정   대통령   내각   협정   헌법   사태
선거   하야   성립   체결   제정   발생

① (가)   ② (나)   ③ (다)
④ (라)   ⑤ (마)

중요
09 다음 자료와 관련된 설명으로 옳은 것은?

> 제1조 양 체약 당사국 간에 외교 및 영사 관계를 수립한다. 양 체약 당사국 간은 대사급 외교 사절을 지체 없이 교환한다. 양 체약 당사국은 또한 양국 정부에 의하여 합의되는 장소에 영사관을 설치한다.
> 제2조 1910년 8월 22일 및 그 이전에 대한 제국과 대일본 제국 간에 체결된 모든 조약 및 협정이 이미 무효임을 확인한다.
> 제3조 대한민국 정부가 유엔 총회의 결정 제195호에 명시된 바와 같이 한반도에 있어서 유일한 합법 정부임을 확인한다.

① 정전 협정 체결 직후 발표되었다.
② 전두환 정부 집권 시기에 작성되었다.
③ 비상계엄령이 선포된 가운데 체결되었다.
④ 대한민국 임시 정부 수립의 토대가 되었다.
⑤ 4 · 19 혁명이라는 격렬한 저항을 초래하였다.

10 다음 조항을 포함한 헌법에 대한 설명으로 옳은 것은?

> 제39조 대통령은 통일 주체 국민 회의에서 토론 없이 무기명 투표로 선거한다.
>
> 제53조 대통령은 천재지변 또는 중대한 재정·경제상의 위기에 처하거나, 국가의 안전 보장 또는 공공의 안녕질서가 중대한 위협을 받거나 …… 국정 전반에 걸쳐 필요한 긴급 조치를 할 수 있다.

① 국민의 인권 보장을 우선하고 있다.

② 3권 분립의 원리를 충실하게 반영하였다.

③ 7·4 남북 공동 성명 발표의 계기가 되었다.

④ 양원제 국회와 내각 책임제를 핵심으로 하였다.

⑤ 대통령 선출 방식을 직선제에서 간선제로 바꾸었다.

11 (가), (나) 시기 사이에 일어난 일로 옳지 <u>않은</u> 것은?

> (가) 1979년 박정희 대통령이 측근에 의해 피살되는 10·26 사태가 발생하였다.
>
> (나) 신군부 세력은 5월 17일 계엄령을 전국으로 확대하고, 모든 정치 활동을 금지하였다.

① 최규하가 대통령으로 선출되었다.

② 신군부 세력이 계엄 사령관을 체포하였다.

③ 국가 보위 비상 대책 위원회가 조직되었다.

④ '서울의 봄'으로 불리는 민주화 운동이 일어났다.

⑤ 정치범 석방, 해직 교수 복직 등의 조치가 시행되었다.

12 밑줄 친 '우리'가 참여한 민주화 운동으로 옳은 것은?

> <u>우리는</u> 왜 총을 들 수밖에 없었는가? …… 각 학교에 공수 부대를 투입하고 이에 반발하는 학생들에게 대검을 꽂고 …… 경악스러운 또 하나의 사실은 20일 밤부터 계엄 당국은 발포 명령을 내려 무차별 발포를 시작했다는 것이다.

① 고종의 죽음이 기폭제 역할을 하였다.

② 대한민국 임시 정부가 수립에 기여하였다.

③ 신간회가 진상 조사단을 파견하기도 하였다.

④ 계엄군이 시민군을 무력 진압하며 종결되었다.

⑤ 한·일 국교 회담을 비판하며 정권 퇴진을 요구하였다.

사고력을 키우는 서술형

13 다음 자료를 읽고 물음에 답하시오.

> 1. ㉠ 마산, 서울, 기타 각지의 학생 데모는 …… 학생들의 순진한 정의감의 발로이며 부정과 불의에 항거하는 민족 정기의 표현이다.
>
> 4. 누적된 부패의 부정과 횡포로써 민권을 유린하고 민족적 참극과 국제적 수치를 초래케 한 ㉢ 현 정부와 ㉣ 집권당은 그 책임을 지고 속히 물러가라.
>
> 5. (㉡) 선거는 부정 선거이다. 공명선거에 의하여 정·부통령 선거를 다시 시행하라.

(1) ㉠ 사건의 원인을 ㉡에 들어갈 용어를 활용하여 서술하고, 사건의 결과 개정된 헌법의 핵심 내용을 서술하시오.

_____

_____

(2) 밑줄 친 ㉢, ㉣의 현 정부와 집권당의 명칭을 쓰시오.

_____

14 밑줄 친 '사건'이 이후의 한국 정치에 미친 영향을 서술하시오.

> 1979년 한 가발 수출 업체의 여성 노동자들이 회사 폐업 조치에 항의하여 당시 야당인 신민당 당사에서 농성을 벌였다. 이 <u>사건</u>은 경찰의 강제 진압으로 끝났다.

_____

_____

15 (가), (나)에 들어갈 기구의 명칭을 차례대로 쓰시오.

> • 박정희와 일부 군인들은 정변을 일으킨 뒤, 초헌법적 기구로 [(가)]을/를 구성하고 군정을 시행하였다.
>
> • 신군부 세력은 5·18 민주화 운동을 진압한 뒤, 초헌법적 기구로 [(나)]을/를 조직하였다.

_____

5 경제 성장과 사회 · 문화의 변화

1 경제 성장의 성과와 문제점

1 한국 경제를 둘러싼 대외적 상황

(1) 자본주의 세계 경제 체제의 변화
  ① 제2차 세계 대전 이후 1960년대까지 지속된 호황
  ② 미국을 비롯한 선진 자본주의 국가들의 산업 재편 → 한국 등 개발 도상국들이 경공업 제품을 수출할 기회 마련
  ③ 냉전 체제의 형성 → 미국의 적극적인 경제 개발 원조

(2) 미국의 대외 정책과 한국 경제
  ① 한·미·일 집단 안보 체제: 한국의 경제 개발 계획 지원
  ② 한국의 베트남 파병: 브라운 각서 체결, 미국의 군사·경제 원조

2 박정희 정부의 경제 개발 정책

(1) 정부 주도의 경제 개발 정책 추진
  ① 자본 확보: 차관, 외국인 직접 투자, 베트남 파병, 한·일 협정 체결
  ② 경제 개발 5개년 계획 추진: 장면 내각의 경제 개발 계획 수정, 1962년부터 5년 단위로 총 4차례에 걸쳐 추진

제1, 2차 경제 개발 5개년 계획 (1962~1966 / 1967~1971)	노동 집약적 경공업을 육성하고 수출 증대에 주력(의류, 가발, 합판 등), 경부 고속 국도 개통(1970)
제3, 4차 경제 개발 5개년 계획 (1972~1976 / 1977~1981)	중화학 공업 육성에 주력(포항 제철소 준공, 영남 지역 중심, 조선 · 자동차 · 정유 · 전자 단지 조성)

(2) 경제 개발 추진 방향과 영향
  ① 방향: 수출 증대(외국 자본 및 기술 + 국내의 값싼 노동력)
  ② 영향: 산업 구조의 재편 └─●낮은 임금과 낮은 곡물 가격 유지
    •1차 산업 비중 축소, 2차 산업 비중 증대
    •경공업 중심 → 중화학 공업 중심

3 1980년대 이후 나타난 경제 변화

(1) 제2차 석유 파동(1978~1979)으로 큰 타격: 중화학 중복 투자로 경제 위기 → 부실 기업 정리, 중화학 공업 투자 제한

(2) 1980년대 중후반 3저 호황으로 경제 활성화: 중화학 부문을 중심으로 경제 급성장 → 외국 자본의 개방 압력 증대 └─●저유가, 저달러, 저금리의 지속 현상을 일컫는다.

4 경제 개발의 성과와 문제점

(1) 성과: 높은 경제 성장, 수출액의 빠른 증가, 국민 소득 증대

(2) 문제점: 재벌 중심 경제 구조 형성과 정경 유착, 저임금·저곡가 정책 → 도시·농촌 간 소득 격차, 한국 경제의 대외 의존도 심화
  └─●정치권과 경제계가 서로의 이익을 위해 밀접한 관계를 맺는 경우를 말한다.

자료 콕콕 ❶ 브라운 각서(1966)

• 한국군의 현대화 계획을 위해 앞으로 수년 동안에 걸쳐 상당량의 장비를 제공한다.

• 수출을 늘리는 데 필요한 모든 분야에서 한국에 대한 기술 원조를 강화한다.

• 베트남에서 시행되는 각종 건설, 구호 등 제반 사업에 한국 기업을 참여시킨다.

베트남 파병에 대한 대가로 한국에 대한 구체적 지원을 약속한 브라운 각서의 일부이다. 본격적인 경제 개발을 추진하던 박정희 정부는 한 · 일 협정 체결과 베트남 파병 등을 통해 필요한 자본을 확보할 수 있었다.

개념 체크

1 다음 설명이 맞으면 ○표, 틀리면 ×표를 해 보자.
(1) 경제 개발 계획은 박정희 정부 시기에 처음 수립되었다. ( )
(2) 1978년에 발생한 제1차 석유 파동은 한국 경제에 큰 타격을 주었다. ( )

2 빈칸에 알맞은 말을 써 보자.
(1) 미국은 한국의 ( ) 파병에 대한 보상 조치로 군사 · 경제 원조를 추진하였다.
(2) 정부의 대기업 육성 정책으로 ( ) 중심의 경제 구조가 형성되는 과정에서 정경 유착 등의 부정부패가 나타났다.
(3) 정부는 ( ) 정책으로 수출품의 가격을 낮췄는데, 이는 빈부 격차와 도시 · 농촌 간의 소득 격차로 이어졌다.

3 서로 관련 있는 내용끼리 연결해 보자.
(1) 제1, 2차 경제 개 • • ㉠ 중화학 공업 발 계획 중심
(2) 제3, 4차 경제 개 • • ㉡ 3저 호황 발 계획
(3) 1980년대 중후반 • • ㉢ 경공업 중심

2 산업화로 나타난 사회·문화의 변화

1 산업 구조의 변화와 급격한 도시화

(1) 산업 구조의 변화
　① 농업(1차 산업) 중심 → 공업(2차 산업)·서비스업(3차 산업) 중심
　② 도시 일자리 급증 → 급격한 도시화

(2) 급격한 도시화로 인한 변화
　① 가족 형태의 변화: 대가족 제도 → 부부 중심의 핵가족 형태
　② 생활 형태의 변화: 아파트 중심 주거 문화, 가전제품과 자동차의 대중화, 교통 및 의학 기술 발달

2 도시화의 문제점

(1) 각종 사회 문제의 대두: 일자리와 주택 부족, 열악한 주거 환경, 주차 및 교통 문제, 공해, 범죄 등

(2) 빈부 격차 발생
　① 부유층: 부동산 투기를 통한 막대한 부 축적
　② 도시 빈민: 생존권 투쟁 → 광주 대단지 사건(1971) 등 발생
　　└ 1960년대 말부터 서울시가 판자촌을 정리하면서 경기도 광주(성남)에 철거민들을 입주만 시켜 놓고 방치하자, 주민 5만여 명이 대규모 시위를 벌인 사건이다.

3 노동 문제와 노동 운동

(1) 배경: 수출 경쟁력 확보를 위한 장시간 저임금 정책 → 열악한 근무 환경

(2) 노동 운동의 전개

1970년대	전태일 분신 사건(1970): 「근로 기준법」 준수를 요구하며 분신 → 노동 운동 확산
1980년대	노동자 대투쟁: 1987년 6월 민주 항쟁 직후 민주화 열기를 계기로 전개 → 임금 인상, 노동 조건 개선, 노동조합 결성
1990년대	전국 민주 노동 조합 총연맹 결성 → 한국 노동 조합 총연맹과 양대 노총 체제 형성

4 농촌의 변화와 새마을 운동

(1) 농촌의 변화: 저임금 구조를 유지하기 위한 저곡가 정책 → 이농 현상과 농촌 인구 감소, 도시와 농촌 간 소득 격차 심화

(2) 새마을 운동
　① 시작: 근면, 자조, 협동을 구호로 1970년부터 시작
　② 목표: 농촌 환경 개선과 소득 증대

(3) 농촌의 현실: 이농 현상 및 농촌 고령화 지속, 농산물 수입 개방에 따른 경쟁

5 대중문화의 성장

(1) 배경: 경제 성장 → 대중문화의 확산

(2) 대중 매체의 발전: 라디오 보급(1960년대), 텔레비전 보급(1970년대), 영화·방송·음반 시장 활성화(1980년대), 인터넷 보급(1990년대)

(3) 군사 정부의 대중문화 통제: 군사 정권 시절 사전 검열 존재 → 민주화 이후 완화 → 한류의 유행
　　└ 사회 기강을 확립한다는 명분으로 금지곡, 금지 서적을 지정하여 검열하였다.

자료 콕콕 2 산업 구조의 변화

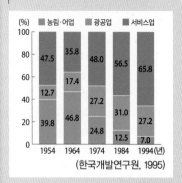

(%)	농림·어업	광공업	서비스업

연도	서비스업	광공업	농림·어업
1954	47.5	12.7	39.8
1964	35.8	17.4	46.8
1974	48.0	27.2	24.8
1984	56.5	31.0	12.5
1994(년)	65.8	27.2	7.0

(한국개발연구원, 1995)

위 그래프는 한국 사회가 겪은 산업 구조의 극적 변화를 잘 보여 준다. 1950년대에 50% 가까이 차지하던 농림·어업 분야는 1990년대에 한자리 수의 비율만을 차지할 정도로 급속히 위축되었다.

개념 체크

1 다음 설명이 맞으면 ○표, 틀리면 ×표를 해 보자.

(1) 1960년대 경제 성장으로 한국 사회는 공업·서비스업 중심에서 농업 중심 사회로 변화하였다. 　　　　(　)

(2) 산업화와 도시화가 전개되면서 가족 형태는 대가족에서 부부 중심 핵가족으로 변화하였다. 　　　　　　(　)

2 빈칸에 알맞은 말을 써 보자.

(1) 1960년대에 박정희 정부는 곡물 가격을 낮게 유지하는 (　　　) 정책을 통해 노동자들의 임금 인상을 억제하였다.

(2) 1970년 서울 평화 시장에서 재단사였던 (　　　)이/가 「근로 기준법」 준수를 외치며 분신하였다.

(3) 최근에는 한국 음식, 대중가요 등에 대한 외국인들의 관심이 높아지며 (　　　)(이)라는 이름으로 전 세계인들의 사랑을 받고 있다.

3 서로 관련 있는 내용끼리 연결해 보자.

(1) 광주 대단지 사건　•
(2) 노동자 대투쟁　•
(3) 새마을 운동　•

•　㉠ 근면, 자조, 협동
•　㉡ 6월 민주 항쟁 직후 발생
•　㉢ 도시 빈민

01 (가), (나) 자료가 작성된 시기 사이의 경제 상황에 대한 설명으로 옳은 것은?

> (가) 제2조 당사국 중 어느 일국의 정치적 독립 또는 안전이 외부로부터의 무력 공격에 의하여 위협을 받고 있다고 인정할 때는 언제든지 양국은 서로 협의한다.
>
> 제4조 대한민국은 상호 합의에 의해 미합중국의 육군, 해군, 공군을 대한민국의 영토 내와 그 부근에 배치하는 것을 허락하고 미합중국은 이를 수락한다.
>
> (나) • 한국군의 현대화 계획을 위해 앞으로 수년 동안에 걸쳐 상당량의 장비를 제공한다.
> • 베트남에서 시행되는 각종 건설, 구호 등 제반 사업에 한국 기업을 참여시킨다.
> • 미국은 한국에 추가로 AID 차관과 군사 원조를 제공한다.

① 3저 호황이 지속되었다.
② 제2차 석유 파동이 발생하였다.
③ 경제 개발 5개년 계획이 추진되었다.
④ 반도체, 자동차 분야가 크게 성장하였다.
⑤ 경제 협력 개발 기구(OECD)에 가입하였다.

중요
02 (가)에 들어갈 내용으로 옳은 것을 〈보기〉에서 고른 것은?

> 박정희 정부는 총 4차례에 걸쳐 경제 개발 5개년 계획을 추진하였다. 경제 개발에 필요한 자금은 외국에서 빌리거나 수출 자유 지역을 설정하여 외국인의 직접 투자를 유도하였다. 경제 개발에 필요한 자금을 확보한다는 명분으로 _____(가)_____

〈보기〉
ㄱ. 한·일 협정을 체결하였다.
ㄴ. 베트남 파병을 결정하였다.
ㄷ. 노동조합의 활동을 보장하였다.
ㄹ. 미국의 원조 경제에 의존하였다.

① ㄱ, ㄴ   ② ㄱ, ㄷ   ③ ㄴ, ㄷ
④ ㄴ, ㄹ   ⑤ ㄷ, ㄹ

중요
03 다음과 같은 경제 성장률을 보인 시기의 사회 상황에 대한 설명으로 옳은 것은?

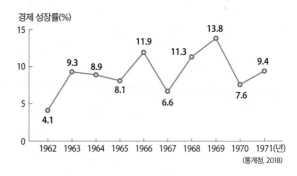

경제 성장률(%)
(통계청, 2018)

〈보기〉
ㄱ. 진보당 사건이 발생하였다.
ㄴ. 새마을 운동이 시작되었다.
ㄷ. 신군부가 삼청 교육대를 운영하였다.
ㄹ. 전태일이 근로 기준법 준수를 요구하며 분신하였다.

① ㄱ, ㄴ   ② ㄱ, ㄷ   ③ ㄴ, ㄷ
④ ㄴ, ㄹ   ⑤ ㄷ, ㄹ

04 밑줄 친 '시위'가 발생하였던 시기를 연표에서 고른 것은?

> 서울 평화 시장의 노동자였던 전태일은 장시간 노동에 시달리는 10대 어린 여공들의 비참한 현실을 접하게 되었다. 현실을 고치기 위해 노력하던 그는 노동법의 존재를 알게 되었고, 다양한 방법을 통해 근로기준법의 준수를 요구하며 평화 시장 노동자들의 근로 환경 개선을 위해 노력하였다. 하지만 근로 개선을 약속한 노동청에서 아무 소식이 없자 근로 기준법 화형식 시위 도중 자신의 몸을 불태웠다. 그의 나이 22세 때의 일이다.

1950		1960		1961		1965		1969		1972
	(가)		(나)		(다)		(라)		(마)	
6·25 전쟁		4·19 혁명		5·16 군사 정변		한·일 협정 체결		3선 개헌 가결		유신 헌법 제정

① (가)   ② (나)   ③ (다)
④ (라)   ⑤ (마)

05 밑줄 친 '이 사건'에 대한 설명으로 옳은 것은?

> 이 사건은 중화학 공업 지구인 울산에서 시작되어 전국으로 퍼졌다. 노동자들은 임금 인상, 열악한 노동 조건 개선, 노동조합 결성과 활동 보장 등을 요구하였다. 이 과정에서 노동 운동은 금융, 병원 등 사무직 노동자까지 확대되었다.

① 6월 민주 항쟁 직후 발생하였다.
② 도시 빈민들의 생존권 투쟁이었다.
③ 제2차 석유 파동이 큰 영향을 끼쳤다.
④ 농촌 지역의 소득 격차 문제가 원인이었다.
⑤ 전개 과정에서 전태일 분신 사건이 일어났다.

중요
06 밑줄 친 '이 운동'에 대한 설명으로 옳지 않은 것은?

> 1960년대에 박정희 정부는 곡물 가격을 낮게 유지하는 저곡가 정책을 통해 노동자들의 임금 인상을 억제하였다. 그러나 낮은 곡물 가격으로 농촌의 경제 사정이 어려워지자 농촌 인구는 급격히 줄어들었다. 이에 박정희 정부는 1970년대부터 이 운동을 추진하여 농촌 문제를 해결하려고 하였다.

① 근면, 자조, 협동을 구호로 내걸었다.
② 농촌 생활 환경 개선에 성과를 올렸다.
③ 자유 무역 협정(FTA)을 반대하면 조직되었다.
④ 이농 현상을 근본적으로 해결하지는 못하였다.
⑤ 유신 체제 유지에 이용되었다는 지적을 받기도 하였다.

중요
07 밑줄 친 '계획'이 추진되던 시기의 경제 상황에 대한 설명으로 옳은 것은?

> 박정희 정부 시기에 시작된 제3, 4차 경제 개발 5개년 계획에서는 철강 · 조선 · 기계 등의 중화학 공업이 집중적으로 육성되어 대규모 공업 단지가 조성되었다.

① 3저 호황을 맞이하였다.
② 브라운 각서가 작성되었다.
③ 경공업 중심의 경제 정책이 추진되었다.
④ 원조 물품을 바탕으로 삼백 산업이 발달하였다.
⑤ 제2차 석유 파동으로 마이너스 성장률을 기록하였다.

사고력을 키우는 서술형

08 밑줄 친 '생존권 투쟁'의 대표적인 사례를 한 가지 쓰시오.

> 박정희 정부 시기에 경제 개발 계획의 추진에 따라 도시화가 급격히 진행되면서 정부는 도시 개발 등을 명분으로 도시 빈민층을 다른 지역으로 강제 이주시키는 경우가 많았다. 이 과정에서 도시 빈민들의 생존권 투쟁이 일어나기도 하였다.

09 밑줄 친 '3저 호황'의 의미를 구체적으로 서술하시오.

> 1980년대 중후반 한국 경제는 3저 호황을 맞이하였다. 경제 활동에 유리한 환경이 조성되자 반도체 · 자동차 · 철강 등 중화학 부분을 중심으로 경제가 크게 성장하였다.

10 그래프에 나타난 산업 구조의 특징과 원인을 서술하고, 이러한 산업 구조 변화가 사회에 미친 영향을 서술하시오.

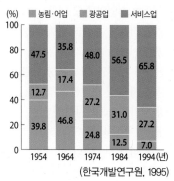

산업 구조의 변화

(한국개발연구원, 1995)

6월 민주 항쟁과 민주주의의 발전

1 민주주의의 승리, 6월 민주 항쟁

1 6월 민주 항쟁의 전개

(1) 배경

① 전두환 정부의 강압 정치

② 대통령 선출 방식의 문제점(1980년 개정 헌법)

- 대통령 7년 단임제
- 선거인단에 의한 간접 선거

　　└ 전두환이 기존의 유신 헌법으로 11대 대통령에 당선된 뒤 개정한 헌법. 유신 헌법과 같이 간선제에 의해 대통령을 선출하지만, 통일 주체 국민 회의가 아닌 별도의 선거인단이 선출하였다.

(2) 주장 내용: 직선제 쟁취, 호헌 철폐, 독재 타도

(3) 전개

1월 14일	박종철 고문 치사 사건: 대학생 박종철이 경찰에 연행되어 고문으로 숨짐. → 정부의 언론 통제 및 사건 은폐
4월 13일	전두환 대통령 4·13 호헌 조치 발표: 시민들의 호헌 철폐 운동 전개
5월 18일	천주교 정의 구현 사제단, 박종철 고문 치사 사건이 은폐·조작되었음을 폭로 → 민주헌법 쟁취 국민운동 본부 결성
6월 9일	시위 과정에서 대학생 이한열 최루탄 피격 → 학생과 시민들 결집
6월 10일	6·10 국민 대회: 전두환 정부가 노태우를 여당의 대통령 후보로 지명 → 민주헌법 쟁취 국민운동 본부 주도의 대규모 시위 → 전국 각지에서 연이은 시위 발생
6월 26일	6·26 국민 대회: 민주 헌법 쟁취를 위한 국민 평화 대행진(100만여 명 참가)

　　└ 1987년 5월 27일 4·13 호헌 조치 철회와 대통령 직선제 개헌을 위해 야당 정치인과 시민 단체, 대학생, 종교계 인사들이 모여 조직한 사회 운동 단체이다.

2 대통령 직선제로의 개헌

(1) 6·29 민주화 선언 발표: 전두환 정부가 시민들의 저항에 굴복하여 6·29 민주화 선언 발표

　　여당 대통령 후보인 노태우가 대통령 직선제 요구를 수용하여 수습 방안을 발표하였다. ┘

(2) 6·29 민주화 선언의 주요 내용

① 대통령 직선제 개헌과 평화적 정권 이양

② 대통령 선거법 개정과 자유로운 출마와 경쟁의 공개적 보장

③ 개헌안에 기본권 강화 조항 보완

④ 언론의 자율성 최대한 보장

⑤ 지방 자치 및 교육 자치의 실현

(3) 헌법 개정의 주요 내용

① 대통령 임기 5년 단임 및 직선제 선출

② 헌법 재판소 설치, 지방 자치제 시행

(4) 6월 민주 항쟁의 특징: 장기간에 걸쳐 전국적으로 대규모 시위 전개, 중산층이 시위에 적극 참여 → 이후 민주화 진전에 큰 기여

자료 콕콕 ❶ 6·10 국민 대회 선언문

오늘 우리는 전 세계 이목이 우리를 주시하는 가운데 40년 독재 정치를 청산하고 희망찬 민주 국가를 건설하기 위한 거보(巨步)를 전 국민과 함께 내딛는다. 국가의 미래요, 소망인 꽃다운 젊은이를 야만적인 고문으로 죽여 놓고 그것도 모자라 뻔뻔스럽게 국민을 속이려 했던 현 정권에게 국민의 분노가 무엇인지를 분명히 보여 주고, 국민적 여망인 개헌을 일방적으로 파기한 4·13 폭거를 철회시키기 위한 민주 장정을 시작한다.

1987년 6월 10일, 당시 여당이 대통령 후보를 선출하던 날, 시민들이 조직한 민주헌법 쟁취 국민운동 본부는 위와 같은 선언문을 발표하고 대규모 시위를 조직하였다.

개념 체크

1 다음 설명이 맞으면 ○표, 틀리면 ×표를 해 보자.

(1) 1987년 6월 민주 항쟁의 결과 대통령의 임기는 7년 단임으로 바뀌었다. (　　)

(2) 1987년 개정된 헌법은 지방 자치제의 시행을 규정하였다. (　　)

2 빈칸에 알맞은 말을 써 보자.

(1) 1987년 4월 13일, 정부는 기존 헌법을 유지한 채 선거를 치르겠다는 (　　　　)을/를 발표하였다.

(2) 1987년 6월 9일, 호헌 철폐를 요구하는 시위에 참여한 대학생 (　　　　)이/가 최루탄에 피격당해 의식을 잃는 사건이 발생하였다.

(3) 1987년 6월 10일, (　　　　)은/는 민주화를 요구하는 대규모 시위를 조직하였다.

3 서로 관련 있는 내용끼리 연결해 보자.

(1) 박종철 •　　　• ㉠ 6·29 민주화 선언 발표

(2) 노태우 •　　　• ㉡ 4·13 호헌 조치 발표

(3) 전두환 •　　　• ㉢ 경찰, 고문 치사 사건

2 시민의 참여로 발전한 민주주의

1 평화적 정권 교체의 정착

(1) 배경: 6월 민주 항쟁 이후 절차적 민주주의의 성숙

(2) 직선제 개헌 이후의 정부: 평화적 여야 정권 교체

노태우 정부	지방 의회 구성, 5·18 진상 규명 청문회, 서울 올림픽 대회 개최, 북방 외교 추진
김영삼 정부	지방 자치제 전면 시행(자치 단체장 선거 실시), 금융 실명제 시행, 5·18 민주화 운동 등에 관한 특별법 제정, 역사 바로 세우기 표방, 거창 사건 희생자 명예 회복
김대중 정부	제주 4·3 사건 특별법 제정, 인사 청문회법 제정, 여성부 신설, 국가 인권 위원회 신설, 국민 기초 생활 보장법 시행
노무현 정부	아시아·태평양 경제 협력체(APEC) 정상 회의 개최, 국민 참여 재판 도입, 과거사 진상 규명법 제정
이명박 정부	G20 정상 회의 개최, 4대강 사업 추진
박근혜 정부	기초 연금제 시행, 임기 중 탄핵

↳ 일반 국민이 법관이 담당하는 형사 재판의 업무에 참여하는 제도.

↳ 65세 이상의 국민 가운데 소득과 재산이 적은 70%의 국민에게 기초적인 생활에 필요한 연금을 지급하는 제도이다.

2 지방 자치를 위한 노력

(1) **지방 자치제**: 지역 주민이나 지방 정부가 해당 지역의 공공 문제를 자율적으로 처리 → 지방 정부와 중앙 정부 간 권력 분립의 원리 실현

(2) 지방 자치제의 연혁

1949년	지방 자치제 시행 → 5·16 군사 정변으로 중단
1991년	도 의회 및 시 의회 등 구성
1995년	지방 자치 단체장 주민 투표로 선출(지방 자치제 전면 시행)

3 시민 사회의 성장과 참여

(1) 시민들의 참여 확대

① 국민 기본권 향상에 기여(언론·출판·집회·결사의 자유 등)

② 인터넷 활용 언론 매체 등장 → 시민들의 정치적 의사 표현 활발

(2) 복지 제도의 확대

1986년	최저 임금법 제정	1999년	국민 기초 생활 보장법 제정
1988년	국민 연금법 시행	2005년	근로자 퇴직 급여 보장법 제정
1989년	의료 보험(건강 보험) 전면 확대	2007년	노인 장기 요양 보험법 제정
1993년	고용 보험법 제정	2014년	기초 연금법 제정

4 과거사 청산을 위한 노력

(1) 김영삼 정부: 5·18 특별법 제정 → 전두환, 노태우 반란 및 내란죄로 구속

(2) 김대중 정부: 제주 4·3 사건 특별법 제정 및 진상 조사

(3) 노무현 정부: 과거사 진상 규명법 제정 → 과거사 청산 노력

개념 체크

1 다음 설명이 맞으면 ○표, 틀리면 ×표를 해 보자.

(1) 5·18 특별법을 제정하였던 시기는 노태우 정부 때이다. ( )

(2) 김영삼 정부는 지방 자치제를 전면 시행하였다. ( )

2 빈칸에 알맞은 말을 써 보자.

(1) 김대중 정부는 여성부와 함께 ( ) 위원회를 신설하였다.

(2) 노무현 정부는 태평양 연안 국가 정상들이 모이는 ( ) 회의를 개최하였고, 이명박 정부는 선진국 20개국 정상들이 모인 ( ) 회의를 개최하였다.

(3) 5·18 특별법 제정으로 전직 대통령들인 ( )과 ( ) 대통령이 반란 및 내란죄로 구속되었다.

3 서로 관련 있는 내용끼리 연결해 보자.

(1) 김영삼 정부 • • ㉠ 지방 자치 전면 시행

(2) 노무현 정부 • • ㉡ 제주 4·3 사건 특별법 제정

(3) 김대중 정부 • • ㉢ 과거사 진상 규명법 제정

중요
01 (가) 선언에 대한 설명으로 옳은 것은?

<u>　　　　(가)　　　　</u> 선언의 주요 내용

• 대통령 직선제 개헌과 평화적 정권 이양
• 인권 침해 사례의 즉각적 시정
• 언론의 자율성을 최대한 보장
• 지방 자치 및 교육 자치 시행

－「○○일보」, 1987. 6. 29
---

① 5·16 군사 정변 이후의 국정 운영 방안을 밝혔다.
② 4·19 혁명으로 수립된 과도 정부의 정책이 담겼다.
③ 5·10 총선거를 통한 정부 수립 방안을 제시하였다.
④ 6·3 시위로 촉발된 국민적 저항을 무마하려 하였다.
⑤ 6월 민주 항쟁에서 제기된 시민들의 요구를 수용하였다.

중요
02 밑줄 친 (가)∼(라)에 대한 설명으로 옳은 것을 〈보기〉에서 고른 것은?

오늘 (가) 우리는 전 세계 이목이 우리를 주시하는 가운데 40년 독재 정치를 청산하고 희망찬 민주 국가를 건설하기 위한 거보(巨步)를 전 국민과 함께 내딛는다. 국가의 미래요, 소망인 꽃다운 (나) 젊은이를 야만적인 고문으로 죽여 놓고 그것도 모자라 뻔뻔스럽게 국민을 속이려 하였던 (다) 현 정권에게 국민의 분노가 무엇인지를 분명히 보여 주고, 국민적 여망인 개헌을 일방적으로 파기한 (라) 4·13 폭거를 철회시키기 위한 민주 장정을 시작한다.

〈보기〉
ㄱ. (가): 3·15 부정 선거에 맞서 조직되었다.
ㄴ. (나): 박종철을 가리킨다.
ㄷ. (다): 전두환 정부이다.
ㄹ. (라): 양원제와 내각 책임제 시행을 담은 발표문이다.

① ㄱ, ㄴ　　　② ㄱ, ㄷ　　　③ ㄴ, ㄷ
④ ㄴ, ㄹ　　　⑤ ㄷ, ㄹ

중요
03 밑줄 친 '대통령' 시기에 있었던 일로 옳은 것은?

대통령 긴급 재정 경제 명령 제16호

금융 실명 거래 및 비밀 보장에 관한 긴급 재정 경제 명령 제1조 (목적) 이 명령은 실지 명의에 의한 금융 거래를 실시하고 그 비밀을 보장하여 금융 거래의 정상화를 기함으로써 경제 정의를 실현하고 국민 경제의 건전한 발전을 도모함을 목적으로 한다.
---

① 중국과 수교하였다.
② 프로 야구가 출범하였다.
③ 국민 참여 재판이 도입되었다.
④ 국가 인권 위원회가 신설되었다.
⑤ 지방 자치제가 전면적으로 시행되었다.

중요
04 다음 연설 이후에 있었던 일로 옳은 것을 〈보기〉에서 고른 것은?

우리는 지난 2년 새 지난날 냉전 체제의 다른 한쪽 종주국이던 소련과 국교를 열고 우호 협력하는 관계를 이루었습니다. 우리는 동유럽 국가들과도 외교 관계를 수립하였으며, 이웃 중국과도 무역 대표부를 교환 설치하였습니다. 우리 겨레 앞에 세계는 하나가 되었으며, 온 지구촌이 우리 국민의 활동 무대가 되었습니다. …… 이러한 변화 속에서 이루어지는 남북한의 유엔 가입은 한국 전쟁 이후 남북 관계의 가장 큰 전환일 것입니다. 북한이 이제까지의 완강한 태도를 바꾸어 유엔에 들어오는 것은 개방된 세계로 나오는 시발일 것입니다.

－ 대통령 '제46주년 광복절 경축사'(1991. 8. 15.)

〈보기〉
ㄱ. 3당 합당이 이루어졌다.
ㄴ. 중국과 외교 관계를 수립하였다.
ㄷ. 남북 기본 합의서가 채택되었다.
ㄹ. 6·29 민주화 선언이 발표되었다.

① ㄱ, ㄴ　　　② ㄱ, ㄷ　　　③ ㄴ, ㄷ
④ ㄴ, ㄹ　　　⑤ ㄷ, ㄹ

중요
05 밑줄 친 '이 정부' 시기에 있었던 일로 옳은 것은?

> 오늘은 이 땅에서 처음으로 민주적인 정권 교체가 실현되는 자랑스러운 날입니다. 또한 민주주의와 경제를 동시에 발전시키려는 정부가 마침내 탄생하는 역사적인 순간이기도 합니다. <u>이 정부</u>는 국민의 힘에 의해 이루어진 참된 '국민의 정부'입니다. …… 민주주의와 시장 경제를 다 같이 받아들인 나라들은 한결같이 성공했습니다. …… 민주주의와 시장 경제가 조화를 이루면서 함께 발전하게 되면 정경 유착이나 관치 금융, 그리고 부정부패는 일어날 수 없습니다.

① 여성부가 신설되었다.
② 기초 연금제가 시행되었다.
③ G20 정상 회의가 개최되었다.
④ 5 · 18 민주화 운동 청문회가 열렸다.
⑤ 고위 공직자 재산 등록제를 최초로 시행되었다.

06 밑줄 친 '시점'을 연표에서 옳게 고른 것은?

> 거창 사건은 경상남도 거창군 신원면에서 국군이 700명이 넘는 주민들을 집단 학살한 사건을 말한다. 희생된 주민 중 절반이 15세 이하의 청소년과 어린이였다. 이 사건은 진상이 은폐된 채 묻혀 있다가 사건이 발생한 지 45년이 지난 <u>시점</u>에 이르러서야 「거창 사건 등 관련자의 명예 회복에 관한 특별 조치법」 제정을 통해 희생자와 유족에 대한 명예 회복이 추진되었다.

1979		1980		1987		1990		1997		2000
	(가)		(나)		(다)		(라)		(마)	
10 · 26 사태 발생		5 · 18 민주화 운동		6월 민주 항쟁		3당 합당		외환 위기 발생		6 · 15 남북 공동 선언 발표

① (가) ② (나) ③ (다)
④ (라) ⑤ (마)

사고력을 키우는 서술형

07 (가)에 들어갈 용어를 쓰시오.

> 전두환 정부 당시 대통령 선거는 대통령 선거인단에 의한 선거로, 사실상 여당 후보의 집권을 보장하는 수단으로 여겨졌다. 이에 민주화 운동 진영은 야당과 연계하여 (가) _____ 시행을 핵심으로 하는 헌법 개정을 요구하였다.

_____

08 다음 도표를 보고 물음에 답하시오.

1월 14일	4월 13일	6월 9일	6월 29일
고문으로 대학생 ㉠ _____ 사망	전두환, ㉡ _____ 발표	대학생 ㉢ _____ 시위 중 최루탄 피격	?

(1) ㉠~㉢에 들어갈 알맞은 인물이나 사건의 명칭을 쓰시오.

_____

(2) 6월 29일의 연표에 들어갈 사건은 무엇인지 쓰시오.

_____

09 다음 자료를 읽고 물음에 답하시오.

> 제67조 ① 대통령은 국민의 보통 · 평등 · 직접 · 비밀 선거에 의하여 선출한다.
> 제70조 대통령의 임기는 5년으로 하며, 중임할 수 없다.

(1) 위와 같은 헌법 개정이 이루어지게 된 계기는 무엇인지 서술하시오.

_____

(2) 위의 헌법 조항이 규정하고 있는 대통령 선출 방식의 특징이 무엇인지 서술하시오.

_____

7 외환 위기와 사회·경제적 변화

1 세계화와 외환 위기

1 세계화의 전개
(1) 세계화의 출현과 진전
  ① 출현: 산업 혁명 이후 자본, 상품, 지식의 자유로운 이동
  ② 진전: 교통·운송 기술의 발달, 정보 통신 기술의 발달
(2) 자유 무역의 확산과 세계화
  ① 관세 및 무역에 관한 일반 협정(GATT) 체결: 무역 장벽 제거
  ② 세계 무역 기구(WTO)의 출범(1995): 자유 무역의 확산
(3) 세계화에 대한 대응
  ① 김영삼 정부 신자유주의 정책 추진: 기업 규제 완화, 시장 개방 확대
  ② 경제 협력 개발 기구(OECD) 가입 (1996): 신자유주의 정책 본격화
    └ 회원국 간 협력을 통해 세계 경제 발전과 세계 무역 확대를 지향
      하는 기구. 한국은 1996년에 가입하여 29번째 회원국이 되었다.

2 외환 위기의 발생
(1) 배경: 김영삼 정부의 신자유주의 정책 → 기업 규제 완화와 시장 개방
(2) 과정: 일부 대기업의 무리한 사업 확장과 연쇄 부도 → 무역 적자 확대 → 주가 폭락, 원화 가치 하락 → 국가 신용도 하락 → 외환 위기
(3) 결과 ┌ 세계 무역의 안정을 위해 1947년에 설립된 국제 금융 기구.
  ① 국제 통화 기금(IMF)에 긴급 구제 금융 요청(1997)
  ② 국제 부흥 개발 은행(IBRD), 미국 등으로부터 추가 지원

3 외환 위기의 극복
(1) 김대중 정부와 국민의 노력
  ① 구조 조정 실시: 부실 기업과 은행 통폐합, 외국에 매각 등
  ② 국민 기초 생활 보장법 시행: 생활이 어려운 국민을 경제적으로 지원
  ③ 금 모으기 운동: 시민 사회와 언론의 자발적인 운동
(2) 외환 위기 극복: 2001년 국제 통화 기금 지원금 조기 상환

4 세계화의 확대
(1) 1990년대 이후의 한국 경제
  ① 첨단 산업 발달: 반도체, 휴대 전화, 자동차, 디지털 텔레비전 등
  ② 외환 위기 이후: 부실 기업과 은행이 다국적 기업 등 외국 자본에 넘어감.
(2) 시장 개방의 가속화
  ① 자유 무역 협정(FTA) 체결: 경제 전반에 걸쳐 시장 개방의 확대
  ② 세계 수출 강국으로 발돋움: 2011년 총무역 규모 1조 달러 돌파
    └ 다자 간 자유 무역을 지향하는 세계 무역 기구(WTO)와 달리 특정한 국가들 사이에
      체결되는 무역 협정. 2018년 기준으로 52개국과 15개의 FTA를 체결하였다.

자료 콕콕 ❶ 국민 기초 생활 보장법

제1조 [목적] 이 법은 생활이 어려운 자에게 필요한 급여를 행하여 이들의 최저 생활을 보장하고 자활을 조성하는 것을 목적으로 한다.

제3조 [급여의 기본 원칙] ① 이 법에 의한 급여는 수급자가 자신의 생활 유지·향상을 위하여 그 소득·재산·근로 능력 등을 활용하여 최대한 노력하는 것을 전제로 이를 보충·발전시키는 것을 기본 원칙으로 한다.

외환 위기 이후 계층 간 소득 격차가 갈수록 벌어지자 김대중 정부는 1999년 국민 기초 생활 보장법을 제정하였다. 이 법은 수입이 최저 생계비 이하인 이들에게 국가가 급여를 받을 수 있는 권리를 부여한 제도이다.

개념 체크

1 다음 설명이 맞으면 ○표, 틀리면 ×표를 해 보자.
(1) 대한민국 정부는 외환 위기 극복 과정에서 국제 통화 기금으로부터만 지원을 받았다. (   )
(2) 외환 위기를 극복하기 위해 국제 통화 기금으로부터 빌린 지원금을 현재에도 상환 중이다. (   )

2 빈칸에 알맞은 말을 써 보자.
(1) 김영삼 정부는 (   ) 정책을 펴면서 자본주의 선진국들이 주도하는 세계화 흐름에 적극적으로 참여하고자 하였다.
(2) 외환 위기를 맞아 시민 사회와 언론은 부족한 외환을 확보하기 위해 (   ) 모으기 운동을 전개하였다.
(3) 김영삼 정부는 1996년 (   )에 가입하였다.

3 서로 관련 있는 내용끼리 연결해 보자.
(1) 세계 무역 기구 •　　　　• ㉠ FTA
(2) 국제 통화 기금 •　　　　• ㉡ IMF
(3) 자유 무역 협정 •　　　　• ㉢ WTO

2 외환 위기 이후 한국 사회의 과제

1 외환 위기가 남긴 고통

(1) **고용 불안의 증대**: 강도 높은 구조 조정 → 대규모 해고 사태 발생
  ① 30~50대 연령층 대량 실업자 발생
  ② 신규 채용 규모 축소 → 20대 실업률 증가
  ③ 사무직 및 전문직의 해고 → 고학력 무직자 증가
  ④ <u>비정규직</u> 노동자 증가
  *기간제 노동, 단시간 노동(파트타임), 파견 노동 등이 해당한다.

(2) **빈부 격차의 증가**
  ① 중산층의 감소: 열악한 경제 사정 → 주택, 토지를 헐값에 매각 → 부동산 가격 폭락 → 중산층의 감소
  ② 자산가의 재산 증대: 이자 제한법 폐지(국제 통화 기금의 요구) → 금융 자산가들의 높은 이자 소득 → 폭락한 부동산 매입 → 재산 증대

2 경제 불평등의 심화

(1) **소득 상위층과 하위층 간의 격차 심화**

상위층	• 상위 1%의 1인당 평균 보유 주택: 2007년 3.2채 → 2016년 6.5채
하위층	• 상가 · 고시원 · 찜질방 등 거주 변화: 2015년 6만 9,870가구 → 2016년 7만 2,140가구

(2) **고용 불안정과 불평등**: 비정규직 노동자 증대, 정규직 노동자의 고용 불안
(3) **경제 불평등 심화**: 사회·문화·교육 등 대부분 분야에서 나타남.

3 사회 양극화와 해결 과제

(1) **사회 양극화**: 소득·자산 등 경제 불평등이 심해지면서, 중간 계층이 줄어 들고 사회 계층이 양극단으로 쏠리는 현상
(2) **사례**: 대기업과 소상공인 사이의 양극화, 대기업 노동자와 중소기업 노동자 사이의 소득, 노동 조건 격차
(3) **사회 양극화와 사회 문제**
  ① 사회 문제: 사회 통합의 저해, 계층 대물림의 가속화
  ② 해결 방안: 경제 민주화(소득 재분배, 사회 복지 제도 보완)

4 다문화 사회로의 변화

(1) **다문화 사회로의 진입**
  ① 세계화 정책 → 시장 개방 가속화, 인적·물적 교류 확대
  ② 출산율 저하 → 전체 인구에서 외국인이 차지하는 비중 증대
(2) **다문화 사회의 영향**
  ① 긍정적 측면: 노동력 부족 문제 해소, 타문화에 대한 이해도를 높임.
  ② 문제점: 다문화 가정 자녀들의 부적응, 사회적 편견, 일자리 경쟁
  ③ 정책 방향: 다문화 가정의 한국 사회 적응, 문화의 다양성 중시

자료 콕콕 ❷ 상·하위 20% 소득 격차

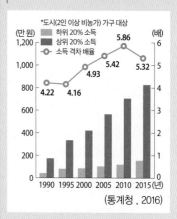

(통계청, 2016)

위 그래프는 1990년~2015년 사이의 상·하위 20%의 소득 격차를 나타내고 있다. 외환 위기 직후에 소득 격차가 급격히 확대되었음을 알 수 있다.

개념 체크

1 다음 설명이 맞으면 ○표, 틀리면 ✕표를 해 보자.
(1) 국제 통화 기금(IMF)의 요청으로 이자 제한법이 제정되었다. (   )
(2) 외환 위기 이후 한국 사회의 상·하위 소득 격차는 상대적으로 축소되었다. (   )

2 빈칸에 알맞은 말을 써 보자.
(1) 외환 위기 이후 노동자가 한시적으로 계약 관계를 맺는 고용 형태인 (   )직이 급격히 증가하였다.
(2) 경제 불평등이 심해지면서 중간 계층이 줄어들고 사회 계층이 양극단으로 쏠리는 현상을 사회 (   ) 현상이라고 한다.
(3) 1990년대 중반 이후 한국에 거주하는 외국인이 차지하는 비중이 커지면서 한국은 (   ) 사회로 진입하였다.

3 서로 관련 있는 내용끼리 연결해 보자.
(1) 고용 불안정 •   • ㉠ 일자리 증대
(2) 사회 양극화 •   • ㉡ 소득 재분배
(3) 다문화 사회 •   • ㉢ 문화의 다양성

문제 유형 익히기 Day 56

01 다음과 같은 복지 제도가 마련된 시기를 연표에서 옳게 고른 것은? (중요)

> 제1조 [목적] 이 법은 생활이 어려운 자에게 필요한 급여를 행하여 이들의 최저 생활을 보장하고 자활을 조성하는 것을 목적으로 한다.
> 제2조 [정의] 이 법에서 사용하는 용어의 정의는 다음과 같다.
> 1. '수급권자'라 함은 이 법에 의한 급여를 받을 수 있는 자격을 가진 자를 말한다.
> 제3조 [급여의 기본 원칙]
> ① 이 법에 의한 급여는 수급자가 자신의 생활의 유지·향상을 위하여 그 소득·재산·근로 능력 등을 활용하여 최대한 노력하는 것을 전제로 이를 보충·발전시키는 것을 기본 원칙으로 한다.

1972	1979	1989	1995	1997	2007
(가)	(나)	(다)	(라)	(마)	
유신 헌법 제정	10·26 사태	6·29 민주화 선언	5·18 특별법 제정	외환 위기 발생	한·미 FTA 체결

① (가) ② (나) ③ (다)
④ (라) ⑤ (마)

02 다음과 같은 정부 발표 이후 발생한 일로 옳지 <u>않은</u> 것은?

> 정부는 최근 겪고 있는 금융·외환 시장에서의 어려움을 극복하기 위해 국제 통화 기금(IMF)에 유동성 조절 자금을 지원해 줄 것을 요청하기로 결정했습니다. …… 유동성 부족 상태가 조속한 시일 안에 해결될 것으로 기대합니다. 정부는 IMF와 참여국의 지원과 함께 우리 스스로도 원활한 외화 조달을 위한 다각적인 대책을 함께 적극 추진해 나갈 계획입니다.
> – 정부 발표문(1997. 11. 22.)

① 이자 제한법이 폐지되었다.
② 경제 불평등이 심화되었다.
③ 광주 대단지 사건이 일어났다.
④ 비정규직이 급격히 증가하였다.
⑤ 실업자가 대량으로 발생하였다.

03~04 다음 글을 읽고 물음에 답하시오.

> 1993년 출범한 (가) 정부는 신자유주의 정책을 펼치면서 자본주의 선진국들이 주도하는 세계화 흐름에 적극적으로 참여하고자 하였다. 1996년에는 (나) 에 가입하는 등 신자유주의 정책을 본격화하였다.

03 (가) 정부가 시행한 정책으로 옳은 것을 〈보기〉에서 고른 것은? (중요)

> 〈보기〉
> ㄱ. 기초 연금제를 시행하였다.
> ㄴ. 금융 실명제를 실시하였다.
> ㄷ. 야간 통행 금지를 해제하였다.
> ㄹ. 지방 자치제를 전면 시행하였다.

① ㄱ, ㄴ ② ㄱ, ㄷ ③ ㄴ, ㄷ
④ ㄴ, ㄹ ⑤ ㄷ, ㄹ

04 (나) 기구의 명칭으로 옳은 것은?

① 유럽 연합(EU)
② 국제 통화 기금(IMF)
③ 아시아 개발 은행(ADB)
④ 국제 부흥 개발 은행(IBRD)
⑤ 경제 협력 개발 기구(OECD)

05 다음과 같은 사회적 현상에 대한 대응 자세로 바람직하지 <u>않은</u> 것은?

> 인도 출신으로 현재 부산 외국어대 부교수로 재직 중인 로이 알록 꾸마르(55) 씨가 24일 10만 번째 귀화자로 법무부의 허가를 받았다. …… 우리나라도 본격적인 다문화 사회로 진입하고 있음을 보여 주는 또 하나의 징표라 할 수 있겠다.
> – ○○뉴스(2011. 01. 25.)

① 다른 문화를 이해하고 존중해야 한다.
② 단일 민족으로서의 감수성을 회복해야 한다.
③ 문화 체험 및 언어 교육 등의 기회를 제공한다.
④ 다문화 가정의 한국 사회 적응을 적극 지원한다.
⑤ 다문화 구성원들과 지속적으로 소통하는 자세를 기른다.

중요

06 (가) 정부에 대한 설명으로 옳은 것은?

> (가) 정부는 외환 위기를 극복하기 위해 대기업과 금융 기관들을 대상으로 강도 높은 구조 조정을 추진하고 사회 복지 제도를 정비하여 생활이 어려운 국민을 경제적으로 지원하였다. 시민 사회와 언론은 금 모으기 운동을 전개하며 국가적 위기를 극복하기 위한 활동에 동참하였다.

〈보기〉
ㄱ. 5 · 18 특별법을 제정하였다.
ㄴ. 제주 4 · 3 특별법을 제정하였다.
ㄷ. 국가 인권 위원회를 신설하였다.
ㄹ. 7 · 4 남북 공통 성명을 발표하였다.

① ㄱ, ㄴ   ② ㄱ, ㄷ   ③ ㄴ, ㄷ
④ ㄴ, ㄹ   ⑤ ㄷ, ㄹ

중요

07 (가), (나) 시기 사이에 일어난 일로 옳은 것을 〈보기〉에서 고른 것은?

> (가) 국회는 11월 26일 오후 본회의를 열어 경제 협력 개발 기구(OECD) 협약 가입 동의안을 통과시켰다.
> – ○○신문
> (나) 국회는 11월 22일 본회의를 열어 한 · 미 자유 무역 협정(한 · 미 FTA) 비준안을 통과시켰다. 입법 절차가 마무리됨에 따라 내년 1월 1일부터 한 · 미 FTA가 양국에서 발효될 전망이다.
> – ○○신문

〈보기〉
ㄱ. 경제 개발 5개년 계획이 추진되었다.
ㄴ. 국민 기초 생활 보장법이 시행되었다.
ㄷ. 북방 외교로 사회주의 국가와 관계 개선을 도모하였다.
ㄹ. 정부가 국제 통화 기금(IMF)에 긴급 구제 금융을 요청하였다.

① ㄱ, ㄴ   ② ㄱ, ㄷ   ③ ㄴ, ㄷ
④ ㄴ, ㄹ   ⑤ ㄷ, ㄹ

사고력을 키우는 서술형

08 밑줄 친 '이 법'의 명칭을 쓰고, 그 제정 배경 및 목적을 서술하시오.

> 정부는 1999년 소득이 최저 생계비에 미치지 못하는 국민에게 기본적인 생활을 보장하고 자활을 지원하기 위한 목적으로 이 법을 제정하였다.

_____

_____

09 ㉠에 들어갈 용어를 쓰고, 이와 같은 현상이 일으킬 수 있는 문제점과 그 해결 방안을 서술하시오.

> 외환 위기 이후 사회 · 경제적 환경이 급변하면서 사회 계층이 양극단으로 쏠리는 사회 (㉠) 현상이 심화되었다. 이런 현상은 소득, 노동, 기업, 교육, 문화, 주택 등 여러 분야에서 나타나고 있다.

_____

_____

10 다음 자료를 읽고 물음에 답하시오.

> (가) 청양고추는 중앙종묘에서 제주도 고추와 동남아시아 고추를 교배한 뒤 경상북도 청송과 영양에서 시험 재배한 것이다. 그러나 (㉠) 이후 중앙종묘는 멕시코 회사를 거쳐 미국 종자 회사인 몬산토에 매각되었다.
> (나) 미국의 기업인 론스타는 (㉠) 발생 직후인 1998년 한국에 진출하여 2003년에 외환 은행을 인수하였다. 그리고 5년 뒤에 이를 다른 은행에 매각하여 2조 원 이상의 차익을 남겼다.

(1) ㉠에 공통으로 들어갈 적절한 용어를 쓰시오.

_____

(2) (가), (나) 글의 공통 주제를 쓰고, 그 주제에 대한 자신의 견해를 서술하시오.

_____

_____

8 남북 화해와 동아시아 평화를 위한 노력

1 북한 사회의 변화

1 1인 독재 체제의 확립

(1) **주체사상의 형성**
① 배경: 중국과 소련의 대립, 김일성 독재 체제의 확립
② 내용: 모든 분야에서 자주적 태도 강조 → 정권 비판 세력 제거, 북한 주민 통제

(2) **사회주의 헌법 제정**: 주체사상을 국가의 통치 이념으로 공식화, 국가 주석제 신설
┗ 주석으로 취임한 김일성에게 모든 권력이 집중되었다.

2 3대에 걸친 독재 권력 세습

(1) **김정일의 권력 승계**
┌→ 김일성이 태어난 1912년을 원년으로 하는 연도 표기 방식.
① 김일성 우상화: 주체 연호의 제정, 김일성 생일을 태양절로 명명
② 선군 정치 실시: 군대가 사회를 이끈다는 통치 방식 제시

(2) **김정은의 권력 승계**: 3대 권력 세습 완성, 독재 체제 지속

3 경제 침체와 국제적 고립

(1) **경제 침체**: 경제·군사 문제 등의 자주적 정책의 한계 노출, 소련 및 사회주의 국가들의 몰락 → 에너지 및 식량 지원 차단

(2) **국제적 고립**: 사회주의 진영 붕괴, 핵무기 개발 시도에 따른 국제 사회 견제

(3) **북한 이탈 주민 증가**: 1990년대 중반 이후 경제적 어려움 심화

4 위기 극복을 위한 노력
┌→ 1984년 외국인의 북한 투자를 활성화하기 위해 만든 법령이다.
(1) **부분적 대외 개방 노력**: 합영법(합작 회사 경영법) 제정, 경제 지대(특구) 등 설치

(2) **시장 경제 요소 제한적 도입**: 공장 경영의 자율성 확대, 장마당(생필품 시장 일부 허용)

(3) **대외 무역의 활성화**: 중국과의 무역을 중심으로 대외 무역 규모 증대

2 남북 화해와 통일을 위한 노력

1 남북 대립과 독재 체제의 강화

(1) **1950년대: 남북 간 대립**
① 남한: 이승만 정부의 북진 통일론 → 평화 통일을 주장한 진보당 탄압
② 북한: 김일성 독재 강화 → 정적 제거, 미국과 남한에 대한 적개심 고취

(2) **4·19 혁명 직후**: 남북 학생 회담 주장 등 민간 차원의 통일 논의 활발

(3) **1960년대: 남북 간 긴장 고조**
┗→ 장면 정부는 이러한 통일 논의에 '선 민주', '후 통일'을 내세우며 소극적으로 대응하였다.
① 남한: 박정희 정부 등장 → 반공을 앞세우며 '선 건설, 후 통일론' 주장
② 북한: 남조선 혁명론 주장, 베트남 전쟁 시기 무력 도발(김신조 사건 등)
┗→ 북한 특수 부대원 31명이 1968년 1월에 청와대를 기습·침투한
사건으로, 이를 계기로 향토 예비군이 창설되었다.

개념 체크

1 다음 설명이 맞으면 ○표, 틀리면 ×표를 해 보자.

(1) 북한은 사회주의 헌법 제정을 통해 국가 주석제를 신설하였다. ( )

(2) 주체사상의 실제 목적은 정권 비판 세력을 제거하고 북한 주민을 통제하는 데 있었다. ( )

2 빈칸에 알맞은 말을 써 보자.

(1) 북한의 ( )은/는 사상·경제·국방·외교 등 모든 분야에서 유일한 통치 이념이다.

(2) 북한의 국제적 고립은 ( ) 무기 개발 때문이다.

(3) 베트남 전쟁이 고조될 무렵 북한은 무장 간첩을 보내 청와대를 습격한 ( ) 사건 등의 무력 도발을 자행하였다.

3 서로 관련 있는 내용끼리 연결해 보자.

(1) 1950년대 •

(2) 1960년대 •

(3) 4·19 혁명 직후 •

• ㉠ 북진 통일론

• ㉡ 남북 학생 회담 주장

• ㉢ 선 건설, 후 통일론

2 7·4 남북 공동 성명과 남북 대립의 지속

(1) 배경: 1970년대 냉전 체제의 완화(닉슨 독트린) → 남북 적십자 회담을 계기로 비밀리에 접촉 → 7·4 남북 공동 성명 발표(1972)

(2) 합의 내용: 통일의 3대 원칙(자주·평화·민족 대단결), <u>남북 조절 위원회</u> 설치

(3) 의의: 통일 원칙에 대한 남북한 간 최초의 합의

(4) 한계: 남북한 모두 독재 체제 강화에 활용

> •7·4 남북 공동 성명 합의 사항 등을 논의할 목적으로 설립된 남북한 당국 간의 정치적 협의 기구이다.

3 상대방의 체제를 인정한 남북 기본 합의서

(1) 배경: 노태우 정부가 추진한 <u>북방 외교</u>, 사회주의 진영 붕괴에 따른 북한의 위기감 → 남북한 국제 연합(UN) 동시 가입(1991)

(2) 남북 기본 합의서의 내용과 위기

① 내용: 상대방 체제 존중, 상호 불가침, 상호 교류 협력 증대

② 위기: 북한의 핵 확산 금지 조약(NPT) 탈퇴 → 남북 관계 위기 → 남북 정상 회담 합의(1994) → 김일성 사망으로 무산 → 남북 간 대화 중단

4 평화의 길을 모색한 남북 정상 회담

	배경(계기)	성과
제1차 남북 정상 회담	김대중 정부의 햇볕 정책 추진 → 금강산 관광	6·15 남북 공동 선언 발표(이산가족 방문, 경의선·동해선 철도 연결, 개성 공단 건설 합의)
제2차 남북 정상 회담	김대중 정부를 계승한 대북 정책 → 개성 공단 실현	10·4 남북 공동 선언(6·15 공동 선언 정신 재확인) → 이명박 정부 시기 천안함 피격 사건, 연평도 포격 사건 등으로 남북 관계 경색 → 박근혜 정부 개성 공단 가동 중단
제3차 남북 정상 회담	2018 평창 동계 올림픽 → 북한의 선수단 파견	판문점 선언 발표(한반도의 평화와 번영, 통일을 위한 선언)

5 남북 관계 발전을 위한 시민 사회의 움직임

(1) 1990년대: 시민 단체 중심 대북 지원 추진

(2) 2000년대: 각계각층에서 남북 공동 행사 추진

3 동아시아의 갈등과 협력

1 동아시아의 다양한 갈등

> 19세기 후반 러·일 간 협약으로 일본이 영유하다 제2차 세계 대전 종전 후 소련이 영유함. 일본은 계속 반환을 요구하고 있고, 러시아는 자국 영토라고 주장하고 있음.

(1) 영토 갈등: <u>쿠릴 열도 분쟁</u>(일본 대 러시아), <u>센카쿠 열도 분쟁</u>(일본 대 중국) 등

(2) 역사 갈등: 일본의 역사 왜곡, 중국의 동북공정, 전쟁 피해자 배상 문제 등

2 동아시아 갈등을 해결하기 위한 노력

> 청·일 전쟁 결과 일본이 영유권을 행사하고 있는 곳으로, 강제 할양된 결과라고 주장하는 중국측 역시 자국 영토라고 주장하고 있음.

(1) 역사 인식 개선 노력: 한·중·일 공동 역사 교재 발간, 동아시아 청소년 역사 체험 캠프 등

(2) 문화적 공감대 확대: 베세토 페스티벌 등

자료 콕콕 ② 6·15 남북 공동 선언

1. 남과 북은 나라의 통일 문제를 그 주인인 우리 민족끼리 서로 힘을 합쳐 자주적으로 해결해 나가기로 하였다.

2. 남과 북은 나라의 통일을 위한 남측의 연합제 안과 북측의 낮은 단계의 연방제 안이 서로 공통성이 있다고 인정하고 앞으로 이 방향에서 통일을 지향해 나가기로 하였다.

3. 남과 북은 올해 8·15에 즈음하여 흩어진 가족, 친척 방문단을 교환하며, 비전향 장기수 문제를 해결하는 등 인도적 문제를 조속히 풀어 나가기로 하였다.

2000년 6월, 남과 북의 정상은 분단 이후 처음으로 만났다. 두 정상이 만난 결과는 6·15 남북 공동 선언으로 발표되었다. 공동 선언의 결과 이산가족 방문이 재개되고 경의선과 동해선 철도가 연결되었다.

개념 체크

1 다음 설명이 맞으면 ○표, 틀리면 ×표를 해 보자.

(1) 통일의 3대 원칙은 6·15 남북 공동 선언에서 최초로 제시되었다. (　　)

(2) 남북한이 국제 연합(UN)에 동시 가입한 시기는 노태우 정부 때이다. (　　)

2 빈칸에 알맞은 말을 써 보자.

(1) (　　　　　) 독트린 이후 냉전 체제가 완화되자 남북한은 남북 적십자 회담을 열었고, 이를 계기로 7·4 남북 공동 성명이 발표되었다.

(2) 7·4 남북 공동 선언의 합의 사항을 논의하기 위한 협의 기구로 (　　　　　)이/가 설치되었다.

(3) 노태우 정부 시기에 남북한 간 상호 체제 존중, 상호 불가침 등을 핵심으로 하는 (　　　　　)이/가 발표되었다.

3 서로 관련 있는 내용끼리 연결해 보자.

(1) 제1차 남북 정상 • 　　 • ㉠ 10·4 남북
　　회담　　　　　　　　　　　　공동 선언

(2) 제2차 남북 정상 • 　　 • ㉡ 판문점 선언
　　회담

(3) 제3차 남북 정상 • 　　 • ㉢ 6·15 남북
　　회담　　　　　　　　　　　　공동 선언

01 (가) 사상에 대한 설명으로 옳지 않은 것은?

> 1950년대 후반부터 중국과 소련은 사회주의의 방향을 둘러싸고 대립하였다. 이러한 상황에서 북한은 독재 체제를 확립하고, 중국·소련에 대한 의존도를 줄이는 독자적 외교를 추진하면서 (가) 을/를 내세웠다.

① 수령인 김일성을 절대시하였다.
② 북한 주민을 통제하는 수단이 되었다.
③ 군대의 선도적 역할을 강조하는 사상이다.
④ 사회주의 헌법에서 통치 이념으로 공식화되었다
⑤ 정권에 비판적인 세력을 제거하는 데 이용되었다.

02 밑줄 친 (가), (나)에 대한 설명으로 옳은 것을 〈보기〉에서 고른 것은?

> 김일성 사망 후 권력을 승계한 김정일 체제는 김일성에 대한 (가) 우상화를 더욱 심화하였다. 또한 (나) 선군 정치를 내세워 대내외적 위기 상황을 돌파하고자 하였다.

〈보기〉
ㄱ. (가) – 합영법을 만들었다.
ㄴ. (가) – 주체 연호를 제정하였다.
ㄷ. (나) – 군대를 앞세우는 통치 체제를 가리킨다.
ㄹ. (나) – 선한 군주를 이상향으로 삼는 정치이다.

① ㄱ, ㄴ   ② ㄱ, ㄷ   ③ ㄴ, ㄷ
④ ㄴ, ㄹ   ⑤ ㄷ, ㄹ

03 밑줄 친 '체제 위기'에 대한 설명으로 옳은 것은?

> 1990년대 초반 북한은 체제 위기를 핵 개발을 통해 극복하려 하였다. 핵을 이용한 군사적 안전 보장을 통해 군사비를 줄이고 에너지를 확보하려는 의도였다. 그러나 미국이 북한의 핵 개발을 견제하면서 국제적 고립이 심화되었다.

① 주체 사상이 등장한 이유이다.
② 사회주의 헌법 채택의 배경이 되었다.
③ 사회주의 진영의 붕괴가 큰 영향을 끼쳤다.
④ 세계 무역 기구(WTO) 가입의 계기가 되었다.
⑤ 남북 조절 위원회를 설치하는 계기가 되었다.

중요
04 (가), (나) 헌법에 대한 설명으로 옳은 것을 〈보기〉에서 고른 것은?

(가)	제35조 통일 주체 국민 회의는 조국의 평화 통일을 추진하기 위한 …… 조직체로 조국 통일의 신성한 사명을 가진 국민의 주권적 수임 기관이다.
(나)	제89조 조선 민주주의 인민 공화국 주석은 국가의 수반이며, 조선 민주주의 인민 공화국 국가 주권을 대표한다.

〈보기〉
ㄱ. (가) – 사회주의 헌법이라 불린다.
ㄴ. (가) – 대통령을 간선제로 뽑게 하였다.
ㄷ. (나) – 김정일 집권 시기에 만들어졌다.
ㄹ. (가), (나) – 7·4 남북 공동 성명 발표 이후 채택되었다.

① ㄱ, ㄴ   ② ㄱ, ㄷ   ③ ㄴ, ㄷ
④ ㄴ, ㄹ   ⑤ ㄷ, ㄹ

05 (가), (나) 선언에 대한 설명으로 옳은 것은?

> (가) 선언
> 1. 남과 북은 6·15 공동 선언을 고수하고 적극 구현해 나간다.
> 2. 남과 북은 사상과 제도의 차이를 초월하여 남북 관계를 상호존중과 신뢰 관계로 확고히 전환시켜 나가기로 한다.
>
> (나) 선언
> 3. 한반도의 항구적인 평화 체제 구축을 위해 협력할 것이다.
> ③ 남과 북은 정전 협정 체결 65년이 되는 올해에 종전을 선언하고 정전 협정을 평화 협정으로 전환하며 …… 남·북·미 3자 또는 남·북·미·중 4자회담 개최를 적극 추진해 나가기로 하였다.

① (가)–김대중 정부 시기에 발표되었다.
② (가)–남과 북이 통일 원칙에 최초로 합의하였다.
③ (나)–닉슨 독트린의 영향으로 채택되었다.
④ (나)–남북 조절 위원회의 설치로 이어졌다.
⑤ (가), (나)–남북 정상 회담의 결과 작성되었다.

06~07 다음 자료를 읽고 물음에 답하시오.

> (가) 첫째, 통일은 외세에 의존하거나 외세의 간섭을 받음이 없이 자주적으로 해결하여야 한다.
> 둘째, 통일은 서로 상대방을 반대하는 무력 행사에 의거하지 않고 평화적 방법으로 실현하여야 한다.
> 셋째, 사상과 이념·제도의 차이를 초월하여 우선 하나의 민족으로서 민족적 대단결을 도모하여야 한다.
> (나) 남과 북은 …… 쌍방 사이의 관계가 나라와 나라 사이의 관계가 아닌 통일을 지향하는 과정에서 잠정적으로 형성되는 특수 관계라는 것을 인정하고 평화 통일을 성취하기 위한 공동의 노력을 경주할 것을 다짐하며 다음과 같이 합의하였다.
> 제1조 남과 북은 서로 상대방의 체제를 인정하고 존중한다.
> 제9조 남과 북은 상대방에 대하여 무력을 사용하지 않으며 상대방을 무력으로 침략하지 아니한다.

06 (가), (나) 자료에 대한 설명으로 옳은 것을 〈보기〉에서 고른 것은?

〈보기〉
ㄱ. (가) - 10·4 남북 공동 선언이라 일컫는다.
ㄴ. (가) - 서울과 평양에서 동시에 발표되었다.
ㄷ. (나) - 남북 정상 회담 결과 합의된 내용이다.
ㄹ. (나) - 남북한이 국제 연합에 동시 가입한 후 채택되었다.

① ㄱ, ㄴ ② ㄱ, ㄷ ③ ㄴ, ㄷ
④ ㄴ, ㄹ ⑤ ㄷ, ㄹ

07 (가), (나) 문서 발표 시기 사이에 있었던 일로 옳은 것은?

① 개성 공단 건설이 실현되었다.
② 연평도 포격 사건이 발생하였다.
③ 남북 조절 위원회를 설치하였다.
④ 6·15 남북 공동 선언이 발표되었다.
⑤ 북한이 핵 확산 금지 조약에서 탈퇴하였다.

사고력을 키우는 서술형

08 (가), (나)에 들어갈 지명을 차례대로 쓰시오.

> · (가) 은/는 19세기 후반 러시아와 일본의 협약에 의해 일본의 영토가 되었으나, 제2차 세계 대전 이후 승전국이 된 소련이 영유하였다. 이후 일본이 계속 반환을 요구하고 있으나, 러시아는 자국 영토임을 강조하고 있다.
> · (나) 은/는 일본이 청·일 전쟁 승리 이후 차지하여 현재 영유권을 유지하고 있다. 반면 중국은 청·일 전쟁으로 강제 할양된 것이므로 되찾아야 한다고 주장하고 있다.

09 밑줄 친 '조국 통일 3대 원칙'의 내용을 구체적으로 서술하시오.

> 남과 북은 분단된 조국의 평화적 통일을 염원하는 온 겨레의 뜻에 따라 7·4 남북 공동 성명에서 천명된 조국 통일 3대 원칙을 재확인하고, 민족 공동의 이익과 번영을 도모하며 …… 다음과 같이 합의하였다.

10 다음 자료를 읽고 물음에 답하시오.

> 2000년 6월 15일, ⊙ 남·북한 두 정상이 정상 회담 끝에 합의한 5개항의 ⓛ 공동 선언을 발표하였다. 내용은 다음과 같다. ……
> 1. 나라의 통일 문제를 우리 민족끼리 서로 힘을 합쳐 자주적으로 해결해 나가기로 하였다.

(1) 밑줄 친 ⊙의 두 정상 이름을 쓰시오.

(2) 밑줄 친 ⓛ의 '공동 선언'의 명칭을 쓰고, 그 결과 남북 간에 이루어진 교류 사례를 서술하시오.

● **조선 민족이면 참가하라!**
유엔 소총회의 결의에 따라 실시되는 이번 5월 10일 총선거에 한 사람도 빠짐없이 참가하여 완전한 민주 국가를 세우자.

● **다음 사항을 명심하자!**
1. 나 먼저 선거장에 나가자.
2. 투표 시간을 지키자.
3. 무효 투표는 국민의 수치다.
4. 공정한 투표를 하자.

01 밑줄 친 '총선거'가 실시된 시기를 연표에서 옳게 고른 것은?

(가)	(나)	(다)	(라)	(마)	
갑신정변	대한 제국 수립	국권 피탈	8·15 광복	6·25 전쟁 발발	4·19 혁명

① (가) ② (나) ③ (다)
④ (라) ⑤ (마)

활용
02 밑줄 친 '총선거'에 대한 설명으로 옳지 <u>않은</u> 것은?

① 남북 협상파가 불참하였다.
② 제헌 국회가 구성되는 계기가 되었다.
③ 우리나라 최초로 대통령을 선출하였다.
④ 제주 지역 두 곳의 선거가 무효로 처리되었다.
⑤ 보통 선거의 원칙이 적용된 우리나라 최초의 선거이다.

서술형
03 다음에 제시하는 용어를 활용하여 밑줄 친 '총선거'가 실시된 과정을 서술하시오.

- 모스크바 3국 외상 회의
- 미·소 공동 위원회
- 국제 연합
- 남북 협상
- 제주 4·3 사건

_____

이 사진은 (가) 이/가 전개될 당시 대학 교수단이 이승만 대통령의 퇴진을 요구하며 시위에 나선 모습입니다. (가) 의 과정에서 많은 학생과 시민들이 희생되었습니다.

04 (가) 민주화 운동에 대한 설명으로 옳은 것은?

① 3·15 부정 선거에 항의하여 발생하였다.
② 신군부 세력의 권력 장악에 반대하였다.
③ 대통령 직선제 개헌을 이끌어 냈다.
④ 조선 형평사가 주도하였다.
⑤ 급진 개화파가 일으켰다.

활용
05 (가) 사건이 발생한 시기를 연표에서 옳게 고른 것은?

1948	1950	1953	1961	1965	1972
(가)	(나)	(다)	(라)	(마)	
대한민국 정부 수립	6·25 전쟁 발발	정전 협정 체결	5·16 군사 정변 발발	한·일 협정 체결	유신 헌법 제정

① (가) ② (나) ③ (다)
④ (라) ⑤ (마)

서술형
06 (가) 사건의 결과 발생한 정치 제도의 변화를 서술하시오.

_____

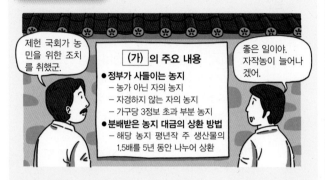

07 (가)에 들어갈 내용으로 옳은 것은?

① 방곡령
② 농지 개혁법
③ 식량 배급제
④ 경제 개발 5개년 계획
⑤ 대한 제국 칙령 제41호

활용
08 (가)를 제정한 국회에 대한 설명으로 옳은 것은?

① 양원제의 형태로 운영되었다.
② 반민족 행위 처벌법을 제정하였다.
③ 3·1 만세 운동의 결과 상하이에서 구성되었다.
④ 4·19 혁명 이후 실시된 선거를 계기로 활동하였다.
⑤ 대통령 직선제를 골자로 하는 헌법 개정을 이루었다.

서술형
09 (가)의 제정이 토지 소유자의 분포에 미친 영향을 쓰고, 그 변화의 사회·경제적 의미를 서술하시오.

_____

_____

_____

_____

사진은 박종철 추모 집회 모습입니다. 정부가 박종철 고문치사 사건을 은폐 조작한 사실이 드러나자, 민주화를 염원하던 시민들의 분노가 들끓었습니다. 정부를 규탄하는 시위에 참가한 어느 대학생이 최루탄에 맞아 사경을 헤매게 되면서, 민주화 시위는 더욱 거세지고 전국적으로 확산되었습니다. 결국 집권 세력은 6·29 민주화 선언을 통해 시민들의 요구를 수용하였습니다.

10 밑줄 친 '시민들의 요구'로 옳은 것은?

① 광주에서 계엄군 철수
② 3·15 부정 선거 책임자 처벌
③ 굴욕적인 한·일 협정 체결 반대
④ 유신 헌법 철폐와 민주 헌정 회복
⑤ 호헌 조치 철회 및 대통령 직선제 개헌

활용
11 자료의 상황이 전개되었던 시기를 연표에서 옳게 고른 것은?

	(가)	(나)	(다)	(라)	(마)	
5·10 총선거 실시		정전 협정 체결	7·4 남북 공동 성명 발표	남북 기본 합의서 채택	6·15 남북 공동 선언 발표	10·4 남북 공동 선언 발표

① (가)   ② (나)   ③ (다)
④ (라)   ⑤ (마)

서술형
12 자료의 '어느 대학생'의 이름을 쓰고, 자료가 제시하는 민주화 운동의 결과 개정된 헌법의 주요 내용을 두 가지 서술하시오.

_____

_____

_____

01 다음 문서가 발표될 무렵 한반도 상황으로 옳은 것은?

> 제2조 정부 등 모든 공공 기관에 종사하는 유급 또는 무급 직원과 고용인, 그리고 기타 제반 중요한 사업에 종사하는 자는 별도의 명령이 있을 때까지 종래의 정상 기능과 업무를 수행할 것이며 모든 기록 및 재산을 보호·보존하여야 한다.

① 3선 개헌이 국회에서 통과되었다.
② 대통령이 4·13 호헌 조치를 발표하였다.
③ 북한 인민군이 전면적인 남침을 감행하였다.
④ 미국이 38도선 이남에 군정청을 설치하였다.
⑤ 신군부 세력이 비상계엄을 전국으로 확대하였다.

02 (가)에 들어갈 위원회의 명칭으로 옳은 것은?

> 1. 조선을 독립국으로 재건하고, 민주주의 원칙 위에서 발전하게 하며, …… 민주주의 임시 정부를 수립한다.
> 2. 조선 임시 정부를 수립하기 위해 …… 남조선 미군 사령부 대표들과 북조선 소련군 사령부 대표들로 (가) 를 조직한다.

① 인민 위원회   ② 좌우 합작 위원회
③ 남북 조절 위원회   ④ 미·소 공동 위원회
⑤ 국가 보위 비상 대책 위원회

03 밑줄 친 '나'의 활동 내용으로 옳은 것을 〈보기〉에서 고른 것은?

> 나는 통일된 조국을 건설하려다가 38도선을 베고 쓰러질지언정 일신에 구차한 안일을 취하여 단독 정부를 세우는 데는 협력하지 아니하겠다.

〈보기〉
ㄱ. 조선 공산당을 결성하였다.
ㄴ. 4·19 혁명으로 하야하였다.
ㄷ. 평양에서 열린 남북 협상에 참여하였다.
ㄹ. 대한민국 임시 정부 주석을 역임하였다.

① ㄱ, ㄴ   ② ㄱ, ㄷ   ③ ㄴ, ㄷ
④ ㄴ, ㄹ   ⑤ ㄷ, ㄹ

04 (가) 사건에 대한 설명으로 옳은 것을 〈보기〉에서 고른 것은?

> 제2조 [정의] 이 법에서 사용하는 용어의 뜻은 다음과 같다.
> 1. ' (가) '이란 1947년 3월 1일을 기점으로 1948년 4월 3일 발생한 소요 사태 및 1954년 9월 21일까지 제주도에서 발생한 무력 충돌과 그 진압 과정에서 주민들이 희생당한 사건을 말한다.

〈보기〉
ㄱ. 3·15 부정 선거로 촉발되었다.
ㄴ. 한·일 국교 회담을 반대하여 전개되었다.
ㄷ. 희생자들의 명예 회복을 위한 특별법이 제정되었다.
ㄹ. 5·10 총선거에서 두 곳의 선거가 무효 처리된 계기가 되었다.

① ㄱ, ㄴ   ② ㄱ, ㄷ   ③ ㄴ, ㄷ
④ ㄴ, ㄹ   ⑤ ㄷ, ㄹ

05 (가), (나) 문서가 발표된 시기 사이에 발생한 일로 옳은 것은?

> (가) 이 방위선은 알류산 열도에서 일본을 거쳐 오키나와, 필리핀 군도로 이어진다. …… 기타 태평양 지역은 …… 군사적 공격으로부터 안전을 보장할 수 없다는 점을 명백히 밝힌다.
> (나) 대한민국을 위한 유엔의 군사적인 공동 노력으로 귀하가 유엔군 총사령관에 임명되어 …… 본인은 현재의 전쟁 상태가 지속되는 동안 대한민국 군의 작전 지휘권을 귀하에게 …… 이양하게 된 것을 다행으로 생각하는 바입니다.

① 판문점에서 정전 협정이 체결되었다.
② 인천 상륙 작전으로 전세가 역전되었다.
③ 북한군이 개전 3일 만에 서울을 점령하였다.
④ 중국군이 대규모 군대를 한반도에 파병하였다.
⑤ 국군과 유엔군이 38도선을 돌파하여 북진하였다.

06 다음 그래프에 대한 설명으로 옳은 것은?

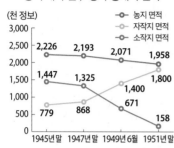

농지 개혁 전후 경작 형태의 변화

(한국농촌경제연구원, 「농지 개혁사 연구」)

〈보기〉
ㄱ. 6·25 전쟁 직전 개혁이 이루어졌음을 알 수 있다.
ㄴ. 빈익빈 부익부 현상이 확대되었음을 추론할 수 있다.
ㄷ. 무상 매입, 무상 분배 방식의 개혁 정책의 결과이다.
ㄹ. 농지 개혁법 이후 토지 소유의 불균등 문제가 개선되었음을 보여 준다.

① ㄱ, ㄴ
② ㄱ, ㄷ
③ ㄱ, ㄹ
④ ㄴ, ㄷ
⑤ ㄷ, ㄹ

07 (가), (나)에 대한 설명으로 옳은 것은?

(가) 제53조 대통령과 부통령은 국민의 보통, 평등, 직접, 비밀 투표에 의하여 각각 선거한다. …… 대통령과 부통령의 당선은 최고 득표수로써 결정한다. …… 대통령과 부통령은 국무총리 또는 국회의원을 겸할 수 없다.

(나) 제55조 대통령과 부통령의 임기는 4년으로 한다. 단, 재선에 의하여 1차 중임할 수 있다. ……
부칙 이 헌법 공포 당시의 대통령에 대하여는 제55조 제1항 단서의 제한을 적용하지 아니한다.

① (가) - 4·19 혁명 직후 삽입된 내용이다.
② (가) - 사사오입 논리로 통과된 헌법 내용이다.
③ (나) - 6·25 전쟁 중에 개정된 헌법 조항이다.
④ (나) - 발췌 개헌이라 불리는 헌법의 핵심 조항이다.
⑤ (가), (나) - 이승만 정부의 장기 집권에 기여하였다.

08 밑줄 친 '야당 후보'로 옳은 것은?

제6대 대통령 선거에서 당선된 박정희는 장기 집권을 위해 대통령의 3선 연임을 허용하는 개헌안을 국회에서 통과시켰다. 그러나 박정희는 제7대 대통령 선거에서 야당 후보를 누르고 힘겹게 당선되었으며, 장기 집권을 비판하는 민주화 운동으로 어려움을 느꼈다.

① 김구
② 김규식
③ 이승만
④ 김대중
⑤ 김영삼

09 다음 각서가 작성될 무렵의 경제 상황에 대한 설명으로 옳은 것을 〈보기〉에서 고른 것은?

• 한국군의 현대화 계획을 위해 앞으로 수년 동안에 걸쳐 상당량의 장비를 제공한다.
• 베트남에 주둔한 미군, 한국군을 위한 보급 물자와 노동력 및 장비는 가급적 한국에서 구매한다.
• 미국은 한국에 추가로 AID 차관과 군사 원조를 제공한다.

〈보기〉
ㄱ. 경제 개발 5개년 계획이 추진되었다.
ㄴ. 국제 통화 기금에 긴급 구제 금융을 요청하였다.
ㄷ. 섬유·합판·가발·신발 등 경공업 부문이 성장하였다.
ㄹ. 제2차 석유 파동으로 인해 마이너스 경제 성장률을 기록하였다.
ㅁ. 미국이 제공한 원조 물자를 바탕으로 삼백 산업이 발달하였다.

① ㄱ, ㄴ
② ㄱ, ㄷ
③ ㄴ, ㅁ
④ ㄷ, ㄹ
⑤ ㄹ, ㅁ

10 다음 헌법이 적용되던 시기에 있었던 일로 옳은 것을 〈보기〉에서 고른 것은?

> 제39조 대통령은 통일 주체 국민 회의에서 토론 없이 무기명 투표로 선거한다.
>
> 제40조 통일 주체 국민 회의는 국회 의원 정수의 3분의 1에 해당하는 수의 국회 의원을 선거한다.

〈보기〉
ㄱ. 부·마 민주화 운동이 발생하였다.
ㄴ. 7·4 남북 공동 성명이 발표되었다.
ㄷ. 제1차 경제 개발 계획이 추진되었다.
ㄹ. 개헌 청원 100만 명 서명 운동이 전개되었다.

① ㄱ, ㄴ　　② ㄱ, ㄷ　　③ ㄱ, ㄹ
④ ㄴ, ㄷ　　⑤ ㄷ, ㄹ

11 다음 발표가 있었던 시기의 정부에 대한 설명으로 옳은 것은?

> 최근 겪고 있는 금융·외환 시장에서의 어려움을 극복하기 위해 국제 통화 기금(IMF)에 유동성 조절 자금을 지원해 줄 것을 요청하기로 결정하였습니다. 이를 통해 유동성 부족 사태가 조속한 시일 안에 해결될 것으로 기대합니다.

① 남북 기본 합의서를 채택하였다.
② 반민족 행위 처벌법을 시행하였다.
③ 제주 4·3 사건 특별법을 제정하였다.
④ 경제 협력 개발 기구(OECD)에 가입하였다.
⑤ 제2차 경제 개발 5개년 계획을 추진하였다.

12 다음과 같은 헌법 전문을 처음으로 채택한 국회의 입법 활동을 두 가지 서술하시오. [단, 입법 내용과 그 의미를 덧붙일 것]

> 유구한 역사와 전통에 빛나는 우리들 대한 국민은 기미 삼일 운동으로 대한민국을 건립하여 세계에 선포한 위대한 독립 정신을 계승하여 이제 민주 독립 국가를 재건함에 있어서 정의·인도와 동포애로써 민족의 단결을 공고히 하며, 모든 사회적 폐습을 타파하고 민주주의 제도를 수립하여 정치·경제·사회·문화의 모든 영역에 있어서 각인의 기회를 균등히 하고 …… 우리들의 정당 또한 자유로이 선거된 대표로써 구성된 국회에서 단기 4281년 7월 12일이 헌법을 제정한다.

_____
_____
_____
_____

13 다음 선언의 명칭을 쓰고, 이 문서가 발표된 배경이 된 민주화 운동의 전개 과정을 간략히 서술하시오.

> 첫째, 대통령 직선제로 개헌하고 1988년 2월 평화적으로 정부를 이양한다.
> 둘째, 대통령 선거법을 개정하여 자유로운 출마와 경쟁을 공개적으로 보장한다.
> 넷째, 인간의 기본권을 존중하기 위해 개헌안에 기본권 강화 조항을 보완한다.
> 여섯째, 지방 자치, 대학의 자율화와 교육 자치를 조속히 실현한다.

_____
_____
_____
_____

다음 자료를 읽고 물음에 답해 보자.

(가) 경제 개발 계획과 노동자의 처지

- _____ ⊙ _____의 편지 | 저희들은 근로 기준법의 혜택을 조금도 못 받으며 더구나 2만여 명을 넘는 종업원의 90% 이상이 평균 연령 18세의 여성입니다. 기준법이 없다고 하더라도 인간으로서 어떻게 여자에게 하루 15시간의 작업을 강요합니까? …… 또한 2만여 명 중 40%를 차지하는 시다공들은 평균 연령 15세의 어린이들로서 육체적으로 정신적으로 성장기에 있는 이들은 회복할 수 없는 결정적이고 치명적인 타격인 것을 부인할 수 없습니다. 전부가 다 영세민의 자녀들로서 굶주림과 어려운 현실을 이기려고 하루에 90원 내지 100원의 급료를 받으며 하루 16시간의 작업을 합니다.

- _____ ⓒ _____의 연설문 | 103만 톤 규모의 포항 종합 제철 공장이 지난 7월 준공을 본 바가 있습니다만, 이로써 조강 국내 총생산은 1973년 100만 톤에서 1974년에는 215만 톤으로 증가되어 총수요의 63%를 공급하게 되며, …… 현재 건설 중에 있는 연간 30만 톤급 5척 건조 능력을 가진 울산 조선소가 금년 말에 준공하게 되면 1974년에 1억 3천만 달러의 선박을 수출할 수 있게 될 것이며, …… 창원 지역에 대단위 기계 공업 단지를 새로이 조성하여 …… 공장 규모는 대단위화하고 고급 제품을 염가 생산한다는 목표를 설정하여 획기적인 기계 공업 육성의 전환점을 마련하겠습니다.

(나) 경제 성장과 사회 문제

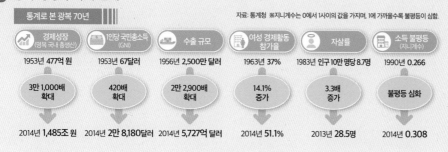

자료: 통계청 ※지니계수는 0에서 1사이의 값을 가지며, 1에 가까울수록 불평등이 심함.

경제성장 (명목 국내 총생산)	1인당 국민총소득 (GNI)	수출 규모	여성 경제활동 참가율	자살률	소득 불평등 (지니계수)
1953년 477억 원	1953년 67달러	1956년 2,500만 달러	1963년 37%	1983년 인구 10만 명당 8.7명	1990년 0.266
3만 1,000배 확대	420배 확대	2만 2,900배 확대	14.1% 증가	3.3배 증가	불평등 심화
2014년 1,485조 원	2014년 2만 8,180달러	2014년 5,727억 달러	2014년 51.1%	2013년 28.5명	2014년 0.308

통계로 본 광복 70년

논술 길라잡이

- 박정희 정부가 추진한 경제 개발 계획의 명암을 살펴본다.
- 경제 성장과 사회 문제의 발생을 비교해 볼 수 있는 안목을 기른다.

더 알아보기

- 근로 기준법: 1953년 처음 제정되었고, 1997년 새로운 법이 제정되었다. 사용자가 그의 힘을 남용하여 일방적으로 근로의 기준을 결정 또는 실시하는 것을 예방하려는 데 일차적 목적이 있다.
- 조강: 가공되거나 정제되지 않은 채 제강로에서 나온 강철
- 포항 종합 제철 공장: 한국의 대표적 철강 기업으로, 1970년 7월 103만 톤의 조강 능력을 갖춘 포항 제철소 1기 설비를 완공하였다.

01 (가)는 경제 개발 5개년 계획이 진행되던 시기에 쓰인 글이다. ⊙과 ⓒ에 해당하는 인물을 차례대로 쓰고, 경제 개발을 바라보는 두 인물의 태도를 비교하여 서술하시오.

02 (나)는 한국인들의 각종 경제·사회적 지표이다. 이를 보고 경제 성장과 사회적 변화의 관계를 서술하시오.

MEMO

이 책의 정답은 QR코드로 확인할 수 있어요~!

고등학교 한국사

평가문제집

정답과 해설

금성출판사

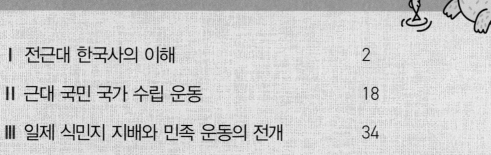

문제 이해력을 높이는

정답과 해설

정답과 해설

I 전근대 한국사의 이해

 ❶ 고대 국가의 지배 체제

개념 체크

8쪽 01 (1) × (2) ○ 02 (1) 제정일치 (2) 위만 (3) 중계 무역
03 (1)-ⓒ, (2)-ⓒ, (3)-ⓝ

9쪽 01 (1) × (2) ○ 02 (1) 사출도 (2) 침류왕 (3) 내물마립간
03 (1)-ⓒ, (2)-ⓝ, (3)-ⓒ

10쪽 01 (1) × (2) ○ 02 (1) 금관가야 (2) 동모산 (3) 고구려 03 (1)-ⓝ,
(2)-ⓒ, (3)-ⓒ

11쪽 01 (1) ○ (2) ○ 02 (1) 주자감 (2) 골품제 (3) 「신라 촌락 문서」(민
정 문서) 03 (1)-ⓒ, (2)-ⓒ, (3)-ⓝ

문제 유형 익히기 ──────────── 12~15쪽

01 ⑤ 02 ⑤ 03 ⑤ 04 ② 05 ② 06 ② 07 ③ 08 ③
09 ④ 10 ④ 11 ④ 12 ⑤ 13 ① 14 ⑤ 15 ⑤ 16 ④
17 ③ 18 ① 19 해설 참조 20 해설 참조 21 해설 참조
22 해설 참조 23 (1) 골품제, 신라 (2) 해설 참조

01 구석기 시대의 생활 모습
정답: ⑤

만주와 한반도 일대에는 약 70만 년 전부터 구석기 시대가 시작된
것으로 추정된다. 구석기 시대 사람들은 주로 동굴이나 막집에서 살
았다. 그들은 주먹 도끼 등의 뗀석기를 활용하였으며, 수렵 또는 채
집을 하여 식량을 얻었다.

오답피하기
① 고인돌은 청동기 시대를 대표하는 무덤이다.
② 청동기 시대 인류의 생활 모습에 대한 설명이다.
③ 신석기 시대 이후의 생활 모습에 대한 설명이다.
④ 철기 문화 보급 이후의 생활 모습에 대한 설명이다.

02 신석기 시대의 생활 모습
정답: ⑤

(가) 시대는 신석기 시대이다. 만주와 한반도의 신석기 시대는 기
원전 8000년경에 시작되었다. 신석기 시대의 대표적인 도구는 간
석기이다. 빙기가 끝나며 몸집이 작아진 동물들을 사냥하기에 적
합한 간석기가 널리 쓰였다. 돌을 갈아 만든 갈돌과 갈판은 농경에
도 활용되었다.

오답피하기
① 청동기 시대 인류의 생활 모습에 대한 설명이다.
② 구석기 시대 인류의 생활 모습에 대한 설명이다.
③ 철기 문화 보급 이후의 생활 모습에 대한 설명이다.

④ 초기 국가인 부여에 대한 설명이다.

03 청동기 시대의 생활 모습
정답: ⑤

(가) 시대는 청동기 시대이다. 만주 지역에서는 기원전 20세기부터
기원전 15세기 무렵, 한반도 지역에서는 기원전 10세기 이후 청동기
가 사용되었다. 청동기 시대에는 농업 생산력이 증대되고 사유 재산
과 계급이 발생하였다. 또한 청동으로 지배자의 권위를 나타내는 물
건을 만들었는데, 대표적으로 비파형 동검, 청동 거울, 농경무늬 청
동기 등이 있다.

오답피하기
① 고구려, 백제, 신라 등에 대한 탐구 활동으로 적절하다.
② 고구려에 대한 탐구 활동으로 적절하다.
③ 철기의 보급에 대한 탐구 활동으로 적절하다.
④ 구석기 시대에 대한 탐구 활동으로 적절하다.

04 고조선의 발전과 멸망
정답: ②

중국의 진·한 교체기에 중국 지역에서 많은 유이민이 고조선에 들
어왔다. 그중 유이민을 모아 세력을 키운 위만이 쿠데타를 일으켜 준
왕을 몰아내고 고조선의 왕위에 올랐다. 이후 고조선은 중계 무역 등
으로 번성하다가 한의 침략을 받아 멸망하였다. 고조선을 멸망시킨
한은 옛 고조선의 영토에 군현을 설치하여 지배하였다. 고구려의 부
여 정복, 백제의 마한 통합, 고구려의 옥저·동예 정복은 모두 고조
선 멸망 이후에 발생한 사실이다.

오답피하기
② 위만이 준왕을 몰아내고 왕위에 오른 것은 고조선 멸망 이전의 사실이다.

05 고구려의 모습
정답: ②

(가)는 고구려이다. 고구려에는 혼인 이후 신랑이 일정 기간 신부의
집에 머무르는 서옥제라는 풍습이 있었다. 또한 왕과 족장들이 국가
중대사를 논의하는 제가 회의가 열렸다.

오답피하기
① 「8조법」은 고조선의 법이다.
③ 책화는 동예의 풍습이다.
④ 부여에 대한 설명이다.
⑤ 옥저, 동예에 대한 설명이다.

06 고조선의 「8조법」
정답: ②

「8조법」은 생명·신체·재산에 관한 내용을 담은 고조선의 법이다.
현재까지 전해지는 조항들을 통해 고조선의 사회 모습을 유추해 볼
수 있다. 고조선은 노동력 또는 사유 재산에 손실을 가한 정도에 따
라 형벌을 달리 적용하였다. 또한 "노비로 삼는다."라는 조항을 토
해 계급 사회였음을 알 수 있으며, 가부장적인 사회 모습도 살펴볼
수 있다.

오답피하기
ㄴ. 동예의 사회 모습에 대한 설명이다.
ㄹ. 고구려, 백제, 신라 등 고대 국가에 대한 설명이다.

07 백제의 발전
정답: ③

밑줄 친 '이 국가'는 백제이다. 한성 시기, 웅진 시기, 사비 시기라
는 내용을 통해 이를 파악할 수 있다. 백제는 한성-웅진-사비를 수
도로 하며, 오랜 시간 한반도에서 강력한 국력을 유지하였다. 웅진

시기에 무령왕은 지방 22담로에 왕족을 파견하여 지방 통제를 강화하였다.

오답피하기

① 고구려 소수림왕의 업적이다.

② 고구려 고국천왕의 업적이다.

④ 초기 신라에 대한 설명이다.

⑤ 전기 가야 연맹에 대한 설명이다.

08 삼국의 항쟁
정답: ③

제시된 자료는 고구려의 장수왕(거련)이 남진 정책을 펼치며 백제를 공격하자, 백제가 이를 막아내지 못하고 한성에서 웅진으로 천도하는 모습을 보여 주는 기록이다. 고구려가 한강 유역을 차지한 뒤, 신라에서는 진흥왕이 적극적인 팽창 정책을 펼쳐 한강 유역을 차지하였다.

오답피하기

① 고구려 장수왕 이전 고국천왕 시기의 사실이다.

② 장수왕은 평양으로 천도한 후, 남진 정책을 실시하여 백제 수도 한성을 함락시켰다.

④ 한성 시기의 백제에서 발생한 사실이다.

⑤ 백제 근초고왕의 공격으로 고구려 고국원왕이 전사한 것은 4세기의 사실이다.

09 신라의 영역 확장
정답: ④

(가) 인물은 신라의 진흥왕이다. 진흥왕은 한강 유역을 점령하고 대가야를 멸망시키는 등 영역을 크게 확장하고 북한산비, 황초령비 등의 많은 비석을 세웠다.

오답피하기

① 신라 법흥왕, 고구려 소수림왕 시기의 사건이다.

② 신문왕 시기의 사건이다.

③ 지증왕 시기의 사건이다.

⑤ 법흥왕 시기의 사건이다.

10 삼국의 항쟁
정답: ④

삼국은 백제, 고구려, 신라 순서대로 한강 유역을 차지하며, 한반도의 주도권을 다투었다. 4세기에는 백제 근초고왕이 영역을 확장하며 고구려를 공격하여 고국원왕을 전사시켰다. 5세기에는 장수왕이 평양으로 천도하여 남진 정책의 기반을 다졌다. 6세기 초에는 신라 지증왕이 우산국을 점령하는 등 영토 확장의 기틀을 닦았으며, 6세기 중반에는 백제 성왕이 신라 진흥왕과 함께 고구려를 공격하여 한강 유역을 되찾았지만, 곧 신라에 다시 빼앗기고 말았다.

11 고구려와 수·당의 전쟁
정답: ④

밑줄 친 '국가'는 고구려이다. 고구려는 수와 당의 침공을 물리치며 국제적 위상을 떨쳤다. 고구려는 광개토 대왕 시기에 신라가 가야·왜 연합군을 격퇴하는 데 도움을 주었고, 이 전투에서 패배한 가야 연맹(금관가야)은 세력이 약화되었다.

오답피하기

① 발해에 대한 설명이다.

② 백제에 대한 설명이다.

③ 신라에 대한 설명이다.

⑤ 신라의 신문왕은 유학 교육 기관인 국학을 설치하였다.

12 고구려의 멸망
정답: ⑤

제시된 자료는 고구려의 멸망에 대한 기록이다. 고구려는 나당 연합군의 공격으로 평양성이 함락되며 멸망하였다(668). 멸망 이후 여러 세력들이 부흥 운동을 전개하였으나 실패로 끝났다.

오답피하기

① 고구려 유민 대조영은 고구려인과 말갈인을 이끌고 동모산에서 발해를 세웠다(698).

② 고구려는 장수왕 때 수도를 평양으로 옮겨 남진 정책을 추진하였다.

③ 백제의 공격으로 위기에 몰린 신라는 위기를 극복하기 위해 당과 동맹을 맺어 나당 연합군을 결성하였다.

④ 나당 연합군이 백제를 공격하여 멸망시켰다(660).

13 백제·고구려의 멸망과 나당 전쟁
정답: ①

중국 대륙에 통일 왕조 수·당이 등장하며 동아시아 정세가 변하기 시작하였다. 수와 당은 연이어 고구려를 침공하였으나 실패하였다. 이후 나당 연합군이 결성되며 백제와 고구려가 멸망하였다. 이후 신라와 당의 동맹이 결렬되며 신라는 당에 맞서 항쟁하였고, 매소성·기벌포 전투에서 승리하며 대동강 이남의 영토를 유지할 수 있었다.

14 발해의 제도
정답: ⑤

제시된 자료는 발해의 중앙 행정 기구이다. 좌사정, 우사정으로 나뉘어진 것과 6부의 명칭이 유교 덕목으로 정해진 것이 당의 3성 6부와 구분된다. 발해는 5경 15부 62주로 전국을 정비하여 도독과 자사 등의 관리를 지방에 파견하였으며, 말단 지방 행정은 말갈 부락 족장의 도움을 받았다.

오답피하기

① 신라 신문왕 때의 사실이다.

② 고구려 고국천왕 때의 사실이다.

③ 백제 무령왕 때의 사실이다.

④ 통일 신라 신문왕 이후의 사실이다.

15 고구려를 계승한 발해
정답: ⑤

발해는 대조영이 고구려인과 말갈인을 이끌고 세운 국가이다. 발해는 성곽, 고분 등 여러 면에서 고구려 문화를 계승하였으며, 일본에 보낸 외교 문서에 '고려'라는 국호를 사용하는 등 고구려를 계승한 나라임을 분명히 하였다.

오답피하기

ㄱ. 발해는 8세기 이후 당의 문물을 수용하면서 3성 6부 제도를 수용하였다.

ㄴ. 주자감의 건립은 고구려 계승 의식과 관련이 없다.

16 고대의 사회
정답: ③

고대 사회에서는 신분제가 형성되었는데, 이는 크게 귀족, 평민, 천민으로 구분되었다. 신분은 대대로 세습되었다. 귀족들 사이에서도 일정한 차별이 있었는데, 신라의 골품제가 대표적인 사례이다. 고대 사회에서는 지배층 중심의 신분제를 유지하고 통치 질서를 확립하기 위해 엄격한 형벌 제도가 시행되기도 하였다.

오답피하기

③ 고대 사회에서 개인의 사회적 지위는 능력보다 혈통에 따라 결정되었다.

17 신라의 사회와 문화
정답: ③

밑줄 친 '이 국가'는 신라이다. 신라에서는 신분제와 관등제가 밀접하게 연관된 골품제가 존재하였다. 신라의 신문왕은 유교 교육을 장려하며 국학을 설치하였다. 또한 집사부를 중심으로 중앙 행정 체제를 정비하며 왕권을 강화하였다.

오답피하기
① 백제에 대한 설명이다.
② 고구려에 대한 설명이다.
④ 발해에 대한 설명이다.
⑤ 9세기의 발해에 대한 설명이다.

18 신라의 사회와 문화　　　　　　　　　　　　　　정답: ①
밑줄 친 '이 문서'는 「신라 촌락 문서」이다. 「신라 촌락 문서」란 일본 도다이사의 보물 창고인 쇼소인에서 발견된 통일 신라 시기의 문서이다. 민정 문서라고도 불리는 이 문서는 3년마다 신라에서 조사한 특정 지역(촌락)의 인구수 등 모든 내역이 담겨 있어 신라의 사회 · 경제를 이해하는 데 중요한 역할을 하였다.

오답피하기
② 중국의 역사서 「한서」에 대한 설명이다.
③ 함안 성산산성 목간에 대한 설명이다.
④ 고조선의 「8조법」과 부여의 법에 대한 설명이다.
⑤ 단양 신라 적성비에 대한 설명이다.

19 신석기 시대의 시작
구석기 시대에는 일정한 주기로 빙기가 반복되었다. 그러나 구석기 시대가 끝날 무렵 기후가 따뜻해지면서 자연환경이 변화하였다. 사람들은 작고 빠른 동물을 잡기 위해 석기를 정교하게 다듬었고, 활과 화살을 사용하는 등 달라진 자연환경에 적응하였다.

모범답안 (가) 기후가 따뜻해지면서, (나) 석기를 정교하게 다듬었고, 활과 화살을 사용하는 등 달라진 자연환경에 적응하였다.

채점 기준	
상	기후의 변화와 도구의 변화를 모두 서술한 경우
하	기후의 변화와 도구의 변화 중 한 가지만 서술한 경우

20 철기 문화의 보급으로 인한 사회 변화
철기 문화는 기원전 5세기경부터 만주와 한반도 일대에 보급되었다. 이때부터 철이 농기구와 무기 등의 재료로 널리 쓰였으며, 이로 인한 사회 변화도 빠르게 전개되었다.

모범답안 부족 간의 전쟁이 늘어났다. 이를 통해 정치 세력의 통합과 복속이 활발히 이루어졌다.

채점 기준	
상	철기 문화의 보급으로 변화한 사회 모습을 두 가지 이상 서술한 경우
하	철기 문화의 보급으로 변화한 사회 모습을 한 가지만 서술한 경우

21 고조선의 「8조법」
제시된 자료는 고조선의 「8조법」이다. 현재까지 전해지는 「8조법」의 내용을 통해 고조선 사회의 모습을 유추할 수 있다.

모범답안 인명 손실 또는 상해를 막으려 하였다(노동력을 중시하였다). 사유 재산이 존재하였으며, 보호하려 하였다. 노비라는 계급이 존재하였다. 화폐가 사용되었다. 등

채점 기준	
상	「8조법」의 내용으로 알 수 있는 고조선 사회 모습을 세 가지 이상 서술한 경우
중	「8조법」의 내용으로 알 수 있는 고조선 사회 모습을 두 가지만 서술한 경우
하	「8조법」의 내용으로 알 수 있는 고조선 사회 모습을 한 가지만 서술한 경우

22 신문왕의 왕권 강화
제시된 자료는 통일 신라의 녹읍과 관료전에 관한 것이다. 녹읍은 관리에게 관직 수행의 대가로 지급한 지역으로, 조세 수취뿐만 아니라 노동력 징발이나 특산물을 거둘 권한도 포함하였을 것으로 추측된다. 그러나 통일 신라 때 지급한 관료전은 조세 수취의 권한만을 부여하였다. 신문왕은 관리에게 관료전을 지급하였으며, 녹읍을 없애고 녹봉을 주는 등 귀족의 경제 기반 약화를 도모하였다.

모범답안 신문왕은 관리에게 관료전을 지급하고 녹읍을 폐지함으로써 귀족들의 경제 기반 약화를 도모하였다.

채점 기준	
상	관료전 지급, 녹읍 폐지, 귀족 약화를 포함하여 종합적으로 서술한 경우
중	관료전 지급, 녹읍 폐지, 귀족 약화 중 두 가지만 서술한 경우
하	관료전 지급, 녹읍 폐지, 귀족 약화 중 한 가지만 서술한 경우

23 신라의 골품제
제시된 자료는 골품에 따른 관등 · 관직 승진 제한을 나타낸 도표이다. 신라는 골품제라는 신분 제도를 운영하였다. 골품제란 기존의 족장 세력을 통합하고 편제하는 과정에서 성립된 지배층 중심의 신분제이다. 본래 성골과 진골, 6두품에서 1두품까지 8개의 신분으로 편성되었으나, 시간이 지나면서 3~1두품은 평민으로 간주되었다.

모범답안 (2) 골품에 따라 승진할 수 있는 관등이 달랐다. 관직(관등)에 따라 관리의 복색이 달랐다. 17개의 관등으로 나누어져 있다. 등

채점 기준	
상	신라 골품제의 특징을 두 가지 이상 서술한 경우
하	신라 골품제의 특징을 한 가지만 서술한 경우

❷ 고대 사회의 종교와 사상

개념 체크
16쪽 01 (1) ○ (2) ○ 02 (1) 업설 (2) 태학 (3) 도교 03 (1)―㉠, (2)―㉡
17쪽 01 (1) ○ (2) × 02 (1) 향도 (2) 신라(통일 신라) (3) 풍수지리설
　　　 03 (1)―㉡, (2)―㉠

문제 유형 익히기　　　　　　　　　　　　　　　　18~19쪽

01 ③ 02 ③ 03 ③ 04 ② 05 ④ 06 ⑤ 07 ③ 08 ④
09 ② 10 해설 참조 11 (1) 발해 (2) 해설 참조

01 삼국의 불교
정답: ③

삼국은 중앙 집권 체제를 확립하는 과정에서 불교를 공식으로 수용하였다. 삼국 간 항쟁 속에서 불교는 왕실과 국가의 안녕을 비는 호국적인 성격을 나타냈다. 삼국은 대규모 사찰과 탑을 지어 국가의 복을 비는 법회를 개최하기도 하였다. 불교가 유입되는 과정에서 재래 신앙을 신봉하는 귀족들이 반발하기도 하였으나, 불교는 점차 재래 신앙과 융합하여 각 지역의 특색에 맞게 토착화되었다.

오답피하기
③ 불교는 왕실과 귀족 등 지배층을 중심으로 널리 퍼졌다.

02 삼국과 일본의 문화 교류
정답: ③

제시된 자료는 국보 83호 금동 미륵보살 반가 사유상(좌)과 일본 국보 1호 고류사 목조 미륵보살 반가 사유상(우)이다. 놀라울 정도로 닮은 이 두 문화재를 통해 당시 삼국과 일본 열도의 문화 교류를 엿볼 수 있다.

03 삼국의 도교
정답: ③

삼국 시대에는 도교가 유행하였다. 중국에서 전해진 도교는 신선 사상을 바탕으로 민간 신앙 등 다양한 신앙들이 결합한 종교로, 불로장생과 현세의 이익을 추구하였다. 이는 주로 삼국의 귀족 사회를 중심으로 유행하였다. 한편 연개소문은 불교 세력을 약화하기 위해 도교를 장려하기도 하였다.

오답피하기
③ 삼국의 불교에 대한 설명이다.

04 고대의 유학
정답: ②

삼국 시대와 남북국 시대에는 국가에서 유학 교육을 장려하였다. 중국의 통일 왕조 당의 과거 시험 중 빈공과에는 신라와 발해의 유학생들이 대거 응시하였다.

오답피하기
① 주자감은 발해의 교육 기관이다. 신라는 국학을 설치하였다.
③ 백제는 오경박사를 두고 유교 경전을 교육하였다.
④ 태학은 고구려 소수림왕 때 설치되었다.
⑤ 통일 신라의 원성왕이 독서삼품과를 시행하였다.

05 신라의 불교문화
정답: ④

제시된 자료는 석굴암 본존불(좌)과 무구정광대다라니경(우)이다. 두 문화유산은 통일 신라의 불교문화를 대표한다. 원종·애노의 난 역시 통일 신라 말기 진성여왕 때 발생한 하층민 봉기의 대표적인 사례이다.

오답피하기
① 백제에서 볼 수 있는 모습이다.
②, ⑤ 발해에서 볼 수 있는 모습이다.
③ 통일 직전의 신라에서 볼 수 있는 모습이다.

06 발해의 문화
정답: ⑤

제시된 유물은 발해의 이불병좌상이다. 발해에서는 왕실과 귀족을 중심으로 불교문화가 발전하였다. 발해 문왕은 자신을 전륜성왕(불교에서 말하는 이상적 군주)이라 일컬으며 각지에 많은 사찰을 지었다. 발해의 수도였던 상경·중경·동경 일대에서는 다수의 절터와 거대한 석등이 발견되었다.

오답피하기
① 통일 신라 원성왕때 독서삼품과가 실시되었다.
② 6두품은 신라 골품제와 관련된 키워드이다.
③ 통일 신라 말기 호족들이 등장하고, 선종이 유행하였다.
④ 향도는 신라의 대중적 불교 집단이다.

07 통일 신라 말기의 사회 모습
정답: ③

제시된 자료는 통일 신라 말기 농민의 저항을 보여 주는 기록이다. 통일 신라 말기에는 끊임없는 왕위 쟁탈전으로 지배 질서가 붕괴되고 국가와 귀족에게 수탈당한 농민들이 곳곳에서 봉기하였다. 또한 골품제에 불만을 품은 6두품 지식인 중 일부가 호족 세력과 결탁하기도 하였다.

오답피하기
① 대조영은 고구려 멸망 이후 발해를 세웠다(698).
② 신문왕은 왕권을 강화하기 위해 관리에게 관료전을 지급하고 녹읍을 폐지하였다.
④ 백제와 고구려 멸망 이후 당이 한반도 전체를 지배하려고 하자, 신라는 고구려 유민과 힘을 합쳐 당에 대항하였다(나당 전쟁).
⑤ 신문왕은 국가의 기밀 사무를 관장하는 집사부를 중심으로 중앙 행정 관서와 관직 체계를 정비하였다.

08 통일 신라 말기의 사회 변화
정답: ④

제시된 자료는 신라 말 호족 세력의 분포를 보여 주는 지도이다. 신라 말기에 중앙 정부의 지방 통제력이 약화하자, 호족이라 불리는 지방 세력이 성장하였다.

09 통일 신라의 종교와 사상
정답: ②

통일 신라 말기에는 교종과 선종이 병존하였다. 경전 이해를 중시하는 교종 불교는 왕실과 진골 귀족의 후원을 받으며 점차 보수화되었고, 중국에서 전래된 선종이 지방 사회에 널리 퍼졌다. 지방에서 독자적인 세력을 구축하던 호족 세력은 선종을 후원하였고, 이에 선종은 지방에 근거지를 두며 영향력을 행사하였다. 한편 도선 등의 선종 승려는 중국에서 풍수지리설을 받아들였다. 이는 각 지방에 선종 사찰을 건립하거나 호족의 근거지를 마련할 때 활용되었다.

오답피하기
② 선종은 개인의 참선 수행을 통한 깨달음을 중시하였다.

10 삼국의 천신 신앙과 독자적 천하관

제시된 자료는 고구려 왕실의 독자적 천하관을 보여 주는 기록이다. 삼국은 천신 신앙을 활용하여 자국 중심의 독자적인 천하관을 확립하기도 하였다.

모범답안 지배층은 하늘의 자손(천손)임을 자처하여 권력을 정당화하였고, 제천 행사를 통해 이를 더욱 체계화시켰다. 또한 이러한 지배 이념을 활용하여 자국 중심의 독자적 천하관을 확립하였다.

채점 기준

상	천신 신앙과 독자적인 천하관을 모두 서술한 경우
중	천신 신앙만 서술한 경우
하	독자적인 천하관만 서술한 경우

11 발해의 중앙 정치 조직

제시된 자료는 발해의 중앙 행정 기구를 나타낸 도표이다. 발해는 8

세기 이후 당의 문물을 수용하면서 통치 체제를 정비하였다. 중앙 행정 기구는 당의 3성 6부를 토대로 개편하였지만, 유교 덕목으로 관서의 명칭을 정하는 등 독자성도 드러냈다.

모범답안 (2) 좌사정, 우사정 아래 6부의 명칭에 충·인·의·지·예·신과 같은 유교 덕목이 반영되어 있다.

채점 기준

상	6부의 명칭이 유교적 의미를 담고 있음을 서술한 경우
하	6부의 명칭이 유교적 의미를 담고 있음을 서술하지 않은 경우

❸ 고려의 통치 체제와 국제 질서의 변동

개념 체크

20쪽 01 (1) ○ (2) ○ 02 (1) 기인 제도 (2) 5도 (3) 향·부곡·소
03 (1)—㉠, (2)—㉡, (3)—㉢
21쪽 01 (1) ○ (2) × 02 (1) 벽란도 (2) 천리장성 (3) 이자겸 03 (1)—㉡,
(2)—㉢, (3)—㉠
22쪽 01 (1) ○ (2) × 02 (1) 교정도감 (2) 강화도 (3) 삼별초 03 (1)—㉠,
(2)—㉢, (3)—㉡
23쪽 01 (1) ○ (2) ○ 02 (1) 정동행성 (2) 신흥 무인 (3) 위화도 회군
03 (1)—㉠, (2)—㉢, (3)—㉡

문제 유형 익히기 ───────── 24~27쪽

01 ① 02 ⑤ 03 ⑤ 04 ④ 05 ⑤ 06 ② 07 ③ 08 ③
09 ③ 10 ④ 11 ⑤ 12 ④ 13 ④ 14 ⑤ 15 ③ 16 ⑤
17 ⑤ 18 ⑤ 19 해설 참조 20 (1) 해설 참조 (2) 해설 참조
21 해설 참조 22 (1) 해설 참조 (2) 해설 참조 23 해설 참조

01 태조 왕건의 정책 정답: ①
(가) 인물은 고려 태조 왕건이다. 태조 왕건은 후삼국을 통일한 후 호족 통합 정책을 추진하였다. 그는 호족 집안과 혼인을 맺는 등 호족들과의 관계를 돈독히 하였으며, 기인 제도와 사심관 제도를 통해 그들을 통제하고자 하였다.

오답피하기
② 고려 광종의 정책이다.
③ 고구려 고국천왕의 정책이다.
④ 고려 광종의 정책이다.
⑤ 고려 공민왕 등의 정책이다.

02 광종의 정책 정답: ⑤
밑줄 친 '왕'은 고려 광종이다. 고려 광종은 노비안검법을 시행하여 공신 세력의 경제력과 군사력을 약화하였다.

오답피하기
① 태조 왕건에 대한 설명이다.

② 여진과의 전쟁을 승리로 이끈 윤관에 대한 설명이다.
③ 서희에 대한 설명이다.
④ 고려 성종에 대한 설명이다.

03 성종의 정책 정답: ⑤
제시된 자료는 최승로가 쓴 「시무 28조」의 내용이다. 이를 수용한 왕은 고려 성종이다. 성종은 최승로의 「시무 28조」를 받아들여 유교 정치 이념을 채택하였다.

오답피하기
① 별무반은 고려 숙종 때 윤관의 건의에 따라 조직되었다.
② 고려 광종이 추진한 정책이다.
③ 교정도감은 무신 정권의 최충헌이 설치한 정치 기관이다.
④ 고려 태조가 추진한 정책이다.

04 고려 초기의 정치 변동 정답: ④
태조 왕건은 후고구려의 궁예를 몰아내고 왕위에 올라 고려를 세웠다. 이후 그는 거란의 공격으로 발해가 멸망하자, 발해 유민을 받아들였다. 그의 아들인 광종은 왕위에 올라 과거제를 도입하였으며, 성종은 최승로가 건의한 「시무 28조」를 받아들여 유교 정치 이념을 바탕으로 통치 체제를 정비하였다.

05 고려의 중앙 정치 조직 정답: ⑤
고려는 당의 3성 6부를 자국의 실정에 맞게 변형한 2성 6부 제도를 실시하였다. 도병마사와 식목도감은 각각 고려의 국외·국내 문제를 회의하던 임시 기구로, 고위 관료인 재신과 추밀이 참여하였다.

오답피하기
⑤ 고려 시대의 삼사는 조선의 3사와 달리 회계 출납 기구였다. 고려 시대에는 어사대 관료와 중서문하성의 낭사가 언론을 담당하였다.

06 고려의 정치 기구 정답: ②
(가)에 들어갈 정치 기구는 어사대이다. 어사대의 관원은 대간을 이루면서 언론의 기능을 수행했다. 왕 또는 고위 관리의 권력 남용을 견제하는 역할을 했다.

오답피하기
① 집사부는 신라의 정치 기구로 국가의 기밀 사무를 관장하였다.
③ 중추원은 고려의 중앙 정치 기구로 왕명의 출납 등을 담당하였다.
④ 도병마사는 고려의 임시 기구로 국외 문제를 회의하였으며, 고위 관료인 재신과 추밀이 참여하였다.
⑤ 식목도감은 고려의 임시 기구로 국내 문제를 회의하였으며, 고위 관료인 재신과 추밀이 참여하였다.

07 고려의 지방 행정 조직 정답: ③
고려는 전국을 경기와 5도, 양계로 나누었다. 이는 지방관이 파견된 주현과 지방관이 파견되지 않은 속현, 특수 행정 구역인 향·부곡·소로 나뉘었다. 향·부곡·소의 거주민은 차별 대우를 받았으며, 지방관이 파견되지 않은 지역에서는 향리가 행정 실무를 담당하였다.

오답피하기
③ 고려 시대에는 주현보다 속현의 숫자가 많았다.

08 고려의 대외 관계 정답: ③
고려 전기의 동아시아에서는 한반도의 고려, 중국의 송, 북방 지역의 거란과 여진을 중심으로 다원적 국제 질서가 형성되었다. 그 중

거란은 국가를 세우고(916) 점차 세력을 확장하면서 송과 대립하였다. 고려는 건국 초부터 송과의 친선 관계를 중시하였는데, 이에 거란은 고려와 송의 관계를 끊기 위해 세 차례에 걸쳐 고려를 침입하였다. 거란의 1차 침입 때 서희는 송과 교류를 끊고 거란과 교류할 것을 약속하였다. 협상에 따라 거란군이 철수하자, 고려는 여진을 쫓아내고 강동 6주를 차지하였다. 그러나 고려가 송과 친선 관계를 유지하자, 거란은 다시 침입해 왔다. 거란의 3차 침입 때는 강감찬이 이끄는 고려군이 귀주에서 거란군을 크게 물리쳤다(귀주 대첩, 1019). 12세기 초에는 여진이 세력을 키워 고려의 국경 부근까지 남하하였다. 여진과 전투를 치른 고려는 윤관의 건의에 따라 별무반을 조직하였다. 그는 별무반을 이끌고 여진을 정벌하여 동북 지역에 9성을 쌓았다. 그러나 여진의 계속된 요구에 1년여 만에 9성을 돌려주었다. 이후 세력이 강성해진 여진은 금을 건국하고(1115) 고려에 군신 관계를 요구하였다. 고려는 당시 대표적인 문벌이었던 이자겸의 주장에 따라 금의 요구를 수용하였다.

오답피하기
ㄱ. 고려 말기에 발생한 사실이다.
ㄹ. 고려가 금의 군신 관계를 수용한 이후에 발생한 사실이다.

09 고려의 대외 관계　　　　　　　　　　정답: ③
거란의 1차 침입 때 서희의 담판으로 강동 6주를 획득할 수 있었다. 그 후 거란의 2차 침입 때에는 국왕이 나주까지 피난을 가는 위기가 있었고, 거란의 3차 침입 때에는 강감찬이 귀주에서 거란군을 무찔렀다. 이후 여진과의 갈등에서 별무반을 설치하고 동북 9성을 쌓는 등 고려가 우위에 있었으나, 여진이 세력이 강성해지자 고려에 사대를 요구하였고, 고려는 권력자 이자겸의 주장에 따라 그 요구를 수용하였다.

10 문벌 지배 체제의 이해　　　　　　　　정답: ④
이자겸이 활동하였던 시기는 문벌이 고려의 지배 세력으로서 권력을 독점했던 때이다.

오답피하기
① 6두품은 신라 시대의 신분이다.
② 고려 후기에 볼 수 있는 모습이다.
③ 교정도감은 최충헌이 설치한 무신 정권의 핵심 기구이다.
⑤ 고려 후기 정부는 국자감이 성균관으로 이름을 바꾸고, 유학 교육을 장려하였다.

11 고려의 정치 변동　　　　　　　　　　정답: ⑤
이자겸의 난과 묘청의 서경 천도 운동은 고려 문벌 지배 체제의 분열을 보여주는 대표적인 사건이다. 단단해 보였던 문벌 사회는 위두 사건으로 균열을 보였다. 이윽고 무신 정변으로 문벌 지배 체제는 무너진다.

오답피하기
① 고려 초 태조 왕건 때의 사실이다.
② 고려 성종 때 서희가 외교적 노력으로 강동 6주를 얻어 냈다.
③ 고려 후기 공민왕 때의 사실이다.
④ 고려 성종 때의 사실이다.

12 최씨 무신 정권　　　　　　　　　　　정답: ④
제시된 자료는 「최충헌 묘지명」의 일부 내용이다. 이의민을 제거하

고 정권을 잡은 최충헌은 교정도감을 설치하고 강력한 권력을 확립하였다. 그는 아들 최우에게 권력을 승계하였고, 최씨 정권의 기반을 다졌다.

13 고려 하층민의 봉기　　　　　　　　　정답: ④
무신 정변 이후의 고려 사회에는 각종 혼란이 끊이지 않았다. 하층민이 최고 권력자가 되기도 하였으며, 다양한 하층민의 요구가 봉기로 폭발하였다.

오답피하기
① 고려 후기의 사회 모습이다.
② 고려 후기 공민왕 때의 사회 모습이다.
③ 통일 신라 말기에 대한 설명이다.
⑤ 고려 말기의 사회 모습이다.

14 삼별초의 항쟁　　　　　　　　　　　정답: ⑤
밑줄 친 '이 부대'는 삼별초이다. 삼별초는 무신 정권의 군사적 기반이었다. 고려 정부가 몽골(원)에 항복하고 개경으로 환도하자 삼별초는 독자 세력을 형성하여 강화도에서 진도로, 진도에서 제주도로 옮겨가며 몽골에 끝까지 항전하였다.

오답피하기
① 신흥 무인 이성계에 대한 설명이다.
② 신흥 무인 세력에 대한 설명이다.
③ 강감찬을 중심으로 한 고려군에 대한 설명이다.
④ 윤관을 중심으로 한 고려군에 대한 설명이다.

15 원 간섭기 고려의 모습　　　　　　　　정답: ③
밑줄 친 '이 시기'는 고려 후기의 원 간섭기이다. 원 간섭기에 고려는 원의 부마국이 되었다. 이로 인해 관제가 격하되고, 자주성이 훼손되었다. 원은 고려에 인삼 등의 특산물과 공녀를 요구하였으며, 원의 일본 원정에 고려의 군대와 선박이 동원되기도 하였다.

오답피하기
③ 고려는 무신 정권 시기에 강화도에서 몽골군과 맞서 싸웠다.

16 고려의 사상　　　　　　　　　　　　정답: ⑤
고려 후기 안향과 이제현을 중심으로 원의 성리학이 전파되었고, 성리학은 고려 개혁을 주도하는 핵심 사상이 되었다.

오답피하기
⑤ 공민왕 시기 개혁을 주도한 승려 신돈은 유학 교육을 장려하였다.

17 공민왕의 개혁 정치　　　　　　　　　정답: ⑤
공민왕은 반원 개혁 정치를 추진하였다. 그는 신돈을 등용하여 전민변정도감을 설치하고, 정동행성의 이문소 폐지, 쌍성총관부 공격 등 많은 정책을 추진하였다.

오답피하기
① 고구려 연개소문 시기, 고려 거란의 침입 이후 현종 때 등장한다.
② 고려 광종의 업적이다.
③ 윤관의 업적이다.
④ 고려 태조의 업적이다.

18 공민왕의 개혁 정치　　　　　　　　　정답: ⑤
밑줄 친 '왕'은 공민왕이다. 공민왕은 반원 자주 개혁을 추진하였다. 신돈을 등용하여 전민변정도감을 설치하고, 정동행성의 이문소 폐

지, 쌍성총관부 공격 등 많은 개혁 정치를 추진하였다.

① 고려 태조 왕건의 업적이다.

② 고려 광종의 업적이다.

③ 고려 인종의 업적이다.

④ 고려 성종의 업적이다.

19 태조 왕건의 호족 통합 정책

태조 왕건은 건국 이후 호족 세력을 통제하기 위해 강경책과 유화책을 적절히 사용하였다.

모범답안 ㉠에 해당하는 태조의 정책으로는 혼인 정책이 있다. 그는 유력한 호족 집안과 혼인을 맺음으로써 그들과의 관계를 돈독히 하였다. ㉡에 해당하는 정책으로는 기인 제도와 사심관 제도가 있다. 그는 두 제도를 통해 호족 세력을 적절히 통제하고자 하였다.

채점 기준

상	혼인 정책, 기인 제도, 사심관 제도를 모두 서술한 경우
중	혼인 정책, 기인 제도, 사심관 제도 중 두 가지만 서술한 경우
하	혼인 정책, 기인 제도, 사심관 제도 중 한 가지만 서술한 경우

20 고려의 사회와 제도

고려는 과거와 음서 등으로 관리를 등용하였다. 이후 통치 제도가 정부되면서 일부 지방과 호족과 신라 6두품 출신 세력은 과거를 통해 중앙 관료로 진출하였다. 이들 중 여러 대에 걸쳐 고위 관료를 배출한 가문이 형성되었는데, 이를 문벌이라고 한다. 이들은 이후 개경에 거주하며 중요 관직들을 독점하였고, 왕실이나 다른 집안과의 혼인을 통해 권력을 키웠다. 12세기에 이르러 소수의 문벌 가문이 권력을 독점하면서 정치적 혼란이 발생하였다. 특히 두 딸을 왕과 혼인시킨 이자겸은 스스로 국왕이 되고자 반란을 일으켰다(이자겸의 난, 1126). 이는 곧 진압되었지만, 왕권은 실추되고 지배층의 분열과 갈등이 더욱 심해졌다. 이자겸의 난 이후 인종이 개혁 정치를 추진하는 과정에서 묘청 등 서경 출신 세력이 문벌 세력과 대립하였다. 이들은 서경 천도가 좌절되자 서경에서 난을 일으켰지만, 김부식이 이끄는 관군에게 진압되었다(1135).

모범답안 (1) ㉠ 과거는 문신 관료를 뽑는 제술과와 명경과, 기술관을 뽑는 잡과로 구성되어 있다. ㉡ 음서는 공신이나 5품 이상 관리의 자손을 관직에 임용시키는 제도이다. (2) 문벌 지배 체제의 균열을 보여 주는 사례로는 이자겸의 난과 묘청의 서경 천도 운동이 있다. 이자겸의 난은 인종 때 최고 권력자 이자겸이 왕이 되려 난을 일으켰다가 진압당한 사건이다. 묘청의 서경 천도 운동은 서경 세력을 중심으로 한 묘청 등이 금국 정벌, 서경 천도를 주장하며 개경파와 대립하여 발생한 사건이다. 정치적으로 수세에 몰린 묘청은 서경을 중심으로 난을 일으켰으나 김부식 등에게 진압당하였다.

채점 기준

상	과거의 분과, 음서의 관직 임용 방식, 문벌 사회의 동요를 모두 서술한 경우
중	과거의 분과, 음서의 관직 임용 방식, 문벌 사회의 동요 중 두 가지만 서술한 경우
하	과거의 분과, 음서의 관직 임용 방식, 문벌 사회의 동요 중 한 가지만 서술한 경우

21 호족 세력의 약화

호족 세력을 기반으로 건국·발전된 고려는 중앙 집권을 강화하기 위해 지방관을 파견하였고, 점차 호족은 향리로 변하였다.

모범답안 호족은 점차 향리로 변하여 행정 실무를 담당하는 직역을 세습하였다.

채점 기준

상	호족이 향리로 변하여 행정 실무를 담당하는 직역을 세습했다는 사실을 모두 서술한 경우
하	호족이 향리로 변화하였다는 사실만 서술한 경우

22 무신 정권 시기 하층민의 봉기

무신 정권 시기에는 하층민들의 봉기가 빈번하게 일어났다.

모범답안 (1) 망이·망소이의 난, 김사미·효심의 난, 전주 관노의 난, 이연년 형제의 난 등 (2) 만적의 이야기를 볼 때 당시 봉기는 신분 해방적 성격을 가졌음을 알 수 있다.

채점 기준

상	무신 정권기 하층민 봉기의 신분 해방적 성격을 제시된 자료에서 근거를 들어 서술할 경우
하	무신 정권기 하층민 봉기의 신분 해방적 성격만을 서술할 경우

23 원 간섭기

원 간섭기 고려는 원에 심각한 내정 간섭을 받으며, 많은 변화를 겪었다.

모범답안 고려 왕이 원의 공주와 혼인 하였으며, 왕실 호칭과 관청의 명칭이 격하되었다. 쌍성총관부, 동녕부, 탐라총관부를 원이 설치하여 일부 영토를 직접 통치하였다. 또한 원의 일본 원정에 고려군이 동원되었으며, 원으로부터 금·은·인삼 등 특산물과 공녀를 요구받았다.

채점 기준

상	고려에 대한 원의 내정 간섭 사례를 세 가지 이상 서술한 경우
중	고려에 대한 원의 내정 간섭 사례를 두 가지만 서술한 경우
하	고려에 대한 원의 내정 간섭 사례를 한 가지만 서술한 경우

 ❹ 고려의 사회와 사상

28쪽 01 (1) ○ (2) ○ 02 (1) 천인 (2) 양인 (3) 정호 03 (1)—㉠, (2)—㉡, (3)—㉢

29쪽 01 (1) ○ (2) ○ 02 (1) 『삼국사기』 (2) 『제왕운기』 (3) 한양 명당설 03 (1)—㉡, (2)—㉠, (3)—㉢

문제 유형 익히기 ——— 30~31쪽

01 ② 02 ① 03 ③ 04 ③ 05 ④ 06 ④ 07 ② 08 ⑤ 09 ③ 10 해설 참조 11 해설 참조 12 (1) 해설 참조 (2) 해설 참조

01 고려의 신분 구조
정답: ②

고려의 신분은 양인과 천인으로 구성되었다. 고려는 엄격한 신분제 사회였지만, 신라의 골품제 사회보다는 신분 이동에 개방적이었다. 천인에 해당하는 노비가 재산을 모아 양인 신분을 얻기도 하였으며, 군인은 전쟁에서 공을 세워 무관으로 출세할 수 있었다. 원 간섭기에는 몽골어·매 사육 등 특수한 기술을 바탕으로 하층민이 고위 관직에 오르기도 하였다. 양천제를 운영하였고, 천인에게는 조세·공납·역이 부과되지 않았다.

오답피하기
② 고려 시대에 천인은 국역을 부담하지 않는 동시에 관직 진출도 불가하였다.

02 고려의 사회
정답: ①

고려의 서리·향리는 정호라고 불리며 직역을 세습하였다. 향·부곡·소 거주민은 양인이었으나 거주 이전에 제한을 받는 등의 차별을 받았다.

오답피하기
ㄷ. 통일 신라 시기에 대한 설명이다.
ㄹ. 조선의 사회에 대한 설명이다.

03 향·부곡·소 거주민에 대한 차별 대우
정답: ③

고려 시대에 향·부곡·소의 거주민은 일반 군현민보다 많은 세금을 부담해야 하는 등의 차별 대우를 받았다.

오답피하기
① 고려 시대의 문벌에 대한 설명이다.
② 고려 시대의 노비에 대한 설명이다.
④ 정호에 대한 설명이다.
⑤ 일반 군현에 거주하는 양인에 대한 설명이다. 향·부곡·소의 주민은 양인이지만 과거에 응시할 수 없었다.

04 고려 여성의 지위
정답: ③

고려 시대에는 여성의 재혼이 자연스러운 것으로 여겨졌다. 여성이 가족을 거느리는 호주가 되기도 하였으며, 음서의 혜택이 사위나 외손자에게도 적용되었다. 또한 자녀를 성별에 따른 차별 없이 태어난 순서대로 호적에 올리고 부모의 재산을 고르게 상속받도록 하였다. 이에 따라 자녀들은 부모 봉양이나 제사 지내는 일을 돌아가면서 담당하였다.

오답피하기
③ 고려 시대에 여성은 관직에 오르거나 공적인 사회 기구에 취임할 수 없었고, 여성의 사회적 역할은 가정 내에서의 역할로 한정되었다. 때문에 고려 여성도 가정 내의 존재로서 여성에게 요구되는 전통적 관념에서 자유로울 수 없었다.

05 고려의 정치·사회
정답: ④

(가) 국가는 고려이다. 연등회와 팔관회는 고려의 대표적인 행사이다. 고려 시대에는 지방관을 파견하지 않은 속현이 존재하였다.

오답피하기
① 고구려 고국천왕 때 발생한 사실이다.
② 통일 신라에서 발생한 사실이다.
③ 고구려 장수왕 때 발생한 사실이다.
⑤ 신라 신문왕 때 발생한 사실이다.

06 고려의 불교
정답: ④

(가)에 들어갈 내용으로 가장 적절한 것은 지눌과 불교 개혁 운동이다. 무신 집권기 불교계에서는 불교 본연의 자세 확립을 주장하는 결사 운동이 일어났다. 대표적인 결사로는 지눌의 수선사 결사가 있었다. 지눌은 선종을 중심으로 교종을 포섭하는 선교일치를 추구하였다. 이를 위해 선과 교를 함께 닦아야 한다는 정혜쌍수와, 참선으로 깨우친 바를 꾸준히 수행해야 한다는 돈오점수를 주장하였다.

오답피하기
① 원광은 6~7세기에 활동한 신라 승려이다.
① 의천은 11세기 말에 활동하였으며, 천태종을 창시하여 교종을 중심으로 선종을 포섭하고자 하였다.
③ 요세는 고려 무신 집권기에 백련사 결사를 주도하였다.
⑤ 묘청은 고려 인종 대에 서경 천도, 금 정벌 등을 내세우며 난을 일으켰다.

07 『삼국사기』
정답: ②

제시된 자료는 『삼국사기』에 대한 설명이다. 『삼국사기』는 현존하는 역사서중 가장 오래된 것으로, 고려의 김부식 등이 기전체 형식으로 유교적 사관에 입각하여 저술하였다.

오답피하기
① 『삼국사기』는 무신 정변 이전에 편찬되었다.
③ 이규보의 『동명왕편』에 대한 설명이다.
④ 『삼국유사』와 『제왕운기』 등에 대한 설명이다.
⑤ 일연의 『삼국유사』에 대한 설명이다.

08 고려 후기의 역사서
정답: ⑤

고려 후기에는 이규보의 『동명왕편』, 일연의 『삼국유사』, 이승휴의 『제왕운기』 등의 역사서가 저술되었다.

오답피하기
ㄱ. 김부식의 『삼국사기』는 고려 전기에 편찬되었다.

09 고려의 사상
정답: ③

신라 말부터 유행한 풍수지리설은 도참사상과 결합하여 고려 시대에도 성행하였다. 평양(서경)이 명당이라는 논리는 북진 정책을 뒷받침하는 근거가 되었다. 한편 고려 시대에는 민간 신앙도 유행하여 국가에서 산신에 대한 제사를 주관하기도 하였다.

오답피하기
ㄴ. 신라의 불교에 대한 설명이다.
ㄷ. 통일 신라 말기에 발생한 사실이다.

10 고려의 신분제

고려는 직역 혹은 직업별로도 사회적 지위가 구분되었는데, 직역의 유무로 정호와 백정이 구분된다.

모범답안 ③ 정호는 서리·향리·하급 장교 등으로 특정한 직역을 담당하는 사람들이다. ⓒ 백정은 직역을 갖지 않는 일반 농민층을 말한다.

채점 기준	
상	정호와 백정의 특징을 모두 서술한 경우
하	정호와 백정의 특징 중 한 가지만 서술한 경우

11 고려 여성의 지위

고려는 부계와 모계의 혈연을 모두 중요시하여 여성의 사회적 지위가 다른 시대에 비해 높았다.

㉠ 자연스러운 재혼이 가능하였다. 결혼 후 사위가 처가에 들어가 거주하였다. 음서 혜택이 외가에도 적용되었다. 여성이 호주가 되기도 하였다. 등 ㉡ 관직에 취임할 수 없었다. 사회적 역할이 가정 내 역할로 한정되었다. 등

채점 기준	
상	밑줄 친 ㉠, ㉡의 사례를 모두 서술한 경우
하	밑줄 친 ㉠, ㉡의 사례 중 한 가지만 서술한 경우

12 고려의 역사서

고려에서는 시대적 상황에 따라 다양한 역사서가 편찬되었다.

(1) 『삼국사기』는 유교적 통치 질서를 확립하려는 목적으로 편찬되었다. (2) 원에 항복한 이후 원 간섭기를 겪으며 고려의 자주성과 민족의식이 훼손되었다. 이에 역사 서술에서 민족의 우수성과 자주 의식을 드러내는 움직임이 나타났다.

채점 기준	
상	『삼국사기』의 편찬 목적과 『제왕운기』 서술의 시대적 배경을 모두 서술한 경우
하	『삼국사기』의 편찬 목적과 『제왕운기』 서술의 시대적 배경 중 한 가지만 서술한 경우

❺ 조선 시대 세계관의 변화

32쪽 01 (1) ○ (2) ○ 02 (1) 『경국대전』 (2) 3사 (3) 지방관 03 (1)—㉠, (2)—㉢, (3)—㉡

33쪽 01 (1) ○ (2) ○ 02 (1) 기묘사화 (2) 이조 전랑 (3) 정유재란 03 (1)—㉢, (2)—㉡, (3)—㉠

34쪽 01 (1) × (2) ○ 02 (1) 중립 외교 (2) 군신 관계 (3) 북벌론 03 (1)—㉡, (2)—㉠

35쪽 01 (1) × (2) ○ 02 (1) 실학 (2) 비변사 (3) 세도 정치 03 (1)—㉢, (2)—㉡, (3)—㉠

─────── 36~39쪽

01 ① 02 ② 03 ③ 04 ④ 05 ⑤ 06 ④ 07 ④ 08 ④
09 ③ 10 ① 11 ⑤ 12 ③ 13 ⑤ 14 ⑤ 15 ⑤ 16 ⑤
17 ① 18 ③ 19 해설 참조 20 해설 참조 21 (1) 해설 참조 (2) 해설 참조 22 해설 참조 23 (1) 해설 참조 (2) 해설 참조 24 해설 참조

01 태종의 정치   정답: ①

(가) 인물은 조선의 태종이다. 태종은 신문고를 설치하고 호패법을 실시하는 등 왕권 강화를 위해 노력했다.

②, ③ 세종이 시행한 정책이다.
④ 태조 때 정도전이 편찬하였다.

⑤ 고려 후기의 공민왕 등이 시행한 정책이다.

02 세종의 정치   정답: ②

(가) 인물은 조선의 세종이다. 세종은 정치, 사회, 문화 등의 부문에서 많은 업적을 남겼다. 그는 국방 분야에서도 4군 6진의 설치, 쓰시마섬(대마도) 정벌 등의 업적을 이룩하였다.

① 고려 시대 윤관의 업적이다.
③ 조선 광해군의 정책이다.
④ 고려 공민왕의 업적이다.
⑤ 고려 후기 신흥 무인에 대한 설명이다.

03 세조의 정치   정답: ③

밑줄 친 '그'는 조선의 세조이다. 세조는 단종을 몰아내고 왕위에 오른 후 집현전 폐지, 직전법 실시, 『경국대전』 편찬 시작 등 다양한 정책을 시행하였다.

① 조선 성종의 정책이다.
② 조선 영조, 정조의 정책이다.
④ 조선 세종의 정책이다.
⑤ 태조 때 정도전이 편찬하였다.

04 성종의 정치   정답: ④

밑줄 친 '왕'은 조선 성종이다. 성종은 『경국대전』을 완성하고, 홍문관을 설치하고 사림 세력을 홍문관을 비롯한 3사에 등용하였으며 의례 정비를 위한 『국조오례의』를 편찬하였다.

ㄱ. 집현전은 조선 세종 때 설치되었다.
ㄷ. 『삼강행실도』는 조선 세종 때 편찬되었다.

05 조선의 중앙 정치 조직   정답: ⑤

조선은 유교 정치 이념에 따라 권력 분산과 언론 활성화를 통한 공론 정치를 추구하였다. 그 결과 의정부와 6조 중심의 중앙 통치 조직이 마련되었다. 의정부는 국정을 협의하고 정사를 총괄하는 최고 기구였고, 6조는 국가의 행정을 분야별로 나누어 맡았다. 3사는 왕과 대신들을 견제하는 언론 기능을 담당하여 권력 독점과 부패를 방지하였다.

⑤ 조선은 엄격한 교육과 시험을 통해 관리를 선발하였다. 서울에 성균관과 4부 학당, 지방에 향교를 두었으며, 사립 교육 기관으로 서원과 서당이 있었다.

06 조선의 지방 통치 체제   정답: ④

조선은 전국을 8도로 나누고 그 아래에 군현을 두었다. 모든 군현에 지방관을 파견하였으며, 권력의 집중과 부정을 방지하고자 지방관을 자기 출신 지역에 부임할 수 없게 하는 상피제를 시행하였다.

④ 조선은 고려 시대까지 특수 행정 구역이었던 향·부곡·소를 일반 군현으로 승격하였다.

07 훈구파와 사림의 대립   정답: ④

(가) 세력은 사림이다. 사림은 조선 건국에 참여하지 않은 온건파 사

대부들을 계승한 세력이다. 지방에서 서원과 향약을 통해 세력을 확대하였고, 성종 때 본격적으로 3사의 관원에 등용되며 훈구파와 대립하였다.

오답피하기
① 급진파 신진 사대부에 대한 설명이다.
② 호족 세력에 대한 설명이다.
③ 고려의 권문세족에 대한 설명이다.
⑤ 고려의 문벌에 대한 설명이다.

08 조광조의 개혁 정치
정답: ④
제시된 자료는 조광조 등 사림에 대한 내용이다. 조광조 등 사림 세력은 중종 때 관직에 진출하여 현량과 실시, 위훈 삭제 등 훈구파에 맞서 여러 가지 개혁 작업을 진행했다. 하지만 훈구파가 일으킨 기묘사화로 뜻을 이루지 못했다.

09 붕당의 성립
정답: ③
제시된 자료는 동인과 서인의 분당에 관한 기록이다. 선조 때 사림은 심의겸과 김효원의 갈등을 시작으로 이조 전랑의 인사권 등을 두고 서로 대립하다가 결국 동인과 서인으로 분열하였다.

오답피하기
① 훈구파와 사림의 대립 과정에서 사화가 발생하였다.
② 영조와 정조가 탕평 정치를 실시하였다.
④ 훈구파는 조선 세조 즉위에 공헌한 공신들을 시작으로 형성되었다.
⑤ 고려 신진 사대부는 조선 건국을 두고 급진파와 온건파로 분열하였다.

10 조선의 사대 외교
정답: ①
큰 나라를 섬기는 것을 사대라고 한다. 조선은 중국 대륙을 통일한 명과 청에 사대하였고, 국초 일본과 여진에는 교린 정책을 펼쳤다.

오답피하기
ㄷ. 조선은 일본에 대해서 교린 정책을 원칙으로 하였다.
ㄹ. 조선 정부는 여진과의 우호를 도모하는 교린 정책을 펼쳤다.

11 조선과 여진의 관계
정답: ⑤
국초 조선은 여진에 대해 교린 외교를 실시하였다. 조선은 여진과의 관계 변화에 따라 무역 중단 등의 강경책을 쓰기도 하였다. 여진에 대한 강경책으로 대표적인 것은 세종 때의 4군 6진 개척이다.

오답피하기
① 별무반은 고려 시대 여진과의 갈등 속에서 윤관이 편성한 부대이다.
② 고려 거란의 1차 침입 때 서희가 외교적 노력으로 강동 6주를 획득하였다.
③ 임진왜란 중 훈련도감이 임시기구로 설치되었다.
④ 조선 세종 때 왜구의 근거지 쓰시마섬을 정벌하였다.

12 임진왜란
정답: ③
밑줄 친 '전쟁'은 임진왜란이다. 일본 도요토미 히데요시의 야욕으로 시작된 임진왜란 당시 조선은 이순신의 수군과 의병의 활약, 명의 참전 등을 바탕으로 전황을 회복하였다.

오답피하기
① 거란의 1차 침입에 대한 설명이다.
② 거란의 3차 침입에 대한 설명이다.
④ 조선 세종 시기의 사실이다.
⑤ 병자호란에 대한 설명이다.

13 왜란과 호란
정답: ⑤
임진왜란 도중 명과 일본은 휴전 협상을 개시하였으나 결렬되고 정유재란이 발발하였다. 도요토미 히데요시의 죽음으로 전쟁이 마무리되고, 조선은 회답겸쇄환사를 파견하여 전후 처리를 논의하였다. 이후 북쪽의 후금이 강성해져 조선을 정묘년에 침략하였고, 후금과 조선은 화의를 맺고 형제 관계가 되었다.

14 왜란과 호란
정답: ⑤
왜란 후 광해군은 전후 복구를 위해 여러 제도 개혁(대동법)을 실시하였고, 중립 외교를 통해 전쟁을 막고자 하였다. 그러나 인조반정으로 폐위되고, 인조 시기 후금(청)의 침략으로 호란이 발발했다.

오답피하기
① 병자호란 이후 효종 때 북벌론이 등장하였다.
② 고려 무신 정권의 최충헌이 설치하였다.
③ 중종 때 조광조와 그 일파가 훈구 세력에 의해 정치적으로 제거되었다.
④ 세종 때 왜구의 본거지 쓰시마섬을 정벌하였다.

15 호란의 결과
정답: ⑤
두 차례의 호란을 겪은 결과, 조선은 청과 군신 관계를 수립하였고 동아시아 질서는 청을 중심으로 재편되었다.

오답피하기
ㄱ. 일본에서는 도요토미 히데요시의 죽음 이후에도 막부가 수립되었다.
ㄴ. 임진왜란 이후 조선과 일본의 국교는 일시적으로 단절되었다.

16 북학론
정답: ⑤
제시된 자료는 박제가가 쓴 『북학의』의 일부 내용이다. 청의 실제 모습을 보고 온 연행사들을 중심으로 청의 발달된 문물을 배워야 한다는 북학론이 제기되었다. 박제가는 그 북학론을 주장한 대표적인 인물이다.

오답피하기
① 고려 후기 문신 이승휴에 대한 설명이다.
② 조선 개국 공신 정도전에 대한 설명이다.
③ 대표적 인물로는 조광조가 있다.
④ 충청도 지역 호론(인물성이론)의 주장이다.

17 영조의 정치
정답: ①
밑줄 친 '왕'은 조선 영조이다. 영조는 붕당 정치의 폐단을 극복하고 왕권을 강화하기 위해 탕평 정치를 실시하였고, 『속대전』을 편찬하며 제도 개선에 힘썼다.

오답피하기
② 조선 성종에 대한 설명이다.
③ 조선 세조에 대한 설명이다.
④ 고려 공민왕에 대한 설명이다.
⑤ 고려 태조 왕건에 대한 설명이다.

18 대동법
정답: ③
밑줄 친 '폐단'은 공납 제도의 문제였던 방납의 폐단이다. 이를 해결하기 위해 광해군 때 최초로 실시한 것이 대동법이다. 대동법은 집집마다 부과하던 토산물 대신에 쌀, 베, 화폐 등을 토지 소유자에게 수취하는 제도였다.

① 영조 때 시행된 균역법에 대한 설명이다.
③ 인조 때 시행된 영정법에 대한 설명이다.
④ 양난 이후 시행된 환곡에 대한 설명이다.
⑤ 조선 중기 군역 제도가 혼란스러워지며 실시한 제도이다.

19 훈구파와 사림

훈구파와 사림은 조선 전기의 정치를 이끌어갔던 정치 세력이다.

모범답안 ㉠ 훈구파는 단종을 몰아내고 세조를 즉위시키는 데 공헌한 공신 세력들을 이야기한다. ㉡ 사림은 조선 건국에 참여하지 않은 온건파 사대부들이 지방에서 서원과 향약을 통해 키워 낸 성리학자들로, 성종 이후 3사의 관원으로 중앙에 진출하기 시작하였다.

채점 기준	
상	훈구파와 사림의 정의를 모두 서술한 경우
하	훈구파와 사림의 정의 중 한 가지만 서술한 경우

20 조광조의 개혁 정치

중종 때 등용된 조광조 등 사림은 훈구 세력에 맞서 개혁 정치를 펼쳤다.

모범답안 현량과 시행, 향약 보급, 위훈 삭제 등

채점 기준	
상	현량과 시행, 향약 보급, 위훈 삭제 중 두 가지 이상 서술한 경우
하	현량과 시행, 향약 보급, 위훈 삭제 중 한 가지만 서술한 경우

21 붕당 정치의 변질

최초 공론을 중심으로 상대 당을 인정하며 경쟁하던 붕당 정치는 예송 논쟁과 환국을 거치며 상대 당을 인정하지 않는 무자비한 복수의 정치, 특정 붕당이 권력을 독점하는 정치로 변질되었다.

모범답안 (1) 붕당 정치가 변질되다. (2) 붕당의 형성에는 정치적 견해와 더불어 학문적 성향이나 지역적 차이가 영향을 끼쳤다.

채점 기준	
상	주제를 자료의 내용에 맞게 쓰고, 붕당의 형성에 영향을 미친 요소를 두 가지 모두 서술한 경우
중	주제를 자료의 내용에 맞게 썼으나, 붕당의 형성에 영향을 미친 요소를 한 가지만 서술한 경우
하	주제를 자료의 내용에 맞게 썼으나, 붕당의 형성에 영향을 미친 요소를 서술하지 못한 경우

22 탕평 정치와 세도 정치

영조와 정조는 붕당 간 세력 균형을 이루고 왕권을 강화하기 위해 탕평 정치를 추진하였다.

모범답안 ㉠ 탕평 정치는 붕당 간 세력 균형을 이루고 왕권을 강화하기 위해 영조와 정조가 추진한 정치를 일컫는다. ㉡ 세도 정치 시기 수령과 향리들의 수탈로 수취 체제의 문란이 더욱 심해졌다. 당시 전정, 군정, 환곡의 폐단이 극심하여 이를 삼정의 문란이라고 불렀다.

채점 기준	
상	탕평 정치의 목적과 세도 정치의 폐단을 모두 서술한 경우
하	탕평 정치의 목적과 세도 정치의 폐단 중 한 가지만 서술한 경우

23 화이론적 세계관

중화와 오랑캐를 구분하여 파악하는 동아시아의 세계관을 화이론적 세계관이라고 부른다.

모범답안 (1) 조선의 지배층이 중화 문명을 가장 훌륭하게 전수받았다는 논리에서 나온 표현이다.

(2) 인조와 서인 세력은 호란 후에 오히려 화이론을 강화하여 전쟁의 책임을 회피하고 정권을 유지하려 하였다. 그 결과 청은 중화 문명의 계승자가 아니며, 조선만이 중화 문명의 정통 계승자라는 인식이 팽배해졌다.

채점 기준	
상	소중화의 의미와 조선 후기 화이론적 세계관의 강화 양상을 모두 서술한 경우
하	소중화의 의미와 조선 후기 화이론적 세계관의 강화 양상 중 한 가지만 서술한 경우

24 삼정의 문란

조선 후기 수취 체제의 문란이 가중되면서 백성들의 삶이 피폐해졌다. 이를 대표하는 키워드는 삼정의 문란이다.

모범답안 ㉠ 운영 과정에서의 폐단, 토지 소유의 불균등, 지주와 소작인의 관계, 양반과 상민의 관계 등 불평등한 사회 구조에서 비롯되었다. ㉡ 전정(전세), 군정(군역), 환정(환곡)의 폐단이 극심한 상황을 삼정의 문란이라고 일컫는다.

채점 기준	
상	조선 후기 수취 체제의 문란의 원인과 삼정의 문란의 의미를 모두 서술한 경우
하	조선 후기 수취 체제의 문란의 원인과 삼정의 문란의 의미 중 한 가지만 서술한 경우

❻ 양반 신분제 사회와 상품 화폐 경제

개념 체크

40쪽 01 (1) ○ (2) ○ 02 (1) 서얼 (2) 향회 (3) 서원 03 (1)―㉢, (2)―㉡, (3)―㉠

41쪽 01 (1) ○ (2) ○ 02 (1) 공인 (2) 서학 (3) 홍경래의 난 03 (1)―㉠, (2)―㉡

문제 유형 익히기 ———————— 42~43쪽

01 ① 02 ③ 03 ⑤ 04 ⑤ 05 ② 06 ③ 07 ⑤ 08 ①
09 ① 10 해설 참조 11 해설 참조 12 (1) 홍경래의 난, 임술 농민 봉기 (2) 해설 참조

01 조선의 신분제　정답: ①

조선의 신분제는 법적으로 양인과 천인을 구분하는 양천제였다. 그러나 점차 양인 내에 존재하던 여러 계층이 신분처럼 굳어 갔다. 특히 양인 중 양반은 강력한 특권 신분으로 자리 잡았다. 이들은 군역 면제의 특권을 누려 비교적 수월하게 관직에 진출할 수 있었다. 중인은 중앙과 지방의 서리와 향리, 기술관 등을 가리켰는데, 양반 자손 중 첩의 소생인 서얼도 포함되었다. 서얼 역시 과거 응시 제한을 받는 등 엄격한 차별 대우를 받았다. 천민은 대부분 노비로 재산처럼 취급되어 매매·증여·상속의 대상이 되었다.

오답피하기

① 상민 역시 과거 응시가 가능했으나 실제 합격률은 저조하였다.

02 조선의 신분제　정답: ③

서얼은 양반의 자손 가운데 첩의 소생을 가리킨다. 이들은 조선 시대 중인과 비슷한 대우를 받았고, 과거 응시에 제한을 받는 등 차별 대우를 받았다.

오답피하기

① 서리, 향리는 하급 지배층으로 서얼과 관련이 없다.
② 고려의 호족에 대한 설명이다.
④ 고려의 향·부곡·소 거주민에 대한 설명이다.
⑤ 고려의 문벌에 대한 설명이다.

03 조선 후기의 경제 상황　정답: ⑤

임진왜란 이후 농민들은 모내기 등 농법 개량을 통해 농업 생산력을 높였다. 또한 민영 수공업이 발달하였으며, 대동법 시행 이후에는 공인이 등장하여 장시의 성장과 수공업의 발달을 촉진하였다. 조선 정부도 일부 독점 상인의 특권을 폐지하여 자유로운 상업 활동을 보장하였다. 이러한 분위기 속에서 조선 후기에는 상품 화폐 경제가 발달하였다.

오답피하기

⑤ 벽란도가 국제 무역항으로 번성했던 것은 고려 시대의 사실이다.

04 조선 후기의 경제 상황　정답: ⑤

조선 후기에 모내기 확대로 벼를 추수한 뒤 보리를 재배하는 이모작이 가능해졌다. 한편 상품 유통이 활발해지면서 시장에 내다 팔기 위해 상품 작물을 재배하는 상업적 농업이 활발해졌다. 또한 민영 수공업자들이 상인에게 자금과 원료를 미리 받아 제품을 생산하는 선대제가 성행하기도 하였다.

오답피하기

⑤ 상평통보는 널리 보급되어 사용되었다.

05 조선 후기의 사회　정답: ②

조선 후기에는 상민들이 족보 매입, 납속 등으로 신분을 상승시키는 경우가 빈번하였다.

오답피하기

① 서학은 조선 후기 조선 사신들이 소개한 천주교를 일컫는다.
③ 호패법은 조선 초기 태종이 실시하였다.
④ 아버지가 천인이라도 어머니가 양인이면, 그 자녀는 어머니 신분을 따라 양인이 되는 법이다.
⑤ 정조 때 시전 상인들이 보유했던 금난전권이 폐지되었고, 이는 자유 상업 발달에 기여하였다.

06 조선 후기의 사회　정답: ③

조선 후기에는 신분 질서의 변동이 매우 빈번하였다. 몰락한 양반이 상민과 다름없는 삶을 사는 경우, 서얼들이 차별 철폐 운동을 전개하는 경우, 노비가 납속 등의 수단으로 해방되는 경우 등 다양한 사례가 존재하였다.

07 조선 후기 사회·경제　정답: ⑤

조선 후기에는 모내기가 확대되면서 1인당 경작 가능 면적이 늘어나 광작이 유행하였다. 또한 붕당 정치의 변질과 세도 정치의 소수 양반에게 권력이 집중되면서 많은 양반이 몰락하였으며, 상민층 내에서도 분화가 이루어졌다. 생활이 어려워진 농민들은 농촌을 떠나 품팔이를 하거나 도적으로 전락하기도 하였다. 조선 정부는 부족한 재정 수입을 보충하기 위해 노비종모법을 시행하였으며, 관청에 소속된 노비를 해방하여 양인을 늘리려 하였다.

오답피하기

⑤ 조선 후기 향촌 사회의 실질적 지배권은 수령이 차지하여 관 주도의 향촌 지배가 강화되었다. 본래 사족의 이익을 대변하고 수령을 견제하던 향회는 그 기능을 상실하여 수령의 단순 자문 기구로 전락하였다. 이는 19세기 세도 정치기 수령들이 농민 수탈을 강화하는 배경이 되었다.

08 삼정의 문란　정답: ⑤

제시된 자료는 임술 농민 봉기에 대한 기록이다. 조선 후기 세도 정치 시기 수취 체제의 문란으로 백성들의 삶이 피폐하였다. 이에 대규모의 하층민 봉기가 다수 발생하였는데, 1862년 진주에서 시작된 임술 농민 봉기가 대표적인 사례이다.

09 홍경래의 난　정답: ①

세도 정치 시기 대표적인 민란은 임술 농민 봉기와 홍경래의 난을 꼽을 수 있다. 홍경래의 난은 삼정의 문란 및 서북 지역(평안도)에 대한 차별이 원인이 되어 발생하였다.

오답피하기

② 수군과 의병의 활약, 명의 참전, 승병의 활약 등에 대한 설명이다.
③ 고려 무신 정권 시기 망이·망소이의 난에 대한 설명이다.
④ 임술 농민 봉기에 대한 설명이다.
⑤ 고려 무신 정권 시기 하층민의 봉기에 대한 설명이다.

10 향촌 사회의 자치 기구

조선의 향촌 사회는 사족을 중심으로 운영되었다. 그들은 유향소, 향회 등을 통해 향촌에 영향력을 행사하였다.

모범답안 유향소, 수령을 보좌하고 향리를 감찰하였다.

채점 기준

상	유향소, 수령 보좌, 향리 감찰을 모두 서술한 경우
중	유향소, 수령 보좌, 향리 감찰 중 두 가지를 서술한 경우
하	유향소, 수령 보좌, 향리 감찰 중 한 가지만 서술한 경우

11 모내기

조선 후기 전국적으로 보급된 모내기는 엄청난 사회 변화를 가져왔다.

모범답안 이모작이 가능해져 농업 생산량이 늘어났다. 또한 잡초를 제거하는 노동력을 덜게 되자 1인당 경작 가능 면적이 늘어나 광작이 유행하였다.

채점 기준	
상	이모작, 광작 모두 개연성 있게 서술한 경우
하	이모작, 광작 중 한 가지만 서술한 경우

12 새로운 사상의 등장

조선 후기 사회 혼란 속에서 하층민의 봉기가 빈번하게 발생하였다.
모범답안 (2) 홍경래의 난은 서북 지방에 대한 차별과 세도 정권의 수탈에 대한 저항이었다. 임술 농민 봉기는 탐관 오리의 학정에 맞서 농민 봉기가 진주에서 발생하였는데, 이를 기점으로 전국적인 봉기가 일어났다.

채점 기준	
상	홍경래의 난 또는 임술 농민 봉기의 명칭과 내용을 올바르게 서술한 경우
하	홍경래의 난 또는 임술 농민 봉기의 명칭만 서술한 경우

기출 지문 활용하기 ────────── 44~45쪽

01 ④	02 ⑤	03 해설 참조	04 ③	05 ⑤	06 정답
07 ④	08 ④	09 해설 참조	10 ①	11 ③	12 해설 참조

01 광개토대왕의 영토 확장
정답: ④

제시된 자료는 고구려 광개토 대왕의 업적이 기록된 「광개토 대왕릉비」의 일부 내용이다. 고구려 광개토 대왕은 북으로는 만주 일대를 차지하고, 남으로는 신라를 도와 왜·가야를 격파하였다. 당시 고구려의 공격으로 가야 연맹의 맹주였던 금관가야가 쇠퇴하였다.

오답피하기

① 임오군란은 1882년 개화기에 일어났다.
② 병자호란은 1636년 조선 인조 때 발발하였다.
③ 천리장성은 고구려 연개소문 때, 고려 거란의 침입 후에 축조된 바 있다.
⑤ 병자호란의 치욕을 갚자고 주장하는 북벌론은 효종 때 본격적으로 등장하였다.

02 고구려의 영역 확장
정답: ⑤

고구려는 4세기 후반 소수림왕 대 불교 수용, 태학 설립, 율령 반포 등을 통해 중앙 집권 체제를 강화하였다. 이를 토대로 5세기 광개토 대왕 때 만주 지역 대부분을 차지하고, 백제를 공격하여 한강 이북 지역을 차지하였다. 또한 신라를 지원하여 가야·왜 연합 세력을 물리쳤으며, 이를 계기로 신라에 대한 간섭을 강화하였다. 뒤이어 장수왕은 수도를 평양으로 옮겨 남진 정책을 추진하였고, 이후 남한강 유역까지 진출하였다.

03 가야 연맹의 변화

전기 가야 연맹은 고구려 광개토 대왕의 공격을 계기로 크게 쇠퇴하였으며, 이를 배경으로 후기 가야 연맹이 성립하였다.
모범답안 가야 연맹은 낙동강 하류 지역에서 금관가야 중심으로 연맹을 형성하고 있었다. 그러나 5세기 초 고구려가 신라를 지원하여 가야·왜 연합 세력을 물리쳤고, 이에 금관가야가 쇠퇴하였다. 이후 가야의 소국들은 경상도 내륙 지역의 대가야를 중심으로 새로운 연맹을 형성하였다(후기 가야 연맹).

04 태조 왕건의 정책
정답: ③

밑줄 친 '태조'는 고려의 태조 왕건이다. 고려의 태조 왕건은 호족 통합 정책(사심관 제도, 기인 제도, 결혼 정책 등)과 북진 정책을 추진하였다.

오답피하기

① 고려 예종 때 윤관 등이 축조하였다.
② 조선의 인조가 실시한 정책이다.
④ 조선의 성종이 『경국대전』을 반포하였다.
⑤ 통일 신라의 원성왕이 시행한 정책이다.

05 태조 왕건의 정책
정답: ⑤

호족들의 추대로 왕위에 오른 태조 왕건은 나라 이름을 고려로 정하고, 송악을 수도로 삼았다. 또한 그는 유력한 호족 집안과 혼인을 맺는 등 호족들과의 관계를 돈독히 하는 한편, 기인 제도와 사심관 제도를 통해 호족 세력을 적절히 통제하고자 하였다.

오답피하기

⑤ 태조 왕건의 통치 시기 거란의 직접적인 침입은 일어나지 않았다.

06 태조 왕건의 후삼국 통일

태조 왕건은 918년 고려를 세우고 송악을 수도로 삼았다. 이후 그는 신라와 후백제를 멸망시키고 후삼국을 통일하였다(936).
모범답안 10세기에 한반도에서는 통일 신라의 분열로 후삼국이 성립하였다. 궁예의 휘하에 있던 송악의 호족 왕건은 다른 호족들의 추대로 왕위에 올랐다(918). 그는 나라 이름을 고려로 정하고, 송악을 수도로 삼았다. 고려는 발해가 멸망하자 그 유민들을 받아들였으며, 신라 우호 정책을 펼쳐 신라 경순왕의 항복을 받아 냈다. 곧이어 군사를 일으켜 후백제를 멸망시키고 후삼국을 통일하였다(936).

채점 기준	
상	고려 건국, 신라 복속, 후백제 정복을 모두 서술한 경우
중	고려 건국, 신라 복속, 후백제 정복 중 두 가지만 서술한 경우
하	고려 건국, 신라 복속, 후백제 정복 중 한 가지만 서술한 경우

07 군역 체계의 개편
정답: ④

(가)는 균역법이다. 조선 영조는 군역 체계를 개편하기 위해 균역법을 실시하였다. 이는 군포 납부를 1년에 1필로 줄이고, 부족분은 선무군관포, 결작 등으로 메꾸는 방식이었다.

오답피하기

① 고구려 고국천왕은 진대법을 시행하였다.
② 고려 멸망 직전 이성계 및 조선 건국 세력이 과전법 시행을 주도하였다.
③ 조선 인조가 영정법을 시행하였다.
⑤ 조선 세조가 직전법을 시행하였다.

08 영조의 정책
정답: ④

(가)를 시행한 왕은 조선 영조이다. 영조는 탕평 정치를 실시하고 『속대전』을 편찬하여 제도를 정비하였다.

① 조선 성종에 대한 설명이다.
② 조선 세종에 대한 설명이다.
③ 조선 광해군에 대한 설명이다.
⑤ 조선 세종 때 4군 6진이 개척되었다.

09 조선의 군역 제도
조선 시대에는 모든 양인이 군역을 져야 했으나, 기피 현상이 심화되었으며, 포를 납부하는 방군수포가 성행하였다.

모범답안 조선 시대에는 16세 이상 60세 미만 양인 남자들은 모두 군역을 부담하였다. 그러나 평화가 지속되며 군역을 기피하는 양인들이 늘어났다. 이에 사람을 사서 군역을 대신하거나(대립), 포를 받고 군역을 면제해 주는 방군수포가 성행하였다. 이러한 수취 체제의 문란으로 농민 부담은 더욱 늘어났다.

채점 기준

상	양인개병제에서 대립 및 방군수포로 이어지는 흐름을 면밀히 서술한 경우
중	대립과 방군수포만 서술한 경우
하	방군수포의 내용만 서술한 경우

10 임진왜란의 이해 정답: ①
밑줄 친 '이 해전'이 일어난 전쟁은 임진왜란이다. 임진왜란 당시 권율이 행주산성에서 일본군을 물리쳤으며, 고경명 · 조헌 등이 이끄는 의병이 일본군에 항전하였다.

오답피하기
ㄷ. 고려 시대 거란의 3차 침입 당시의 사실이다.
ㄹ. 조선 인조 때 발발한 병자호란 당시의 사실이다.

11 임진왜란의 이해 정답: ③
임진왜란은 도요토미 히데요시의 야욕으로 시작되었다. 조선은 전쟁 초반에 열세에 처했으나, 수군과 의병의 활약, 명의 참전 등 치열한 항전으로 전황을 회복하였다. 곽재우는 임진왜란 당시 활약한 의병장이다.

오답피하기
① 고려 시대 거란의 3차 침입 당시의 사실이다.
② 고려의 윤관은 여진 토벌을 위해 별무반 편성을 건의하였다.
④ 고구려는 수의 침입에 을지문덕을 중심으로 맞서 싸웠다.
⑤ 1866년 병인양요 당시 프랑스 군대가 강화도를 침략하였고, 양헌수가 정족산성에서 프랑스 군대를 격퇴하였다.

12 임진왜란의 결과
임진왜란은 동아시아 국가의 백성들에게 많은 영향을 미쳤다.

모범답안 조선은 일본과의 전쟁으로 국토가 황폐해지고 국가 재정이 악화되었다. 수많은 사람이 죽거나 일본에 잡혀갔고, 다수의 문화재가 소실되었다. 일본에서는 도요토미 히데요시의 죽음 이후 에도 막부가 수립되었다. 일본은 조선에서 납치한 인력을 통해 학문과 기술(도자기)을 수용하였다.

채점 기준

상	조선의 국토 황폐, 문화재 소실과 일본의 정권 교체, 문화 발전을 매끄럽게 서술한 경우
중	조선과 일본의 내용을 분절적으로만 서술한 경우
하	조선 또는 일본의 내용만 서술한 경우

대주제 마무리하기 ──── 46~48쪽

01 ①	02 ④	03 ③	04 ④	05 ①	06 ⑤	07 ③	08 ②
09 ①	10 ①	11 ②	12 ④	13 ④	14 ③	15 ③	16 ④
17 ③	18 ⑤						

01 청동기 시대의 사회 모습 정답: ①
제시된 자료는 탁자식 고인돌(좌), 비파형 동검(우)으로 청동기 시대를 대표하는 문화유산이다. 청동기 시대에는 계급 사회가 형성되었고, 권력과 경제력을 지닌 정치 세력이 등장하였다.

오답피하기
②, ③ 신석기 시대에 대한 설명이다.
④ 철기 문화 보급 이후의 사실이다.
⑤ 고구려, 백제, 신라 등 한반도의 고대 국가에 대한 설명이다.

02 초기 국가 부여 정답: ④
(가) 국가는 부여이다. 초기 국가 부여는 쑹화강 유역에 존재하였고, 마가, 우가 등이 사출도를 다스렸다. 또한 영고라는 제천 행사를 열었다.

오답피하기
① 신라에 대한 설명이다.
② 초기 국가 동예에 대한 설명이다.
③ 고구려에 대한 설명이다.
⑤ 삼한에 대한 설명이다.

03 장수왕의 남진 정책 정답: ③
제시된 자료는 고구려 장수왕이 백제를 함락할 당시의 기록이다. 고구려의 장수왕은 수도를 평양으로 옮긴 후 남진 정책을 실시하여 한강 유역을 차지하였다. 이러한 영토 확장 내용은 고구려인이 남긴 충주 고구려비를 통해 확인할 수 있다.

오답피하기
① 나당 동맹은 백제의 공격으로 위기에 몰린 신라가 위기를 극복하기 위해 당과 맺은 동맹이다.
② 백제 멸망(660) 이후 흑치상지, 복신, 도침 등이 부흥 운동을 전개하였다.
④ 4세기에 근초고왕은 한강 유역을 기반으로 하여 고구려 등을 압박하였다.
⑤ 나당 연합군은 660년 백제를 공격하여 멸망시켰다.

04 신라 진흥왕의 영토 확장 정답: ④
(가) 인물은 신라 진흥왕이다. 신라 진흥왕은 적극적인 영토 확장 정책을 펼쳤다. 진흥왕 때 신라는 한강 유역을 차지하였으며, 남으로는 대가야를 정복하고 북으로는 동해안을 따라 함경도 지방까지 영토를 넓혔다. 진흥왕의 업적은 비석으로 남아 있는데, 대표적인 비석으로는 단양 적성비, 북한산비, 황초령비, 마운령비, 창녕비가 있다. 특히 단양 신라 적성비에는 진흥왕이 단독으로 귀족들에게 왕명을 내리고 있는 내용을 통해 신라에 중앙 집권 체제가 완성되어 가고 있었음을 확인할 수 있다.

오답피하기
① 신라 진덕 여왕 때 최초 등장하여 신문왕 때 완비되었다.
② 고구려 소수림왕, 백제 침류왕, 신라 법흥왕에 대한 설명이다.

③ 신라 지증왕에 대한 설명이다.
⑤ 신라 내물마립간에 대한 설명이다.

05 발해의 정치·문화   정답: ①

(가) 국가는 발해이다. 대조영이 동모산에서 건국한(698) 발해는 화려한 불교문화를 꽃피웠다. 대표적인 불교 유적으로는 상경의 석등과 이불병좌상이 있다.

오답피하기
② 초기 국가 옥저와 동예에 대한 설명이다.
③ 사비 시기의 백제에 대한 설명이다.
④ 백제 웅진 시기 무령왕에 대한 설명이다.
⑤ 고구려군은 을지문덕을 중심으로 수의 침략을 격퇴하였다.

06 삼국 통일과 통일 신라의 발전   정답: ⑤

당은 동북아시아의 패권을 장악하기 위해 고구려를 침략하였지만, 안시성 전투 등에서 고구려의 거센 저항을 받고 물러났다. 이후 당은 신라와 연합군을 결성하여 백제와 고구려를 무너뜨리고 한반도 전체를 지배하려고 하였다. 이에 신라는 고구려 유민과 힘을 합쳐 당에 대항하였으며, 매소성·기벌포 등에서 큰 승리를 거두어 당을 몰아내고 대동강 이남 지역을 차지하였다. 통일 신라는 늘어난 영토와 백성을 효율적으로 다스리기 위해 행정 조직을 정비하는 등 통치 체제를 새롭게 확립하였다. 특히 신문왕은 왕권을 강화하기 위해 관리에게 관료전을 지급하였으며, 녹읍을 없애고 녹봉을 주는 등 귀족의 경제 기반 약화를 도모하였다. 또한 통일 신라는 유학 교육을 강화하여 통치 체제를 안정시키고자 하였는데, 신문왕 때에는 교육 기관으로 국학을 설치하였으며, 원성왕 때에는 유교 경전의 이해 수준을 평가하여 관리로 채용하는 독서삼품과를 시행하였다.

07 고려 태조 왕건   정답: ③

(가) 인물은 고려 태조 왕건이다. 궁예의 휘하에 있던 송악의 호족 왕건은 다른 호족들의 추대로 왕위에 올랐다. 그는 나라 이름을 고려로 정하고, 발해가 거란의 침입으로 멸망하자 그 유민들을 받아들였으며, 신라 우호 정책을 펼쳐 신라 경순왕의 항복을 받아냈다. 곧이어 군사를 일으켜 후백제를 멸망시키고 후삼국을 통일하였다. 이후 유력한 호족 집안과 혼인을 맺는 등 호족들과의 관계를 돈독히 하는 한편, 기인 제도와 사심관 제도를 통해 호족 세력을 적절히 통제하고자 하였다. 또한 평양을 서경으로 개칭하여 북진 정책을 추진하였다.

오답피하기
① 고려는 거란의 1차 침입 당시 서희의 외교적 노력으로 강동 6주를 얻었다.
② 고려 예종 때의 윤관에 대한 설명이다.
④ 고려 광종에 대한 설명이다.
⑤ 고려 성종 때의 최승로에 대한 설명이다.

08 묘청의 서경 천도 운동   정답: ②

밑줄 친 '그'는 묘청이다. 묘청 등 서경 출신 세력은 금 정벌과 서경 천도 등을 주장하였다. 하지만 서경 천도가 좌절되자, 서경에서 난을 일으켰으나 곧 진압당하였다. 일제 강점기 사학자 신채호는 이 사건을 1천 년래 제일 큰 사건으로 평가하였다.

오답피하기
① 고려 광종 때 과거제가 최초로 실시되었다.
③ 고려 예종 때 윤관을 중심으로 동북 9성을 쌓았으나, 곧 여진에게 돌려

주었다.
④ 고려의 삼별초는 고려 정부의 개경 환도에도 불구하고 끝까지 몽골과 싸웠다.
⑤ 고려 후기 전민변정도감이 여러 차례 설치되었으며, 그중 공민왕 시기 신돈이 설치한 것이 대표적이다.

09 공민왕의 개혁 정치   정답: ①

14세기 중엽 원이 쇠락의 징조를 보이자 공민왕은 반원 개혁 정치를 추진하였다. 그는 변발 등 몽골풍을 금지하고 기철 등 친원 세력을 제거하였으며, 정동행성 이문소를 폐지하였다. 몽골에 빼앗겼던 쌍성총관부를 공격하여 철령 이북의 땅을 되찾았다. 또한 승려 신돈을 등용하여 전민변정도감을 설치하였다. 이를 통해 권문세족이 불법으로 빼앗은 토지를 원래 주인에게 돌려주고, 노비로 전락한 양민의 신분을 회복하였다. 또한 성균관을 정비하고 유학 교육을 강화하여 인재를 양성하였다.

오답피하기
② 고려 광종에 대한 설명이다.
③ 조선 세종에 대한 설명이다.
④ 고려 태조 왕건에 대한 설명이다.
⑤ 고려 성종에 대한 설명이다.

10 향·부곡·소 거주민의 처우   정답: ①

고려의 특수 행정구역인 향·부곡·소 거주민은 양인 신분이었지만 과거 응시가 불가하였다.

오답피하기
ㄴ. 향·부곡·소 거주민은 양인이었다.
ㄹ. 향·부곡·소 거주민은 거주지 이전에 제한을 받았다.

11 성리학의 전파   정답: ②

(가) 학문은 성리학이다. 성리학은 안향 등이 고려에 소개하였고, 공민왕의 성균관 정비 및 유학 교육 강화에 힘입어 신진 사대부를 중심으로 유행하였다.

오답피하기
① 풍수지리설은 도참사상과 결합하였다.
③ 민간 신앙에 대한 설명이다.
④ 도교 등 민간 신앙에 대한 설명이다.
⑤ 11세기 말 의천이 교종과 선종을 통합하여 천태종을 열었다.

12 일연의 『삼국유사』   정답: ④

원 간섭기에 편찬된 일연의 『삼국유사』에는 여러 왕조의 시조에 대한 신비로운 이야기들이 담겨 있다. 특히 주목할 만한 것은 단군왕검을 우리 역사의 시작으로 인식하였다는 것이다.

오답피하기
① 조선 후기 유득공의 『발해고』에 대한 설명이다.
②, ⑤ 고려 시대 김부식이 편찬한 『삼국사기』에 대한 설명이다.
③ 고려 무신 정권 시기 이규보의 『동명왕편』에 대한 설명이다.

13 세조의 정치   정답: ④

단종을 몰아내고 왕위에 오른 세조는 집현전을 폐지하여 왕권 강화를 도모하였고, 직전법 실시, 『경국대전』 편찬 등 나라의 기틀을 다지기 위해 노력하였다.

오답피하기

ㄱ. 신문고는 조선 태종 때 설치되었다.
ㄷ. 호패법은 조선 태종 때 도입되었다.

14 광해군의 정치   정답: ③

(가) 인물은 조선 광해군이다. 임진왜란 이후 왕위에 오른 광해군은 민생 안정을 위한 대동법을 실시하였고, 전쟁을 막기 위해 중립 외교를 실시하였으나, 인조반정으로 왕위에서 쫓겨났다.

오답피하기
① 조선 영조에 대한 설명이다.
② 조선 연산군 시기의 사실이다.
④ 조선 인조에 대한 설명이다.
⑤ 고려 시대 공민왕이 대표적이다.

15 병자호란의 결과   정답: ③

밑줄 친 '전쟁'은 병자호란이다. 병자년 청의 침입에 맞서 조선의 왕 인조는 남한산성으로 피신하였다. 하지만 여러 악조건을 이겨내지 못하고 청에 항복한다. 그 결과 조선은 청과 군신 관계를 맺었다.

오답피하기
① 고구려 연개소문 시기, 고려 거란과의 항쟁 시기에 축조되었다.
② 임진왜란의 결과 일본에서는 에도 막부가 수립되었다.
③ 임진왜란 이후 왕위에 오른 광해군의 정책이다.
⑤ 임진왜란 도중 명과 일본은 휴전 협상을 실시하였다.

16 붕당 정치의 변질   정답: ④

초기 붕당 정치는 공론을 중심으로 상대 붕당과 공존하는 형태로 이루어졌으나, 예송 논쟁과 환국을 거치며 상대 당에 대한 복수와 일당 전제화를 추구하는 경향으로 변질되었다.

오답피하기
① 조선 초기 훈구파와 사림이 대립하였고, 그 과정에서 사화가 발생하였다.
② 고려 문벌 사회는 무신 정변으로 붕괴되었다.
③ 고려 후기에 권문세족과 신진 사대부가 대립하였다.
⑤ 통일 신라 말기 하층민의 봉기가 다수 발생하며 국력이 점차 쇠퇴하였다.

17 대동법   정답: ③

(가) 제도는 대동법이다. 조선의 공납 제도는 수취 과정에서 방납 등이 등장하여 그 폐단이 극심하였다. 광해군은 대동법을 실시하여 토지 소유자에게 쌀, 화폐 등으로 공납을 수취하였다. 대동법이 실시되며 국가에서 필요한 물품을 구입하는 공인이 등장하였고, 이는 상품 화폐 경제 발달에 큰 영향을 끼쳤다.

오답피하기
① 신돈은 고려 후기 공민왕 때 개혁 정치를 실시하였다.
② 조선 시대 수취 체제의 문란을 삼정의 문란이라 한다.
④ 조선 영조는 균역법을 실시하여 백성들의 군역 부담을 감소시켰다.
⑤ 신진 사대부는 고려 말 개혁의 중심 세력이었다.

18 조선의 신분제   정답: ⑤

밑줄 친 '이들'은 천인이다. 조선의 천인은 조세·공납·역의 의무를 지지 않았고, 재산으로 간주되어 상속의 대상이 되었다.

오답피하기
①, ② 양인에 대한 설명이다.
③ 고려 문벌에 대한 설명이다.
④ 고려 특수 행정 구역 향·부곡·소 거주민에 대한 설명이다.

 비판적 사고 기르기 ——————————— 49쪽

(가)는 『고려사』 「열전」에 실린 묘청의 서경 천도 운동에 대한 기록이다. 이자겸의 난 이후 인종이 개혁 정치를 추진하는 와중에 묘청 등 서경 출신 세력이 '서경 천도', '금 정벌', '황제를 칭할 것' 등을 내세우며 김부식 등 개경의 문벌 세력과 대립하였다. 이들은 서경 천도가 좌절되자 서경에서 난을 일으켰지만, 곧 김부식이 이끄는 관군에게 진압되었다.

(나)는 일제 강점기의 역사학자 신채호가 남긴 저서의 일부이다. 독립 투쟁을 위해 민족의식을 고취시키고자 하였던 신채호는 묘청의 서경 천도 운동이 자주적 민족의식을 대변하였다고 평가하였으며, 운동이 실패한 이후의 역사가 사대적으로 흘러갔다며 안타까워하였다.

(다)는 21세기 대한민국의 역사학자가 묘청의 서경 천도 운동을 평가한 글이다. 그는 고려 지배 세력 교체의 관점에서 묘청의 서경 천도 운동이 갖는 의미를 평가하고 있다. 음서와 공음전 등으로 공고히 유지되던 문벌 지배 체제가 점차 파열되고 있다는 증거로 묘청의 서경 천도 운동을 이야기하였고, 이윽고 무신 정변(무신란)으로 문벌 지배 체제가 붕괴되었음을 서술하고 있다.

01 모범답안 서경의 지세와 국가의 발전을 연결시켜 주장하는 것으로 보아 풍수지리설을 바탕으로 한 것이다. 신라 말부터 유행한 풍수지리설은 고려 시대에도 성행하였다. 평양(서경)이 명당이라는 논리는 북진 정책을 뒷받침하는 근거가 되었다.

채점 기준 ❶~❸ 항목 당 각 2점
❶ 밑줄 친 부분의 주장을 명확히 서술한 경우
❷ 밑줄 친 부분의 주장을 뒷받침한 사상을 파악한 경우
❸ 밑줄 친 부분의 주장을 뒷받침한 사상에 대해 자세히 서술한 경우

02 모범답안 묘청의 서경 천도 운동에 대해 (나)의 저자가 주장하는 핵심 가치는 자주적 민족의식의 표출이며, (다)의 저자가 주장하는 핵심 가치는 문벌 지배 체제의 균열이다. (나)의 저자인 신채호는 일제 강점기의 역사학자이자 독립운동가로 독립 투쟁을 활발하게 전개하기 위해 자주적이며, 진취적인 민족의식을 고취할 필요가 있다고 보았다. 그는 이러한 관점에서 강력한 외세에 대항하여 과감히 맞서 싸울 것을 주장한 묘청 세력의 활동을 자주적 민족의식을 대변한 것으로 평가하고, 현실적 이해를 내세워 외세와 타협할 것을 주장한 김부식 세력에 대해서는 사대주의에 빠져 자주 의식을 잃어버린 자들로 비판하였다. 한편 (나)의 저자인 이병희는 21세기 대한민국의 역사학자로 고려 사회 변동의 관점에서 묘청의 서경 천도 운동을 파악하였다. 지역 농민의 참여를 언급한 점은 민주 시민의 관점이 반영된 것으로 보인다.

채점 기준 ❶~❸ 항목 당 각 2점
❶ (가)와 (나) 저자의 시대적 배경을 고려한 경우
❷ (가) 저자의 시대적 배경에서 드러난 역사관을 타당하게 서술한 경우
❸ (나) 저자의 시대적 배경에서 드러난 역사관을 타당하게 서술한 경우

II 근대 국민 국가 수립 운동

❶ 서구 열강의 접근과 조선의 대응

개념 체크

52쪽 01 (1) × (2) × 02 (1) 이양선 (2) 비변사 (3) 호포제 03 (1) ⓒ
(2) ㉠ (3) ㉡

53쪽 01 (1) ○ (2) × 02 (1) 제너럴 셔먼호 (2) 정족산성 (3) 오페르트
03 (1)—㉠ (2)—㉡ (3)—ⓒ

문제 유형 익히기 ────────── 54~55쪽

01 ② 02 ③ 03 ① 04 ① 05 ① 06 ③ 07 ② 08 ①
09 (1) 호포제 (2) 해설 참조 10 해설 참조 11 병인박해

01 흥선 대원군의 정책 정답: ②
제시된 자료는 흥선 대원군의 인사 정책에 관한 내용이다. 흥선 대원군은 정계에서 밀려났던 다양한 정치 세력을 등용하여 자신의 정치적 기반을 강화하였다. 또한 세도 가문의 핵심 권력 기구로 왕권을 제약하던 비변사를 사실상 폐지하고, 의정부와 삼군부의 기능을 부활하여 각각 정치와 군사를 담당하게 하였다.

오답피하기
① 1880년 조선 정부는 개화를 총괄할 기구로 통리기무아문을 설치하였다.
③ 현량과는 중종 대에 조광조가 실시한 관리 선발 제도이다.
④ 광해군은 공납을 토지 면적에 따라 거두도록 하는 대동법을 실시하였다.
⑤ 인조는 풍흉과 관계없이 일정한 조세를 거두는 영정법을 시행하였다.

02 경복궁 중건과 당백전 발행 정답: ③
밑줄 친 '이 화폐'는 흥선 대원군이 경복궁 중건 과정에서 재원 마련을 위해 발행한 당백전이다. 정부가 당시 통용되던 상평통보의 100배 가치에 해당하는 당백전을 지나치게 발행하여 물가가 폭등하는 등 유통 경제가 흔들리기도 하였다.

오답피하기
① 흥선 대원군은 신미양요 이후 통상 수교 정책을 더욱 강력히 추진하겠다는 의지를 표명한 척화비를 전국 각지에 건립하였다.
② 흥선 대원군은 행정 법규를 정비하여 『대전회통』을 편찬하였다.
④ 흥선 대원군은 삼정의 문란 중 전정 문제를 해결하기 위해 전국적인 양전 사업을 시행하였다.
⑤ 18세기 후반부터 조선 연해에 이양선이라 불린 서양 선박이 잇달아 나타나 조선의 해안을 측량하고, 조선에 통상을 요구하였다.

03 호포제 시행에 따른 납부층 변화 정답: ①
제시된 자료는 영천 지역 군포 부담 계층의 변화를 나타낸 도표이다. 이를 통해 납부층 양반이 추가되었음을 확인할 수 있다. 흥선 대원군은 양반에게도 군포를 징수하는 호포제를 시행하여 군정의 문란을 바로잡으려 하였다.

오답피하기
② 광해군은 소유한 토지 면적에 따라 쌀·면포·화폐 등으로 공납을 내는

대동법을 시행하였다.
③ 영조는 균역법을 시행하여 백성의 군역 부담을 절반으로 줄였다.
④ 흥선 대원군은 경복궁 중건 과정에서 당백전을 발행하였다.
⑤ 흥선 대원군은 서원전의 면세 규정을 철폐하였다.

04 흥선 대원군 집권 시기의 상황 정답: ①
제시된 자료는 흥선 대원군 시기에 시행된 사창제에 관한 내용이다. 흥선 대원군은 농촌 사회를 안정시키고 국가 재정을 확충하기 위해 삼정 개혁을 추진하였다. 전정 문제를 해결하기 위해 양전을 시행하고, 그동안 토지 대장에 제대로 파악되지 않은 땅을 찾아내어 세금을 고르게 거두려고 하였다. 이외에도 호포제, 사창제 등을 시행하였다. 또한 흥선 대원군은 서원으로 인한 폐단을 바로잡기 위해 서원전의 면세 규정을 폐지하고, 사액 서원을 수령이 직접 주관하게 하였다. 나아가 전국의 서원을 47개소만 남기고 모두 없애 버렸다.

오답피하기
ㄷ. 홍경래의 난은 흥선 대원군 집권 이전인 1811년에 일어났다. 서북 지방에 대한 차별과 세도 정권의 수탈이 주요 원인이었다.
ㄹ. 정조가 죽고 어린 순조가 즉위하면서 안동 김씨, 풍양 조씨 등 소수의 외척 가문이 정권을 독점하는 세도 정치가 나타났다.

05 흥선 대원군의 개혁에 대한 반발 정답: ①
(가)에 들어갈 말로 적절한 것은 서원 정리와 호포제 실시이다. 흥선 대원군은 전국의 서원을 47개소만 남기고 모두 없애 버렸는데, 이는 양반들의 반발을 샀다. 이외에도 흥선 대원군은 군정(군포 징수)의 폐단을 해결하기 위해 집집마다 군포를 거두는 호포제를 시행하였다. 이는 그동안 면세의 혜택을 받던 양반에게도 군포를 거둔 것으로, 역시 양반들의 반발을 초래하였다.

오답피하기
ㄷ. 흥선 대원군은 세도 가문의 핵심 권력 기구로 왕권을 제약하던 비변사를 사실상 폐지하였다.
ㄹ. 흥선 대원군의 통상 수교 거부 정책은 이항로, 기정진 등 유생들의 지지를 받았다.

06 제너럴 셔먼호 사건의 영향 정답: ③
제시된 자료는 제너럴 셔먼호 사건과 관련된 기록이다. 1866년 미국 상선 제너럴 셔먼호가 대동강을 거슬러 올라와 통상을 요구하였다. 조선이 제너럴 셔먼호의 통상 요구를 거절하자, 제너럴 셔먼호의 선원들은 관리를 잡아 가두고 주민을 공격하는 등 횡포를 부렸다. 이에 평안도 관찰사 박규수의 주도로 관군과 주민들이 제너럴 셔먼호를 불태웠다(제너럴 셔먼호 사건). 이를 빌미로 1871년 로저스 제독이 이끄는 미국 함대가 강화도를 침략하였다(신미양요). 그들은 초지진과 덕진진을 점령하고 어재연 등이 지키는 광성보를 함락하였다.

오답피하기
① 18세기 후반부터 조선 연해에는 이양선이라 불린 서양 선박이 잇달아 나타나 조선의 해안을 측량하고, 조선에 통상을 요구하였다.
② 러시아는 제2차 아편 전쟁 때 청과 서구 열강 간의 강화를 중재한 대가로 청으로부터 연해주 지역을 획득하였다.
④ 흥선 대원군은 여론에 따라 1866년부터 본격적으로 천주교를 탄압하였고, 당시 9명의 프랑스 선교사를 비롯한 수많은 천주교 신자가 처형을 당

하였다(병인박해).

⑤ 독일 상인 오페르트는 두 차례나 조선에 들어와 통상을 요구하였으나 모두 거절당하였다.

07 병인양요의 전개
정답: ②

제시된 자료는 병인양요의 전개를 나타낸 지도이며, (가) 국가는 프랑스이다. (가)의 군대가 강화도를 침략하였고, 양헌수와 한성근 등이 이에 맞서 싸우고 있는 모습을 통해 이를 파악할 수 있다. 병인양요 때 프랑스군은 강화도에 보관 중이던 외규장각 도서를 약탈하였다. 외규장각 도서는 프랑스 국립 도서관에 보관되다가 장기 대여 방식으로 우리나라에 돌아왔다.

오답피하기

① 로저스 제독이 이끄는 미군은 강화도를 침략하여 초지진과 덕진진을 점령하였다.

③ 독일 상인 오페르트는 흥선 대원군의 아버지인 남연군의 묘를 도굴하려고 하였다.

④ 1866년에 미국 상선 제너럴 셔먼호가 대동강을 거슬러 올라와 통상을 요구하였다.

⑤ 1871년 강화도에 침입한 미군은 어재연 등이 이끄는 조선 수비대의 결사 항전에도 불구하고 광성보를 함락하였다.

08 흥선 대원군 시기 대외 상황
정답: ③

1866년 흥선 대원군은 천주교 신자들을 탄압하는 병인양요를 일으켰다. 같은 해 미국 상선 제너럴 셔먼호가 대동강을 거슬러 올라와 주민을 공격하는 등 횡포를 부리자 평안도 관찰사 박규수의 주도로 관군과 주민들이 합세하여 제너럴 셔먼호를 불태워 버렸다(제너럴 셔먼 사건). 독일 상인 오페르트는 두 차례나 조선에 들어와 통상을 요구하였으나 모두 거절당하자, 흥선 대원군 아버지 남연군의 묘를 도굴하려 하였다(1868). 1871년에는 미군 함대가 제너럴 셔먼 사건을 빌미로 강화도를 침략하였다(신미양요). 그들이 물러간 이후 흥선 대원군은 통상 수교 거부에 대한 의지를 담은 척화비를 전국에 설치하였다.

09 호포제의 시행

제시된 자료는 호포제 시행에 대한 기록이다. 흥선 대원군 집권 초기에는 철종 말년에 일어난 전국적인 임술 농민 봉기로 여전히 사회가 혼란스러웠다. 흥선 대원군은 농민 봉기의 주요 원인이 되었던 삼정의 문란을 바로잡아 농촌 사회를 안정시키고 국가 재정을 확충하고자 하였다.

모범답안 (2) 흥선 대원군은 백성의 부담을 줄여 농촌 사회를 안정시키고, 국가 재정을 확보하기 위해 양반에게도 군포를 부담하는 호포제를 실시하였다.

채점 기준

상	호포제의 내용을 서술하고 그 목적으로 농촌 사회 안정과 국가 재정 확보를 모두 서술한 경우
중	농촌 사회 안정과 국가 재정 확보를 모두 서술한 경우
하	농촌 사회 안정과 국가 재정 확보 중 한 가지만 서술한 경우

10 흥선 대원군의 서원 정리

제시된 자료는 흥선 대원군이 왕권을 강화하고 정치적 안정을 이루기 위해 시행한 서원 정리와 관련된 기록이다. 흥선 대원군은 전국의 서원을 47개소만 남기고 모두 없애 버렸다.

모범답안 흥선 대원군은 서원전의 면세 규정을 폐지하고, 사액 서원을 수령이 직접 주관하게 하였다. 이는 왕권 강화와 국가 재정의 확충에 기여하였으며, 유생들의 횡포로부터 농민을 보호하였다.

채점 기준

상	흥선 대원군의 서원 철폐 정책을 설명하고, 그 결과를 왕권 강화, 국가 재정 확충, 농민 보호의 측면에서 모두 서술한 경우
중	왕권 강화, 국가 재정 확충, 농민 보호 중 두 가지만 서술한 경우
하	왕권 강화, 국가 재정 확충, 농민 보호 중 한 가지만 서술한 경우

11 병인양요의 원인

제시된 자료는 병인박해 소식을 들은 베이징 주재 프랑스 공사 벨로네가 작성한 경고 서한이다. 흥선 대원군의 천주교 탄압 정책은 세계 각지에서 대외 팽창을 추구하던 프랑스가 조선을 침략하는 구실로 작용하였다.

---

❷ 동아시아의 변화와 근대적 개혁의 추진

개념 체크

56쪽	01 (1) × (2) × 02 (1) 정한론 (2) 운요호 사건 (3) 영사 재판권
	03 (1)—㉠, (2)—㉢, (3)—㉡
57쪽	01 (1) ○ (2) × 02 (1) 통리기무아문 (2) 왜양일체론 (3) 제물포 조약 03 (1)—㉢, (2)—㉠, (3)—㉡
58쪽	01 (1) × (2) ○ 02 (1) 문명개화론 (2) 개혁 정강 (3) 거문도
	03 (1)—㉡, (2)—㉠, (3)—㉢

문제 유형 익히기 ──────── 59~61쪽

01 ④ 02 ② 03 ③ 04 ④ 05 ⑤ 06 ③ 07 ④ 08 ⑤
09 ③ 10 ④ 11 ⑤ 12 동도서기론 13 (1) 갑신정변 (2) 해설 참조 14 해설 참조

01 동아시아 각국의 개항
정답: ④

제시된 자료 중 (가)는 난징 조약, (나)는 미·일 수호 통상 조약이다. 광저우 등 5개 항구에서 영국 상인에게 무역을 허용한다는 내용을 통해 (가)가 난징 조약, 나가사키 등을 추가로 개항하고 미국에 영사 재판권을 인정한다는 내용을 통해 (나)가 미·일 수호 통상 조약임을 알 수 있다. 난징 조약은 청이 제1차 아편 전쟁을 패배한 이

후에 체결되었으며, 미·일 수호 통상 조약은 미·일 화친 조약 이후에 체결된 것으로 개방의 폭이 더욱 확대된 조약이다. 두 조약 모두 상대국에게 영사 재판권을 규정한 불평등한 내용을 담고 있다.

오답피하기

ㄱ. 러시아는 제2차 아편 전쟁 때 영국·프랑스와 청 사이의 강화를 중재한 대가로 연해주 지역을 차지하였다.

ㄷ. 1854년 일본은 미국과 미·일 화친 조약을 체결하여 처음으로 문호를 개방하였다. 이후 미국의 요구로 미·일 수호 통상 조약이 체결되었다.

02 왜양일체론의 등장 배경
정답: ②

제시된 자료는 최익현 등이 제기한 왜양일체론에 관한 기록이다. 1870년대에 최익현을 비롯한 유생들은 일본과 서양이 같다는 왜양일체론을 주장하며 개항(강화도 조약)에 반대하였다.

오답피하기

① 조선 정부는 강화도 조약 체결 이후 일본의 문물을 시찰하기 위해 조사 시찰단을 파견하였다.

③ 1880년 일본에 수신사로 파견된 김홍집이 청의 관리 황준헌이 쓴 『조선책략』을 들여왔다.

④ 일본 상인은 강화도 조약, 조·일 수호 조규 부록 및 조·일 무역 규칙에 따라 조선에서 활동하였다.

⑤ 임오군란의 결과 체결된 제물포 조약에 대한 설명이다. 제물포 조약의 체결로 일본군이 공사관 경비 주둔을 명분으로 조선에 주둔하게 되었다.

03 강화도 조약의 체결 배경
정답: ③

제시된 자료는 1876년 조선과 일본이 체결한 강화도 조약(조·일 수호 조규)의 내용이다. 일본이 운요호 사건을 일으켜 조선에 개항을 강요하는 와중에 조선 내에서 제기되었던 통상 개화론이 받아들여져 강화도 조약이 체결되었다.

오답피하기

ㄱ. 조·청 상민 수륙 무역 장정의 체결로 조선 정부의 허가를 받은 청 상인은 내지에서 무역할 수 있게 되었다.

ㄹ. 임오군란 이후 조선에 대한 청의 내정 간섭이 심화되는 가운데 청은 마젠창과 묄렌도르프를 고문으로 파견하였다.

04 조·미 수호 통상 조약의 내용
정답: ③

제시된 자료는 1882년 조선과 미국이 체결한 조·미 수호 통상 조약의 내용이다. 조선은 강화도 조약 체결 이후 한동안 서구 열강의 개항 요구를 거부하였다. 그러나 1880년대에 개화 정책이 추진되고 『조선책략』이 유포되는 등 미국과의 조약 체결에 호의적인 분위기가 조성되었다. 청도 러시아와 일본을 견제하기 위해 조선과 미국의 조약 체결을 알선하였다. 결국 조선은 미국과 조·미 수호 통상 조약을 맺었다(1882). 이 조약은 영사 재판권과 최혜국 대우 등이 포함된 불평등 조약이었다. 이후 조선은 영국, 독일, 러시아, 프랑스 등의 서구 열강과도 통상 조약을 맺음으로써 세계 질서에 편입되었다.

오답피하기

③ 조선과 일본이 체결한 조·일 무역 규칙에 관한 설명이다. 이 조약에 양곡 수출 제한이 없었기 때문에 일본 상인들에 의해 대량의 양곡이 조선에서 유출되는 문제가 발생하였다.

05 조선의 개화 정책
정답: ⑤

개항 이후 조선 정부는 개화 정책을 적극적으로 추진하기 위해 중국

의 총리아문을 본떠 통리기무아문을 설치하고, 그 밑에 12개 부서를 두어 외교·통상·군사 등 각종 업무를 담당하게 하였다. 군사 제도는 기존의 5군영을 무위영과 장어영으로 개편하였다. 이 외에도 무기 제조 기관인 기기창을 비롯하여 인쇄·출판 기관인 박문국 등의 근대 시설을 갖추어 나갔다.

오답피하기

⑤ 흥선 대원군이 통치 체제를 재정비하기 위해 시행한 조치이다.

06 조사 시찰단의 활동
정답: ③

밑줄 친 '사절단'은 1881년 일본으로 파견된 조사 시찰단이다. 조선 정부는 개항 이후 일본의 정세를 파악하고 근대적 행정 기구의 운영과 개화 정책에 대한 정보를 얻기 위해 조사 시찰단을 파견하였다. 조사 시찰단은 일본의 근대 시설을 살펴보고, 귀국 후 시찰 내용을 담은 보고서를 고종에게 제출하였다.

오답피하기

① 조선은 강화도 조약 체결 직후 김기수를 대표로 하는 수신사를 일본에 파견하였다.

② 조선 정부는 청에 김윤식을 대표로 하는 영선사를 파견하여 무기 제조 기술과 군사 훈련법을 배워 오게 하였다.

④ 조·미 수호 통상 조약은 조사 시찰단 파견 이후인 1882년에 체결되었다.

⑤ 2차 수신사로 일본에 갔던 김홍집이 『조선책략』을 들여왔다.

07 영남 만인소의 배경
정답: ④

제시된 자료는 이만손 등 영남 지방의 유생 1만여 명이 왕에게 올린 상소(영남 만인소)이다. 1880년대에 『조선책략』이 유포되고 정부가 개화 정책을 추진하며 미국과 수교하려 하자, 영남 유생은 이만손을 중심으로 상소를 올려 이에 반발하였다.

오답피하기

① 조·미 수호 통상 조약 체결되고 이듬해인 1883년 민영식을 대표로 하는 보빙사가 미국에 파견되었다.

② 일본은 1875년 운요호 사건을 일으켜 조선에 문호 개방을 강요하였다.

③ 임오군란 이후 청의 내정 간섭이 심해지고 급진 개화파의 입지가 축소되자, 김옥균 등은 갑신정변을 일으켜 청의 간섭에서 벗어나 내정 개혁을 추진하려 하였다.

⑤ 18세기 후반부터 조선 연해에 이양선이라 불린 서양 선박이 잇달아 나타났다.

08 위정척사 운동의 전개
정답: ⑤

제시된 자료는 위정척사 운동에 대한 수행 평가 보고서이다. 1880년대에는 개화 정책에 반발하여 대대적인 위정척사 운동이 전개되었다. 특히 『조선책략』이 유포되자, 유생들은 강력하게 반발하였다. 이들은 이만손을 중심으로 영남 만인소를 올렸으며, 홍재학은 국왕을 규탄하는 상소를 올렸다가 처형당하였다.

오답피하기

ㄱ. 조사 시찰단은 일본의 문물을 시찰하고 귀국 후 시찰한 내용을 담은 보고서를 고종에게 제출하였다.

ㄴ. 통상 개화론을 주장한 박규수는 강화도 조약의 체결을 지지하였다.

09 임오군란의 전개 과정
정답: ③

제시된 자료는 1881년 창설된 신식 군대인 별기군에 대한 내용이다. (가)는 임오군란이다. 구식 군대에 대한 차별 대우를 배경으로 임오

군란이 일어났다. 임오군란의 전개 과정에서 잠시 다시 집권한 흥선 대원군은 별기군과 통리기무아문을 폐지하는 등 각종 개화 정책을 백지화하였다.

오답피하기
① 갑신정변 이후 청과 일본은 조선에서 양국 군대를 철수하고, 앞으로 조선에 파병할 때는 미리 서로 알린다는 내용의 톈진 조약을 체결하였다.
② 임오군란 이후 청의 내정 간섭이 강화되는 상황에서 조·청 상민 수륙 무역 장정이 체결되었다.
④ 갑신정변의 실패 이후 김옥균, 박영효 등 급진 개화파는 일본으로 망명하였다.
⑤ 임오군란 이후 청은 조선에 마젠창을 고문으로 파견하였다.

10 급진 개화파의 사상　　　　　　　　　　　정답: ④
제시된 자료는 갑신정변에 대한 평가로, 밑줄 친 '그들'은 갑신정변을 일으킨 급진 개화파를 가리킨다. 급진 개화파는 일본의 메이지 유신을 본보기로 삼았다. 이들은 문명개화론의 입장에서 정치·사회 제도의 개편까지 포함하는 급진적 개혁을 추진하였다. 또 청의 간섭에서 벗어나 자주적인 근대 국가를 수립하고자 하였다.

오답피하기
ㄱ. 온건 개화파에 대한 설명이다. 온건 개화파는 청의 양무운동을 모범으로 삼아 서양의 기술을 수용하고자 했다.
ㄷ. 갑신정변 이후 열강의 갈등이 심화되자 조선 중립화론을 제기하였다.

11 갑신정변의 결과　　　　　　　　　　　정답: ⑤
제시된 자료는 김옥균 등 급진 개화파가 일으킨 갑신정변에 관한 내용으로, (가) 사건은 갑신정변이다. 갑신정변 이후 일본은 정변의 책임을 조선에 떠넘기며 정변 때 죽은 일본인에 대한 배상금과 불에 탄 일본 공사관 신축비 보상을 요구하였다. 조선은 한성 조약을 체결하여 일본의 요구를 수용하였다.

오답피하기
① 임오군란 이후 조·청 상민 수륙 무역 장정이 체결되었다.
② 정부의 개화 정책에 반발한 홍재학이 국왕을 규탄하는 상소를 올렸다.
③ 임오군란 과정에서 청군이 흥선 대원군을 청으로 압송하였다.
④ 임오군란의 결과 조선은 일본과 제물포 조약을 체결하여 공사관 경비를 위한 일본군 주둔을 허용하였다.

12 동도서기론의 내용
온건 개화파는 청의 양무운동을 본받아 동도서기론에 따른 점진적 개혁을 주장하였다. 동도서기란 동양의 전통적인 제도와 사상은 지키되 서양의 기술은 받아들이자는 주장이다.

13 갑신정변의 배경
제시된 자료는 갑신정변 당시 발표된 개혁 정강이다. 조선의 자주독립, 문벌 폐지, 인민 평등권 제정, 인재 등용, 재정의 일원화, 경제 개혁, 군제 개혁, 내각제 수립 등을 포함하고 있다.

모범답안　(2) 청의 내정 간섭이 심해지고 김옥균이 추진한 일본 차관 도입이 실패하면서 급진 개화파의 입지는 축소되었다. 결국 김옥균 등은 일본의 지원 약속을 받고, 베트남 문제로 청군 일부가 철수한 기회를 이용하여 갑신정변을 일으켰다.

채점 기준

상	임오군란 이후 청의 내정 간섭 심화, 김옥균의 차관 도입 실패, 일본의 지원 약속, 청군 일부 철수 중 세 가지 이상 서술한 경우
중	임오군란 이후 청의 내정 간섭 심화, 김옥균의 차관 도입 실패, 일본의 지원 약속, 청군 일부 철수 중 두 가지만 서술한 경우
하	임오군란 이후 청의 내정 간섭 심화, 김옥균의 차관 도입 실패, 일본의 지원 약속, 청군 일부 철수 중 한 가지만 서술한 경우

14 갑신정변 이후의 대내외 정세
갑신정변 이후 청의 간섭이 심해지는 상황에서 조선이 러시아 세력을 끌어들이려고 한다는 조·러 밀약설이 유포되었다. 이에 영국이 러시아의 남하를 견제한다는 구실로 거문도를 불법 점령(거문도 사건)하는 등 한반도를 두고 열강들 사이에 경쟁이 치열하게 전개되었다.

모범답안　열강의 각축과 청의 간섭이 강화되고 있는 상황에서 조선 정부는 개화 정책과 자주 외교를 추진하였다. 고종은 궁궐 내에 내무부를 설치하고 개화 정책을 추진하였다. 또한 서양 여러 나라에 전권 공사를 파견하여 외교의 다변화를 모색하였다.

채점 기준

상	개화 정책과 자주 외교를 내무부 설치와 외교의 다변화를 포함하여 모두 서술한 경우
중	개화 정책과 자주 외교를 모두 서술한 경우
하	개화 정책과 자주 외교 중 한 가지만 서술한 경우

❸ 근대 국민 국가 수립을 위한 노력

개념 체크

62쪽　01 (1) × (2) ○　02 (1) 교조 신원 운동 (2) 황토현 (3) 집강소　03 (1)-ⓒ, (2)-ⓒ, (3)-ⓛ

63쪽　01 (1) ○ (2) ×　02 (1) 탁지아문 (2) 「교육입국 조서」 (3) 을미사변　03 (1)-ⓒ, (2)-ⓛ, (3)-ⓙ

64쪽　01 (1) ○ (2) ×　02 (1) 「독립신문」 (2) 만민 공동회 (3) 황국 협회　03 (1)-ⓙ, (2)-ⓒ, (3)-ⓛ

65쪽　01 (1) ○ (2) ○　02 (1) 광무 (2) 구본신참 (3) 지계아문　03 (1)-ⓛ, (2)-ⓒ, (3)-ⓙ

문제 유형 익히기　　　　　　　　　　66~69쪽

01 ⑤　02 ②　03 ④　04 ①　05 ⑤　06 ④　07 ②　08 ②
09 ⑤　10 ⑤　11 ④　12 ③　13 ③　14 ④　15 교조 신원 운동　16 해설 참조　17 (1) 집강소 (2) 해설 참조　18 해설 참조　19 「홍범 14조」　20 (1) 「대한국 국제」 (2) 해설 참조

01 고부 농민 봉기의 배경   정답: ⑤

제시된 사진은 전봉준을 비롯한 동학 간부 20여 명이 고부성 점령, 조병갑 처형 등을 결의하고 만든 사발통문이다. 고부 군수 조병갑이 불필요한 만석보를 짓고 물세를 거두는 등 수탈을 일삼자, 전봉준 등은 사발통문을 돌려 세력을 모은 뒤 고부 관아를 점령하였다.

오답피하기

① 전주 화약 이후 조선 정부가 일본군에 철수를 요청하였지만, 일본군은 이를 무시하고 경복궁을 침범한 뒤 조선의 내정에 간섭하였다.

② 전주 화약 체결 이후 전라도 일대에 집강소가 설치되었다.

③ 고부 농민 봉기 사태를 수습하기 위해 안핵사 이용태가 파견되었다.

④ 1864년 동학을 창시한 최제우가 혹세무민을 이유로 처형당하였다.

02 동학 농민 운동의 전개 과정   정답: ②

제시된 자료는 농민군이 백산에서 발표한 4대 강령이다. 안핵사 이용태의 횡포에 맞서 전봉준을 비롯한 농민군 지도부는 무장에서 다시 봉기하였다. 농민군은 백산에서 격문과 4대 강령을 발표하고 지휘부를 구성하였다.

오답피하기

① 동학의 교조 최제우는 1864년 정부의 탄압으로 처형당하였다.

③ 일본군의 경복궁 침범에 대한 반발로 제2차 농민 운동이 일어났다.

④ 전주 화약 당시 정부는 농민들의 「폐정 개혁안」을 수용하였다.

⑤ 고부 농민 봉기 이전에 동학의 교단 간부들은 궁궐 문 앞에서 상소를 올렸다.

03 전봉준의 활동   정답: ④

제시된 자료는 동학 농민 운동을 이끌었던 전봉준이 법무아문으로 압송되고 있는 모습을 담은 사진이다. (가) 인물은 전봉준이다. 전봉준이 이끄는 전라도의 농민군이 삼례에 모여 북상하자 충청도의 농민군도 봉기하여 함께 논산에 집결하였다. 이들이 서울로 향하자 일본군과 관군으로 구성된 연합 부대가 공주에서 농민군을 저지하였다. 농민군은 공주 우금치에서 일본군과 관군을 상대로 치열하게 싸웠지만 패하였다(우금치 전투).

오답피하기

① 고부 군수 조병갑이 만석보를 짓고 물세를 거두었다.

② 유인석 등의 유생들은 단발령에 반발하여 의병을 일으켰다.

③ 최제우는 동학을 창시하고 교세를 확장하였다.

⑤ 김옥균, 박영효, 서광범 등은 갑신정변이 실패한 뒤 일본으로 망명하였다.

04 청·일 전쟁 시기의 사실   정답: ①

제시된 자료는 청·일 전쟁의 전개를 보여 주는 지도이다. 전주 화약 체결 이후 전라도 일대에 집강소가 설치되고 「폐정 개혁안」에 따른 개혁이 시행되고 있었다. 당시 일본은 조선 정부의 철군 요청을 무시하고 조선의 내정에 간섭하였다. 이에 청과 일본 사이의 군사적 긴장이 고조되었고, 결국 일본군이 청군을 공격하며 전쟁이 벌어졌다(청·일 전쟁, 1894~1895).

오답피하기

② 단발령은 청·일 전쟁 이후의 을미개혁 시기에 시행되었다.

③ 청·일 전쟁 이후 조선 정부는 김홍집을 중심으로 내각을 다시 구성한 후 개혁을 추진하였다(을미개혁).

④ 단발령이 공포되자 을미사변으로 분노하고 있던 유생과 농민들이 의병

을 일으켰다. 이러한 상황에서 고종은 러시아 공사관으로 처소를 옮겼다.

⑤ 1895년 청·일 전쟁에서 승리한 일본이 청으로부터 랴오둥반도를 할양받자, 러시아는 삼국 간섭을 일으켰다.

05 동학 농민 운동과 청·일 전쟁   정답: ⑤

제1차 동학 농민 운동 당시 농민군은 황룡촌에서 정부군을 격파하였고 전주성마저 점령하였다. 이에 정부는 청에 파병을 요청하였다. 요청을 수락한 청은 조선에 군대를 파병하면서 톈진 조약에 따라 이 사실을 일본에 통보하였다. 그러자 일본 역시 거류민 보호를 구실로 조선에 군대를 파병하였다. 이로써 한반도를 두고 청과 일본의 갈등이 심화되었다. 이러한 상황에서 전주 화약을 체결한 정부는 청과 일본에 철수를 요청하였으나, 일본은 이를 무시하고 경복궁을 침범하고 조선의 내정에 적극적으로 간섭하였다. 이는 청의 반발을 샀고 결국 청과 일본 사이에 전쟁이 발발하였다(청·일 전쟁). 청·일 전쟁은 평양 전투 등에서 청이 패배하면서 결국 일본의 승리로 끝났다. 1895년에는 청과 일본 사이에 시모노세키 조약이 체결되었다.

06 교정청 설치 시기의 사실   정답: ④

제시된 자료는 전주 화약 체결 이후 교정청이 설치되고 여러 개혁이 추진되던 시기에 대한 내용이다. 정부가 교정청을 설치하고 개혁을 추진하던 시기 일본의 군대가 조선에 주둔하고 있었다. 일본은 조선 정부의 철수 요청을 거부하고 경복궁을 침범한 뒤 개혁을 강요하면서 조선의 내정에 간섭하였다. 교정청은 제1차 갑오개혁 시기 구성된 김홍집 내각에서 폐지하였다.

오답피하기

① 제2차 갑오개혁 시기에 고종이 「홍범 14조」를 선포하였다.

② 전주 화약 체결 이후 전주성의 농민군은 해산하였다.

③ 고부 농민 봉기 과정에서 농민들이 만석보를 헐어 버렸다.

⑤ 제1차 갑오개혁 시기에 교정청이 폐지되고 군국기무처가 설치되었다.

07 제1차 갑오개혁의 내용   정답: ②

군국기무처에서 회의하는 모습이라는 내용을 통해 제시된 자료가 제1차 갑오개혁에 대한 내용임을 알 수 있다. 제1차 갑오개혁 당시 경찰 기구로 경무청이 신설되었다. 또한 과거제가 폐지되었으며, 중국 연호가 아닌 독자적인 연호를 사용하기 시작하였다. 이외에 제1차 갑오개혁에서는 공사 노비제의 혁파가 이루어지기도 하였다.

오답피하기

② 제2차 갑오개혁 시기에 지방관의 사법권과 군사권을 박탈하였으며, 재판소를 설치하여 사법권을 독립시켰다.

08 제2차 갑오개혁의 내용   정답: ②

밑줄 친 '개혁'은 제2차 갑오개혁이다. 박영효가 김홍집과 개혁을 단행한다는 내용을 통해 이를 파악할 수 있다. 제2차 갑오개혁 당시 정부는 지방관의 사법권과 군사권을 박탈하고, 재판소를 설치하여 사법권을 독립시켰다. 또 「교육입국 조서」를 공포하고 한성 사범 학교 관제를 마련하는 등 교육 분야의 개혁을 추진하였다.

오답피하기

ㄴ. 제1차 갑오개혁 시기에 탁지아문으로 재정이 일원화되었다.

ㄹ. 제1차 갑오개혁 당시 조선 정부는 궁내부를 설치하여 왕실 사무를 총괄하게 하고, 국정 업무는 의정부에 집중시켰다.

09 단발령의 시행 배경
정답: ⑤

제시된 자료는 을미개혁 시기에 공포된 단발령에 관련된 기록이다. 삼국 간섭으로 러시아의 영향력이 커지자 고종은 친러 정책을 추진하여 일본을 견제하려고 하였다. 이에 일본은 명성 황후를 살해하였다(을미사변). 이후 조선 정부는 김홍집을 중심으로 내각을 다시 구성하고 을미개혁을 추진하였다.

오답피하기

① 농민군과 전주 화약을 체결한 조선 정부는 청군과 일본군의 철수를 요청하였다. 그러나 일본군은 이를 무시하고 경복궁을 침범하였다.
② 조선의 철수 요청을 거부한 일본은 경복궁을 점령하고 조선의 내정을 간섭하였다. 이에 반발한 청과 일본 사이에 전쟁이 벌어졌다(청 · 일 전쟁).
③ 제1차 갑오개혁 때 교정청이 폐지되고 군국기무처가 설치되었다.
④ 박영효 등 급진 개화파 인사들은 김홍집과 연립 내각을 구성하여 제2차 갑오개혁을 추진하였다.

10 을미개혁의 내용 파악
정답: ⑤

1895년 을미사변 이후 새롭게 구성된 김홍집 내각에서 을미개혁을 추진하였다. 을미개혁 시기에 '건양' 연호가 채택되었다. 당시 갑신정변으로 중단되었던 우편 업무가 재개되었다. 또한 단발령이 공포되자 유생과 농민들이 의병을 일으켰다(을미의병). 결국 아관 파천으로 인해 김홍집 내각은 붕괴되고 을미개혁은 중단되었다.

오답피하기

⑤ 제2차 갑오개혁 시기에 김홍집 · 박영효 연립 내각이 구성되었다.

11 독립 협회의 활동
정답: ④

제시된 자료는 독립 협회에 관한 대화 내용이다. 독립 협회가 독립문을 건립하고 강연회와 토론회를 개최하던 초기에는 안경수, 이완용 등 정부 고위 관리들이 독립 협회를 이끌었다. 그러나 독립 협회가 본격적인 정치 활동을 하면서 정부의 외세 의존 정책을 비판하자, 보수적 정부 관리들은 독립 협회를 빠져나갔다. 독립 협회는 러시아의 절영도 조차 요구를 저지했을 뿐 아니라 러시아 군사 고문단의 철수를 요구하였다.

오답피하기

① 고종은 「헌의 6조」를 받아들이고, 독립 협회의 개정안을 토대로 중추원 신관제를 공포하였다.
② 고종은 1899년 국가 운영의 기본 원칙을 담은 「대한국 국제」를 제정 · 공포하였다. 이는 대한 제국이 자주독립국임을 천명하면서 입법 · 행정 · 사법에 걸친 절대권을 황제에게 부여하여 전제 군주제를 지향하였다.
③ 독립 협회는 입헌 군주제와 유사한 정치 체제를 지향하였다. 이에 국정 자문 기관인 중추원이 의회 기능을 수행할 수 있도록 중추원 관제 개편을 요구하였다.
⑤ 김홍집을 중심으로 하는 내각은 교정청을 폐지하고 군국기무처를 설치하여 다양한 개혁을 추진하였다(제1차 갑오개혁).

12 독립 협회와 대한 제국 수립 이해
정답: ③

미국에서 귀국한 서재필은 아관 파천 이후 정부의 지원을 받아 『독립신문』을 창간하였다(1896). 서재필을 비롯한 정부 관료들은 독립문 건립 등을 내세우며 독립 협회를 창립하였다. 독립 협회는 열강의 이권 침탈에 맞서 1898년 3월부터 종로에서 만민 공동회를 개최하였고, 같은 해 10월부터는 박정양 내각과 함께 관민 공동회를 개

최하여 「헌의 6조」를 결의하였다. 고종은 이를 받아들이고 독립 협회의 개정안을 토대로 중추원 신관제를 공포하였다. 그러나 이후 독립 협회가 공화제를 시행하려 한다는 모함이 있자 고종은 독립 협회의 해산을 명하였다. 결국 정부의 탄압으로 독립 협회는 해산당하였다.

13 「헌의 6조」의 배경
정답: ③

제시된 자료는 「헌의 6조」의 내용이다. 독립 협회는 개혁적 성향의 박정양 내각과 각계각층의 국민이 참석하는 관민 공동회를 열었다. 관민 공동회는 「헌의 6조」를 결의하여 국권 수호, 민권 보장 등을 강조하며 관민이 함께 협력할 것을 요구하였다.

오답피하기

① 관민 공동회 이후 고종은 「헌의 6조」를 받아들이고, 독립 협회의 개정안을 토대로 중추원 신관제를 공포하였다.
② 관민 공동회 이후 보수 세력이 독립 협회가 공화정을 추구한다고 모함하자, 고종은 독립 협회의 해산을 명하였다.
④ 을미사변 이후 신변에 위협을 느낀 고종은 러시아 공사관 아관으로 피신하였다(아관 파천).
⑤ 독립 협회가 고종의 해산 명령에 저항하자, 고종은 황국 협회와 군대를 동원하여 독립 협회를 강제로 해산하였다.

14 대한 제국 시기의 개혁 이해
정답: ④

제시된 자료는 지계아문 설치에 관한 법령이다. 대한 제국 정부는 지계아문을 설치하고(1901), 토지 소유자에게 토지 소유권을 보장하는 지계를 발급하였다. 이외에도 대한 제국 정부는 경운궁 안에 황제 직할의 원수부를 두어 군 통수권을 장악하였으며, 친위대를 증강하고 시위대와 진위대를 확대 · 개편하였다. 그리고 무관 학교를 설치하고 징병제 시행도 준비하는 등 근대적 군대를 양성하려 하였다.

오답피하기

④ 조선 정부는 을미개혁 때 근대 학제에 따라 소학교를 설립하였다.

15 교조 신원 운동의 이해

동학교도들은 1892년부터 교조 신원 운동을 전개하여 최제우의 억울함을 풀어 주고 동학에 대한 탄압을 중지할 것을 호소하였다.

16 동학 농민 운동의 전개 과정

농민군과 전주 화약을 체결한 조선 정부는 청군과 일본군의 철수를 요청하였다. 그러나 조선에 출병한 일본군은 조선 정부의 철수 요구를 무시하고 경복궁을 침범한 뒤 조선의 내정에 간섭하였다. 해산하였던 농민군은 이에 반발하여 다시 봉기하였다.

모범답안 일본이 조선 정부의 철군 요청을 거부하고 경복궁을 침범한 뒤 조선의 내정에 간섭했기 때문에 다시 봉기하였다.

채점 기준

상	일본의 철군 요청 거부, 경복궁 침범, 내정 간섭을 모두 종합적으로 서술한 경우
중	일본의 철군 요청 거부, 경복궁 침범, 내정 간섭 중 두 가지만 서술한 경우
하	일본의 철군 요청 거부, 경복궁 침범, 내정 간섭 중 한 가지만 서술한 경우

17 「폐정 개혁안」의 이해

제시된 자료는 동학 농민군이 제시한 「폐정 개혁안」의 내용이다. 폐

정 개혁안에는 신분제의 폐지, 조세 제도의 개혁, 토지 제도 개혁 등 농민군의 주장이 담겨 있다.

모범답안 (2) 청 · 일의 군대가 조선에 들어오자 정부는 양국 군대를 철수시키기 위해 농민군의 「폐정 개혁안」을 수용하는 대신, 농민군이 전주성에서 철수한다는 내용의 전주 화약을 체결하였다.

채점 기준

상	청 · 일 양국 군대 철수, 전주 화약, 「폐정 개혁안」을 모두 서술한 경우
중	청 · 일 양국 군대 철수, 전주 화약, 「폐정 개혁안」 중 두 가지를 서술한 경우
하	청 · 일 양국 군대 철수, 전주 화약, 「폐정 개혁안」 중 한 가지만 서술한 경우

18 군국기무처의 변천

제시된 자료는 제1차 갑오개혁 시기에 설립된 군국기무처에서 발표한 법령이다. 교정청을 폐지하고 설치된 군국기무처는 제1차 갑오개혁 시기 각종 개혁을 추진하였다.

모범답안 일본이 조선의 내정을 간섭하는 상황에서 김홍집을 중심으로 하는 내각이 수립되었으며 개혁 기구로 군국기무처가 설치되었다. 과거제 폐지와 같은 각종 개혁을 추진하던 군국기무처는 김홍집 · 박영효 연립 내각이 구성되어 개혁이 추진되면서 폐지되었다.

채점 기준

상	군국기무처의 설치와 폐지를 시기뿐만 아니라 배경을 포함하여 종합적으로 서술한 경우
중	군국기무처의 설치와 폐지를 모두 서술한 경우
하	군국기무처의 설치와 폐지 과정 중 한 가지만 서술한 경우

19 「홍범 14조」의 이해

제2차 갑오개혁 시기에 고종은 국정 개혁의 기본 강령이라 할 수 있는 「홍범 14조」를 선포하였다. 「홍범 14조」는 조선이 자주독립국임을 국내외에 선포한 문서라는 의의가 있다.

20 「대한국 국제」의 성격

제시된 자료는 고종이 반포한 「대한국 국제」이다. 고종은 초기에 독립 협회에 우호적이었지만, 점차 독립 협회가 황권을 약화시킬 것이라고 우려하였다. 결국 고종은 독립 협회를 해산하고 「대한국 국제」를 반포하였다.

모범답안 (2) 「대한국 국제」는 황제가 무한한 권리를 행사하는 전제 군주제를 지향하고 있다. 황제가 군대 통수권, 입법권, 행정권, 외교권, 사법권 등 모든 권한을 갖는다고 규정하였다.

채점 기준

상	황제의 권한 중 네 가지 이상의 예를 들어 전제 군주제 지향을 설명한 경우
중	황제의 권한 중 세 가지 이하의 예를 들어 전제 군주제 지향을 설명한 경우
하	전제 군주제만 언급한 경우

 ❹ **일본의 침략 확대와 국권 수호 운동**

개념 체크

70쪽 01 (1) ○ (2) × 02 (1) 한 · 일 의정서 (2) 제2차 영 · 일 동맹 (3) 「시일야방성대곡」 03 (1)—㉠, (2)—㉡

71쪽 01 (1) ○ (2) ○ 02 (1) 한 · 일 신협약(정미 7조약) (2) 기유각서 (3) 활빈당 03 (1)—㉠, (2)—㉡, (3)—㉢

72쪽 01 (1) × (2) × 02 (1) 보안회 (2) 헌정 연구회 (3) 대한 자강회 03 (1)—㉡, (2)—㉢, (3)—㉠

73쪽 01 (1) × (2) ○ 02 (1) 오산 학교 (2) 「칙령 제41호」 (3) 이범윤 03 (1)—㉡, (2)—㉠, (3)—㉢

 문제 유형 익히기 ———————— 74~77쪽

01 ② 02 ② 03 ⑤ 04 ⑤ 05 ④ 06 ② 07 ④ 08 ① 09 ⑤ 10 ④ 11 ⑤ 12 ⑤ 13 ① 14 ④ 15 메가타, 스티븐스 16 해설 참조 17 (1) 을사늑약 (2) 해설 참조 18 (1) 정미의병 (2) 해설 참조 19 해설 참조 20 간도 협약

01 러 · 일 전쟁 시기의 사실 파악 정답: ②

제시된 자료는 러 · 일 전쟁의 전개 과정을 나타낸 지도이다. 러 · 일 전쟁이 발발하자 일제는 대한 제국을 압박하여 한 · 일 의정서를 강제로 체결하고 군사 전략상 필요한 지역을 점령하였다.

오답피하기

① 러 · 일 전쟁 이후 일제는 불법적으로 을사늑약 체결을 발표하고 통감부를 설치하여 조선의 외교권을 박탈하였다.

③ 러시아와 대립하고 있던 일본은 러시아의 남하가 본격화되자 영국과 제1차 영 · 일 동맹을 체결하여 영국의 지원을 받았다.

④ 러 · 일 전쟁 발발 직전 고종은 국외 중립을 선언하였다.

⑤ 청 · 일 전쟁의 결과 체결된 시모노세키 조약으로 랴오둥반도가 일본에 넘어갔다. 이에 러시아는 프랑스 독일과 함께 일본을 압박하여 랴오둥반도를 청에 반환하도록 하였다(삼국 간섭).

02 대한 제국의 국권 피탈 과정 이해 정답: ②

(가)는 교전에 서로 도움을 준다는 내용을 통해 1902년 체결된 제1차 영 · 일 동맹임을 알 수 있다. (나)는 러 · 일 전쟁 종료 직전인 1905년 8월 체결된 제2차 영 · 일 동맹의 내용이다. 가쓰라 태프트 밀약은 1905년 7월에 체결되었다.

오답피하기

① 포츠머스 강화 조약은 1905년 9월 체결되었다.

③ 일제는 1910년 6월 대한 제국의 경찰권을 박탈하였다.

④ 1907년 이상설, 이준, 이위종이 헤이그 특사로 파견되었다.

⑤ 을사늑약 체결 이후 이토 히로부미가 초대 통감으로 부임하였다.

03 을사늑약의 이해 정답: ⑤

(가) 조약은 을사늑약이다. 서구 열강으로부터 대한 제국에 대한 지배권을 인정받은 일본은 군대를 동원하여 경운궁을 포위하고 고종과 대신들을 위협하면서 을사늑약 체결을 강요하였다. 을사늑약은

고종의 서명 없이 박제순 등 다섯 명의 친일 대신들 찬성만으로 불법적으로 체결되었다. 일본은 을사늑약 체결에 따라 대한 제국의 외교권을 빼앗고, 통감부를 설치하였다.

오답피하기
⑤ 일본은 제1차 한·일 협약 체결을 강요하여 재정 분야에 메가타, 외교 분야에 미국인 스티븐스를 고문으로 파견하였다.

04 을사늑약의 이해　　　　　　　　　정답: ⑤
제시된 자료는 을사늑약에 저항하여 스스로 목숨을 끊은 민영환의 유서이다. 밑줄 친 ⑦은 을사늑약에 해당한다. 민영환은 유서에서 대한 제국의 외교권을 강탈한 을사늑약을 일본의 불법 행위로 규탄하였다.

오답피하기
① 명성 황후가 시해당한 을미사변에 반발하여 을미의병이 일어났다.
② 한·일 신협약의 체결로 대한 제국의 군대가 해산당하였다.
③ 청·일 전쟁에서 일본이 승리하여 랴오둥반도를 차지하자 러시아의 주도로 삼국 간섭이 일어났다.
④ 일제는 의병 운동을 탄압하기 위해 1909년 '남한 대토벌' 작전을 전개하였다.

05 을사늑약에 대한 반발　　　　　　　정답: ④
을사늑약의 체결 사실이 알려지자 장지연은 『황성신문』에 「시일야방성대곡」이란 논설을 발표하여 을사늑약의 부당성을 규탄하였고, 상인들은 상가 철시 운동을 전개하였다.

오답피하기
ㄱ. 서울 진공 작전은 정미의병 시기의 사실이다.
ㄷ. 을미의병 해산 이후 일부 세력이 활빈당을 조직하였다.

06 한·일 신협약의 내용 이해　　　　　정답: ②
일제는 헤이그 특사 파견을 문제 삼아 고종을 강제로 퇴위시키고, 이어서 한·일 신협약(정미 7조약)을 강제로 체결하였다(1907). 이 조약에 따라 일제는 차관을 비롯한 주요 관직에 통감이 추천하는 일본인을 배치하여 대한 제국 정부를 직접 통제하였다.

오답피하기
① 1883년 조·일 통상 장정에서 조선 정부는 일본에 최혜국 대우를 보장하였다.
③ 제1차 한·일 협약에 따라 외교 고문과 재정 고문이 대한 제국에 파견되었다.
④ 일본은 1909년 기유각서를 체결하여 대한 제국의 사법권을 빼앗았다.
⑤ 러·일 전쟁이 시작되자 일본은 한·일 의정서를 강제로 체결하여 군사 전략상 필요한 지역을 점령하였다.

07 을미의병의 활동　　　　　　　　　정답: ④
제시된 자료는 을미의병에 대한 기록으로 밑줄 친 '의병'은 을미의병이다. 1895년 을미사변에 이어 단발령이 공포되자 유생과 농민들을 중심으로 전국 곳곳에서 을미의병이 일어났다. 이소응과 유인석 등의 유생들이 주도하였고, 동학 농민군의 잔여 세력을 비롯한 일반 농민이 의병에 가담하였다.

오답피하기
ㄱ. 1909년 일본은 이른바 '남한 대토벌 작전'을 전개하여 호남 지역의 의병 운동을 탄압하였다.
ㄷ. 한·일 신협약에 따라 해산한 군인들이 정미의병에 가담하였다.

08 을미사변과 을사늑약 사이의 사실　　정답: ①
을미년에 일본이 저지른 사건이라는 표현을 통해 밑줄 친 ⑦이 을미사변임을 알 수 있다. 또한 민종식과 함께 의병을 일으켰다는 내용을 통해 밑줄 친 ⓒ이 을사늑약임을 알 수 있다. 을미사변 이후 새롭게 구성된 김홍집 내각은 단발령이 포함된 을미개혁을 추진하였다.

오답피하기
ㄴ. 을사의병 당시 평민 출신의 의병장인 신돌석이 활약하였다.
ㄹ. 을사의병 당시 최익현의 의병 부대가 정읍·순창 일대를 장악하였다.

09 정미의병 시기의 사실　　　　　　　정답: ⑤
제시된 자료는 조선에 특파원으로 내한한 매켄지가 의병을 취재하고 남긴 기록이다. 의병이 군인과 같이 행동하고 있다는 내용을 통해 밑줄 친 '의병'이 정미의병임을 알 수 있다. 당시 조직된 13도 창의군은 각국 외교 사절에 통문을 보내 의병 부대를 국제법상 교전 단체로 인정할 것을 요구하였다.

오답피하기
① 을미의병에 대한 설명이다.
② 이소응은 을미의병 시기에 활동한 의병장이다.
③ 단발령 공포 등에 반발하여 을미의병이 일어났다.
④ 일본의 경복궁 강제 점령 이후 동학 농민군이 재봉기하였다.

10 안중근의 활동 이해　　　　　　　　정답: ④
제시된 자료는 러·일 전쟁을 반대했던 일본인 고토쿠 슈스이가 안중근을 기리며 만든 엽서이다. 의를 취했다는 것과 뤼순 감옥에서 순국했다는 내용을 통해 (가) 인물이 안중근임을 알 수 있다. 안중근은 이토 히로부미를 하얼빈역에서 처단하였다.

오답피하기
① 기산도 등은 1906년 군부대신 이근택의 집을 습격하였다.
② 이재명은 1909년 명동 성당 앞에서 이완용을 습격하여 중상을 입혔다.
③ 장인환과 전명운은 샌프란시스코에서 스티븐스를 저격하였다.
⑤ 나철과 오기호는 자신회를 조직하여 을사오적의 처단을 시도하였다.

11 애국 계몽 운동의 이해　　　　　　　정답: ⑤
을사늑약을 전후로 신문화를 수용한 관료, 지식인, 자산가 등이 중심이 되어 애국 계몽 운동을 전개하였다. 애국 계몽 운동은 사회 진화론의 영향을 받아 실력 양성을 중요시하였다. 또한 언론 활동으로 민족의 실력을 키우려 하였으며, 학교를 설립하여 인재를 양성하려 하였다. 그리고 각종 근대 회사를 설립하여 경제 분야에서 실력을 키우고자 하였다.

오답피하기
⑤ 을사늑약을 전후로 신문화를 수용한 관료, 지식인, 자산가 등이 중심이 되어 애국 계몽 운동을 전개하였다.

12 대한 자강회 활동　　　　　　　　　정답: ⑤
제시된 자료는 대한 자강회의 취지문이다. 헌정 연구회를 계승한 대한 자강회(1906)는 교육과 산업을 통한 자강을 내세우고, 전국에 지회를 두고 월보를 간행하였다. 그러나 1907년 고종의 강제 퇴위를 반대하는 운동을 주도하다가 강제로 해산당하였다.

오답피하기
① 신민회는 비밀 결사 형태로 조직되었다.
② 헌정 연구회는 입헌 정치의 수립을 목표로 하였다.

③ 입헌 정치를 지향하였던 독립 협회는 중추원의 의회식 개편을 시도하였다.
④ 보안회는 집회를 열어 일본의 황무지 개간권 요구를 철회시켰다.

13 신민회의 활동 이해　　　　　　　　　　　　　정답: ①
제시된 자료는 신민회의 활동 강령으로 밑줄 친 '단체'는 신민회이다. 미국에서 돌아온 안창호는 양기탁, 이회영, 신채호 등과 함께 1907년 신민회를 조직하였다. 사회 여러 계층의 인사들이 다수 참여하고 있던 신민회는 국권 회복과 공화정 체제의 근대 국민 국가 건설을 목표로 삼았다. 신민회는 민족 교육을 위해 정주에 오산 학교, 평양에 대성 학교를 설립하여 인재를 양성하였다. 또한 일부 간부들은 서간도 지역의 삼원보에 한인들의 집단 거주 지역이자 독립운동 기지를 개척하고 신흥 강습소를 설립하였다. 신민회는 1911년 일제가 조작한 105인 사건으로 사실상 해체되었다.

오답피하기
① 대한 자강회(1906)는 교육과 산업을 통한 자강을 내세우고, 전국에 지회를 두고 월보를 간행하였다.

14 일제의 독도 불법 강탈　　　　　　　　　　　정답: ④
제시된 자료는 대한 제국의 「칙령 제41호」(1900)이다. (가) 지역은 석도(石島), 즉 독도를 가리킨다. 고종은 칙령을 통해 울릉도를 울도군으로 승격하고, 독도를 울도군 안에 포함하여 독도가 대한 제국의 영토임을 분명히 하였다. 하지만 일본은 독도를 '무주지'로 규정하고 시마네현 고시 제40호를 통해 독도 편입을 고시하였다. 이는 국제법상으로 명백한 불법적인 영토 침탈이었다.

오답피하기
① 백두산정계비는 조선과 청의 경계를 정한 비석으로 간도 지역과 관련이 있다.
② 이범윤은 간도 지역의 관리를 위해 파견되었다.
③ 일본은 청과 간도 협약을 체결하여 간도를 청의 영토로 인정하였다.
⑤ 청이 약해진 틈을 타 러시아가 간도를 점령하자 정부는 1902년 이범윤을 간도에 파견하였다. 이듬해에는 그를 간도 관리사로 임명하고 간도를 함경도의 행정 구역에 포함하였다.

15 제1차 한·일 협약의 이해
러·일 전쟁 중 일본은 대한 제국과 제1차 한·일 협약을 체결하였다. 그 결과 일본은 대한 제국에 재정 고문으로 메가타를, 외교 고문으로 스티븐스를 파견하였다. 메가타는 재정 정리 사업과 화폐 정리 사업을 추진하여 대한 제국의 금융을 장악하였다.

16 한국 지배에 대한 서구 열강의 승인
제시된 자료는 제2차 영·일 동맹의 내용이다. 일본은 영국과 제2차 영·일 동맹과 포츠머스 강화 조약을 체결하여 한반도에 대한 독점적 지위를 인정받았다.

모범답안　제2차 영·일 동맹, 일본은 러·일 전쟁에서 승리가 확실해지자 영국과 제2차 영·일 동맹을 체결하여 한국에 대한 독점적 지위를 국제적으로 인정받았다.

채점 기준	
상	조약의 명칭과 의미를 종합적으로 서술한 경우
하	조약의 명칭과 의미 중 한 가지만 서술한 경우

17 을사늑약의 불법성
제시된 자료는 을사늑약(제2차 한·일 협약)의 내용이다. 미국, 영국, 러시아로부터 대한 제국에 대한 지배권을 인정받은 일본은 군대를 동원하여 경운궁(덕수궁)을 포위하였다. 그리고 고종과 대신들을 위협하면서 을사늑약(제2차 한·일 협약) 체결을 강요하였다.

모범답안　(2) 일본이 군대를 동원하여 강요한 을사늑약은 고종의 서명 없이 박제순 등 다섯 명의 친일 대신 찬성만으로 불법적으로 체결되었다.

채점 기준	
상	일본의 강요, 고종 서명의 생략, 친일 대신들의 찬성을 종합적으로 서술한 경우
중	친일 대신들의 찬성만으로 체결된 것만 서술한 경우
하	군대를 앞세워 강압적으로 체결한 내용만 서술한 경우

18 정미의병의 활동
제시된 자료는 정미의병에 대한 기록이다. 1907년 일본이 고종을 강제로 퇴위시키고, 대한 제국 군대를 해산하자 전국 각지에서 정미의병이 일어났다. 의병 지도자들은 이인영을 총대장, 허위를 군사장으로 추대하여 13도 창의군을 결성하였다. 경기도 양주에 집결한 13도 창의군은 서울 진공 작전을 전개하였으나 일본군의 우세한 전력에 밀려 패퇴하였다.

모범답안　(2) 한·일 신협약으로 대한 제국의 군대가 해산된 이후 해산 군인들이 의병에 합류하면서 의병 부대의 전투력은 한층 강화되고 조직화되었다. 이로써 정미의병은 노동자, 상인, 학생 등 각계각층이 참여한 항일 의병 전쟁으로 발전하였다.

채점 기준	
상	군대 해산 배경, 해산 군인의 참여, 의병 전쟁으로의 발전을 모두 서술한 경우
중	군대 해산 배경과 해산 군인의 참여를 서술한 경우
하	해산 군인의 참여만 서술한 경우

19 신민회의 활동
제시된 자료와 관련된 단체는 신민회이다. 미국에서 돌아온 안창호는 양기탁, 이회영, 신채호 등과 함께 1907년 신민회를 조직하였다. 비밀 결사 형태로 활동하였던 신민회는 사회 여러 계층의 인사들이 다수 참여하고 있었으며, 국권 회복과 공화정 체제의 근대 국민 국가 건설을 목표로 삼았다.

모범답안　신민회는 정주에 오산 학교, 평양에 대성 학교를 설립하여 인재를 양성하였으며, 평양과 서울에 설립된 태극 서관에서 계몽 서적을 출판하였다. 또한 평양에 자기 회사를 세워 민족 산업의 육성에도 힘썼다.

채점 기준	
상	교육과 산업 활동을 각각 둘 이상의 예를 들어 서술한 경우
중	교육과 산업 활동을 각각 하나의 예를 들어 서술한 경우
하	교육과 산업 활동 중 한 가지만 서술한 경우

20 간도 협약의 체결
제시된 자료는 간도 협약의 내용이다. 통감부는 1907년 간도 파출소를 설치하는 등 간도를 대한 제국의 영토로 간주하였다. 그러나 1909년 남만주 철도 부설권과 푸순 탄광 채굴권을 얻는 대가로 청과 간도 협약을 체결하여 간도를 청의 영토로 인정하였다.

❺ 개항 이후 나타난 경제적 변화

 문제 유형 익히기 ─────────────── 80~81쪽

01 ④ **02** ⑤ **03** ③ **04** ⑤ **05** ⑤ **06** ① **07** ④ **08** ⑤ **09**

해설 참조 **10** 화폐 정리 사업 **11** (1) 국채 보상 운동 (2) 해설 참조

01 조 · 청 상민 수륙 무역 장정의 영향   정답: ④

제시된 자료는 1882년 조 · 청 상민 수륙 무역 장정 체결 이후 나타난 경제 변화에 관한 내용이다. 조 · 청 상민 수륙 무역 장정으로 지방관에게 허가받은 청 상인은 개항장 밖에서도 활동할 수 있게 되었다. 이는 최혜국 대우 조항에 따라 다른 외국 상인에게도 적용되었다.

오답피하기

① 1876년 강화도 조약 체결 직후 조 · 일 무역 규칙이 체결되었다.
② 황국 협회는 보부상들의 단체로 1898년 조직되었다.
③ 갑오개혁은 1894년에 시작되었다.
⑤ 1905년 을사늑약의 체결로 통감부가 대한 제국의 외교권을 행사하게 되었다.

02 조 · 일 통상 장정의 내용   정답: ⑤

제시된 자료는 개항 초 일본 상인이 무관세의 혜택을 받는 상황을 보여 주고 있다. 1883년 조 · 일 통상 장정 체결 이전까지 일본 상인들은 무관세 무역을 하였다. 결국 조선 정부의 요구로 조 · 일 통상 장정에는 관세 조항이 포함되었고, 조선의 관세 자주권이 일부 인정되었다.

오답피하기

① 조선은행 등의 민족 은행은 자금 부족 등으로 몰락하였다.
② 일본은 동양 척식 주식회사를 설립하여 한국 내의 토지를 확보하였다.
③ 재정 고문 메가타의 주도로 화폐 정리 사업이 추진되었다.
④ 조 · 청 상민 수륙 무역 장정의 체결로 청 상인은 내지 통상권을 확보하였다.

03 러시아의 이권 침탈   정답: ③

제시된 자료는 2차 수신사로 일본에 갔던 김홍집이 들여온 『조선책략』의 내용이며, 밑줄 친 '그들'은 러시아이다. 『조선책략』에는 조선이 러시아의 남하를 막기 위한 대책이 담겨 있다. 러시아는 절영도 조차 및 목포와 진남포 일대의 섬과 토지 매도를 요구하였다.

오답피하기

① 일본은 해저 전신 시설권을 확보하였다.
② 조선은 미국에 최초로 최혜국 대우를 보장하였다.
④ 청은 임오군란 이후 마젠창을 파견하여 조선의 내정에 간섭하였다.
⑤ 프랑스는 병인박해를 구실로 병인양요를 일으켰다.

04 열강의 이권 침탈   정답: ⑤

아관 파천을 계기로 정치적 영향력이 커진 러시아는 조선에 대한 내정 간섭을 강화하며 경제적 이권을 차지하였다. 이에 제국주의 열강들도 최혜국 대우 규정을 내세워 광산 채굴권, 삼림 채벌권, 철도 부설권 등 경제적 이권 침탈에 나섰다. 운산 금광 채굴권은 미국이 차지하였다. 프랑스는 1896년 경의선 철도 부설권을 확보하였지만, 러 · 일 전쟁 중 반납하였다.

오답피하기

⑤ 일본은 러 · 일 전쟁 중 한 · 일 의정서를 체결하여 군용지를 점령하고, 철도 용지라는 명목으로 필요한 양보다 훨씬 넓은 토지를 빼앗았다.

05 화폐 정리 사업   정답: ⑤

제시된 자료는 화폐 정리 사업의 절차이다. 메가타가 주도한 화폐 정리 사업 이후 일본 제일은행권이 대한 제국의 법화가 되었으며, 백동화는 폐지되고 상평통보는 점진적으로 유통 중지되었다. 화폐 정리 사업의 추진에 필요한 막대한 자금도 차관의 형식으로 들여왔기 때문에 대한 제국의 국채가 증가하였다.

오답피하기

ㄱ. 당백전은 경복궁 중건을 위해 흥선 대원군이 발행한 화폐이다.
ㄴ. 제1차 갑오개혁에서 탁지아문으로 재정이 일원화되었다.

06 상권 수호 운동의 전개   정답: ①

제시된 자료는 조 · 청 상민 수륙 무역 장정 체결 이후 외국 상인들이 내지에서 무역을 전개하는 상황을 기록한 것이다. 이에 대항하여 조선 상인들은 평양의 대동 상회와 한성의 장통 상회 등 근대적 상회사를 설립하였다. 또한 1898년에 시전 상인들은 황국 중앙 총상회를 조직하여 외국 상인들의 상업 활동을 중단시켜 달라고 엄중히 요구하였다.

오답피하기

ㄷ. 일본은 1908년에 동양 척식 주식회사를 설립하였다.
ㄹ. 애국 계몽 운동 단체인 신민회는 태극 서관을 세워 계몽 서적을 출판하였다.

07 독립 협회의 이권 수호 운동   정답: ④

아관 파천 이후 열강의 이권 침탈이 극심해지자 독립 협회는 만민 공동회를 개최하고 이권 수호 운동을 전개하였다. 독립 협회는 러시아의 절영도 조차 요구, 목포와 진남포 일대의 섬과 토지 매도 요구를 저지하였으며, 한 · 러 은행을 폐쇄하는 데에 성공하였다.

오답피하기

ㄱ. 조선은행은 우리나라 최초의 근대적인 은행으로서 1896년 전 · 현직 관료들이 설립하였다.
ㄷ. 보안회는 연일 집회를 열어 일본의 황무지 개간권 요구를 막아 냈다.

08 국채 보상 운동의 전개   정답: ⑤

을사늑약 체결 이후 일제는 식민지의 기초 시설을 갖추는 데 필요한 자금을 투입하고, 이를 대한 제국이 일본으로부터 차관을 도입하여 갚게 하였다. 또한 화폐 정리 사업의 추진에 필요한 막대한 자금도 차관의 형식으로 들여왔다. 이에 김광제, 서상돈 등은 일본으로부터 도입한 차관을 국민의 힘으로 갚아 국권을 회복하자는 국채 보상 운동을 제창하였다.

① 일본 상인에 의한 미곡의 대량 유출로 쌀값이 폭등하자 일부 지방관들은 방곡령을 내렸다.
② 조·청 상민 수륙 무역 장정의 체결 이후 외국 상인들의 내륙 진출이 본격화되었다.
③ 일제가 황무지 개간권의 위임을 요구하자 보안회는 연일 집회를 열어 이를 저지하였다.
④ 아관 파천 이후 열강의 이권 침탈이 본격화되자 독립 협회는 이권 수호 운동을 전개하였다.

09 외국 상인들의 내륙 진출에 대한 저항
제시된 자료는 조·청 상민 수륙 무역 장정의 내용이다. 장정의 체결 이후 외국 상인들의 내륙 진출이 본격화되었다. 이에 조선 상인들은 큰 타격을 받았다.

모범답안 조선 상인들은 외국 상인들의 내륙 진출에 대항하여 대동 상회, 장통 상회와 같은 근대적인 상회사를 설립하였다. 또한 1898년에는 시전 상인들이 황국 중앙 총상회를 조직하여 외국 상인들의 상업 활동을 중단시켜 달라고 엄중히 요구하였다.

채점 기준

상	근대적 상회사(대동 상회, 장통 상회)와 황국 중앙 총상회의 등장과 그 배경을 종합적으로 서술한 경우
중	대동 상회, 장통 상회, 황국 중앙 총상회 중 두 가지만 서술한 경우
하	대동 상회, 장통 상회, 황국 중앙 총상회 중 한 가지만 서술한 경우

10 화폐 정리 사업의 실시
제시된 자료는 화폐 정리 사업에 관련한 기록이다. 메가타는 재정 정리 사업과 화폐 정리 사업을 추진하여 대한 제국의 금융을 장악하였다. 화폐 정리 사업은 대한 제국의 화폐 제도 문란을 빌미로 일본 제일은행권을 법화로 하는 새로운 통화 제도를 정착하는 과정이었다.

11 국채 보상 운동의 전개
을사늑약 체결 이후 일제는 식민지의 기초 시설을 갖추는 데 필요한 자금을 투입하고, 이를 대한 제국이 일본으로부터 차관을 도입하여 갚게 하였다. 또한 화폐 정리 사업의 추진에 필요한 막대한 자금도 차관의 형식으로 들여왔다. 이렇게 들어온 차관이 1907년에는 대한 제국의 1년 예산과 맞먹는 1,300만 원에 이르렀다.

모범답안 (2) 김광제, 서상돈 등은 일본으로부터 도입한 차관을 국민의 힘으로 갚아 국권을 회복하자는 국채 보상 운동을 제창하였다. 대구에서 시작된 국채 보상 운동은 『대한매일신보』, 『황성신문』 등의 적극적인 호응으로 전국으로 확산되었다.

채점 기준

상	대구에서 시작되어 전국으로 확산된 사실을 쓰고 『대한매일신보』와 『황성신문』의 두 가지 예를 모두 들어 서술한 경우
중	『대한매일신보』, 『황성신문』의 두 가지 예를 모두 들어 서술한 경우
하	언론의 역할만을 강조하여 서술한 경우

❻ 개항 이후 나타난 사회·문화적 변화

 개념 체크

82쪽 01 (1) ○ (2) ○ 02 (1) 한성 전기 회사 (2) 『신문지법』 (3) 대한 의원 03 (1)-ⓒ, (2)-ⓛ, (3)-ⓙ

83쪽 01 (1) × (2) ○ 02 (1) 『여권통문』 (2) 『독사신론』 (3) 국문 연구소 03 (1)-ⓛ, (2)-ⓙ, (3)-ⓒ

문제 유형 익히기 ──────── 84~85쪽

01 ① 02 ④ 03 ④ 04 ② 05 ③ 06 ③ 07 ① 08 ⑤
09 『교육입국 조서』 10 (1) 『여권통문』 (2) 해설 참조 11 해설 참조

01 근대 시설의 도입
정답: ①

제시된 자료는 전기 시설의 도입에 관한 내용이다. 전기를 본격적으로 활용한 것은 한성 전기 회사가 설립된 이후의 일이다. 황실이 설립하고 미국인 콜브란이 운영한 한성 전기 회사는 동대문 지역에 발전소를 건설하고, 1899년 서대문과 청량리 사이에 전차를 개통하였다. 나아가 서울 일부 지역에 전등을 가설하였다.

ㄷ. 전신 업무를 위해 청에 의해 서울과 인천·의주를 연결하는 전신선이 가설되었다.
ㄹ. 일본은 러·일 전쟁 수행 등 군사적 목적으로 경부선, 경의선 등을 부설하였다.

02 개항 이후 근대 시설의 도입
정답: ④

개항 이후 정부의 개화 정책에 따라 통신·전기·교통 분야 등에서 근대 시설이 갖추어져 국민의 생활 양식이 바뀌어 갔다. 전신 업무를 위해 1885년에 서울과 인천·의주를 연결하는 전신선을 가설하였고, 나아가 중국, 일본과도 연결되었다. 전화는 처음 궁궐에 가설된 이후 점차 서울 시내 민간에까지 확대되었다. 정부는 갑신정변 당시 중상을 입은 민영익을 치료한 알렌의 건의를 받아들여 1885년에 광혜원(제중원)을 설립하고 그 운영을 알렌에게 맡겼다. 이후 제중원은 세브란스 병원으로 바뀌었다. 우정총국의 설립으로 시작된 근대적 우편 사무는 갑신정변으로 중단되었다가 을미개혁 이후 재개되었다.

④ 철도는 열강의 이권 침탈의 주요 대상이 되었다.

03 근대 신문의 발행
정답: ④

제시된 자료는 박문국에서 발행한 『한성순보』에 관한 내용이다. 갑신정변으로 박문국이 불타면서 『한성순보』의 발간이 잠시 중지된 적도 있었으나, 근대적 개혁을 추진할 필요가 있었던 정부는 1886년에 『한성주보』를 발간하였다.

① 『독립신문』은 순 한글로 발행되었다.
② 『대한매일신보』는 영국인 베델이 발행인으로 참여하였다.
③ 『독립신문』은 서재필이 발행을 주도하였다.
⑤ 을사늑약이 체결되자, 『황성신문』 등은 을사늑약의 부당함을 비판하는 「시일야방성대곡」을 게재하였다.

04 육영 공원의 설립
정답: ②

밑줄 친 '학교'는 육영 공원이다. 육영 공원은 젊고 똑똑한 인재를 가르치는 공립 학교라는 의미이다. 미국에서 귀국한 보빙사 일행이 근대 학교 설립을 건의하자, 정부가 이를 받아들여 육영 공원을 설립하였다. 육영 공원은 좌원과 우원으로 나뉘었다. 좌원에는 젊은 현직 관료를, 우원에는 관직에 나가지 않은 명문가 자제들을 입학시켜 영어·수학·정치학 등을 가르쳤다.

오답피하기
ㄴ. 1883년 정부는 통역관 양성을 위해 동문학을 세웠다.
ㄷ. 덕원 부사의 지원으로 원산 학사가 설립되었다.

05 사회적 평등의 확산
정답: ③

제시된 자료는 1898년 10월 관민 공동회에서 백정 박성춘이 연설하던 모습을 표현한 것이다. 이화 학당은 개신교 선교사에 의해 1886년에 세워진 이후 여성을 대상으로 근대적 교육을 하였다.

오답피하기
① 1909년 지방에 자혜 의원이 설립되었다.
② 경부선은 러·일 전쟁 중에 부설되었다.
④ 1895년 2월에 「교육입국 조서」가 반포되었다.
⑤ 국문 연구소는 1907년에 설립되었다.

06 신채호의 국학 연구
정답: ③

신채호, 박은식 등은 민족의 주체성을 확립하고 애국심을 고취하고자 역사를 연구하여 근대 계몽 사학을 발전시켰다. 신채호, 박은식 등은 『을지문덕전』, 『이순신전』 등 외적의 침략을 물리친 영웅들의 전기를 발간하여 애국심을 고취하였다. 신채호는 『대한매일신보』에 발표한 「독사신론」에서 역사서술의 주체를 민족으로 설정하여 민족주의 사학의 연구 방향을 제시하였다.

오답피하기
ㄱ. 박은식은 최남선과 함께 조선 광문회를 조직하여 우리 민족의 고전을 정리하였다.
ㄹ. 주시경, 지석영 등은 국문 연구소에서 한글 맞춤법의 원리를 연구하였다.

07 문학과 예술의 새 경향
정답: ①

제시된 자료는 최남선의 「해에게서 소년에게」이다. 개항 이후 전통적인 한문학이 퇴조하고 서양 문화의 유입 등으로 문학과 예술에 있어서 많은 변화가 나타나면서 자유로운 형식의 신체시가 발표되었다. 최남선은 박은식과 함께 조선 광문회를 조직하여 우리 민족의 고전을 정리하였다.

오답피하기
② 박은식, 신채호는 『을지문덕전』, 『이순신전』 등 외적의 침략을 물리친 영웅들의 전기를 발간하여 애국심을 고취하였다.
③ 양기탁과 베델 등은 『대한매일신보』를 창간하였다.
④ 국문 연구소에서는 「국문 연구 의정안」을 마련하여 한글의 문자 체계와 맞춤법의 원리를 밝혔다.
⑤ 백정 박성춘은 관민 공동회에서 시민 대표로 연설하였다.

08 개항 이후 종교계의 변화
정답: ⑤

제시된 자료는 자신회를 조직하여 을사오적 처단을 시도하였던 나철의 일대기이다. 나철과 오기호 등은 단군 신앙을 발전시켜 대종교

를 창시하였다. 국권 강탈 이후 대종교는 교단을 간도로 옮기고, 무장 투쟁 단체인 중광단을 조직하였다.

오답피하기
① 20세기 초 친일파 이용구 등이 일진회를 조직하고 동학 조직을 흡수하려고 하였다. 이에 손병희는 1905년 동학을 천도교로 개칭하였다.
② 개항 이후 일본 불교의 영향력 아래에 놓였던 불교계에서는 한용운이 『조선불교유신론』을 내세워 불교의 자주성 회복과 근대화를 위한 운동을 추진하였다.
③ 신채호와 박은식 등은 근대 계몽 사학의 발전에 기여하였다.
④ 박은식은 실천적인 새로운 유교 정신을 강조하는 「유교 구신론」을 주창하여 유교계의 개혁을 시도하였다.

09 「교육입국 조서」의 반포

갑오개혁이 추진되면서 학무아문이 설치되고 교육 제도가 신식 학제에 따라 개편되었다. 1895년 2월 고종은 「교육입국 조서」를 발표하였으며, 이에 따라 소학교·한성 중학교·한성 사범 학교·외국어 학교 등 각종 관립 학교가 설립되었다.

10 여권의 신장

근대 의식이 확대되고 평등 사회의 기틀이 마련되면서 여성들도 여권 신장의 목소리를 내기 시작하였다. 1898년 북촌의 양반 부인들이 「여권통문」을 발표하여 여성들의 교육받을 권리와 직업권 및 정치 참여권을 주장하였다.

모범답안 (2) 「여권통문」 발표를 계기로 여성 운동 단체인 찬양회가 조직되었다. 찬양회는 여학교 설립 운동과 여성 계발 사업 등을 전개하였고, 독립 협회가 주최한 만민 공동회에도 적극 참여하였다.

채점 기준

상	찬양회, 여학교 설립, 여성 계발 사업, 만민 공동회 참여를 종합적으로 서술한 경우
중	찬양회, 여학교 설립만 서술한 경우
하	찬양회만 서술한 경우

11 근대 계몽 사학의 발전

제시된 자료는 신채호의 「독사신론」이다. 신채호, 박은식 등은 민족의 주체성을 확립하고 애국심을 고취하고자 역사를 연구하여 근대 계몽 사학을 발전시켰다.

모범답안 「독사신론」, 신채호는 『대한매일신보』에 발표한 「독사신론」에서 역사 서술의 주체를 민족으로 설정하여 민족주의 사학의 연구 방향을 제시하였다.

채점 기준

상	「독사신론」, 역사 서술의 주체를 민족으로 설정했다는 것, 민족주의 사학의 연구 방향 제시를 모두 서술한 경우
중	「독사신론」과 민족주의 사학의 연구 방향 제시만 서술한 경우
하	「독사신론」만 언급한 경우

01 ③   02 ③   03 해설 참조   04 ④   05 ④   06 해설 참조
07 ①   08 ④   09 해설 참조   10 ⑤   11 ④   12 해설 참조

01 진주 농민 봉기
정답: ③

제시된 자료는 임술 농민 봉기에 관한 기록이다. 지방관의 과도한 수탈과 삼정의 문란이 원인이 되어 1862년 진주 등지에서 농민 봉기가 발생하였다. 이는 전국으로 확산되었다(임술 농민 봉기). 조선 정부는 삼정이정청을 설치하여 삼정의 문란을 바로잡고자 했다.

오답피하기
① 공민왕은 반원 개혁 정치의 일환으로 정동행성을 폐지하였다.
② 조선 정조는 자신의 정치적 이상을 담아 수원 화성을 건설하였다.
④ 황룡사 9층 목탑은 신라 선덕 여왕 시기에 만들어졌다.
⑤ 고려 공민왕은 신돈을 등용하고 전민변정도감을 설치하였다.

02 통상 개화론과 개화파의 형성
정답: ③

19세기 중반 박규수, 오경석, 유홍기 등이 통상 개화론을 주장하였으며, 이는 개화사상의 형성에 영향을 주었다. 김옥균, 박영효 등 북촌의 양반 자제들은 박규수로부터 개화사상을 배웠다.

오답피하기
① 이항로, 기정진 등의 위정척사파는 흥선 대원군의 통상 수교 거부 정책을 지지하였다.
② 민영익, 유길준 등은 미국에 보빙사로 파견되어 각종 근대 시설과 문물을 시찰하였다.
④ 이만손 등의 유생들은 『조선책략』 유포에 반발하여 만인소를 올렸다.
⑤ 최익현 등의 유생들은 왜양일체론을 내세워 강화도 조약 체결에 반대하였다.

03 삼정의 문란과 흥선 대원군의 개혁 정치

흥선 대원군 집권 초기에는 철종 말년에 일어난 전국적인 임술 농민 봉기로 여전히 사회가 혼란스러웠다. 흥선 대원군은 농민 봉기의 주요 원인이 되었던 삼정의 문란을 바로잡아 농촌 사회를 안정시키고 국가 재정을 확충하고자 하였다.

모범답안 흥선 대원군은 전국적인 토지 조사(양전)를 실시하여 은결을 찾아내는 방법으로 전정의 문란을 개혁하였다. 또한 양반에게도 군포를 징수하는 호포제를 실시하여 군정의 문란을 바로잡았다. 환곡은 마을 안에서 덕망과 여유를 갖춘 사람을 뽑아 운영을 맡기는 사창제로 개편하였다.

채점 기준

상	양전 사업, 호포제, 사창제 모두 종합적으로 서술한 경우
중	양전 사업, 호포제, 사창제 중 두 가지만 서술한 경우
하	양전 사업, 호포제, 사창제 중 한 가지만 서술한 경우

04 고종의 강제 퇴위
정답: ④

러·일 전쟁은 1904년에 발발하였고, 고종의 강제 퇴위는 1907년에 있었다. 1905년 을사늑약이 체결되자, 고종은 이의 부당함을 알리기 위해 헤이그에 특사를 파견하였다. 고종은 이것이 원인이 되어 강제로 퇴위되었다.

오답피하기
① 조선 정부는 임진왜란 중에 훈련도감을 설치하였다.

② 고려 광종은 노비안검법을 시행하였다.
③ 1811년 평안도 지역에서 홍경래의 난이 일어났다.
⑤ 1894년 동학 농민군은 전주성을 점령한 이후 정부와 전주 화약을 체결하였다.

05 러·일 전쟁 중의 사실
정답: ④

러·일 전쟁 중 일본은 독도를 '무주지'로 규정하고 시마네현 고시 제40호를 통해 독도 편입을 고시하였다. 이는 국제법상으로 명백한 불법적인 영토 침탈이었다.

오답피하기
① 러·일 전쟁 발발 직전 대한 제국은 대외 중립을 선언하였다.
② 1905년 을사늑약 체결 이후 통감부가 설치되고 이토 히로부미가 초대 통감으로 부임하였다.
③ 러시아가 한반도로의 진출을 본격화하자, 일본은 영국과 제1차 영·일 동맹을 체결하여 이를 저지하고자 하였다.
⑤ 1907년 한·일 신협약이 체결되어 대한 제국의 차관에 일본인이 배치되었다.

06 을사늑약에 대한 반발

고종은 을사늑약이 체결되자 조약의 무효를 선언하고 이를 국제 사회에 알리기 위해 헤이그에 특사를 파견하였다. 일제는 헤이그 특사 파견을 문제 삼아 고종을 강제로 퇴위시켰다.

모범답안 고종은 을사늑약의 부당성과 조약의 무효를 위해 만국 평화 회의가 열리는 헤이그에 이상설, 이준, 이위종을 특사로 파견하였다. 일제는 외교권이 없는 고종이 특사를 파견했다는 것을 명분으로 삼아 고종을 강제로 퇴위시켰다.

채점 기준

상	헤이그 특사의 파견 원인과 특사의 이름을 포함하여 배경을 종합적으로 서술한 경우
중	을사늑약의 무효, 헤이그 특사를 서술한 경우
하	헤이그 특사의 명칭만 언급한 경우

07 아관 파천의 배경
정답: ①

제시된 자료는 아관 파천에 대한 기록이다. 고종이 친러 정책을 추진하자 일본은 이러한 움직임의 배후로 여겨지는 명성 황후를 살해하였다(을미사변). 이러한 상황에서 신변의 위협을 느낀 고종은 러시아 공사관으로 처소를 옮기는 아관 파천을 단행하였다.

오답피하기
② 자유시 참변은 1921년에 일어났다.
③ 고종은 을사늑약의 부당함을 알리기 위해 헤이그 특사를 파견하였다.
④ 독립 협회는 1898년 3월부터 만민 공동회를 개최하였다.
⑤ 1899년 고종은 『대한국 국제』를 발표하였다.

08 아관 파천의 영향
정답: ④

아관 파천을 계기로 정치적 영향력이 커진 러시아는 조선에 대한 내정 간섭을 강화하며 경제적 이권을 차지하였다. 이에 제국주의 열강들도 최혜국 대우 규정을 내세워 경제적 이권 침탈에 나섰다.

오답피하기
① 을미사변과 단발령에 반발하여 을미의병이 일어났다.
② 1898년 관민 공동회에서 「헌의 6조」가 결의되었다.

③ 일본군의 경복궁 강제 점령과 내정 간섭에 반발하여 동학 농민군이 재차 봉기하였다.
⑤ 청·일 전쟁에서 승기를 잡은 일본은 조선 내정에 본격적으로 개입하였다. 이에 김홍집·박영효 연립 내각이 구성되어 제2차 갑오개혁이 추진되었다.

09 아관 파천과 을미개혁
단발령이 공포되자 을미사변으로 분노하고 있던 유생과 농민들이 의병을 일으켰다. 이러한 상황에서 고종은 러시아 공사관으로 처소를 옮겼다(아관 파천, 1896). 이로 인해 김홍집 내각은 붕괴되고 개혁은 중단되었다.

모범답안 을미개혁 당시 양력 사용과 '건양' 연호 채택, 소학교 설치, 종두법 시행, 우체사 설치, 단발령 공포 등의 개혁이 추진되었다.

채점 기준	
상	을미개혁의 내용을 네 가지 이상 서술한 경우
중	을미개혁의 내용을 세 가지만 서술한 경우
하	을미개혁의 내용을 두 가지 이하로 서술한 경우

10 조·청 상민 수륙 무역 장정의 영향   정답: ⑤
제시된 자료는 조·청 상민 무역 장정 체결에 관한 내용이다. 조·청 상민 수륙 무역 장정으로 지방관에게 허가받은 청 상인은 개항장 밖에서도 활동할 수 있었다. 이는 최혜국 대우 조항에 따라 다른 외국 상인에게도 적용되면서 외국 상인들의 국내 진출이 본격화되었다.

오답피하기
① 대한 제국 시기에 광무개혁이 추진되었다.
② 1907년 대한 제국의 국채를 갚기 위한 국채 보상 운동이 시작되었다.
③ 아관 파천 이후 러시아는 대한 제국에 석탄 창고 부지를 설치할 부산 절영도의 조차를 요구해 왔다.
④ 일본이 황무지 개간권을 요구하자 보안회는 연일 집회를 열어 이를 저지하였다.

11 외국 상인의 진출과 조선 상인의 대응   정답: ④
외국 상인들의 내륙 진출로 조선 상인들이 큰 타격을 받자 이에 대응하여 일부 상인들이 근대적 상회사인 대동 상회를 설립하였다.

오답피하기
① 조·일 통상 장정의 체결로 일본 상인의 내륙 진출이 본격화되었다.
② 1883년 조선 정부는 전환국을 설치하여 화폐를 주조하였다.
③ 1883년에 박문국이 설치되면서 최초의 신문인 『한성순보』가 발간되었다.
⑤ 메가타의 건의로 대한 제국은 화폐 조례를 공포하여 국고 출납 업무를 일본 제일은행에 위임하였다.

12 개항 이후 청·일 상인의 진출
임오군란 이후 조선에 대한 정치적 영향력이 커진 청은 조·청 상민 수륙 무역 장정(1882)을 체결하였다. 이 장정으로 지방관에게 허가받은 청 상인은 개항장 밖에서도 활동할 수 있었다. 이는 최혜국 대우 조항에 따라 다른 외국 상인에게도 적용되었다.

모범답안 일본은 1883년 조선과 조·일 통상 장정을 체결하여 조선의 관세 자주권을 일부 인정하였으나, 최혜국 대우를 인정받게 되어 상권을 확대할 수 있었다.

채점 기준	
상	조·일 통상 장정과 최혜국 대우 보장 및 관세 부과를 종합적으로 서술한 경우
중	조·일 통상 장정과 관세 부과를 서술한 경우
하	조·일 통상 장정의 명칭만 언급한 경우

대주제 마무리하기   88~90쪽

01 ③	02 ①	03 ⑤	04 ⑤	05 ⑤	06 ④	07 ①	08 ③
09 ④	10 ②	11 ②	12 ②	13 ④	14 ④	15 ④	16 ⑤

01 흥선 대원군의 개혁 정치   정답: ③
제시된 자료는 경복궁 중건 과정에서 있었던 흥선 대원군의 원납전 징수에 관한 기록이다. 흥선 대원군은 삼정의 문란을 바로잡기 위해 양전 사업을 시행하였고, 서원으로 인한 폐단을 바로잡는 과정에서 서원전의 면세 규정을 폐지하였다.

오답피하기
ㄱ. 고종은 아관 파천 이후 단발령의 폐지를 선포하였다.
ㄹ. 대한 제국 시기 광무개혁은 구본신참의 원칙으로 진행되었다.

02 척화비의 건립 배경   정답: ①
제시된 자료는 흥선 대원군이 세운 척화비에 남아 있는 내용이다. 흥선 대원군은 신미양요 이후 서양과의 통상 수교 거부 의지를 담은 척화비를 전국에 세웠다.

오답피하기
② 조선이 일본의 외교 문서를 접수하지 않은 사건을 계기로 일본 내에서 정한론이 제기되었다.
③ 일본은 조선 정부의 철수 요청을 거부하고 경복궁을 강제 점령하였다.
④ 조선이 러시아에 접근하자, 영국은 거문도를 불법 점령하였다.
⑤ 운요호 사건을 계기로 강화도 조약이 체결되었다.

03 최혜국 대우와 이권 침탈   정답: ⑤
제시된 자료는 조·미 수호 통상 조약 중 최혜국 대우에 관한 조항이다. 아관 파천 이후 열강은 최혜국 대우 조항을 이용하여 한반도의 각종 이권을 침탈하였다.

오답피하기
① 조·미 수호 통상 조약이 체결된 이듬해에 보빙사가 파견되었다.
② 『조선책략』에는 러시아의 남하를 막기 위한 방책이 담겨 있다.
③ 강화도 조약에는 최혜국 대우 조항이 포함되지 않았다.
④ 포츠머스 조약으로 러시아는 한반도에 대한 일본의 독점적 지배권을 인정하였다.

04 근대적 조약의 체결   정답: ⑤
1876년 강화도 조약에 이어 조·일 무역 규칙이 체결되었다. 1882년에는 서양 열강 중 미국과 최초로 조·미 수호 통상 조약을 체결하였다. 1883년에는 일본과 조·일 통상 장정을 체결하였으며 1884년에는 갑신정변의 결과로 한성 조약이 체결되었다.

05 임오군란의 영향
정답: ⑤

(가)는 임오군란의 결과 체결된 제물포 조약, (나)는 조·청 상민 수륙 무역 장정이다. 두 조약 모두 임오군란의 영향으로 체결되었다.

오답피하기

① 동학 농민 운동 과정에서 있었던 청·일 양군의 파병과 일본의 철수 요청 거부와 내정 간섭이 청·일 전쟁의 원인이 되었다.
② 강화도 조약에서 조선은 일본에 영사 재판권을 인정하였다.
③ 조·청 상민 수륙 무역 장정은 조선을 청의 속방으로 규정하였다.
④ 조·일 수호 조규 부록과 조·일 무역 규칙으로 일본 외교관의 내지 여행이 사실상 허용되었다.

06 급진 개화파의 사상
정답: ④

제시된 자료는 급진 개화파의 사상이 담긴 글이다. 급진 개화파는 일본의 메이지 유신을 본보기로 삼아 정치·사회 제도의 개편까지 포함하는 급진적 개혁을 추진하였다.

오답피하기

① 최익현을 비롯한 유생들은 강화도 조약 체결을 반대하였다.
② 이만손이 중심이 된 영남 유생들이 고종에게 만인소를 올렸다.
③ 온건 개화파는 동도서기론에 따른 점진적 개혁을 주장하였다.
⑤ 오경석, 유홍기 등이 중인 신분으로 통상 개화론을 주장하였다.

07 동학 농민 운동 시기의 사실 파악
정답: ①

제시된 자료는 동학 농민 운동을 이끌었던 전봉준이 재판을 받기 위해 법무아문으로 향하는 사진이다. 동학 농민 세력은 백산에서 격문과 4대 강령을 발표하였다. 농민군은 황룡촌에서 홍계훈의 부대를 격파하고 전주성을 점령하였다. 전주 화약 이후에는 전라도 일대에 집강소가 설치되었으며, 정부는 교정청을 설치하여 자주적 개혁을 추진하였다.

오답피하기

① 을미의병 해산 이후 일부 해산 의병들과 농민들이 활빈당을 조직하였다.

08 「홍범 14조」와 제2차 갑오개혁
정답: ③

제시된 자료는 제2차 갑오개혁 시기에 발표된 「홍범 14조」이다. 제2차 갑오개혁은 김홍집·박영효 연립 내각이 추진하였다.

오답피하기

① 아관 파천으로 을미개혁이 중단되었다.
② 1880년 설치된 통리기무아문이 당시 개화 정책을 총괄하였다.
④ 제1차 갑오개혁 시기에 군국기무처가 개혁을 추진하였다.
⑤ 광무개혁 시기 황실 재정을 담당하는 내장원이 설치되었다.

09 서재필의 활동 이해
정답: ④

제시된 자료는 갑신정변 이후 일본을 거쳐 미국으로 망명했던 서재필에 관한 내용이다. 서재필은 자주독립의 의지를 담은 독립문 건립 등을 내세우며 독립 협회를 창립하였다.

오답피하기

① 임오군란 이후 입지가 좁아진 김옥균은 일본에서의 차관 도입을 시도하였다.
② 진보적 성향의 박정양 내각은 관민 공동회에 정부 대표로 참여하였다.

③ 안창호는 양기탁, 신채호 등과 함께 신민회를 만들었다.
⑤ 1905년 입헌 정치 수립을 목표로 헌정 연구회가 조직되었다.

10 독립 협회와 대한 제국
정답: ②

서재필은 정부의 지원으로 1896년 『독립신문』을 창간하였다. 고종은 1897년 환궁 후 대한 제국이라는 새로운 국호를 선포하였다. 독립 협회는 1898년 진보 성향의 내각과 함께 관민 공동회를 개최하였다. 하지만 독립 협회는 정부의 탄압으로 해산당했고, 직후 고종은 전제 군주제를 규정한 「대한국 국제」를 반포하였다.

11 광무개혁의 내용
정답: ②

제시된 자료는 광무개혁 시기 토지 소유자에게 발급한 지계이다. 광무개혁 시기 식산흥업 정책의 하나로 상공 학교가 설립되었다.

오답피하기

① 김홍집 내각은 제1차 갑오개혁과 을미개혁을 이끌었다.
③ 급진 개화파는 문명개화론의 입장에서 개혁할 것을 주장하였다.
④ 을미개혁에 대한 반발로 유생들이 을미의병을 일으켰다.
⑤ 광무개혁 시기 발표된 「대한국 국제」는 전제 군주제를 지향하고 있다.

12 일제의 국권 피탈에 대한 저항
정답: ②

제시된 자료는 일제의 국권 피탈에 대한 우리 민족의 저항에 관한 내용이다. 일진회는 친일 단체로 일본에 합방 청원서를 제출하였다.

오답피하기

① 안중근은 침략의 원흉 이토 히로부미를 하얼빈역에서 처단하였다.
③ 『대한매일신보』는 의병 운동을 게재하는 등 반일 논조를 유지하였다.
④ 을사늑약에 반발하여 장지연은 「시일야방성대곡」을 신문에 게재하였다.
⑤ 고종은 을사늑약의 부당함을 알리기 위해 헤이그에 특사를 파견하였다.

13 을사의병의 활동
정답: ④

제시된 자료는 최익현이 참여한 을사의병에 관한 내용으로 밑줄 친 '의병'은 을사의병이다. 을사의병 당시 신돌석 등 평민 의병장이 활동하였다.

오답피하기

① 정미의병 시기 서울 진공 작전이 있었다.
② 정미의병에 해산 군인의 참여가 이루어졌다.
③ 『조선책략』 유포에 대한 반발로 영남 만인소 사건이 일어났다.
⑤ 고종의 해산 권고 조칙으로 을미의병이 해산하였다.

14 신민회의 활동
정답: ④

1907년 안창호 등의 주도로 결성된 신민회는 공화정 체제의 국가 건설을 목표로 국내에서 실력 양성을 위한 다양한 활동을 하였다. 하지만 국내 활동에 한계를 느낀 일부 신민회 회원들은 만주로 건너가 삼원보 지역에 신흥 강습소를 설립하는 등 무장 투쟁을 준비하였다.

오답피하기

ㄱ. 대한 자강회는 고종 강제 퇴위 반대 운동을 주도하다가 해산당하였다.
ㄷ. 보안회는 연일 집회를 열어 일본의 황무지 개간권 요구를 저지하였다.

15 보안회의 활동
정답: ④

제시된 자료는 일본의 황무지 개간권 요구를 저지했던 보안회의 운영 요강이다. 보안회는 전직 관료와 유생의 주도로 결성되었으며 연일 집회를 열어 일본의 황무지 개간권 요구를 저지하였다.

① 대한 자강회는 전국에 지회를 두고 활동하였다.

② 신민회는 비밀 결사 형태로 활동하였다.

③ 국채 보상 기성회는 전국적인 모금 운동을 전개하였다.

⑤ 시전 상인들이 중심이 된 황국 중앙 총상회는 외국 상인들의 상업 활동 중단을 요구하였다

16 국채 보상 운동의 전개 정답: ⑤

제시된 자료는 국채 보상 운동을 기리기 위해 설립한 기념비이다. 밑줄 친 '민족 운동'은 국채 보상 운동이다. 국채 보상 운동은 『대한매일신보』와 『황성신문』 등의 지원으로 전국으로 확산되었지만 통감부의 탄압으로 성공을 거두지 못하였다.

ㄱ. 독립 협회의 주도로 이권 수호 운동이 전개되었다.

ㄴ. 독립 협회가 주도한 이권 수호 운동의 결과 한·러 은행이 폐쇄되었다.

비판적 사고 기르기 ——————————91쪽

(가)는 문명개화론의 영향을 받은 급진 개화파 인사 김옥균의 상소와 동도서기론의 입장에서 개화를 추진하겠다는 고종의 견해가 담긴 자료이다. 임오군란 이후 개화 세력은 온건 개화파와 급진 개화파로 나뉘었다. 온건 개화파는 청의 양무운동을 본받아 동도서기론에 따른 점진적 개혁을 주장하였다. 이들은 청과의 우호 관계를 중요시하였다. 한편 급진 개화파는 일본의 메이지 유신을 본보기로 삼았다. 이들은 문명개화론의 입장에서 정치·사회 제도의 개편까지 포함하는 급진적 개혁을 추진하였다. 또한 청의 간섭에서 벗어나 자주적인 근대 국가를 수립하고자 하였다.

(나)는 이권 수호 운동을 전개하였던 독립 협회의 양면성을 보여 주는 자료이다. 외국 상인들의 내륙 진출과 열강의 이권 침탈이 극심해지자 독립 협회는 이권 수호 운동을 전개하여 소정의 성과를 이루었다.

01 모범답안 문명개화론의 영향을 받은 급진 개화파는 일본의 메이지 유신을 본보기로 삼아 서양 기술의 도입뿐만 아니라, 정치·사회 제도의 개편까지 포함하는 급진적 개혁을 추진하였다. 반면 동도서기론에 따른 개혁을 주장한 온건 개화파는 서양의 기술만을 받아들이려 하였다.

채점 기준 ❶~❸ 항목 당 각 2점

❶ 두 견해의 특징을 명확히 서술한 경우

❷ 두 견해의 차이를 명확히 서술한 경우

❸ 두 견해의 차이를 동도서기론과 문명개화론을 포함하여 서술한 경우

02 모범답안 아관 파천 이후 열강의 이권 침탈이 심화되는 상황에서 독립 협회는 이권 수호 운동을 전개하였다. 그 결과 독립 협회는 러시아의 절영도 조차 요구, 목포와 진남포 일대의 섬과 토지 매도 요구를 저지하였으며, 한·러 은행을 폐쇄하는 데에 성공하였다. 하지만 미국, 일본, 영국의 철도 부설과 광산 채굴 요구에 대해서는 서구의 자본과 기술을 도입할 기회로 여겨 환영하기도 하는 등 제국주의 열강의 침략 의도를 제대로 간파하지 못했다.

채점 기준 ❶~❸ 항목 당 각 2점

❶ 이권 수호 운동의 내용을 종합적으로 서술한 경우

❷ 이권 수호 운동의 배경을 포함하여 서술한 경우

❸ 이권 수호 운동의 한계를 명확히 서술한 경우

Ⅲ 일제 식민지 지배와 민족 운동의 전개

❶ 일제의 식민지 지배 정책

개념 체크

94쪽 **01** (1) ○ (2) × **02** (1) 민족 자결주의 (2) 조선 총독부 (3) 경작권
03 (1)-ⓒ, (2)-ㄱ, (3)-ㄴ

95쪽 **01** (1) × (2) ○ **02** (1) 치안 유지법 (2) 회사령 (3) 산미 증식 계획 **03** (1)-ㄱ, (2)-ⓒ, (3)-ㄴ

문제 유형 익히기 ──────── 96~97쪽

01 ④ **02** ③ **03** ② **04** ⑤ **05** ① **06** ⑤ **07** 치안 유지법
08 해설 참조 **09** (1) 문화 통치 (2) 해설 참조

01 민족 자결주의
정답: ④
제시된 자료는 미국 대통령 윌슨이 발표한 민족 자결주의의 원칙이다. 민족 자결주의 발표는 당시 강대국의 지배를 받던 전 세계의 수많은 약소민족들에게 커다란 희망과 용기를 불러일으켰고, 한국의 3·1 운동에도 영향을 주었다. 그러나 이 원칙은 당초 제1차 세계 대전의 승전국이 패전국이 지녔던 광대한 영토를 민족에 따라 분리해 세력을 약화시키려는 의도가 담긴 것으로, 승전국 식민지 민족들에게는 적용되지 않았다.

오답피하기

ㄱ. 최혜국 대우는 1882년 조·미 수호 통상 조약 등 불평등 조약에 담겼던 조항으로 국가 간에 체결하는 통상 조약 등에서 다른 국가에 주어진 가장 유리한 대우를 조약 상대국에도 적용하도록 하는 것을 말한다.
ㄷ. 프랑스, 영국, 미국, 일본 등 제1차 세계 대전의 승전국 식민지에는 이 원칙이 적용되지 않았다.

02 1910년대 일제의 무단 통치
정답: ③
제시된 자료는 1912년에 제정되어 1919년에 폐지되었던 「조선 태형령」과 관련된 내용이다. 이 시기에 일제는 한국인의 기본권을 제한하고, 강압적인 분위기로 한국인의 저항을 억누르는 무단 통치를 시행하였다. 학교에서는 교원에게 제복을 입고 칼을 차게 하여 위압적인 분위기를 조성하였으며, '국어'를 일본어로 바꾸고 교육 시간을 늘리는 조치가 이루어졌다.

오답피하기

③ 성과 이름을 일본식으로 바꾸는 창씨개명은 1940년에 본격적으로 강요되었으며, 이 시기를 내선일체를 내세우며 한국인의 민족성을 말살하려 하였던 '민족 말살 정책', '황국 신민화 정책' 시기라 부른다.

03 토지 조사 사업
정답: ②
제시된 자료는 1912년에 발표된 「토지 조사령」으로, 토지 소유권자가 정해진 기간 내에 직접 신고하여 소유지로 인정받는 신고주의 방식을 규정하고 있다. 이 사업의 결과 토지 소유권자들은 배타적 소유권을 보장받게 되었고, 미신고된 토지들은 국유화되어 동양 척식 주식회사에 넘겨졌다. 반면 일제는 토지 조사 사업을 통해 토지 대장에 누락된 토지들을 파악하여 지세 수입을 늘렸다.

오답피하기

ㄴ. 전통적으로 이어오던 농민들의 경작권은 인정되지 않으면서 지주와 매번 계약을 갱신해야 하는 소작인들의 입지가 약해졌고, 고율의 소작료 부담으로 생계가 힘들어졌다.
ㄹ. 지계는 광무개혁 시기 대한 제국이 양전 사업을 진행하며 토지 소유권을 확인한 뒤 발급했던 문서를 말한다. 지계는 토지와 가옥 등에 대한 모든 소유권을 포괄하여 관에서 발급한 문서라는 뜻으로 '관계(官契)'라고도 불렸다.

04 회사령
정답: ⑤
일제는 1910년 「회사령」을 공포하여 조선에서 회사를 설립할 때 반드시 조선 총독의 허가를 받도록 하였다. 이에 따라 한국인의 자본 성장이 어렵게 되었다. 창업이 어려워졌을 뿐만 아니라 제5조에 의거하여 조선 총독은 이미 존재하고 있는 회사에 대해서도 사업의 정지와 지점의 폐쇄 또는 회사의 해산을 명할 수 있었다. 이러한 조치에는 한국을 일본의 상품 판매처로 삼기 위한 의도가 담겨 있다.

오답피하기

ㄱ. 회사 설립의 요건이 허가제에서 신고제로 바뀌게 된 것은 1920년 「회사령」이 폐지되면서부터이므로 회사령에 대한 설명으로는 적절하지 않다.

05 일제의 친일파 육성
정답: ①
3·1 운동 이후 일제는 한국인에게 참정권과 자치권을 주겠다고 선전하며 '문화 통치'를 표방하였다. 그러나 이는 친일파를 양성하고, 민족 운동을 탄압하는 민족 분열 정책이었다. 문화 통치에 동조한 일부 지식인들은 '참정권 운동'과 '자치 운동'을 벌였다.

오답피하기

ㄷ. 대한 제국이 일제로부터 들여온 차관(1,300만 원)을 국민의 힘으로 갚아 국권을 회복하자는 운동으로 1907년에 시작되었다.
ㄹ. 을사늑약(1905년)을 전후로 지식인, 신문화를 수용한 관료, 자산가 등이 중심이 되어 전개한 운동으로 민중 계몽, 근대 교육, 산업 진흥, 언론 활동을 통해 민족의 실력을 길러 국권을 회복하고자 하였다.

06 일제 강점기 지방 자치의 실제
정답: ⑤
일제는 지방 제도를 개편하여 부·읍·면(초기 명칭은 부·군·현) 협의회를 만들었고, 한국인에게 자치권을 준 것이라 선전하였다. 하지만 이는 의결권이 없는 형식적인 자문 기구에 불과하였고, 선거권과 피선거권도 일정 금액 이상의 세금을 낸 지주나 자산가에게만 주어졌다. 이로 인해 의원석은 모두 친일파로 채워졌다.

오답피하기

⑤ 선거권 및 피선거권은 1년 동안 일정 금액(5원, 일제 강점기 말기에는 15원)을 납세한 주민들에게만 부여되었다.

07 치안 유지법
제시된 자료는 일제가 1925년에 제정한 치안 유지법이다. 일제는 이를 이용하여 한국인의 사상과 표현의 자유를 억압하고, 민족 운동과 사회주의 운동에 대한 감시와 탄압을 더욱 강화하였다. 이로 인해 많은 독립운동가가 구속되었다.

08 산미 증식 계획이 끼친 영향
제시된 자료는 일본의 쌀 부족 문제를 해결하기 위해 한국을 식량 공급지로 만들었던 산미 증식 계획이 한국인의 생활에 끼친 영향을 평가하는 토론 내용이다.

모범답안 지주들이 떠넘긴 수리 조합비와 비료, 종자 비용뿐만 아니라 고율의 소작료, 각종 세금까지 부담했던 대다수 농민들의 삶은 산미 증식 계획으로 인해 더욱 피폐해졌다. 증산된 양보다 일본으로 유출되는 양이 더 많아 한국인의 식량 사정은 더욱 악화되었으며, 농민들은 만주에서 수입된 값싼 잡곡으로 생계를 유지하였다.

채점 기준	
상	소작농이 착취당하는 구조(수리 조합비 등)와 한국의 식량 사정 악화(1인당 쌀 소비량 감소 현상)를 모두 서술한 경우
중	두 가지 근거 중 한 가지만 서술한 경우
하	두 가지 모두 서술이 미흡한 경우

09 '문화 통치'의 실상

제시된 자료는 제3대 조선 총독 사이토 마코토가 밝힌 문화 통치의 대표적인 유화 정책들이다. 그러나 문화 통치의 속내는 친일 인물을 포섭하여 민족을 분열시키려는 것에 있었고, 겉으로 내세웠던 정책들의 실상은 오히려 한국인을 기만하는 것이었다.

모범답안 (2) 신문과 잡지 발행을 허용하였으나, 기사는 사전에 엄격히 검열·삭제되거나 압수·정간·폐간되었다. 문관 총독 임명 가능 규정이 마련되었으나, 실제로 문관 출신 총독은 단 한 명도 임명되지 않았다. 헌병 경찰제 대신 보통 경찰제가 도입되었으나, 경찰 인원과 기관, 예산은 오히려 증가하여 한국인을 더욱 철저하게 감시하고 통제하였다.

채점 기준	
상	언론 검열, 무관 출신 총독 임명 유지, 경찰을 활용한 감시와 탄압의 증가를 모두 서술한 경우
중	세 가지 근거 중 두 가지만 서술한 경우
하	세 가지 근거 중 한 가지만 서술한 경우

❷ 3·1 운동과 대한민국 임시 정부

개념 체크

98쪽 01 (1) ○ (2) × 02 (1) 복벽주의 (2) 삼원보 (3) 대동단결 선언
03 (1)ㅡㄷ, (2)ㅡㄴ, (3)ㅡㄱ

99쪽 01 (1) × (2) × 02 (1) 레닌 (2) 2·8 독립 선언 (3) 제암리
03 (1)ㅡㄴ, (2)ㅡㄷ, (3)ㅡㄱ

100쪽 01 (1) × (2) ○ 02 (1) 상하이 (2) 독립신문 (3) 국민대표 회의
03 (1)ㅡㄴ, (2)ㅡㄷ, (3)ㅡㄱ

문제 유형 익히기 ─────── 101~103쪽

01 ⑤ 02 ① 03 ④ 04 ③ 05 ① 06 ⑤ 07 ① 08 ⑤
09 ③ 10 ② 11 ⑤ 12 해설 참조 13 (1) 국민 대표 회의 (2) 해설 참조

01 대한 독립 의군부
정답: ⑤

의병장 출신 임병찬 등이 고종의 밀명을 받고 조직한 비밀 결사로, 왕정복고를 목표로 한 복벽주의 단체이다. 전국적인 조직을 바탕으로 일본 정부와 조선 총독부에 국권 반환 요구 운동을 계획하였으나, 일제에 발각되어 실패하였다.

오답피하기

① 1913년 중국 지린성의 북간도 지역에서 김약연 등이 조직한 한국인 자치 단체이다.

② 1911년에 신민회 회원들을 중심으로 서간도 지역의 삼원보에 조직된 자치 단체로, 민족의 독립을 최고의 목표로 삼아 농업을 장려하고 자제들의 민족 교육을 실시하였다.

③ 1907년 국내에서 결성된 항일 비밀 결사로 교육 구국 운동, 계몽 강연 및 서적·잡지 출판 운동, 민족 산업 진흥 운동, 독립군 양성 운동을 추진하였다.

④ 1918년 상하이에서 조직된 한인 청년 독립운동 단체이다. 독립 청원서를 파리 강화 회의와 미국 대통령에게 전달하고, 파리 강화 회의에 김규식을 한국 대표로 파견하는 등 외교 활동을 전개하였다.

02 대한 광복회
정답: ①

박상진 등을 중심으로 조직된 비밀 결사로, 공화정 수립을 목표로 삼았다. 군대식 조직을 갖추고 독립군 양성, 무기 구입, 군자금 모집, 친일 부호 처단 등의 활동을 전개하였다. 그러나 일제의 탄압으로 박상진 등이 체포되어 큰 타격을 받았다. 이후 일부는 만주로 이동하여 무장 독립 투쟁을 계속하였다.

오답피하기

① 대한 광복회는 공화정 수립을 목표로 삼았다. 복벽주의를 지향한 단체는 대한 독립 의군부이다.

03 신흥 강습소
정답: ④

지도의 (가)는 서간도(남만주) 지역을 표시한 것이다. 신흥 강습소는 1911년 이회영, 이시영, 이동녕, 이상룡 등이 항일 독립운동 기지 건설을 위해 서간도 지역의 류허현 삼원보에 설립한 독립군 양성 학교이다. 이후 통화현 합니하로 옮겨 학교를 확장하고 신흥 무관 학교로 명칭을 바꾸었다.

오답피하기

① 1906년 이상설, 이동녕 등이 간도에 있는 한국인 자제를 교육하기 위해 북간도 지역에 설립한 신학문 민족 교육 기관이다.

② 1906년 설립되었다가 1년 만에 폐교된 서전서숙의 민족 교육 정신을 계승하여, 김약연의 주도로 북간도 지역 화룡현 명동촌에 설립한 민족 교육 기관이다.

③ 1908년 안창호가 평양에 설립한 중등 교육 기관으로 민족 운동 단체인 신민회는 물론이고 일부 평양 주민들도 설립을 도왔다.

⑤ 1924년 중국 국민 혁명에 필요한 군사 간부를 양성하기 위하여 광저우에 설립된 군사 교육 기관으로, 정식 명칭은 중국 국민당 육군 군관 학교이다. 의열단 세력이 조직적인 항일 투쟁으로 노선을 전환하면서 김원봉을 비롯한 단원들이 이곳에 입학하여 체계적인 군사 훈련을 받았다.

04 1910년대 국외 독립운동 기지 건설 운동
정답: ③

국외의 독립운동가들은 독립운동 기지를 건설하고 많은 독립운동 단체를 조직하였다.

오답피하기

· 서간도: 경학사, 부민단, 한족회, 서로 군정서
· 북간도: 간민회, 중광단, 북로 군정서
· 연해주: 권업회, 대한 광복군 정부, 대한 국민 의회
· 미주: 대한인 국민회, 대조선 국민 군단
· 상하이: 동제사, 신한청년당

05 대동단결 선언 　　　　　　　　　　정답: ①

자료는 1917년 상하이에서 신규식, 신채호, 박은식 등 14명의 독립운동가들이 독립운동의 활로와 임시 정부 수립에 관한 민족 대회의의 소집을 제창한 대동단결 선언이다. 「한국 병합 조약」으로 황제권은 없어졌으나 대한 제국의 주권을 국민이 계승하였다고 주장하며, 공화주의의 이념을 제시하였다.

오답피하기
② 세도 정치 이후 집권한 흥선 대원군의 개혁에 관한 설명이다.
③ 독립 협회에 대한 설명이다.
④ 사이토 마코토 총독이 「조선 민족 운동에 대한 대책」에서 밝힌 '문화 통치'의 목적이다.
⑤ 「대한국 국제」 등에서 드러나는 고종이 추구한 개혁의 방향이다.

06 3·1 운동의 배경 　　　　　　　　　　정답: ⑤

제시된 자료는 제3대 조선 총독 사이토 마코토가 밝힌 문화 통치 내용이다. 일제는 3·1 운동을 계기로 무단 통치의 한계를 깨닫게 되었다. 게다가 3·1 운동을 야만적으로 탄압하여 국제적 여론도 악화되었다. 이에 일제는 식민 통치 방식을 무단 통치에서 '문화 통치'로 바꾸었다.

오답피하기
⑤ 1919년 1월에 고종이 갑자기 사망하였고, 일제가 독살하였다는 소문이 퍼지면서 민중의 반일 감정이 고조되었다. 순종 사망 이후에는 6·10 만세 운동이 일어났다.

07 3·1 운동의 전개 　　　　　　　　　　정답: ①

제시된 자료는 3·1 운동 때 발표된 「기미 독립 선언서」의 앞부분 내용이다. 1919년 3월 1일, 탑골 공원을 비롯하여 평양, 원산, 의주 등 전국 7개 도시에서 만세 시위가 시작되어 전국으로 확산되었으며, 국외에서도 일어났다. 우리 역사상 최대 규모의 민족 운동으로, 만세 시위에 참여한 청년·여성·농민·노동자 계층은 민족 운동의 새로운 주체로 주목받았다.

오답피하기
ㄷ. 3·1 운동을 계기로 독립운동을 체계적으로 조직할 지도부의 필요성이 높아지면서 민주 공화제를 바탕으로 한 대한민국 임시 정부가 1919년 9월에 수립되었다.
ㄹ. 3·1 운동이 일어나자 일제는 군대와 경찰을 동원하여 무력으로 시위를 진압하였다.

08 3·1 운동 당시 일제의 탄압 　　　　　정답: ⑤

일제는 시위를 벌이는 군중을 군대와 경찰을 동원하여 무력으로 진압하였다. 일제에 의해 희생된 사망자는 크게 늘어났으며, 화성(당시 행정 구역으로는 수원)의 제암리에서는 집단 학살 사건까지 일어났다.

09 대한민국 임시 정부의 수립 　　　　　정답: ③

3·1 운동 전후 국내외에서 임시 정부를 수립하려는 노력이 본격적으로 이루어졌다. 연해주, 중국 상하이, 국내 등에서 여러 임시 정부가 생겨나자 곧바로 통합 운동을 통해 1919년 9월 상하이에 대한민국 임시 정부를 수립하였다. 대한민국 임시 정부는 「임시 헌법」을 통해 민주 공화제를 표방하고, 국무원·의정원·법원을 두어 삼권 분립의 원칙을 명확히 밝혔다.

오답피하기
③ 한성 정부안을 바탕으로 수립된 통합 정부의 소재지는 일제의 영향력이 상대적으로 약하고, 서양 열강의 조계지가 있어 외교 활동에 유리한 상하이로 결정되었다.

10 대한민국 임시 정부의 활동 　　　　　정답: ②

제시된 자료는 대한민국 임시 정부의 단둥 교통국이 설치되었던 이룽양행 건물과 이를 운영하였던 영국 국적 아일랜드인 조지 쇼에 대한 설명이다. 교통국은 정보 수집과 분석, 국내와의 연락 업무를 담당하는 대한민국 임시 정부의 통신 기관이었다.

오답피하기
① 「대한민국 임시 헌법」 제5조에 의거하여 사법권을 행사하는 기관이다.
③ 「대한민국 임시 헌법」 제5조에 의거하여 입법부 역할을 맡은 기관이다.
④ 대한민국 임시 정부가 외교 활동을 위해 이승만을 중심으로 워싱턴에 설치한 기관이다.
⑤ 독립운동의 정당함을 국제 연맹에 알리기 위해 독립운동과 관련된 사료를 모아 「한·일 관계 사료집」을 간행하였던 대한민국 임시 정부의 기관이다.

11 이승만의 청원서와 국민대표 회의 　　정답: ⑤

1919년 파리 강화 회의가 개최되자 이승만은 미국 대통령 윌슨에게 '국제 연맹에서 한국의 통치를 맡아서 보호해 줄 것'을 요구한 문서를 제출하였다. 이 사실이 독립운동가들에게 알려지면서 이승만에 대한 비판과 임시 정부의 개편을 요구하는 목소리가 고조되었다. 이에 1923년 독립운동가들은 독립운동의 새로운 방향을 모색하기 위해 국민대표 회의를 개최하였다.

오답피하기
① 1923년 당시 내무총장이었던 김구는 현재의 대한민국 임시 정부를 지켜야 한다는 입장을 갖고, 국민대표 회의 개최에 반대하였다.
② 신채호는 이승만의 국제 연맹 위임 통치 청원 사건을 비판하며 임시 정부의 개편을 요구하였고, 국민대표 회의에서는 창조파의 입장이었다.
③ 안창호는 대한민국 임시 정부가 불신임을 받고 있는 상황에서 여운형과 함께 국민대표 회의 소집을 제안하였고, 개조파의 입장을 갖고 회의에 참석하였다.
④ 이동휘는 무장 투쟁을 통한 독립론을 주장하였으나, 국민대표 회의에서는 개조파의 입장을 취하였다.

12 3·1 운동 민족 대표 33인

1910년대 무단 통치로 인하여 한국인은 모든 집회와 정치 활동이 금지되었다. 이러한 상황 속에서 일정한 조직과 단체 활동을 이어갈 수 있었던 종교계 및 학생들을 중심으로 3·1 운동을 준비하였다.

모범답안 국권 상실 이후 한국인의 기본권이 제한되는 상황 속에서 상대적으로 감시와 탄압을 덜 받았던 계층이 종교계였기 때문입니다. 종교계는 특히 종교 활동을 명분으로 주기적으로 모일 수 있는 시간과 공간을 확보할 수 있었으며, 전국적인 조직망도 갖추고 있었습니다.

채점 기준

상	한국인이 기본권이 제한되었던 무단 통치에 대한 배경과 함께 종교계가 일제의 감시와 탄압을 피해 모일 수 있었다는 것과 전국적인 조직망을 갖추고 있었다는 것을 모두 서술한 경우
중	배경에 대한 서술이 미흡하거나 두 가지 근거 중 한 가지만 서술한 경우
하	두 가지 모두 서술이 미흡한 경우

13 국민대표 회의

대한민국 임시 정부 개편에 대한 논의 요구가 커지면서 1923년 국민 대표 회의가 개최되었다. 참석자들은 대한민국 임시 정부를 완전히 해체하고 새로운 정부를 수립하자는 창조파와 독립운동 실정에 맞게 개조하자는 개조파로 나뉘어 대립하였다.

모범답안 (2) 국민대표 회의에서 창조파는 성과가 없는 외교 활동보다는 무장 투쟁이 필요하다고 생각하였다. 이에 상하이에 위치한 현재의 대한민국 임시 정부를 해체하고, 독립전쟁에 유리한 새로운 위치(연해주 지역 등)에 새 정부를 수립할 것을 주장하였다.

채점 기준

상	기존의 임시 정부의 외교 활동이 지녔던 한계와 항일 무장 독립 투쟁의 전개의 필요성을 창조파의 입장으로 서술한 경우
중	두 가지 근거 중 한 가지만 서술한 경우
하	두 가지 모두 서술이 미흡한 경우

 ❸ 민족 운동의 성장

개념 체크

104쪽 01 (1) ○ (2) × 02 (1) 북로 군정서 (2) 미쓰야 협정 (3) 만주 사변 03 (1)-ⓒ, (2)-ⓛ, (3)-ⓖ

105쪽 01 (1) × (2) ○ 02 (1) 강우규 (2) 조선 혁명 선언 (3) 한인 애국단 03 (1)-ⓒ, (2)-ⓛ, (3)-ⓖ

106쪽 01 (1) ○ (2) × 02 (1) 물산 장려 운동 (2) 물산 장려 운동 (3) 브나로드 운동 03 (1)-ⓛ, (2)-ⓒ, (3)-ⓖ

107쪽 01 (1) ○ (2) ○ 02 (1) 6·10 만세 운동 (2) 정우회 선언 (3) 광주 학생 항일 운동 03 (1)-ⓖ, (2)-ⓛ, (3)-ⓒ

 문제 유형 익히기 ──────── 108~111쪽

01 ① 02 ④ 03 ① 04 ② 05 ② 06 ⑤ 07 ④ 08 ②
09 ③ 10 ④ 11 ⑤ 12 ① 13 ② 14 미쓰야 협정 15 해설 참조 16 (1) 윤봉길 (2) 해설 참조 17 정우회 18 해설 참조 19 (1) 신간회 (2) 해설 참조

01 봉오동 전투 　　　　　　　　　　　　정답: ①

일제는 3·1 운동 이후 활발해진 무장 독립 투쟁을 저지하기 위해 두만강을 건너 독립군의 근거지를 공격해 왔다. 1920년 6월, 홍범도의 대한 독립군, 최진동의 군무 도독부, 안무의 간도 국민회군, 신민단으로 구성된 독립군 연합 부대는 일본군을 봉오동으로 유인하여 크게 승리하였다.

오답피하기
② 1932년 지청천이 이끄는 한국 독립군이 승리를 거둔 전투이다.
③ 1932년 양세봉이 이끄는 조선 혁명군이 승리를 거둔 전투이다.
④ 1920년 10월 홍범도의 연합 부대와 김좌진의 북로 군정서가 승리를 거둔 전투이다.
⑤ 1933년 양세봉이 이끄는 조선 혁명군이 승리를 거둔 전투이다.

02 1920년대 국외 항일 투쟁 　　　　　　　　정답: ④

제시된 자료는 1920년 두만강 너머로 국경을 넘어온 일본군을 독립군이 크게 물리쳤던 두 전투의 격전지를 표시하고 있다. (가)는 1920년 10월에 있었던 청산리 전투이고, (나)는 1920년 6월에 있었던 봉오동 전투이다. (나) 봉오동 전투에서 패배한 일본군이 훈춘 사건을 빌미로 대규모 병력을 동원하여 공격해 왔을 때 독립군이 일본군을 청산리 일대로 유인하여 크게 승리한 전투가 청산리 전투이다. 이 소식이 국내에 알려지면서 국내 민족 운동이 활발해졌다. (가), (나) 두 전투에 홍범도의 대한 독립군이 활약하였다. 연이은 두 전투에서 패배한 일본군은 보복으로 간도 참변을 일으켰다.

오답피하기
ㄱ. (나) 전투에 이어서 (가) 전투가 일어났다.
ㄷ. 김좌진의 북로 군정서군은 (가) 전투에서 활약하였다.

03 독립군의 시련 　　　　　　　　　　　　정답: ①

제시된 (가)는 간도 참변에 대한 설명으로 1920년의 명칭을 빌려 경신참변이라고도 부른다. (나)는 러시아의 자유시(스보보드니)에서 일어났던 자유시 참변이다.

오답피하기

제암리 학살 사건	1919년 3·1 운동 당시 화성 지역의 만세 운동에 대한 보복으로 일본 군경이 제암리 일대 주민 20여 명을 학살하고, 마을에 방화하였던 사건이다.
훈춘 사건	1920년 봉오동 전투에서 패배한 일제가 중국 마적들을 매수하여 훈춘의 일본 영사관을 습격하게 한 사건이다. 이 사건을 빌미로 일제는 대규모의 군대를 간도 지역으로 출동시켜 독립군을 공격하려 하였고, 이를 물리친 전투가 청산리 전투이다.
만주 사변	1931년 일본 관동군이 류탸오후(柳條湖)의 만주 철도를 스스로 파괴하고, 이를 중국 측 소행이라고 트집 잡아 철도 보호를 구실로 군사 행동을 개시한 사건이다. 관동군은 군사 작전으로 만주 전역을 점령하고 1932년 꼭두각시 국가인 만주국을 세워 실질적인 지배권을 행사하였다.
난징 대학살	1937년 중·일 전쟁 때 중국의 수도였던 난징을 점령한 일본군이 저지른 대규모 학살 사건이다.

04 3부의 성립과 3부 통합 운동 　　　　　　정답: ②

간도 참변과 자유시 참변으로 큰 타격을 입은 만주의 독립운동 세력은 흩어진 조직을 정비하기 위해 노력하였다. 그 결과 참의부, 정의부, 신민부 등 3부가 성립되었다. 압록강 연안 지역에는 참의부, 남만주 일대에는 정의부, 북만주 일대에는 신민부가 조직되었다. 3부는 각자 다른 관할 구역의 한인 사회를 자치적으로 이끌어가는 민정 조직과 독립군 훈련 및 작전 등을 담당하는 군정 조직을 갖추었다. 이후 무장 독립운동 세력의 결집을 위해 3부 통합 운동이 전개되어 완전한 통합은 아니었으나, 남만주의 국민부와 북만주의 혁신 의회로 각각 재편되었다.

오답피하기
ㄴ. 1941년에 「대일 선전 성명서」를 발표하였던 대한민국 임시 정부에 대한 설명이다.
ㄹ. 조선 총독부의 경무국장 미쓰야와 만주 군벌 장쭤린 사이에 맺어진 미쓰야 협정으로 인하여 만주 지역의 독립군 활동은 크게 제약을 받았다.

05 1930년대 한·중 연합군
정답: ②

일제가 만주 사변을 일으키고 이듬해 만주국을 세우자, 만주의 독립군 세력은 일제의 침략에 맞서 중국인들과 연합하여 대일 항전을 전개하였다. 남만주 일대에서는 양세봉이 이끄는 조선 혁명군이 중국 의용군과 힘을 모아 영릉가 전투, 흥경성 전투에서 일본군을 격퇴하였다. 북만주 일대에서는 지청천이 이끄는 한국 독립군이 쌍성보 전투, 사도하자 전투, 동경성 전투, 대전자령 전투 등에서 일본군을 크게 물리쳤다. 하지만 일제가 만주를 장악하고 계속해서 공격해 오자 독립군의 활동은 점점 어려워졌다.

06 의열단의 활동
정답: ⑤

3·1 운동 이후 만주 지역에서 김원봉, 윤세주 등이 중심이 되어 의열단을 결성하였다. 의열단은 일제의 감시망을 피하기 위해 비밀 조직으로 운영되었으며, 베이징·난징 등으로 옮겨 다녔다. 의열단은 일제 통치 기관을 파괴하고 일제 고관이나 친일파를 처단하는 의열 투쟁을 전개하였다. 의열단원들은 신채호가 작성한 「조선 혁명 선언」을 활동 지침으로 삼아 민중 직접 혁명을 달성하고자 노력하였다. 이후 1935년 의열단 세력은 중국 관내의 독립운동 단체들을 통합하기 위한 움직임에서 민족 혁명당 결성을 주도하기도 하였다.

오답피하기
⑤ 의열단 단원으로는 박재혁, 최수봉, 김익상, 김상옥, 김지섭, 나석주 등이 있으며, 이봉창은 한인 애국단 소속이다.

07 한인 애국단의 활동
정답: ④

김구는 국민대표 회의의 결렬 이후 침체기에 빠져 있던 대한민국 임시 정부에 활기를 불어넣고, 국내의 한국인들이 독립의 희망을 전파하기 위한 목적으로 1931년 상하이에서 한인 애국단을 조직하였다. 한인 애국단원 소속 이봉창은 일본 도쿄에서 일왕의 마차에 폭탄을 던져 일제에 큰 충격을 주었고, 윤봉길은 상하이 사변 이후 기념 행사를 열어 중국인들의 공분을 사고 있던 홍커우 공원 기념 행사장의 일제 주요 장성과 고관들에게 폭탄을 던졌다. 이 의거를 계기로 대한민국 임시 정부는 상하이를 떠나 옮겨 다녀야 했지만, 중국 국민당 정부의 전폭적인 지원을 이끌어낼 수 있었다.

오답피하기
ㄱ. 1930년대 의열단은 중국 정부의 지원을 받아 조선 혁명 간부 학교를 설립하였다.
ㄷ. 개인의 암살·파괴 중심의 의열 투쟁에 점차 한계를 느낀 의열단은 더욱 조직적인 항일 투쟁 노선으로 전환하기로 하였고, 이를 위해 김원봉을 비롯한 단원들이 중국 국민당의 황푸 군관 학교에 입학하여 체계적인 군사 훈련을 받았다.

08 여러 지역에서 나타난 의열 투쟁
정답: ②

노인 동맹단 소속으로서 당시 65세였던 강우규는 1919년 국내의 3·1 운동이 차츰 사그라지던 시점에 조선에 새로 부임한 사이토 마코토 총독이 탄 마차를 향해 폭탄을 던졌다. 비록 의거는 실패하였지만, 일제의 간담을 서늘하게 하였고, 한국의 청장년층에게도 큰 자극을 주었다. 1920년 11월 29일 서대문 형무소에서 사형당하였다. 순국 92년만인 2011년, 그의 의거를 기려 옛 서울역 건물 앞에 동상을 설치하였다. 강우규의 의열 투쟁 이외에 항일 사상 단체를 이끌다가 일왕 암살 시도 혐의로 체포된 박열이나 혈혈단신으로 타이중 의거를 감행한 조명하의 거사도 있었다.

오답피하기
① 신한청년당의 여운형 등에 해당하는 설명이다.
③ 미국 하와이에서 박용만이 이를 주도하였다.
④ 임병찬을 중심으로 한 대한 독립 의군부에 대한 설명이다.
⑤ 최초의 근대 의료 기관인 광혜원은 1885년에 고종이 세웠으며, 설립 당시 운영을 맡았던 인물은 미국인 선교사 알렌이었다.

09 물산 장려 운동의 배경
정답: ③

제시된 자료는 물산 장려 운동의 배경이 되는 1920년 「회사령」의 폐지와 1923년 관세 폐지에 대한 내용이다. 이러한 상황에서 한국인 기업은 자본과 기술에서 우위에 있는 일본 기업과 경쟁하며 점차 어려움에 직면하였다. 이에 1920년대에 토산물(국산품) 애용 운동을 통해 민족 산업을 보호·육성하려는 물산 장려 운동이 일어나게 되었다.

오답피하기
① 문화 통치 당시 타협적 민족주의 세력에서 추구하였던 참정권 운동에 관한 내용이다.
② 정규 교육을 받지 못한 민중들을 대상으로 한 문맹 퇴치 운동 및 민중 계몽 활동에 대한 내용이다.
④ 1907년 대구에서 시작된 국채 보상 운동에 관한 내용이다.
⑤ 일제의 민족 말살 정책 당시 전개한 민족 문화 수호 운동 내용이다.

10 민립 대학 설립 운동
정답: ③

일제는 한국인에게 보통 교육과 실업 교육을 주로 하였고, 고등 교육의 기회는 거의 주지 않았다. 3·1 운동 이후 교육에 대한 한국인들의 「제2차 조선 교육령」에 따라 대학 설립이 가능해지자 한국인의 힘으로 고등 교육 기관을 설립하자는 민립 대학 설립 운동이 일어났다. 이상재, 이승훈 등이 주도한 민립 대학 설립 운동은 '한민족 1천만이 한 사람 1원씩'이라는 구호를 앞세우며 전국적인 모금 운동을 펼치는 방식으로 추진되었다.

오답피하기
① 조선어 과목이 각 급 학교의 정규 교과에서 폐지되는 시점은 1930년대 후반 민족 말살 정책 시기로, 내선일체, 황국 신민화를 목적으로 단행되었다.
② 신민회의 일부 간부들의 주도로 서간도 지역의 삼원보에 독립운동 기지를 개척하고 신흥 강습소(이후 신흥 무관 학교)를 설립하게 되는 배경이다.
④ 3·1 운동 이후 문맹 퇴치 운동이 일어나게 된 배경이다.
⑤ 학무아문은 갑오개혁 당시 조선 정부가 설치한 근대적인 교육 행정 기관으로 교육 제도도 신식 학제로 개편되었다.

11 광주 학생 항일 운동
정답: ⑤

제시된 자료는 1929년 광주 학생 항일 운동 당시 공표되었던 격문의 내용이다. 광주 학생 항일 운동은 1929년 10월 나주역에서 발생한 한국인 학생과 일본인 학생 간의 충돌, 그리고 이에 대한 일본 경찰의 민족 차별적인 탄압에 대한 반발로 촉발되었다. 광주 지역의 독서회 중앙 본부는 독서회 조직망을 활용하여 11월 3일부터 학생들을 조직적으로 동원하였고, 시위는 점차 전국의 학교 학생들에게 퍼져나갔다.

오답피하기
⑤ 광주 학생 항일 운동은 전국은 물론 만주와 일본으로까지 확산된 3·1 운동 이래로 가장 큰 전 민족적 항일 운동이었다.

12 문맹 퇴치 운동

정답: ①

일제 강점기 정규 교육을 받지 못한 민중들은 우리말과 글을 제대로 사용하지 못하였다. 이들에게 한글을 가르치자는 계몽 운동이 지식인, 학생, 신문사들의 협조 아래 일어났다. 『조선일보』의 '문자 보급 운동'과 『동아일보』의 '브나로드 운동'이 대표적인 문맹 퇴치 운동이었다. 심훈의 『상록수』는 1935년부터 1936년까지 『동아일보』에 연재된 소설이다. 『상록수』는 주인공들이 일제의 탄압에도 농촌 계몽의 의지를 다지는 내용을 담고 있으며, 당시 우리 민족이 처한 현실과 희망이 나타나 있다.

오답피하기

② 형평 운동을 주도한 조선 형평사 정기 대회 포스터이다.

③ 좌우 연합 여성 운동 단체인 근우회의 회지 『근우』의 창간호 표지이다.

④ 어린이날 포스터이다. 방정환은 아이들을 인격체로 대하라는 의미에서 '어린이'라는 용어를 사용하였다.

⑤ 물산 장려 운동과 관련 있는 토산품 애용의 내용을 담은 광목(옷감의 일종으로 형광, 표백 등의 처리를 하지 않은 자연가공 원단) 제품의 신문 광고이다.

13 6 · 10 만세 운동

정답: ②

1926년 4월 순종이 세상을 떠나자 민족주의 세력과 사회주의 세력은 순종의 장례식이 거행되는 6월 10일에 만세 시위를 계획하였다. 3 · 1 운동에 이어 제2의 만세 운동이 열릴 것을 우려한 일본 경찰의 대비로 인해 시위 준비 과정에서 지도부가 검거되었지만, 이를 피한 학생들은 예정대로 만세 시위를 전개하였다. 민족주의 계열과 사회주의 계열은 이 운동을 함께 준비하면서 민족 유일당을 만들어 힘을 합칠 수 있다는 공감대를 형성하였다.

오답피하기

① 1919년에 고종의 장례식을 배경으로 일어났다.

③ 1923년 독립운동가들이 상하이에 모여 대한민국 임시 정부의 방향을 놓고 논의했던 회의이다.

④ 1907년 정미의병 당시 13도 창의군이 경기도 양주에 집결하여 전개하였던 작전이다.

⑤ 1929년 11월 광주에서 시작되어 이듬해 3월까지 전국에서 벌어졌던 학생들의 시위 운동이다.

14 미쓰야 협정

조선 총독부의 경무국장 미쓰야와 만주 군벌 장쭤린 사이에 맺은 협정으로 한국인 독립운동가를 중국 관리가 체포하여 일본에 넘긴다는 내용이다. 일본은 한국인 독립운동가를 인계받는 대가로 포상을 지불하고, 장쭤린은 포상 중 일부를 체포한 관리에게 주도록 할 것 등을 규정하였다. 이에 만주 관리들은 한국인 독립운동가 체포에 몰두하였고, 한국인 농민들도 큰 피해를 입었다.

15 물산 장려 운동의 부작용

'내 살림 내 것으로' 등의 구호와 함께 전개된 물산 장려 운동은 토산품 애용이라는 측면에서 보면 어느 정도 성과를 거두었다. 그러나 민족 자본은 늘어난 수요를 감당할 만큼 생산 능력을 갖추지 못하였고, 일부 상인들은 물건값을 올려 이익을 얻었다. 이에 사회주의자들은 자본가만의 이익을 추구하는 운동이라고 물산 장려 운동을 비판하기도 하였다.

모범답안 물산 장려 운동으로 전 민족적인 토산품 애용이 이어졌으나, 그 수요가 민족 자본이 감당할 수 있는 생산 능력을 초과하면서 품귀 현상을 이용해 가격을 올려 이득을 챙기는 상인들이 등장하였다. 이로 인해 자본가와 상인의 이익을 채워주기 위해 비싼 값을 지불하면서까지 물산 장려 운동을 지속해야 하는가에 대한 비판이 등장하였다.

채점 기준

상	물산 장려 운동의 영향을 받은 토산품에 대한 수요 증가 현상과 토산품 가격 상승의 요인(민족 자본의 생산 능력 한계, 품귀 현상을 이용해 이득을 챙긴 일부 상인)을 모두 서술한 경우
중	배경이 된 현상과 가격 상승 요인 중 한 가지만 서술한 경우
하	배경이 된 현상과 가격 상승 요인에 대한 서술 없이 물가 상승만을 서술한 경우

16 한인 애국단

일본이 만주 사변과 같은 대륙 침략을 일으킨 상황에서 김구는 내부 분열 등으로 위축되었던 대한민국 임시 정부에 활기를 불어넣기 위해 비밀 결사인 한인 애국단을 조직하여 의열 투쟁을 전개하였다. 이봉창은 일본 도쿄에서 일왕의 마차에 폭탄을 던졌고, 윤봉길은 중국 상하이 홍커우 공원의 기념식장에 폭탄을 던져 일제의 주요 장성과 고관들을 처단하였다.

모범답안 (2) 일본이 만주 사변을 시작으로 본격적인 대륙 침략을 해 오는 상황에서 오랫동안 침체된 대한민국 임시 정부에 활기를 불어넣고자 김구가 한인 애국단을 조직한 것이다.

채점 기준

상	한인 애국단 설립 당시의 상황(대한민국 임시 정부의 오랜 침체, 일제의 대륙 침략)과 김구의 설립 의도를 모두 서술한 경우
중	상황과 의도 중 한 가지 서술이 미흡한 경우
하	두 가지 모두 서술이 미흡한 경우

17 정우회 선언

비타협적 민족주의 세력은 자치 운동을 주장하고 일제의 식민 통치를 인정하는 타협적 민족주의 세력을 비판하며 사회주의 세력과의 연대를 도모하였다. 사회주의 세력 또한 제시된 글에 담겨 있는 정우회 선언을 발표하여 비타협적 민족주의 세력과의 협동할 것임을 밝혔다. 이러한 노력이 모여 국내의 대표적인 민족 협동 전선인 신간회가 창립될 수 있었다.

18 타협적 민족주의 세력의 자치론

제시된 자료는 1924년 동아일보에 실린 이광수의 「민족적 경륜」이다. 과거 일제는 '동양 평화'와 '한국 독립 보전' 등을 약속하였지만, 결국에는 한국의 국권을 강탈하였다. 3 · 1 운동에서 보여 준 전 민족적인 역량에 놀란 일본이 약속하는 자치란 결국 민족을 분열시켜 한국의 민족 운동 역량을 약화시키려는 기만술에 불과하였다.

모범답안 문화 통치를 표방한 일제는 한국인에게도 참정권을 주고 지방 자치제를 실시하겠다고 선전하였다. 이는 독립운동을 자치 운동으로 유도하고 친일 세력을 양성하려는 것이었다. 실제로 일제가 소수의 친일파만을 참여시킨 중추원과 부 · 읍 · 면 협의회의 경우 실권이 없는 형식적인 자문 기구에 불과하였다. 뿐만 아니라 일제의 식민 통치를 인정하고 일제가 허락하는 범위 내에서만 정치적 운동을 하겠다는 것은 독립운동을 포기하겠다는 것과 같으므로 그 한계가 명확하다.

<table>
<tr><td>채점 기준</td><td></td></tr>
</table>

채점 기준	
상	일제가 내세운 '참정권, 자치권 부여'가 갖는 기만성과 독립운동을 포기해야만 하는 한계를 모두 서술한 경우
중	두 가지 근거 중 한 가지만 서술한 경우
하	두 가지 모두 서술이 미흡한 경우

19 민족 유일당 운동과 신간회

일부 민족주의 세력이 자치론을 주장하자 일제도 이를 부추겨 민족 운동 세력을 분열시키려 하였다. 이에 일제와의 타협을 거부하는 민족주의 세력과 사회주의 세력이 연합하여 민족 협동 전선으로서 신간회가 창립되었다. 제시된 신간회 강령은 민족 단결을 강조하고 있으며, 일제와 타협하는 자치 운동 등의 활동을 비판하는 내용을 담고 있다.

모범답안 (2) 기회주의는 자치론을 앞세우며 일제와의 타협을 주장하는 것을 말하는 것이다. 이는 곧 민족 운동 세력을 분열시켜 독립운동을 약화시키려는 일제의 의도에 부합하는 것이기에 신간회가 강령을 통해서도 비판한 것이다.

채점 기준	
상	기회주의가 갖는 의미(자치론을 내세우며 일제와의 타협을 주장하는 타협적 민족주의 세력)와 신간회가 비판하는 이유(민족 운동의 역량을 분열시켜 독립을 어렵게 하려는 일제의 민족 분열 통치 의도에 부합)를 모두 서술한 경우
중	두 가지 근거 중 한 가지만 서술한 경우
하	두 가지 모두 서술이 미흡한 경우

❹ 사회·문화의 변화와 사회 운동의 전개

개념 체크

112쪽 01 (1) × (2) ○ 02 (1) 도시화 (2) 토막민 (3) 소작농 03 (1)─ⓒ, (2)─ⓛ, (3)─ⓐ

113쪽 01 (1) ○ (2) ○ 02 (1) 개조 사상 (2) 민족 (3) 신여성 03 (1)─ⓒ, (2)─ⓐ, (3)─ⓛ

114쪽 01 (1) ○ (2) ○ 02 (1) 원산 총파업 (2) 근우회 (3) 형평 운동 03 (1)─ⓒ, (2)─ⓛ, (3)─ⓐ

115쪽 01 (1) × (2) ○ 02 (1) 박은식 (2) 조선어 학회 03 (1)─ⓒ, (2)─ⓛ, (3)─ⓐ

문제 유형 익히기 ─────────── 116~119쪽

01 ③ 02 ① 03 ④ 04 ④ 05 ③ 06 ④ 07 ① 08 ③
09 ③ 10 ③ 11 ② 12 ② 13 암태도 소작 쟁의 14 해설 참조 15 해설 참조 16 (1) 형평 운동 (2) 해설 참조 17 전형필 18 (1) 백남운 (2) 해설 참조

01 식민지 도시의 양면성
정답: ③

식민지 도시는 깨끗한 시가지와 빛나는 가로등으로 화려하였지만, 민족 문제와 빈부 격차라는 그늘진 모습도 함께 지녔다. 경성의 경우 청계천을 기준으로 일본인이 주로 거주하는 남촌과 한국인이 주로 거주하는 북촌으로 생활 공간이 나뉘었다. 시간이 지나면서 두 공간의 경제 격차는 점차 심화되었다. 한편 도시 변두리에는 일자리를 찾기 위해 농촌을 떠나온 사람들이 토막집을 짓고 '토막민'이라 불리며 빈민촌을 형성하였다. 이처럼 한국 사회는 점차 도시화·근대화되어 갔지만, 민중의 삶은 더 어려워졌다.

오답피하기
ㄱ. 두 공간의 경제 격차는 점차 심화되었다.
ㄴ. 식민지 도시화는 주로 일제의 효율적인 식민 통치를 위해 이루어지는 경우가 많았다.

02 생활 양식의 변화와 대중문화의 확산
정답: ①

자본주의 소비 문화의 상징인 모던 걸과 모던 보이에 대한 글이다. 모던 걸은 단발머리에 양장을 차려입고 양산을 챙겼으며, 모던 보이는 중절모를 쓰고 상아로 치장한 지팡이를 들고 나팔바지를 입었다. 이들은 경성을 산책하며 백화점, 카페, 요릿집, 영화관 등의 대중문화를 즐겼다. 그러나 이들이 신는 구두 한 켤레는 쌀 두 가마니 가격이었으니 일반 서민들은 '그림의 떡'과 같았다.

오답피하기
① 흑백 텔레비전이 한국인들에게 널리 보급된 시점은 1970년대 이후이다. 1963년에 3만여 대였던 흑백 텔레비전은 1973년에 100만 대, 1978년에 500만 대를 넘어섰다.

03 대중 매체의 발달과 라디오 체조
정답: ④

라디오는 대중문화 보급의 선봉장이었다. 처음에는 일본어 위주의 방송이었다가 1932년 제1 방송과(일본어)와 제2 방송과(한국어)로 분리되었다. 이후 라디오 보급이 늘어나고 한국인 청취자도 40% 정도를 차지하였다. 그러나 다른 매체와 마찬가지로 침략 전쟁이 확대되면서 라디오는 일제의 선전 도구로서의 성격이 강화되었다.

오답피하기
ㄱ, ㄴ, ㄷ. 라디오 체조는 일정 시간마다 음악 반주 및 구령에 맞추어 실시되었는데 이를 전국적으로 보급하고 매일매일 지속시키는 데에 벽보, 신문, 잡지가 갖는 파급력은 라디오, 축음기에 비해 제한적이었다.
ㅂ. 1930년대 당시 텔레비전이 발명은 되어 있었으나, 한국에서 대중 매체로서의 역할은 전혀 하지 못했다.

04 피폐화된 농촌
정답: ④

제시된 자료는 조선 농촌의 모습을 일본인이 직접 접하고 돌아와 1932년에 기록한 『내외사정』의 내용 중 일부이다. 일제 강점기에는 지주제 확대와 농민 경제의 몰락으로 큰 변화를 겪었다. 소작농은 지속적으로 증가하였는데, 막대한 소작료와 세금은 이들 농민들을 더욱 힘들게 하였다. 산미 증식 계획으로 쌀 중심의 단작 농업이 보편화되는데, 대공황으로 농산물 가격이 급락하여 상당수의 소작농이 도시 빈민이나 화전민으로 전락하기도 하였다.

오답피하기
ㄹ. 토지 조사 사업과 산미 증식 계획은 농민을 다수 몰락시키고, 지주제를 더욱 강화시켰다.

05 식민지 공업화와 열악한 노동 조건
정답: ③

한국인 도시 노동자는 대부분 열악한 작업 환경 속에서 온갖 차별을 받으며 일하였다. 일본인 노동자 임금의 절반밖에 미치지 못하는 낮은 임금을 받으며 장시간 노동을 강요당하였다. 또한 노동자들은 일본인 공장 감독의 민족 차별을 받았으며, 산업 재해와 질병에 무방비로 노출되었다. 일자리를 얻기 위해 도시로 몰려온 노동자들을 위한 거주 대책은 식민지 도시화를 추진하는 조선 총독부의 고려 사항이 아니었다.

[오답피하기]
③ 일제의 식민지 공업화 정책은 1920년 회사령 폐지 이후 본격화되었다. 회사령의 적용을 받아 한국 내 회사 설립이 어려웠던 1910년대 상황을 담은 선지의 내용은 옳지 않다.

06 사회주의 사상
정답: ④

이재유는 1930년대에 노동·농민 운동을 통해 대중의 각성을 끌어내고자 노력하였다. 그의 활동과 관련된 사상은 계급 투쟁과 혁명을 통해 차별 없는 평등 사회를 건설하는 것을 목표로 하는 사회주의였다. 사회주의자들은 계급 해방을 위한 노동자들의 각성과 단결을 중요하게 생각하여 노동 운동에 적극적으로 개입하였다. 또한 지주·자본가 계급과 이를 지원하는 일본 제국주의를 타도해야 한다고 여기고 대중 운동에 힘썼다.

[오답피하기]
ㄱ. 민족의 뿌리와 고유성을 찾는 것을 목표로 역사와 문화 연구를 진행했던 활동과 관련 있는 사상은 민족주의이다.
ㄷ. 민족이라는 단위를 하나의 운명 공동체로 여기려는 사상은 민족주의로 국적과 관계없이 지주·자본가 계급을 타도하기 위해 전 세계의 농민·노동자들이 단결해야 한다고 여기는 사회주의 사상의 관점과는 대립된다.

07 평화의 언어, 에스페란토어
정답: ①

에스페란토는 '희망하는 사람'이라는 뜻으로, 폴란드 의사였던 자멘호프 박사가 만든 언어이다. 그는 국가 간의 갈등과 전쟁이 서로의 언어가 다른 데에서 비롯한다고 생각하여 국제어를 만들었다. '희망의 언어'를 통한 국제 연대의 필요성을 강조하는 이 언어는 주로 아나키스트(무정부주의자)들에 의해 수용·보급되었다. 이러한 맥락은 ㄱ의 상호 부조론의 주장에도 부합한다.

[오답피하기]
ㄷ. 영국 작가 키플링의 시 제목인 일명 '백인의 짐'과 같은 주장으로 서구 열강이 다른 지역을 침략하고 점령하는 것을 문명화를 위한 신성한 의무처럼 포장하고 있다. 백인이자 서구 열강 제국의 국민인 자신의 인종적 편견과 우월감을 노골적으로 드러내는 논리라고 볼 수 있다.
ㄹ. 약자인 식민지의 침략에 대한 책임을 약육강식이나 적자생존이라는 논리로 정당화하려는 사회 진화론에 입각한 주장이다.

08 신여성의 등장
정답: ③

한국의 여성들은 가부장적인 문화와 식민 지배에서 비롯된 계급적·민족적 억압을 동시에 받아왔다. 1920년대에 접어들며 등장한 신여성은 이러한 구조적 억압을 타파하고자 하였다. 근대 교육을 받은 신여성들은 여성의 사회적 지위 향상과 여성 해방을 위해 여성 교육을 비롯한 사회 운동을 전개하고, 가부장적인 사회를 비판하며, 자유 연애와 자유 결혼도 주장하였다.

[오답피하기]
ㄱ. 조선 고유의 문화 전통을 연구하는 움직임은 민족주의 계열의 민족 문화 수호 운동의 일환으로 여성 해방을 위한 활동과는 연관이 없다.
ㄹ. 참정권 운동은 타협적 민족주의 세력의 움직임과 관련 있는 내용으로 한국인 남성에게도 투표권이 주어지지 않은 식민지 현실에서 여성의 투표권 획득을 위한 운동이 전개되지는 않았다.

09 원산 총파업
정답: ③

제시된 자료는 1928년 9월의 사건이 발단이 되어 1929년 1월부터 4월까지 전개된 원산 총파업에 대한 설명이다. 원산 총파업은 일제 강점기 사상 최대 규모의 노동 쟁의였다. 1930년대 이후 일제의 탄압으로 합법적인 노동 운동이 어려워지자, 사회주의자들과 연대한 혁명적 노동조합의 노동자들을 중심으로 비합법적 투쟁이 전개되었다. 이처럼 노동 운동도 생존권 투쟁을 넘어 계급 해방 운동이자 항일 투쟁으로 발전하였다.

[오답피하기]
① 1919년에 전 민족적인 만세 시위로 한국인의 독립 의사를 개진한 사건이다.
② 순종의 장례식을 기폭제로 일어난 제2의 만세 운동이다.
④ 소작료 인하를 요구하며 암태도 소작인회 농민들이 1년여에 걸쳐 투쟁한 끝에 요구 사항을 관철시켰던 사건이다.
⑤ 일제의 민족 차별 교육을 비판하며 3·1 운동 이후 가장 큰 규모로 일어났던 항일 운동으로, 1929년 11월 광주 학생들의 주도로 시작되어 이듬해 3월까지 동맹 휴학·학생 시위의 형태로 전국에 확산되었다.

10 근우회
정답: ③

빈칸 (가)에 들어갈 단체는 근우회이다. 여성 단체들은 1927년 신간회 결성에 자극을 받아 '조선 여자의 공고한 단결과 지위 향상'을 목적으로 하는 민족 협동 단체인 근우회를 창립하였다. 근우회는 기관지 『근우』를 발간하고 전국 순회 강연회, 토론회를 개최하였다.

[오답피하기]
① 동아일보에서 추진한 문맹 퇴치·농촌 계몽 운동인 브나로드 운동의 포스터이다.
② 백정들에 대한 사회적 차별을 철폐하려는 운동이었던 조선 형평사의 정기 대회 포스터이다.
④ 1920년대에 간행된 『삼천리』라는 여성 잡지이다.
⑤ 카프의 기관지 『예술 운동』이다. 1920년대에는 사회주의 사상의 영향을 받아 카프 등이 조직되면서 신경향파 문학이 대두하였다.

11 일제강점기 저항 문학
정답: ②

제시된 자료는 1941년에 창작된 윤동주의 「서시」이다. 윤동주는 일본 유학 중 반일 운동 혐의로 체포되어 29세의 나이로 생을 마쳤다. 「서시」는 윤동주의 유고 시집으로 광복 이후 출간된 『하늘과 바람과 별과 시』에 수록되어 있다. 「서시」는 저항 시인인 윤동주의 생애와 그의 문학적 세계관을 잘 보여 주는 상징적인 작품으로 평가받는다.

[오답피하기]
ㄴ. 신체시는 개화기 시가의 한 유형으로, 최초의 신체시는 최남선의 「해에게서 소년에게」이다.
ㄷ. 신소설은 개항 이후 문학의 새 경향으로 이인직의 「혈의 누」(1906), 안국선의 『금수회의록』(1908), 이해조의 『자유종』(1910)이 대표적이다.

12 조선어 학회 사건 　　　　　　　　　정답: ②

조선어 연구회에서 발전하여 1931년에 만들어진 조선어 학회는 「한글 맞춤법 통일안」을 발표하며 표준어를 제정하였다. 이를 기초로 『조선말 큰사전』의 편찬 작업에 착수하였는데 원고가 거의 완성될 무렵, 조선어 학회 사건이 일어나 학회가 강제로 해산되고 회원들이 체포되었다.

오답피하기

ㄴ. 민족주의 사학(신채호, 박은식, 정인보 등), 사회 경제 사학(백남운)의 연구 활동에 대한 설명이다.

ㄹ. 방정환의 주도로 창립된 천도교 소년회의 활동 내용이다.

13 암태도 소작 쟁의

농민들은 일제가 시행한 토지 조사 사업과 산미 증식 계획의 영향으로 많은 어려움을 겪고 있었다. 그중 특히 고율의 소작료와 지주의 입맛대로 전환되는 소작권 이동은 농민들을 매우 고통스럽게 하였다. 이에 농민들은 암태도 소작 쟁의와 같은 집단적인 쟁의를 일으켜 소작료 인하와 소작권 이동 반대를 요구하였다.

14 토막민

토막은 나뭇가지와 가마니로 지은 움막집을 말한다. 도시의 빈민들은 사람이 살기 어려운 곳에 토막을 짓고 살았다. 일자리를 얻기 위해 수많은 빈민들이 도시로 몰려왔지만 이들을 위한 거주 대책은 식민지 도시화를 추진하는 조선 총독부의 고려 사항이 아니었다.

모범답안 대공황의 여파로 농산물의 가격이 급락하고, 침략 전쟁을 확대한 일제가 수탈을 강화하자 근근이 생계를 이어가던 소작농들은 몰락하게 된다. 일자리를 찾기 위해 농촌을 떠나 도시로 이동하여 온 사람들이 도시 변두리에 빈민촌을 형성하며 토막민이 된 것이다.

채점 기준

상	농촌 소작농의 몰락 요인들과 도시 변두리로의 정착 과정을 모두 서술한 경우
중	몰락 요인과 정착 과정 중 한 가지 서술이 미흡한 경우
하	두 가지 모두 서술이 미흡한 경우

15 '개조 사상'의 수용

제1차 세계 대전을 전후로, 세계에서는 제국주의를 정당화하던 사회 진화론에 대한 대안이 모색되었다. 국내에서는 이러한 대안적 사상들이 유학생과 지식인들을 통해 '개조 사상'이라는 이름으로 수용되었다.

모범답안 개조 사상을 수용한 독립운동가들은 독립 이후 우리나라가 세계 흐름에 따라 국민이 주권을 가진 자유롭고 평등한 민주주의 국가여야 한다고 여기게 되었다. 총칼을 앞세워 관철시켰던 일제의 식민 지배를 자유, 평등, 민주주의라는 인류 보편의 가치를 위배하는 억압 행위로 규정하며 일제에 저항하게 되었다.

채점 기준

상	개조 사상을 명시하고, 독립으로 새롭게 건설된 나라의 방향(자유롭고 평등한 민주주의 국가)과 항일 운동의 사상적 근거(일제의 식민 통치를 인류 보편의 가치를 위배하는 억압 행위로 규정)를 모두 서술한 경우
중	개조 사상을 명시하고, 두 가지 근거 중 한 가지만 서술한 경우
하	개조 사상을 명시하였으나, 두 가지 모두 서술이 미흡한 경우

16 저울처럼 평등한 사회를 꿈꾼 형평 운동

제시된 자료는 조선 형평사 정기 대회 포스터이다. 갑오개혁으로 신분 차별이 법제상으로는 폐지되었지만, 백정에 대한 차별과 편견은 쉽게 사라지지 않았다. 이러한 상황은 일제 강점기에도 전혀 달라지지 않았다. 백정들은 차별 대우에 항의하며 1923년 경남 진주에서 조선 형평사를 만들고 백정에 대한 평등한 대우를 요구하는 형평 운동을 전개하였다. '형평'은 백정이 사용하는 저울이 균형을 이룬 상태를 말한다. 형평 운동은 언론과 사회주의 계열 등의 지지를 받아 전국적인 운동으로 발전하였다. 형평 운동의 결과 호적에서 붉은 점으로 나타내던 백정의 신분 표시가 폐지되었으며, 백정 자녀의 공립학교 입학이 허용되었다.

모범답안 (2) 백정에 대한 사회적 차별(붉은 점이 표시된 백정의 호적, 백정이라는 이유로 학교 입학 거부, 백정들과의 예배를 거부하는 사람들, '피촌'이라 부른 백정 마을 등)의 철폐와 인권 신장을 주장하였다.

채점 기준

상	백정에 대한 구체적인 차별 사례를 언급하며 이에 대한 철폐를 요구하였음을 주장으로 서술한 경우
중	구체적인 차별 사례에 대한 언급 없이 백정에 대한 차별 철폐라는 주장만을 서술한 경우
하	서술이 미흡한 경우

17 우리 문화재 지킴이, 간송 전형필

전형필은 일제 강점기에 자신의 재산을 털어 일본으로 유출된 문화재를 되찾아 오는 등 문화재를 보존하는 데에 힘썼다. 그가 수집한 문화재의 상당수는 국보나 보물급이다. 『훈민정음 해례본』과 김정희, 정선, 김홍도, 장승업 등 회화·서예 작품, 자기·불상·서적 등은 우리나라 문화사 연구의 귀중한 자료이다. 그의 수장품은 1938년 서울 성북구에 건립된 우리나라 최초의 근대 사립 미술관인 보화각(오늘날 간송 미술관)에 전해 온다.

18 사회 경제 사학

사회 경제 사학자들은 마르크스의 유물 사관의 입장에서 한국의 역사가 보편적인 법칙에 따라 발전하였다고 보았다. 백남운은 이러한 논리를 바탕으로 『조선사회경제사』에서 한국사도 서양이나 일본처럼 '고대 노예제 사회, 중세 봉건 사회, 근대 자본주의 사회'의 단계를 거치며 발전하였다고 기술하였다. 이로써 한국은 봉건 사회를 거치지 못해 스스로 근대화할 수 없다는 식민 사관의 정체성론을 주장을 비판하였다.

모범답안 (2) 일제의 왜곡 논리는 조선은 중세 봉건 사회에 다다르지 못하고 개항 전까지 10세기 고대 일본의 수준에 머무르고 있다는 식민 사관의 정체성론이다. 일제는 한국이 오랫동안 세계사의 발전적 흐름에 뒤처져 있었으며, 결국에는 일본의 식민지로 전락할 수밖에 없었음을 정당화하고자 이와 같은 왜곡 논리를 만든 것이다.

채점 기준

상	정체성론의 논리 내용과 왜곡의 목적을 모두 서술한 경우
중	정체성론의 논리에 대해 서술하였으나, 왜곡의 목적에 대한 서술이 미흡한 경우
하	두 가지 모두 서술이 미흡한 경우

❺ 전시 동원 체제와 민중의 삶

01 제2차 세계 대전의 배경 정답: ②

빈칸 (가)는 1929년에 시작된 대공황으로 세계 경제는 큰 혼란을 겪었다. 영국, 프랑스와 같이 많은 식민지를 보유한 국가들은 식민지와의 경제 결속을 강화하여 위기를 극복하려 하였다. 반면 이탈리아, 독일, 일본처럼 식민지가 적은 국가들은 대외 침략으로 대공황에서 벗어나려 하였다. 이 과정에서 전체주의가 등장하였고, 전체주의 국가들의 계속된 침략 전쟁은 결국 제2차 세계 대전의 발발로 이어졌다.

오답피하기

① 전체주의 체제가 성립된 대표적인 나라로는 이탈리아(파시즘), 독일(나치즘), 일본(군국주의)이 있다.
③ 소련에 대한 설명이다.
④ 프랑스는 식민지와의 블록 경제 구축을 통해 대공황을 벗어나고자 하였다.
⑤ 이탈리아는 영국, 프랑스와 달리 블록 경제를 구축할만한 식민지가 거의 없었다.

02 일제의 침략 전쟁 정답: ③

일본은 1931년 만주 사변으로 만주를 장악하고, 1932년 만주국을 수립한다. 이후 1937년에 중·일 전쟁을 일으켜 대륙 침략을 본격화하였으며, 중·일 전쟁이 장기화되자 동남아시아까지 전선을 넓혔다. 이에 미국과 영국이 경제 봉쇄로 맞섰고, 일본은 1941년 하와이 진주만을 공습하여 태평양 전쟁을 일으켰다.

03 농촌 진흥 운동 정답: ②

일제는 농민 경제를 안정시킨다는 명분으로 농촌 진흥 운동을 추진하였다. 하지만 농촌 문제를 근원적으로 해결한 정책도, 재정도 뒷받침해주지 않았다. '노동', '근검절약'과 같은 표어를 내세우며, 농민 개인의 책임과 정신력만을 강조하였고, 실질적인 문제는 해결하지 못하였다.

오답피하기

① 구조적 모순 해결을 위한 노력은 없었다.
③ 산미 증식 계획에 대한 설명이다.
④ 1920년대 후반의 문맹 퇴치 운동에 관한 설명이다.
⑤ 토지 조사 사업으로 일제가 얻은 효과이다.

04 식민지 공업화 정책이 끼친 영향 정답: ①

만주 사변을 전후로 일제는 한국의 농공업을 함께 발전시킨다는 명목으로 식민지 공업화를 추진하였다. 이는 한국을 침략 전쟁에 필요한 자원을 보급하는 병참 기지로 활용하기 위한 것이었다. 중·일 전쟁 이후 전시 체제가 본격화되면서 군수 산업과 관련된 중화학 공업이 한반도 북부 지방에 집중되며 남북 간 산업 분야의 불균형이 심화되었다.

오답피하기

① 1910년에 제정되었다가 1920년에 폐지된 「회사령」은 한국 내의 공업 성장을 억제하는 기능을 수행하였다.

05 황국 신민화 정책 정답: ⑤

일제의 침략 전쟁이 본격화되자 한국인들은 일왕의 신민으로서 충성할 것을 강요받았다. 특히 1936년 조선 총독으로 부임한 미나미는 '일본인과 한국인은 하나다.'라는 내선일체를 내세우며, 한국인의 민족성을 말살하고자 하였다. 이러한 일제의 정책을 민족 말살 정책 또는 황국 신민화 정책이라고 부른다.

오답피하기

⑤ 1910년대 무단 통치 시기에 국한된 설명이다.

06 고국을 떠나야만 했던 사람들 정답: ④

제시된 연표는 홍범도의 생애를 정리한 것이다. 스탈린은 소련과 일본 간에 전쟁이 발발하면 한국인들이 일본을 지원할 것이라는 구실로 1937년 연해주 지역의 한국인들을 중앙아시아로 강제 이주시켰고 이때 홍범도도 함께 끌려 갔다. 강제 이주 과정에서 수많은 사람이 추위와 굶주림으로 희생되었으며, 낯설고도 황량한 중앙아시아에 도착한 한인들은 각종 노동에 시달려야만 하였다.

오답피하기

① 만주 사변 이후 일제가 추진한 강제 이주 정책이다.
② 멕시코로 이주하여 사탕수수 농장에서 일했던 한국인에 관한 설명이다.
③ 만주 지역에 이주하였다가 광복 이후에 잔류한 사람들에 대한 호칭이다. 중앙아시아로 강제 이주된 한국인들은 카레이스키(고려인)라고 부른다.
⑤ 1923년 관동 대지진이 일어난 뒤 사회 불안의 책임을 한국인에게 뒤집어씌웠던 일본인들에 의해 자행된 사건이다.

07 일제의 인적 수탈 정답: ①

일제는 전쟁에 필요한 노동력을 강제로 동원하기 위해 1939년 「국민 징용령」을 공포하고, 이를 통해 한국인들을 탄광이나 군수 공장, 군용 활주로 공사 등에 투입하였다. 제시된 자료는 한국인 강제 징용 피해자들이 석탄 채굴을 위해 가혹하게 혹사당하였던 일본 하시마 섬(군함도)의 시설들이 일본의 '메이지 산업 혁명 유산'으로 유네스코에 등재된 과정을 보도하고 있다.

오답피하기

① 1910년대 무단 통치 시기에 국한된 설명이다.

08 대동아 공영권

일제는 자국을 중심으로 서양 제국주의에 대항하여 아시아 민족의 공존공영을 이룩해야 한다는 '대동아 공영권' 건설을 주장하였다. 그러나 이러한 주장은 일제의 침략 전쟁에 아시아 민족들을 동원하고자 한 것에 불과한 것이었다.

모범답안 일제는 서양의 제국주의를 비판하며 대동아 공영권의 건설을 주장하였지만, 식민 지배의 주체를 서양 제국주의에서 그저 일본 제국주의로 바꾸기 위한 침략 전쟁을 포장하는 것에 불과하다.

채점 기준

상	아시아 민족이 공존 공영한다는 뜻인 '대동아 공영권'이 갖는 기만성과 침략성을 은폐하고자 하는 일제의 의도를 모두 비판적으로 서술한 경우
중	두 가지 근거 중 한 가지만 서술한 경우
하	두 가지 모두 서술이 미흡한 경우

09 황국 신민화 정책

제시된 글은 일제가 민족 말살 정책을 실시하면서 학교를 비롯한 각종 행사에서 암송하도록 강요한 아동용 황국 신민 서사의 내용이다. 일제는 한국인의 민족정신을 말살하고, 일본인에 동화시켜 한국인을 자신들의 침략 전쟁에 원활히 동원하고자 하였다.

모범답안 (2) 새롭게 자라나는 학생들이 지닌 한국인의 민족성을 말살시키고, 일본 제국에 충성을 다하는 신민으로 만들어 영구적인 식민 통치와 한국인을 침략 전쟁에 동원하고자 한 것이다.

채점 기준

상	황국 신민 서사 암송을 통해 기대하는 효과(민족성 말살, 황국 신민화)와 추구하는 목적(영구적인 식민 통치, 한국인을 침략 전쟁 동원)을 모두 서술한 경우
중	두 가지 근거 중 한 가지만 서술한 경우
하	두 가지 모두 서술이 미흡한 경우

❻ 광복을 위한 노력

개념 체크

124쪽 01 (1) × (2) ○ 02 (1) 민족 혁명당 (2) 한국 광복군 (3) 한국 독립당 03 (1)─ⓒ, (2)─㉠, (3)─ⓒ

125쪽 01 (1) × (2) ○ 02 (1) 대한민국 임시 정부 (2) 삼균주의 (3) 조선 독립 동맹 03 (1)─ⓒ, (2)─ⓒ, (3)─㉠

 문제 유형 익히기 ─────── 126~127쪽

01 ④ 02 ② 03 ④ 04 ③ 05 ④ 06 ③ 07 해설 참조

08 (1) 해설 참조 (2) 조선 의용군

01 항일 연합 전선의 형성 　　　정답: ④

1930년대 중국 관내의 독립운동 단체들은 노선의 차이를 뛰어넘어 하나로 통합하고자 하였다. 그 결과 민족주의와 사회주의 계열 독립운동 단체를 결집한 민족 혁명당이 창당되었다. 그러나 김구 등 대한민국 임시 정부를 유지하려는 독립운동가들은 처음부터 민족 혁명당에 불참하였고, 김원봉의 의열단 계열이 당을 주도하자 조소앙, 지청천 등 민족주의 계열 운동가들이 이탈하였다.

오답피하기

④ 조선 민족 전선 연맹 산하 조선 의용대와 대한민국 임시 정부 산하로 결성된 한국 광복군은 각각 중국 국민당 정부의 재정적인 지원을 기반으로 운영되었다.

02 조선 의용대 　　　정답: ②

김원봉을 중심으로 만들어진 민족 혁명당은 중·일 전쟁이 일어나자 여러 단체와 연합하여 조선 민족 전선 연맹을 결성하였다(1937). 그리고 중국 국민당 정부의 지원을 받아 산하 군사 조직으로 조선 의용대를 편성하였다(1938).

오답피하기

① 북간도에서 대종교 간부들이 조직한 중광단은 이후 북로 군정서로 발전하였다. 총사령관 김좌진이 이끄는 북로 군정서는 청산리 전투를 승리로 이끌었다.

③ 1929년 남만주에서 재편된 국민부가 조직한 부대이다. 양세봉이 이끄는 조선 혁명군은 1930년대 중국인 부대와 연합하며 대일 항전(영릉가 전투, 흥경성 전투)을 전개하였다.

④ 1928년 북만주에서 재편된 혁신 의회가 조직한 부대이다. 지청천이 이끄는 한국 독립군은 1930년대 중국인 부대와 연합하여 대일 항전(쌍성보 전투, 대전자령 전투)을 전개하였다.

⑤ 한국 독립당을 창당한 대한민국 임시 정부에서 창설한 군대로 지청천을 사령관으로 하였다.

03 한국 광복군의 활동 　　　정답: ④

제시된 자료는 임시 정부의 주석으로서 이에 대한 준비를 총괄하였던 김구의 기록으로 국내 진공 작전을 개시하지 못한 안타까움이 드러난다. 한국 광복군은 연합군과의 합동 작전에 주력하였다. 1943년에는 영국군의 요청에 따라 인도·미얀마 전선에 참가하였고, 중국에서 활동하고 있던 미국 전략 정보국(OSS)의 지원을 받아 국내 진공 작전을 계획하였으나 일제의 항복으로 실현하지 못하였다.

오답피하기

① 조선 의용대에 대한 설명이다.

② 만주 사변 이후 남만주에서 활동한 조선 혁명군과 북만주에서 활동한 한국 독립군에 관한 내용이다.

③ 중국 공산당 팔로군과 함께 항일 전쟁을 수행하였던 조선 의용군에 대한 설명이다.

⑤ 대한민국 임시 정부는 1944년 8월 「한국 광복군 행동 9개 준승」의 폐기를 통해 중국으로부터 자주권을 회복하는 데 성공하였다.

04 카이로 회담 　　　정답: ③

제시된 두 사람의 대화는 1943년 11월에 열린 카이로 회담에 관한 것이다. 미국, 영국, 중국의 정상은 일본과의 전쟁에서 서로 협력할 것, 일본이 침략 전쟁으로 차지한 영토를 회수할 것 등을 내용으로 하는 카이로 선언을 발표하였다. 카이로 선언은 한국의 독립을 연합국이 최초로 보장하였다는 점에서 의미를 지니는데, 이때 한국 독립 약속에 대한 김구의 요청을 받고, 발언권을 행사해 준 인물이 중국 국민당의 장제스였다.

오답피하기

① 미국은 태평양 전선에서 일본 측의 거센 저항에 고전하는 상황이었고, 이에 소련의 대일전 참전을 얄타 회담 때부터 지속적으로 요청하였다.

② 8·15 광복 이후 미군정의 직접 통치 방침에 따라 대한민국 임시 정부는 정부의 자격을 인정받지 못하고, 임시 정부의 요인들은 개인 자격으로 귀국하였다.

④ 조선 의용대에 관한 내용이다.

⑤ 오늘날 카레이스키(고려인)라 불리는 한국인에 관한 내용이다.

05 대한민국 건국 강령

정답: ④

대한민국 임시 정부는 중국 국민당 정부를 따라 충칭에 정착한 후 김구를 주석으로 하는 주석 중심의 단일 지도 체제를 마련하였다. 그리고 조소앙이 체계화한 민족 운동의 기본 방향이자 신국가 건설의 지침인 삼균주의를 기초로 하여 「대한민국 건국 강령」을 발표하였다. 건국 강령에는 보통 선거를 통한 민주 공화정 수립, 토지와 대기업 국유화, 의무 교육 제도 시행, 노동권 보장 등의 내용을 담아 일제로부터 독립을 달성한 후 세우고자 하는 새로운 국가의 모습을 제시하였다.

오답피하기

ㄹ. 제2차 세계 대전 후 승전국인 미국의 주도에 의해 만들어진 일본국 현행 헌법 제9조에 포함되어 있는 내용으로, 일본의 전력(戰力) 보유 금지와 국가 교전권 불인정을 주요 내용으로 하고 있다.

06 조선 건국 동맹

정답: ③

국내에서 1944년 여운형을 중심으로 국내의 민족주의, 사회주의 계열의 독립운동가들이 비밀리에 조선 건국 동맹을 결성하였다. 조선 건국 동맹은 일제를 몰아내어 민주주의 원칙에 바탕을 둔 국가를 건설하고, 노동자와 농민 대중을 해방하겠다는 건국 강령을 발표하였다. 조선 건국 동맹은 1년 정도 활동하면서 지방 조직을 만들었고, 그 아래에 노동자, 농민, 청년 등 각계각층을 대상으로 하는 다양한 조직을 만들어 운영하였다. 그리고 일제의 후방을 교란할 목적으로 군사 위원회를 조직하였으며, 대한민국 임시 정부나 조선 독립 동맹과 같은 국외 항일 세력과도 연락하였다. 일제가 항복을 선언한 이후 조선 건국 동맹은 조선 건국 준비 위원회로 개편되었다.

오답피하기

③ 국내의 또 다른 비밀 결사 단체였던 조선 민족 협동당에 대한 설명이다. 이 조직은 결정적인 시기에 국외 항일 무장 세력의 진격에 호응하여 국내 민중 무장봉기를 이끌고자 하였으나 일제 당국에 조직이 발각·검거되고 말았다.

07 국외에서 나타난 신국가 건설의 움직임

태평양 전쟁을 전후로 국내외 독립운동가들은 조만간 일제가 패망할 것으로 생각하였다. 이에 각 세력은 향후 건설될 새로운 나라의 모습을 구체적으로 그려 갔다. 충칭의 대한민국 임시 정부, 옌안의 조선 독립 동맹은 국외에서 새로운 나라에 대한 구체적인 강령을 내놓은 대표적인 단체이다.

모범답안

(가)의 조선 독립 동맹에서 발표한 「강령」과 (나)의 대한민국 임시 정부에서 발표한 「대한민국 건국 강령」은 보통 선거에 의한 민주 공화국 수립, 대기업 국유화, 의무 교육 제도 등 유사한 점이 많았다. 이를 통해 민족주의 계열의 색채가 강했던 대한민국 임시 정부와 사회주의 계열인 조선 독립 동맹 간에 바라는 새로운 국가의 모습이 크게 다르지 않았음을 알 수 있다.

채점 기준

상	(가), (나) 지역에서 강령을 발표한 단체의 명칭(대한민국 임시 정부, 조선 독립 동맹)과 두 단체의 강령이 지닌 유사점을 구체적인 내용으로 서술한 경우
중	두 단체의 강령이 지닌 유사점을 구체적인 내용으로 서술하였으나 (가), (나) 지역에서 강령을 발표한 단체의 명칭을 서술하지 않은 경우
하	(가), (나) 지역에서 강령을 발표한 단체의 명칭과 문서의 이름만을 서술한 경우

08 조선 의용대 화북 지대의 결성과 조선 의용군

조선 의용대 화북 지대 소속인 윤세주와 진광화는 산시성 태항산에서 벌어진 반소탕전에서 싸우다 전사하였는데, 그 덕분에 중국 공산당의 핵심 요원이었던 덩샤오핑 등이 안전하게 후퇴할 수 있었다. 다만, 김원봉의 고향 친구이자 의열단 시절부터 함께해 온 윤세주의 죽음은 김원봉과 조선 의용대 화북 지대 간의 연결고리가 끊어지는 기점이 되었고, 이후 조선 의용대 화북 지대는 조선 독립 동맹 산하의 조선 의용군으로 재편되었다.

모범답안

(1) 중국 국민당의 지원을 받아 결성된 조선 의용대는 중·일 전쟁에서 주로 후방 공작 활동과 일본군에 대한 심리전 영역에서 활약해 왔다. 하지만 상당수의 대원들은 이보다 적극적인 항일 투쟁을 염원했고, 이에 중국 공산당이 전투를 치르고 있는 화베이 지역으로 이동하게 되었다.

채점 기준

상	화베이 지역으로 이동하기 전의 조선 의용대의 주된 활동 내용(후방 공작 및 대일본군 심리전을 통해 국민당의 전투 지원)과 기존보다 더 적극적인 항일 투쟁을 위해 중국 공산당 관할 지역인 화베이로 이동하였음을 모두 서술한 경우
중	화베이 이동 전 활동 내용에 대한 언급 없이 더욱 적극적인 항일 투쟁을 위해 중국 공산당이 일제와 대치하고 있는 화베이 지역으로 이동했다는 내용만을 서술한 경우
하	두 가지 모두 서술이 미흡한 경우

 기출 지문 활용하기

128~129쪽

| 01 ④ | 02 ⑤ | 03 해설 참조 | 04 ③ | 05 ④ | 06 해설 참조 |
| 07 ⑤ | 08 ② | 09 해설 참조 | 10 ④ | 11 ① | 12 해설 참조 |

01 산미 증식 계획의 결과

정답: ④

산미 증식 계획의 실시로 쌀 생산은 늘었으나, 증산된 양보다 일본으로의 유출량이 더 많아 한국의 식량 사정은 악화되었다. 결국 부족한 식량을 보충하기 위해 만주에서 조, 콩 등을 수입하였는데, 이러한 수입으로도 식량난은 해결되지 않았으며, 극빈층의 수가 1926년 약 30만 명에서 1933년 약 177만여 명까지 늘어났다.

오답피하기

① 대한 제국 재정 고문이었던 메가타 주도로 실시한 사업으로 백동화 및 상평통보를 폐기하고 이를 제일 은행권으로 대체하였다.

② 일제가 1910년 민족 자본의 성장을 억제하기 위해 만든 법령이다.

③ 1791년(정조 15)에 단행된 신해통공의 내용이다.

⑤ 조선 고종 때 식량난을 해소하기 위해 함경도와 황해도에서 곡물의 수출을 금지시킨 명령을 방곡령이라 한다.

02 산미 증식 계획

정답: ⑤

일제는 한국의 쌀 생산량을 늘리기 위해 저수지나 수로 등 관개 시설을 늘렸고, 이를 축조·관리하는 수리 조합을 전국에 조직하였다. 또한 많은 밭을 논으로 만들었으며, 종자와 농기구를 개량하고 개간과 간척 사업을 시행하였다. 이 계획으로 한국은 쌀 가격 변동에 취약한 쌀농사 위주의 단작 농업이 정착되는데 실제로 대공황으로 쌀 가격이 폭락하자 소작농민들은 대거 몰락하고, 대지주의 토지 겸병은 더욱 심해졌다.

① 소작농은 높은 소작료로 고통을 받았지만, 지주들은 소작료로 걷은 쌀을 수출하여 부를 축적할 수 있었다.

② 쌀 생산을 늘리기 위해 밭이 논으로 지목 변환되었다.

③ 일본으로 유출되는 양이 증산되는 쌀의 양보다 많아 한국의 식량 사정은 더욱 악화되었다.

④ 수리 시설 건설에 드는 비용은 수리 조합비로 청구되었으나 지주들이 이를 소작농에게 전가하면서 농민들은 더욱 어려움을 겪어야만 하였다.

03 1920년대 일제의 지배 정책

(가) 정책이 처음 실시될 당시는 1920년대로, 일제는 1919년에 일어난 3·1 운동을 계기로 1910년대에 지속해온 무단 통치를 친일파를 포섭하여 민족 분열을 유도하는 유화 정책인 문화 통치로 전환하였다. 그러나 문화 통치는 우리 민족의 불만을 달래려는 기만적인 술책에 불과하였다.

모범답안 일제는 문관 총독 임명이 가능하도록 규정을 바꾸었지만, 식민 통치가 끝날 때까지 단 한 명도 임명하지 않았다. 언론·출판·집회·결사의 자유를 제한적으로 허용하여 한국인의 신문과 잡지 발행이 가능해졌으나, 엄격한 검열로 통제되어 기사가 삭제되거나 압수·정간되었다. 한국인을 무자비하게 탄압하던 헌병 경찰제를 폐지하고 보통 경찰제를 도입한다고 하였으나, 경찰 및 경찰 관서와 인원, 비용 등을 3·1 운동 이전보다 오히려 증가시켜 한국인에 대한 감시를 강화하였다.

채점 기준

상	1920년대 일제가 '문화 통치'로 표방한 지배 정책의 내용과 그것의 실상을 모두 서술한 경우
중	두 가지 근거 중 한 가지만 서술한 경우
하	두 가지 모두 서술이 미흡한 경우

04 의열단의 조직

정답: ③

3·1 운동 이후 만주 지린성에서 김원봉을 중심으로 조직된 의열단은 일제 통치 기관을 파괴하고 일제 고관이나 친일파를 처단하는 의열 투쟁을 전개하였다. 1920년 박재혁은 부산 경찰서에, 최수봉은 밀양 경찰서에, 1921년 김익상은 조선 총독부에, 1923년에 김상옥은 종로 경찰서에, 1924년에 김지섭은 일본 궁성에, 1926년 나석주는 동양 척식 주식회사에 폭탄을 투척하였다. 이들의 의거 활동은 동포들에게 항일 의식과 독립에 대한 희망을 심어 주었다. 일제 공안 당국자가 '조선독립군 1개 사단보다 의열단의 폭탄 1개가 더 무섭다.'라고 할 정도로 의열단의 활약이 끼치는 파장은 컸다.

① 임오군란을 주동한 것은 별기군 신설 이후 구식 군대가 된 무위영과 장어영의 군졸들이며, 개항 이후 생활이 어려워진 도시 하층민이 여기에 합세하였다.

② 동학을 창시하였으나 사형당한 교조 최제우의 억울한 죽음을 풀어달라는 운동이다.

④ 신민회에 대한 설명이다. 민족 교육의 추진을 위해 신민회 회원이었던 이승훈이 1907년 평안북도 정주군에 오산 학교를, 안창호는 1908년에 평양에 대성 학교를 세웠다.

⑤ 1906년에 헌정 연구회를 계승하여 조직된 대한 자강회는 1907년 고종의 강제 퇴위를 반대하는 운동을 주도하다가 강제로 해산당하였다.

05 의열단의 7가지 암살 대상

정답: ④

의열단에서 명시한 7가살(7가지 암살 대상)은 일본 제국주의 침략 및 식민 지배와 관련된 인물과 기관, 그리고 그들에게 협력하는 친일 반민족 행위자들을 대상으로 하고 있다. 선지에 오답으로 제시된 유형 외에 적의 밀정, 친일파 핵심 인물, 매국 행위를 한 사람이 해당된다.

④ 의열단을 비롯한 한인 애국단과 같은 단체의 의열 투쟁은 민간인을 대상으로 하지 않았고, 불특정 다수를 대상으로 한 인명 피해를 내지 않고자 노력하였다. 이는 오늘날 극단주의 세력에 의한 테러리즘(자신들의 선전 활동, 인종 및 문화권 간 증오의 확대 재생산을 위해 아무런 대항 능력이 없는 민간인을 대상으로 자행)과는 다른 개념이라 할 수 있다.

06 의열단의 초기 노선

의열단원들은 신채호가 작성한 「조선 혁명 선언」을 활동 지침으로 삼아 개인의 암살·파괴 중심의 의열 투쟁을 매개로 민중 직접 혁명을 달성하고자 노력하였다.

모범답안 의열단은 민중에 의한 직접 혁명만이 일제를 몰아낼 수 있는 유일한 방법이며, 이를 이끌어내기 위해서 끊임없는 의열 투쟁이 이어져야 한다는 내용이 담긴 「조선 혁명 선언」(신채호)을 활동 지침으로 삼았다.

채점 기준

상	「조선 혁명 선언」이 의열단이 행동 지침으로 삼아졌음과 의열 투쟁을 통해 이끌어내고자 했던 것(민중에 의한 직접 혁명)을 모두 서술한 경우
중	두 가지 근거 중 한 가지만 서술한 경우
하	두 가지 모두 서술이 미흡한 경우

07 광주 학생 항일 운동의 확산

정답: ⑤

(가)는 1929년 11월 3일에 광주 지역에서 시작된 광주 학생 항일 운동이다. 신간회는 광주 학생 항일 운동을 전국적인 항일 운동으로 발전시키고자 진상 조사단을 파견하고, 민중 대회를 준비하였다. 하지만 이를 지원하는 과정에서 지도부가 검거되기도 하였다.

① 1881년 영남 지방의 유생 1만여 명이 개화 정책에 반대하며 상소를 낸 사건을 말한다.

② 통감부는 1905년 을사늑약 체결부터 1910년 한국 '병합' 조약으로 조선 총독부가 설치되기 전까지 존재하였던 기관으로 1929년에 시작된 (가)운동과는 관련이 없다.

③ 신미양요에 대한 설명이다.

④ 헌병 경찰제는 일제가 한국 '병합' 조약으로 국권을 강탈한 후 한국인의 모든 활동 및 일상생활을 강력히 통제함으로써 식민 지배를 관찰시키고자 도입한 제도이다.

08 대중 운동의 원천, 청년 학생 운동

정답: ②

청년 학생들은 노동 운동, 농민 운동, 소년 운동 등을 적극적으로 지원하는 대중 운동의 샘물 역할을 하였으며, 6·10 만세 운동과 광주 학생 운동을 주도하며 큰 역할을 수행하였다.

① 6·10 만세 운동에만 해당하는 내용이다.

③ 중국의 제1차 국·공 합작은 국내외의 민족 유일당 운동에 영향을 끼쳤다.

④ 광주 학생 항일 운동에만 해당하는 내용이다.

⑤ 3·1 운동과 관련된 설명이다.

09 차별적인 식민지 교육 현실

광주 학생 항일 운동은 1929년 한 · 일 학생 간의 충돌을 계기로 광주에서 식민지 교육 철폐와 구속 학생 석방 등을 요구하며 항일 시위가 일어난 것을 말한다. 광주를 시작으로 전국으로 확산된 이 운동은 일제의 식민 지배와 민족 차별에 반대한 투쟁으로써 3 · 1 운동 이후 일어난 최대 규모의 민족 운동이었다.

모범답안 일제의 국권 강탈 이후 한국인에 대한 교육은 보통 교육과 실업 교육에 치중되었다. 일제는 한국인이 다니는 학교 명칭에 '보통'을 붙이고, 수업 연한을 일본인보다 적게 하는 등의 차별을 두었다. 고등 교육 기관으로 경성 제국 대학이 설치되었지만, 주로 한국에 거주하는 일본인과 소수의 친일파 자제들만 진학할 수 있었다.

채점 기준	
상	보통 교육에서의 차별과 고등 교육에서의 민족 차별적인 상황을 모두 서술한 경우
중	두 가지 근거 중 한 가지만 서술한 경우
하	두 가지 모두 서술이 미흡한 경우

10 일제의 침략 전쟁과 전시 동원 체제　정답 : ④

밑줄 친 시기는 일제가 침략 전쟁을 위해 전시 동원 체제를 구축하던 1930년대 후반 이후의 상황이다. 이 시기에 일제는 「국가 총동원법」(1938)을 제정하여 전쟁에 필요한 물자와 인력을 수탈할 수 있게 하였다. 이처럼 일제가 전쟁을 벌이는 과정에서 한국인은 징용, 징병, 근로 정신대, 일본군 '위안부' 등으로 끌려갔고, 많은 사람이 죽거나 돌아오지 못하였다. 한편 일본은 군량미를 조달하기 산미 증식 계획을 다시 실시하였다(1938). 또한 농가마다 공출량을 할당하여 곡식의 유통을 통제하고, 한국인들에게는 최소화된 양만을 분배하는 식량 배급제를 실시하였다.

오답피하기

① 별기군은 1881년(고종 18)에 설치된 신식 군대이다.
② 전시과는 고려 전기에 관리, 공신, 관청, 기타 신분 등에 지급하던 종합적인 토지 제도이다.
③ 군국기무처는 1894년(고종 31)에 정치 · 군사에 관한 일체의 사무를 관장하는 기관으로 설치되어 1차 갑오개혁의 중추적 역할을 수행하였다.
⑤ 고종에 의해 1895년에 발표된 「교육입국 조서」는 '국가의 부강은 국민의 교육에 달려있다.'라는 기조하에 새로운 근대식 학제를 도입하기 위한 기반을 마련한 문서이다.

11 황국 신민화 정책　정답 : ①

일제는 「국가 총동원법」의 제정 이후 전쟁 물자를 조달하기 위해 가정의 놋 그릇, 학교 종, 종교 시설의 상징물과 같은 금속까지도 강제로 공출하였다. 한국인에 대한 통제를 강화하기 위한 일환으로 국민 정신 총동원 운동 조선 연맹과 하부 조직으로 애국반이 조직되었고, 민족 말살 정책의 일환으로 창씨개명을 강요하였다. 국민에게 전쟁을 수행할 체력과 집단성을 길러주는 라디오 체조도 1930년대 본격적으로 실시되었다.

오답피하기

① 부 · 읍 · 면 협의회의 선거권 및 피선거권은 1년 동안 일정 금액(5원, 일제 강점기 말기엔 15원)을 납세한 주민들에게만 부여되었다. 이는 일본인의 기준(3원)보다도 높은 것으로 소작농은 물론이고 대다수의 주민들은 투표할 자격을 갖지 못하였다.

12 일제의 병참 기지화 정책

일제는 지원병제(1938)와 학도 지원병제(1943), 징병제(1944)를 통해 한국인 청년과 학생들을 일본이 패망할 때까지 수많은 청년을 전쟁터로 조직적으로 끌고 갔다. 또한 전쟁에 필요한 노동력을 강제로 동원하기 위해 「국민 징용령」(1939)을 공포하였고, 「조선 여자 정신대 근무령」(1944)을 제정하여 한국인 여성들에게도 강제 노동을 시켰다. 일부는 일본군 '위안부'로까지 끌려가 갖은 수모와 고통을 겪었다.

모범답안 일제는 부족한 병력을 보충하기 위해 한국인을 지원병, 학도 지원병, 징병의 형태로 동원하였다. 또한 전쟁에 필요한 노동력을 확보하기 위해 징용을 실시하고, 조선 여자 정신대라는 이름으로 여성들을 군수 공장에 투입하였다.

채점 기준	
상	침략 전쟁을 위한 군인, 노동력으로 동원하는 내용을 모두 서술한 경우
중	두 가지 사례 중 한 가지만 서술한 경우
하	두 가지 모두 서술이 미흡한 경우

 대주제 마무리하기　130~132쪽

| 01 ③ | 02 ⑤ | 03 ③ | 04 ⑤ | 05 ⑤ | 06 ⑤ | 07 ② | 08 ① |
| 09 ① | 10 ⑤ | 11 ④ | 12 ⑤ | 13 ② | | | |

01 토지 조사 사업과 1910년대 무단 통치　정답 : ③

제시된 자료는 토지 조사 사업의 공고로 1910년대에 시행되었다. 1910년대는 일제가 「제1차 조선 교육령」을 통해 식민지 교육을 본격적으로 도입하던 시기로, 국어를 일본어로 바꾸고 일본어 교육 시간을 늘렸다. 일제는 민족 교육을 강조하던 사립학교를 탄압함과 동시에 제복과 칼을 착용한 교원을 활용하여 위압적인 분위기를 조성한 상태에서 일왕에게 복종하는 한국인을 양성하고자 하였다.

오답피하기

ㄱ. 조선어 교육 폐지는 민족 말살 통치기에 이루어졌다.
ㄹ. 침략 전쟁을 확대하던 일제는 전시 동원 체제를 구축하고, 학교를 마치 전쟁을 준비하기 위한 기관처럼 활용하였다.

02 일제 강점기 농촌 계층 분포 변화　정답 : ⑤

토지 조사 사업을 통해 일제가 토지에 대한 지주의 배타적인 소유권을 보장함에 따라 경작할 땅을 잃은 소작농이 대거 양산되었고, 지주제는 점차 강화되었다. 이후 산미 증식 계획이 시행됨에 따라 수리 조합비와 각종 세금 부담이 가중된 농민들의 생활은 더욱 어려워졌다. 대공황의 여파로 쌀 가격마저 폭락하자 많은 농민들이 소작농으로 몰락하였고, 대지주의 토지 겸병은 더욱 심해졌다.

오답피하기

ㄱ. 1930년대 일본에 필요한 공업 원료를 생산하기 위해 남부 지방에서 면화를 재배하고, 북부 지방에서 양을 기르게 하였던 정책이다.
ㄴ. 일제가 전쟁에 사용할 식량을 확보하기 위하여 1939년부터 실시한 농산물 수탈 정책이다.

03 김좌진의 생애

정답: ③

대한 광복회는 공화정 수립을 목표로 한 국내의 비밀 결사로, 군대식 조직을 갖추고 독립군 양성을 위한 적극적인 활동들을 전개하였다. 박상진이 총사령을, 김좌진이 부사령을 맡았다. 북로 군정서는 대종교에서 만든 무장 독립 단체인 중광단에서 발전한 단체이다. 신민부는 1920년대 독립군을 재정비하는 과정에서 민정과 군정 조직을 갖추었던 기관인 3부 중 하나로 북만주의 한인 사회를 관할하였다.

오답피하기

③ 김좌진의 북로 군정서는 청산리 전투의 승리를 이끌었다. 봉오동 전투에서는 홍범도가 지휘하는 대한 독립군을 주축으로 한 연합 부대의 활약으로 승리하였다.

04 3·1 운동의 전개와 의의

정답: ⑤

3·1 운동은 신분·직업·종교의 구별 없이 모든 계층이 참여한 우리 역사상 최대 규모의 민족 운동으로, 이를 통해 한국인의 독립 의지를 전 세계에 알렸다. 만세 시위에 참여한 청년·여성·농민·노동자 계층은 민족 운동에서 자신의 역할을 깨달았고, 이후 각종 단체를 만들어 다양한 민족 운동에 적극적으로 나섰다.

오답피하기

ㄱ. 「치안 유지법」이 한국에서 적용된 시점은 1925년부터이다.
ㄴ. 6·10 만세 운동에 대한 설명이다.

05 대한민국 임시 정부

정답: ⑤

1941년 11월 15일 중국 군사 위원회 판공청이 한국 광복군에 보내온 「한국 광복군 행동 9개 준승」에는 중국 군사 위원회의 한국 광복군 예속 방침이 그대로 관철되어 있다. 특히 제2항은 대한민국 임시 정부의 통수권을 박탈하고, 한국 광복군과 임시 정부의 관계를 단절시켜 버린 것으로 한국 광복군의 자주성과 임시 정부의 권위를 부정하는 조치였다. 1944년 8월, 「한국 광복군 행동 9개준승」에 대한 취소를 이끌어내어 마침내 대한민국 임시 정부의 지휘권이 회복되었다.

오답피하기

① 통합된 임시 정부의 소재지는 영국·조계 구역이 설정되어 있어 일제의 간섭이 적고, 외교 활동에 유리한 상하이로 결정되었다.
② 1920년대 초 대부분의 교통국과 연통제 조직은 일제에게 발각되었고, 이로 인해 대한민국 임시 정부의 자금 사정이 어려워졌다.
③ 국민대표 회의 참석자들은 임시 정부의 조직만 바꾸자는 개조파와 임시 정부를 해체하고 새로운 조직을 만들자는 창조파로 나뉘었다. 하지만 의견 차이를 좁히지 못하여 회의는 결국 결렬되었으며, 이후 많은 독립 운동가가 임시 정부를 떠났다.
④ 중국 공산당이 아닌 국민당 정부의 지원을 얻게 된다.

06 김원봉의 생애

정답: ⑤

3·1 운동 이후 만주 지역에서 김원봉을 중심으로 조직된 의열단은 5가지 파괴 대상, 7가지 암살 대상을 설정하고 의열 투쟁을 맹렬하게 전개하였다. 이후 더욱 조직적인 항일 투쟁 노선으로 전환하기 위해 의열단원들은 황푸 군관 학교에 입학하였고, 이후 조선 혁명 간부 학교도 설립하였다. 1935년에는 중국 관내의 독립운동 단체를 하나로 통합하고자 민족 혁명당을 창당하였고, 뒤이어 조선 민족 전선 연맹을 결성하여 관내 최초의 한국인 무장 단체인 조선 의용대를 조직하였다.

⑤ 김원봉이 대한민국 임시 정부에 합류한 것은 맞지만, 이때 이끌고 온 부대는 화베이 지역으로 넘어가지 않은 조선 의용대 잔류 병력이었다.

07 물산 장려 운동의 배경

정답: ②

물산 장려 운동은 1920년대 초 일본 자본과 상품의 침투가 늘어나는 상황 속에서 조선인 기업을 살리기 위해 국산품을 애용하자는 것으로 평양에서 시작된 이 운동은 서울에서 조선 물산 장려회가 조직되면서 전국으로 확산되었다. 그러나 조선 물산의 소비가 늘어나자 물건 값이 오르는 부작용이 나타나고, 이로 인해 사회주의자들로부터 조선인 기업가를 위한 운동이라는 비판을 받기도 하였다.

오답피하기

ㄴ. 1920년 회사령이 폐지되어 허가제가 신고제로 바뀌면서 일본 자본의 유입이 급속도로 늘어나게 되었다.
ㄹ. 1930년대 일제의 병참 기지화 정책에 대한 설명이다.

08 민족 유일당 운동의 전개

정답: ①

중국이 제1차 국·공 합작을 결성하고, 각국의 공산주의 운동을 지원하는 코민테른에서도 민족 통일 전선을 지지하는 상황에서 1926년 7월 독립을 위해서 모든 세력이 힘을 합쳐야 한다는 안창호의 연설은 많은 민족 운동가로부터 큰 호응을 얻었다. 이에 1920년대 후반 국내외에서 민족 유일당 운동이 활발히 전개되었다. 사회주의 계열에서 비타협적 민족주의 세력과의 연대를 표명한 정우회 선언은 신간회 창립의 중요한 마중물이 되었다.

오답피하기

② 제1차 국·공 합작의 결렬과 코민테른의 계급 투쟁 강조는 신간회 해소(해체)에 영향을 주었다.
③ 민족 협동 전선이었던 신간회 결성에 영향을 받아 여성 단체의 통합체로 결성된 근우회는 1931년 신간회가 해소되면서 마찬가지로 해체되었다.
④ 사회주의자들은 물산 장려 운동이 애국심에 기대어 노동자에게 희생을 요구하고 중산 계급의 이익만을 추구하는 것으로 여겨 이를 추진해온 민족주의자들을 강하게 비판하였다.
⑤ 광주 학생 항일 운동 당시 민중 대회 추진으로 체포된 지도부를 대신해 새로 구성된 지도부는 일제와 직접적 충돌을 피하며 다소 온건한 활동으로 방향을 선회하는 모습을 보였다. 이러한 개량주의적 태도에 사회주의 세력은 신간회의 해소를 주장하였고, 이후 신간회는 사실상 해체되었다.

09 식민지 도시의 양면성

정답: ①

일본인이 사는 남촌은 관공서, 은행, 상점, 백화점 등이 집중해 있고, 밤을 빛내는 가로등으로 화려하였다. 한국인이 사는 북촌은 도로 정비도 제대로 이루어지지 않았고, 겨우 새로운 문화 주택, 개량 한옥이 지어진 정도였다. 경성 본정과 북촌 사이의 청계천에는 도시로 일자리를 찾아 올라온 토막민들이 살고 있었다. 그리고 여유롭게 쇼핑과 외식을 즐기는 극소수의 사람들과는 달리 일반 서민들은 잡곡밥을 먹거나 풀뿌리, 나무껍질 등으로 연명하는 경우가 많았다.

오답피하기

ㄷ. 남촌의 본정 거리는 일본어로 혼마치라 불렸는데, '작은 도쿄'라 불릴 정도로 유행을 선도하는 번화가였다. 일본들이 생활하는 이 한정된 공간의 화려함만을 가지고 '경성 시대의 낭만'이라 추억하는 것은 당시의 시대적 상황과 고통을 도외시했던 태도라고 비판할 수 있다.

ㄹ. 모던 걸, 모던 보이로 대표되는 자본주의 소비문화는 보기에 무척 화려하였지만, 당장의 끼니를 연명하는 것부터 걱정해야 했던 일반 서민들은 누릴 수 없는, 허울뿐인 신기루였다.

10 삶을 송두리째 빼앗긴 사람들 정답: ⑤

제시된 자료는 2015년 12월 28일 대한민국과 일본 정부 사이에 발표된 한·일 위안부 합의이다. 국회의 비준을 거친 조약도 아니고, 생존해 계신 위안부 피해자분들에게 의견을 묻지도, 과정을 공유하지도 않았던 두 나라의 정부는 합의문에 임의로 '최종적 및 불가역적으로 이 문제가 해결된 것이다.'라는 문구를 넣어 일본군 위안부 피해자들의 상처 치유와 존엄과 명예의 회복을 더욱 어렵게 만들었다는 비판을 받았다.

오답피하기
① 1920년대 일제가 표방했던 문화 통치의 진의였다.
② 「지원병제」(1938), 「학도 지원병제」(1943), 「징병제」(1944) 등에 대한 설명이다.
③ 식량, 금속 등 각종 자원에 대해 실시한 공출제에 대한 설명이다.
④ 「범죄즉결례」와 「조선 태형령」을 통해 헌병 경찰이 행할 수 있었던 처벌권에 대한 설명이다.

11 일제 강점기 종교별 주요 활동 정답: ④

일제는 민족 운동에 앞장섰던 종교 단체를 탄압하는 한편, 종교계에 친일 세력을 양성하여 식민 지배에 이용하려 하였다. 그러나 3·1 운동에서 중요한 역할을 한 종교계는 이러한 일제의 탄압과 회유에 맞서 민족 운동과 사회 운동을 전개해나갔다.

오답피하기
④ 대종교에 대한 설명으로, 박중빈이 창시한 원불교의 경우 근검저축, 허례 폐지, 미신 타파, 금주·단연과 같은 새 생활 운동을 전개하였다.

12 전시 동원 체제 시기 학생들의 삶 정답: ⑤

전시 동원 체제 시기에 학교는 마치 전쟁을 준비하기 위한 기관처럼 변하였다. 전시 동원 체제에서 학생들은 전쟁 수행을 위한 노동력 제공자로(학생 근로 보국대) 총을 들고 전선에 투입되어야 할 예비 군인처럼 생활해야만 하였다. 특히 운동회 때는 모의 수류탄 던지기와 같은 종목이 등장하고, 모형 전차와 목총도 등장하여 마치 군사 훈련을 방불케 하였다.

오답피하기
⑤ 1923년 도쿄 유학생들이 중심이 된 신극 운동 단체인 토월회는 공연장 부족, 연기인 부재, 관객 부족, 사회의 몰이해 등을 이유로 1931년에 해산하게 된다. 그러므로 사진 속 학교의 상황이 등장했던 당시에 토월회는 존재하지 않았다.

13 조선 독립 동맹 정답: ②

1942년 화베이 지역의 사회주의 계열 독립운동 단체로 결성된 조선 독립 동맹은 일본 제국주의 타도와 민주 공화국 수립을 목표로 하였다. 산하에 조선 의용군을 두어 적극적인 항일 무장 투쟁을 전개하였다. 일제 패망이 임박해지자, 대한민국 임시 정부를 비롯한 국내외 민족 운동 단체들과의 연계에도 힘썼다. 하지만 일제가 패망하면서 통합 논의는 중단되었고, 조선 독립 동맹을 이끌던 인물들은 대부분 북한 정권에 참여하였다.

오답피하기
ㄴ. 미주 지역의 한인들이 1941년에 결성한 재미 한족 연합 위원회에 대한 설명이다.
ㄹ. 대한민국 임시 정부의 한국 광복군에 대한 설명이다.

 비판적 사고 기르기 ─────────── 133쪽

제시된 자료는 이승만의 '위임 통치 청원서'(1919.3.3.), 신채호의 '조선 혁명 선언'(1923), 창조파의 '국민대표 회의 안건에 대한 의견'(1923.1.24.)이다. 이승만은 국제 연맹의 위임 통치를 거쳐 중립적 통상 지역이자 완충국으로서 한국이 완전 독립하게 되기를 미국의 윌슨 대통령에게 청원하였다. 신채호는 이를 비판하였으며, 창조파는 외교 독립론의 대안으로 무장 투쟁의 필요성을 주장하였다.

01 모범답안 러시아 혁명 이후 레닌은 식민지 피압박 민족의 해방 운동을 지원한다고 선언하였고, 1918년 제1차 세계 대전이 끝날 무렵, 미국 대통령 윌슨은 민족 자결주의를 발표하여 식민지 상태의 국가와 민족들에게 많은 영향을 주었다. 제1차 세계 대전이 끝나면서 개최된 파리 강화 회의(1919~1920)와 워싱턴 회의(1921), 국제 연맹과 같은 국제 평화 기구 설립 움직임은 외교 활동을 통한 독립의 가능성을 긍정적으로 전망하게 하였다.

채점 기준 ❶ ~ ❸ 항목 당 각 2점
❶ (가)와 같은 활동을 외교 독립론의 방법으로 서술한 경우
❷ 레닌(러시아)과 윌슨(미국)의 발표가 식민지 상태의 국가와 민족에게 독립에 대한 희망을 갖게 하였음을 서술한 경우
❸ 제1차 세계 대전 종전을 계기로 개최된 국제 회담과 국제 평화 기구를 새롭게 설립하는 상황에서 가장 빠르고 효과적일 수 있는 방법으로 외교가 주목받게 된 것임을 서술한 경우

02 모범답안 (가)와 같은 방식의 외교 독립론은 결국 국제 사회라고 일컬어지는 열강들이 한국인의 독립 청원을 승인하는 호의를 베풀기만을 기다릴 수밖에 없다. 약소민족을 위해 열강이 자국의 이익을 포기하면서까지 도와주기만을 호소하는 것은 (나)의 입장에서 보기에 국제질서의 냉혹함을 모르는 순진한 노력일 수 있는 것이다. 외교 독립론이 더 이상 유효한 독립 운동의 방안이 되지 못하는 상황이라면 (다)의 주장처럼 임시 정부의 근거지를 옮기는 것도 대안이 될 수 있다. 상하이는 무장 투쟁을 위한 움직임이 활발히 전개되던 만주 및 연해주 지역과 너무 멀리 떨어져 있기에 무장 독립 투쟁에 대해 능동적이지 못했고, 처음부터 무장 독립 운동을 효율적으로 지휘하기 어려웠다. 나는 임시 정부와 같은 지도적 기관이 만주·연해주 지역의 무장 독립군을 통일적으로 지휘했다면 자유시 참변과 같은 비극도 없었을 것이고, 무장 투쟁을 통해 국내에 거점을 확보하거나 열강들로부터 교전 단체로 인정받는 등의 성과를 얻어낸다면 이를 기반으로 더욱 효과적인 외교 활동을 전개해 나갈 수도 있었을 것이라 생각한다.

채점 기준 ❶ ~ ❸ 항목 당 각 2점
❶ (나)의 입장에서 열강에 대한 독립 청원적인 성격의 외교 독립론이 갖는 한계를 찾아 서술한 경우
❷ 외교 활동에 주력하기 위해 대한민국 임시 정부가 상하이에 위치해 있는 상황이 갖는 단점을 (다)의 입장에서 서술한 경우
❸ 자신이 생각하는 독립운동의 방법론(외교론, 무장 투쟁론, 의열 투쟁을 통한 민중 혁명, 실력 양성 및 준비론 등)을 논리적으로 서술한 경우

Ⅳ 대한민국의 발전

❶ 8 · 15 광복과 통일 정부 수립을 위한 노력

문제 유형 익히기 ────────── 138~139쪽

01 ⑤ 02 ④ 03 ① 04 ② 05 ① 06 ② 07 (1) 38도선 이남 (2) 해설 참조 08 (1) 미 · 소 공동 위원회 (2) 해설 참조

01 냉전 체제의 형성과 동아시아 정세
정답: ⑤

제2차 세계 대전 종전 이후 미국과 소련은 국제 질서의 주도권을 놓고 두 개의 진영으로 나뉘어 대립하였다. 이렇게 형성된 세계 질서를 냉전 체제라 부른다. 냉전 체제는 1947년 트루먼 독트린 발표 이후 시작한 것으로 보고 있다. 냉전 체제 형성 이후 동아시아에서는 중국이 공산화되었고, 한반도에서는 6 · 25 전쟁이 벌어졌고, 일본은 미군정의 통치 아래에서 반공 거점의 역할을 담당하게 되었다.

오답피하기

ㄱ. 대한민국 임시 정부가 1941년 발표하였다.
ㄴ. 일본의 무조건 항복으로 제2차 세계 대전이 종결되었다.

02 미군정청의 기본 정책
정답: ④

자료는 미군정청의 기본 정책을 담고 있는 태평양 미 육군 맥아더 사령관 포고령 제1호이다. 미군은 1945년 9월 초 한반도에 진주하여 조선 총독의 항복을 받은 뒤, 군정청을 설치하고 38도선 이남 지역에 대한 직접 통치를 선포하였다. 미군정은 새로 수립될 정부에 권한을 넘겨주는 데 중점을 두어 일제의 식민 통치 기구와 관료, 경찰을 그대로 유지하였다. 대한민국 임시 정부는 정부 자격을 인정받지 못하였고, 임시 정부 요인들은 개인 자격으로 귀국하였다. 또한 각 지역의 인민 위원회 등 자치 기구도 인정받지 못하였다.

오답피하기

ㄱ. 조선 건국 동맹은 광복 직전이 1944년 여운형 등이 결성하였다.
ㄷ. 38도선 이북에서 사회주의자들이 권력을 장악할 수 있었던 이유는 자국에 우호적인 정부를 한반도에 수립하고자 한 소련의 간접 통치 방식 때문이었다.

03 조선 건국 준비 위원회
정답: ①

제시된 자료는 조선 건국 준비 위원회의 선언문이다. 여운형을 비롯한 조선 건국 동맹의 핵심 인사들은 광복이 되자 곧바로 서울에서 좌우 세력을 연합하여 조선 건국 준비 위원회를 조직하였다. 조선 건국 준비 위원회는 전국 각지에 지부를 결성하여 자치적으로 행정과 치안을 담당하였다. 이후 좌익 세력은 미군의 진주에 대비해 건준을 해체하고 조선 인민 공화국의 수립하여 한국인을 대표하고자 하였다.

오답피하기

ㄷ. 독립 촉성 중앙 협의회 결성을 주도한 인물은 이승만이다.
ㄹ. 김성수 등 지주 · 자본가 출신 인사들이 결성한 당은 한국 민주당이다.

04 모스크바 3국 외상 회의
정답: ②

제시된 자료는 제2차 세계 대전 종전 직후 열린 모스크바 3국 외상 회의를 다루고 있다. 이 회의에서는 한국에 민주주의 임시 정부를 수립하고, 이를 지원할 미 · 소 공동 위원회를 설치하며, 최고 5년간 4개국에 의한 신탁 통치를 실시할 것을 결의하였다.

오답피하기

ㄴ. 국제 연합이 결정한 정부 수립 방안이다.
ㄹ. 국제 연합은 총선거의 관리를 위해 유엔 한국 임시 위원단을 파견하였다.

05 신탁 통치를 둘러싼 갈등
정답: ①

제시된 자료는 모스크바 3국 외상 회의의 결정 사항이 국내에 알려졌을 때 나타난 갈등을 잘 보여 준다. (가)는 회의 결정 사항 중 신탁 통치 결정에 반발한 반탁 운동 세력의 주요 주장이고, (나)는 회의 결정 사항을 총체적으로 지지한다는 좌익 세력의 주장이다.

오답피하기

② 국채 보상 운동은 1907년 대구에서 시작된 경제적 구국 운동으로, 이후 전국으로 확산되어 모금 운동을 전개하였다.
③ 조선 중립화론은 갑신정변 이후 열강의 각축이 전개되던 시기에 독일 부영사 부들러, 보빙사의 일원이었던 유길준 등이 주장하였다.
④ 동학 농민 운동은 1894년에 고부 농민 봉기, 제차 농민 운동, 집강소 활동, 제2차 농민 운동의 과정을 거치며 전개되었다.
⑤ 갑오개혁은 1894년 두 차례에 걸쳐 추진되었다.

06 좌우 합작 7원칙
정답: ②

제시된 자료는 좌우 합작 7원칙의 주요 내용이다. 제1차 미 · 소 공동 위원회가 협의 대상에 참여할 정당과 사회단체의 범위를 놓고 합의점을 찾지 못한 채 휴회에 들어갔다. 이에 여운형, 김규식을 중심으로 한 중도 세력은 좌우 합작 위원회를 구성하고, 각계의 주장을 아울러 1946년 10월 좌우 합작 7원칙을 발표하였다.

오답피하기

8 · 15 광복은 1945년, 제1차 미 · 소 공동 위원회 결렬은 1946년, 제2차 미 · 소 공동 위원회 개최는 1947년, 남북 협상 개최는 1948년 4월, 5 · 10 총선거 실시는 1948년 5월, 6 · 25 전쟁 발발은 1950년이다.

07 8 · 15 광복과 새로운 국가 수립 노력

제시된 자료는 가상 일기의 형식으로 8 · 15 광복 이후 미군정이 통치하던 시기의 새로운 국가 수립 노력을 보여 주고 있다.

모범답안 (2) 미군정청의 38도선 이남 지역 직접 통치 선포에 따라 대한민국 임시 정부는 정부의 자격을 인정받지 못하였고, 임시 정부 요인(지도자)들은 개인 자격으로 귀국하였다.

채점 기준

상	미군정, 38도선 이남 지역, 직접 통치 등 세 가지 핵심 용어들을 모두 서술한 경우
중	미군정, 38도선 이남 지역, 직접 통치 등 세 가지 핵심 용어 중 두 가지만 서술한 경우
하	미군정, 38도선 이남 지역, 직접 통치 등 세 가지 핵심 용어 중 한 가지만 서술한 경우

08 제1차 미·소 공동 위원회의 휴회와 정읍 발언

제시된 자료는 제1차 미·소 공동 위원회 결렬 이후 남한 단독 정부 수립을 주장한 이승만의 연설 내용 중 일부로, 이른바 '정읍 발언'이라 불린다. 이는 당시 좌익이나 중도 세력, 김구 등의 비판을 받았다. 그러나 한국 민주당은 이승만의 단독 정부 수립 주장을 지지하면서 두 세력이 연합 활동을 전개하는 계기가 되었다.

모범답안 (2) 통일 정부 수립이 어렵다면 미군정이 통치하고 있는 38도선 이남의 남한 지역만이라도 단독 정부를 수립하여 38도선 이북에서 소련이 물러나도록 해야 한다는 주장이다.

채점 기준

상	38도선 이남인 남한 지역, 단독 정부 수립을 모두 서술한 경우
중	지역에 대한 언급 없이 단독 정부 수립만 서술한 경우
하	정부 수립 주장이라고만 서술한 경우

❷ 대한민국 정부의 수립

개념 체크

140쪽 01 (1) × (2) × 02 (1) 제주 4·3 (2) 대한민국 임시 정부 (3) 북조선 임시 인민 위원회 03 (1)-ⓒ, (2)-㉠, (3)-ⓛ

141쪽 01 (1) × (2) × 02 (1) 반민족 행위 특별 조사 위원회(반민 특위) (2) 국회 프락치 (3) 3정보 03 (1)-ⓛ, (2)-㉠

문제 유형 익히기 ──────────── 142~143쪽

01 ② 02 ③ 03 ④ 04 ① 05 ③ 06 ① 07 해설 참조

08 해설 참조 09 (1) 유상 (2) 해설 참조

01 5·10 총선거　　　　　　　　정답: ②

제시된 자료의 밑줄 친 '이 선거'는 5·10 총선거이다. 5·10 총선거는 유엔 소총회의 결의에 따라 1948년 5월 10일 남한 지역에서 실시된 국회 의원 선거로, 21세 이상 모든 국민에게 투표권이 부여된 우리나라 최초의 보통 선거였다. 통일 정부 수립을 위한 남북 협상에 참여했던 김구, 김규식 등은 선거에 불참하였고, 좌익 세력은 선거 반대 투쟁을 벌이기도 하였다. 선거 결과 200명의 재적 의원 가운데 198명의 국회 의원이 선출되었다. 제주 4·3 사건이 발생한 제주도 2곳의 선거구에서는 정족수 미달로 선거가 무효 처리되었다.

오답피하기

② 5·10 총선거는 38도선 이남의 남한 지역에서만 실시되었다.

02 제헌 국회　　　　　　　　정답: ③

제시된 자료의 무소속 85석, 대한 독립 촉성 국민회 55석, 한국 민주당 29석 등을 통해 5·10 총선거의 결과 구성된 제헌 국회의 의석 비율임을 알 수 있다. 5·10 총선거로 구성된 제헌 국회가 제정한 헌법은 대통령과 부통령을 국회에서 간선제 방식으로 선출하도록 하였고, 농지 개혁법 및 반민족 행위 처벌법을 제정할 수 있는 근거 조항을 마련하였다.

오답피하기

ㄱ. 4·19 혁명 직후 개정된 헌법에 따라 구성된 국회가 참의원과 민의원의 양원제로 운영된 바 있다.

ㄹ. 4·19 혁명의 결과 개정된 헌법에 따라 시행된 국회 의원 선거에서 민주당이 압승을 거두었고, 장면이 국무총리로서 내각을 구성하였다.

03 유엔 총회의 대한민국 정부 승인　　　　정답: ④

제시된 자료는 1948년 12월 유엔 총회에서 발표된 대한민국 정부 승인 결의문이다. 남북 협상은 1948년 4월에 개최되었고, 6·25 전쟁은 1950년 6월 발생하였다.

오답피하기

8·15 광복은 1945년 8월, 모스크바 3국 외상 회의는 1945년 12월, 좌우 합작 7원칙 발표는 1946년 10월, 4·19 혁명 발생은 1960년 4월이다.

04 대한민국 정부의 수립 과정　　　　정답: ①

제시된 자료의 (가)는 1945년 9월에 있었던 미군정의 직접 통치 선포를, (나)는 1948년 8월에 있었던 대한민국 정부 수립을 다루고 있다. (가)와 (나) 시기 사이에 미·소 공동 위원회가 두 차례에 걸쳐 개최되었지만, 미국과 소련 양국 간 의견 차이로 결렬되었고, 한반도 문제는 국제 연합으로 이관되어 5·10 총선거를 통해 대한민국 정부가 수립되었다.

오답피하기

ㄷ. 조선 건국 준비 위원회는 광복 직후 결성되었다.

ㄹ. 조선 민주주의 인민 공화국 수립은 1948년 9월 9일 선포되었다.

05 북한 정권의 수립 과정　　　　정답: ③

북조선 임시 인민 위원회는 1946년 2월 8일에 발족되어 1947년 2월까지 존재한 북한 최초의 중앙 정권 기관이다. 북조선 임시 인민 위원회는 친일파 청산, 토지 개혁, 주요 산업 국유화 등 각종 개혁을 추진해 북한 정권 수립에 필요한 사회·경제적 토대를 마련하였다. 1947년 2월 들어선 북조선 인민 위원회는 조선 인민군을 창설하고 헌법 초안을 확정하였다. 남북 협상에도 참여하며 분단을 막기 위해 노력하였다는 명분을 쌓은 북한은 1948년 대한민국 정부가 수립된 직후 조선 민주주의 인민 공화국의 수립을 선포하였다.

오답피하기

ㄱ. 북한 헌법의 초안은 북조선 인민 위원회가 작성하였다.

ㄹ. 무상 몰수, 무상 분배 방식의 토지 개혁은 북조선 임시 인민 위원회가 추진하였다.

06 제헌 헌법　　　　　　　　정답: ①

제시된 자료는 제헌 국회가 제정한 제헌 헌법의 일부 내용이다. 제헌 국회는 1948년 5·10 총선거를 통해 구성되었고, 그해 7월 17일 대한민국을 국호로 하고 삼권 분립에 바탕을 둔 제헌 헌법 제정을 공포하였다. 헌법은 대한민국이 3·1 운동으로 수립된 대한민국 임시 정부의 법통을 계승하였으며, 국민 주권(주권 재민)에 바탕을 둔 민주 공화국임을 명시하였다. 제86조와 제101조는 광복 이후 민족 구성원들의 염원을 반영하여 삽입된 조항으로, 제86조는 농지 개혁법 제정의 근거가 되었고, 제101조는 반민족 행위 처벌법 제정의 근거가 되었다.

오답피하기

① 대한민국 임시 헌장은 1919년 대한민국 임시 정부가 채택하였다.

07 대한민국 정부의 역사성

자료의 (가)는 대한민국 정부가 수립된 이후 처음 발행한 대한민국 관보 1호이다. 관보란 정부가 법령, 정부 시책 등을 알리기 위해 발행하는 공식 문서인데, 자료의 상단에는 대한민국 30년 9월 1일로 연도를 표기하고 있다. 이는 대한민국 임시 정부가 성립한 1919년을 기점으로 30년이 흘렀다는 뜻으로, 대한민국 정부가 임시 정부의 법통성을 계승하고 있다는 것을 잘 보여 준다.

모범답안 대한민국 정부가 대한민국 임시 정부의 법통을 계승하였다는 인식을 보여 준다.

채점 기준

상	대한민국 임시 정부, 법통 계승이 모두 포함되었을 경우
중	대한민국 임시 정부만 밝히고 법통 계승을 쓰지 않았을 경우
하	대한민국 임시 정부, 법통 계승을 모두 쓰지 못했을 경우

08 반민족 행위 처벌법

제헌 국회는 제헌 헌법에 근거해 반민족 행위 처벌법을 제정하였다. 그리고 이를 근거로 반민족 행위 특별 조사 위원회를 국회 내에 조직하였다. 반민 특위는 1949년 1월부터 각종 자료, 증언 등을 통해 친일파를 색출하였으며 각지에 투서함을 설치해 신고를 받았다. 하지만 이승만 정부는 반공이 우선이라는 주장을 펴며 반민 특위 활동을 공개적으로 반대하였다. 그 결과 반민 특위 활동을 주도하던 국회 의원들을 간첩 혐의로 구속하는 국회 프락치 사건, 일부 경찰들의 반민 특위 사무실 습격 사건 등이 발생하였다.

모범답안 국회 프락치 사건과 일부 경찰의 반민 특위 사무실 습격 사건이 있었다.

채점 기준

상	두 가지 사실 모두 정확히 서술한 경우
중	한 가지 사실만 정확히 서술한 경우
하	서술된 사실이 모두 정확하지 않을 경우

09 농지 개혁법

미군정청은 토지 개혁에 소극적인 입장이었지만, 대한민국 정부 수립 이후 국회는 토지 개혁을 위해 농지 개혁법을 제정하였다. 이승만 정부는 농지 개혁을 위해 가구당 토지 소유 상한선을 3정보로 제한하였다. 3정보를 초과하는 토지는 정부가 사들인 다음, 이를 농민에게 대가를 받고 분배하는 유상 매입, 유상 분배의 방식으로 농지 개혁을 추진하였다. 6·25 전쟁 등으로 한동안 중단되면서 지주들이 미리 농지를 팔아 농지 개혁 대상의 토지가 줄기도 하였지만, 농지 개혁은 지주·소작제의 소멸과 농민 중심의 토지 소유를 확립하는 데 기여하였다.

모범답안 (2) 농지 개혁으로 지주 계급이 소멸하고, 대다수 농민들이 자신의 토지를 소유하게 되면서 토지 소유 불균등으로 인한 사회적 갈등이 상당 부분 해소되었다.

채점 기준

상	지주 계급 소멸, 농민들의 자기 토지 소유, 토지 소유 불균등으로 인한 사회적 갈등 해소 등을 모두 서술한 경우
중	지주 계급 소멸과 농민들의 자기 토지 소유만 서술한 경우
하	토지 소유 불균등으로 인한 사회적 갈등 해소만 서술한 경우

❸ 6·25 전쟁과 남북 분단의 고착화

개념 체크

144쪽 01 (1) × (2) ○ 02 (1) 낙동강 (2) 유엔군 사령관(맥아더) (3) 포로, 군사 분계선 03 (1)-㉠, (2)-㉡, (3)-㉢

145쪽 01 (1) × (2) × 02 (1) 한·미 상호 방위 (2) 원조 (3) 삼백 산업 03 (1)-㉢, (2)-㉠, (3)-㉡

문제 유형 익히기 ——————— 146~147쪽

01 ③ 02 ⑤ 03 ② 04 ① 05 ③ 06 ① 07 ① 08 ④ 09 해설 참조 10 해설 참조 11 (1) 한·미 상호 방위 조약 (2) ㉠ 대한민국 ㉡ 미국(미합중국)

01 애치슨 선언 정답: ③

제시된 자료는 1950년 1월 미국 국무 장관 애치슨이 발표한 애치슨 선언으로 한국이 미국의 방위선에서 제외되면서 북한이 남침을 계획하는 데 우호적인 환경이 조성되었다. 결국 북한의 남침으로 6·25 전쟁이 발발하였다.

오답피하기

③ 반민족 행위 처벌법은 1948년에 제정되었다.

02 북한 정권의 전쟁 준비 정답: ⑤

북한은 남북 정부 수립 후 한반도 안팎의 정세가 불안한 가운데 전쟁 준비에 박차를 가하였다. 소련을 방문하여 무기와 군사 고문단을 지원받았으며, 중국과는 비밀 군사 협정을 맺었다. 중국 내전에 참여하였던 3만여 명의 조선 의용군 등은 북한에 들어가 인민군의 핵심 전력이 되었다. 미국은 애치슨 성명을 통해 한국과 타이완을 극동 방위선에서 제외한다고 발표하였다.

오답피하기

ㄱ. 한·미 상호 방위 조약은 6·25 전쟁이 끝난 직후 체결되었다.

ㄴ. 미국 원조 물자의 민간 매각은 6·25 전쟁이 끝난 이후 전후 복구 사업에 필요한 재정을 확보하기 위해 추진되었다.

03 맥아더 정답: ②

제시된 자료의 (가) 인물은 맥아더이다. 그는 제2차 세계 대전 당시 태평양 지역의 미군 총사령관을 맡았고, 일본의 항복 이후 일본 점령 연합군 사령관으로 재직하다가 1950년 6·25 전쟁이 발발하자 유엔군 사령관으로 발탁되었다.

04 6·25 전쟁의 배경 정답: ①

연표의 (가) 시기는 1948년 8월 15일(대한민국 정부 수립)부터 1950년 6월 25일(6·25 전쟁 발발)까지를 가리키고 있다. 이 시기에 북한 정권은 한반도 안팎의 변화하는 정세를 이용하여 전쟁 준비에 박차를 가하였다. 중국과 비밀 군사 협정을 맺었고, 소련을 방문하여 무기와 군사 고문단을 지원받았다. 반면 대한민국은 병력 규모, 무기 등 전쟁 수행 능력이 북한에 비해 매우 부족하였고, 주한 미군도 일부 군사 고문단을 제외하고는 대부분 철수하였다.

ㄷ. 한국과 미국이 군사 동맹 관계로 격상된 시기는 한·미 상호 방위 조약(1953)을 맺고 난 이후의 일이다.

ㄹ. 유엔 총회에서 남북한 총선거 시행을 결정한 시기는 대한민국 정부가 수립되기 전인 1947년의 일이다.

05 6·25 전쟁의 전개 과정
정답: ③

제시된 자료는 중국군의 전쟁 개입을 설명하고 있다. 6·25 전쟁의 발발 후 국군은 북한군의 총공격으로 3일 만에 서울을 빼앗기고, 7월 말에는 낙동강 유역까지 후퇴하였다. 그러나 국군과 유엔군의 인천 상륙 작전 성공으로 전세가 역전되어 9월에는 서울을 수복하였고, 10월 말에는 압록강 일대까지 진격하였다. 이후 중국군이 전쟁에 개입하여 서울을 다시 빼앗겼지만(1·4 후퇴), 전열을 정비하여 서울을 재탈환하였다.

06 소련과 6·25 전쟁
정답: ①

제시된 자료의 ㉠ 국가는 소련이다. 소련은 무기와 군사 고문단을 지원하며 북한의 전쟁 준비를 도왔다. 하지만 유엔 안전 보장 이사회의 유엔군 파병 결정에는 불참하였다. 한편, 6·25 전쟁이 교착 상태에 빠지자, 소련이 국제 연합에 정전을 제안하였다. 양측은 이를 받아들여 1951년 7월 개성에서 첫 정전 회담을 열었다.

②, ④, ⑤ 미국에 해당하는 내용이다.

③ 소련은 유엔 한국 임시 위원단의 입국을 거부하였다.

07 정전 협정
정답: ①

제시된 자료는 정전 협정문이다. 소련이 국제 연합에 정전을 제안하고 양측이 이를 받아들여 1951년 7월 개성에서 첫 정전 회담이 열렸다. 하지만 최종 타결은 2년 후인 1953년 7월에 이루어졌다. 주요 쟁점은 군사 분계선 설정과 포로 송환 문제였다. 특히 포로 송환 문제는 송환 방식을 두고 오랫동안 대립하다가 합의에 이르렀는데, 이승만 정부의 반공 포로 석방으로 최종 합의가 지연되기도 하였다.

① 소련의 제안으로 이루어졌다.

08 군사 분계선
정답: ④

제시된 지도의 (가)는 6·25 전쟁 전의 군사 분계선인 38도선이고, (나)는 정전 회담을 통해 새롭게 확정된 군사 분계선이다. 군사 분계선의 위치를 둘러싸고 전쟁의 양 당사국들은 대립했는데, 유엔군은 정전 협정 조인 시 접촉선을 주장하였고, 북한 및 중국군은 기존의 38도선을 주장하였다. 결국 유엔군의 주장대로 정전 협정 조인 시점의 접촉선이 채택되어 (나)와 같은 군사 분계선이 생겼다.

ㄱ. 유엔군이 제안한 군사 분계선은 (나)이다.

ㄷ. 6·25 전쟁 발발 당시의 양측 간 경계선은 38도선인 (가)이다.

09 6·25 전쟁의 전개 과정

제시된 자료의 (가)는 북한 인민군이 전면적 남침 이후 낙동강 일대를 제외한 남한 대부분 지역을 장악한 시기를 나타내고 있다. (나) 시기는 1·4 후퇴 당시의 상황을 표현하고 있다. (가)와 (나) 시기 사이에는 국군과 유엔군의 인천 상륙 작전 성공, 서울 수복, 38도선 돌파, 압록강 일대 진격 등의 사건들이 있었다.

국군과 유엔군은 인천 상륙 작전에 성공하여 전세를 역전시킬 발판을 마련한 뒤 9월 말에는 서울을 수복하고 여세를 몰아 38도선을 돌파하였으며, 10월 말에는 압록강 일대까지 진격하였다.

상	국군과 유엔군의 인천 상륙 작전 성공, 서울 수복, 38도선 돌파, 압록강 일대까지 진격 등 네 가지 사실을 모두 서술한 경우
중	위 내용 중 두 가지 사실만 서술한 경우
하	위 내용 중 한 가지 사실만 서술한 경우

10 정전 협정

제시된 도표는 정전 회담에서 포로 송환 문제를 대하는 유엔군과 북한 및 중국군의 입장을 비교하고 있다. 포로 송환 문제는 양측의 이념, 체제의 우월성과 관련이 깊어 합의점을 찾기가 어려웠다. 미국은 자유로운 선택권을 보장하자고 주장하였지만, 북한 및 중국군은 본국으로의 송환을 주장하였다. 결국 미국의 포로 송환 방침에 공산군 측이 대체로 동의함으로써 1953년 7월 27일 판문점에서 정전 협정이 체결되었다.

자유 송환이다. 그 이유는 포로들의 자유로운 선택권을 보장할 수 있고, 당시 북한에 억류된 국군·유엔군 포로보다 남한에 수용된 북한 인민군·중국군 포로가 압도적으로 많았기 때문이다.

상	유엔군의 입장과 그 이유를 모두 서술한 경우
중	유엔군의 입장과 그 이유 중 한 가지만 서술한 경우
하	유엔군의 입장과 그 이유를 서술하였지만 틀린 진술일 경우

11 한·미 상호 방위 조약

제시된 자료는 한·미 상호 방위 조약의 일부 내용이다. 6·25 전쟁 직후 한국과 미국은 두 나라의 관계를 군사 동맹 관계로 격상시키는 한·미 상호 방위 조약을 체결하였다.

 ❹ 4·19 혁명과 민주화를 위한 노력

148쪽 01 (1) × (2) × **02** (1) 이기붕 (2) 김주열 (3) 장면 **03** (1)―㉡, (2)―㉢, (3)―㉠

149쪽 01 (1) × (2) ○ **02** (1) 국가 재건 최고 회의 (2) 7·4 남북 공동 성명 (3) 통일 주체 국민 회의 **03** (1)―㉢, (2)―㉠, (3)―㉡

150쪽 01 (1) × (2) × **02** (1) 12·12 사태 (2) 서울의 봄 (3) 시민군 **03** (1)―㉢, (2)―㉠, (3)―㉡

151~153쪽

01 ③ **02** ④ **03** ② **04** ③ **05** ⑤ **06** ④ **07** ④ **08** ③ **09** ③ **10** ⑤ **11** ③ **12** ④ **13** (1) 해설 참조 (2) ㉢ 이승만 정부 ㉣ 자유당 **14** 해설 참조 **15** (1) 국가 재건 최고 회의 (2) 국가 보위 비상 대책 위원회

01 발췌 개헌
정답: ③

제시된 자료는 발췌 개헌을 하게 된 정치적 배경을 다루고 있다. 밑줄 친 '기존 헌법'은 1948년 7월 공포된 제헌 헌법을 뜻한다. 대통령 선출 방식은 제헌 헌법에서 국회 의원에 의한 간선제 방식으로 규정되었지만, 1952년 발췌 개헌을 통해 국민들의 직선제 방식으로 바뀌었다. 이승만은 발췌 개헌을 추진하는 과정에서 지지 세력을 모아 자유당을 창당하였고, 1952년에는 비상계엄령을 선포하고 다수의 야당 국회 의원들을 체포하는 부산 정치 파동을 일으켰다.

오답피하기

ㄱ. 기존 헌법(제헌 헌법)은 국회 의원의 간선제로 대통령을 선출케 하였다.

ㄹ. 선거인단을 통한 대통령 선출은 제11대 대통령이었던 전두환 집권 시기에 바뀐 헌법에 규정되었고, 제12대 대통령 선거에 적용되었다.

02 사사오입 개헌
정답: ④

제시된 자료의 부칙을 통해 사사오입 개헌의 핵심적인 내용임을 알 수 있다. 제헌 헌법의 제55조에서 대통령은 3선 이상 출마가 금지되어 있었다. 하지만 개정된 헌법의 부칙은 '헌법 공포 당시의 대통령', 즉 이승만 대통령에 한해 3선 이상의 연임 출마를 가능하게 하였다. 이 개헌안은 사사오입이라는 변칙적인 논리로 국회에서 통과되었다. 이승만 대통령은 4·19 혁명으로 하야하였다.

오답피하기

① 남북 협상에 참여한 주요 정치인은 김구, 김규식 등이다.

② 유신 헌법을 선포한 대통령은 박정희이다.

③ 평화 통일론은 1956년 대통령 선거에 출마한 조봉암이 주장하였다.

⑤ 5·16 군사 정변을 통해 집권한 이는 박정희이다.

03 이승만 정부의 장기 집권 과정
정답: ②

6·25 전쟁 직전 치러진 제2대 국회 의원 선거 후 이승만 정부는 대통령 직선제 개헌안인 발췌 개헌을 통과시켰다. 이후 이승만은 장기 집권을 위해 사사오입 논리를 내세워 개헌안을 통과시켰고, 제3·4대 정·부통령 선거에서 이승만이 대통령에 당선되었다. 하지만 부통령에는 야당 후보인 민주당의 장면이 선출되었고, 대통령 후보로 나선 무소속의 조봉암이 유효 표의 30%를 차지하며 많은 표를 얻으며 돌풍을 일으켰다. 위기감을 느낀 이승만 정부는 진보당 사건을 일으켜 조봉암에게 사형을 집행하였다. 그리고 국가보안법을 개정하여 사회 통제를 강화하고 경향신문을 폐간하는 등 언론을 탄압하였다.

오답피하기

② YH 무역 사건은 1979년 박정희 정부가 신민당사에서 농성 중인 YH 무역의 여성 노동자들을 강제 진압한 사건이다.

04 제3·4대 정·부통령 선거
정답: ③

제시된 자료의 왼쪽 벽보는 제3·4대 정·부통령 선거에 후보로 출마한 민주당 후보 측의 것이고, 오른쪽 벽보는 이에 맞선 자유당 후보 지지자들의 것이다. 이 선거에는 여당 후보로 이승만, 야당인 민주당 후보로 신익희, 무소속 후보로 조봉암이 출마하였다. 선거 직전 신익희가 병사하면서 이승만은 무난히 대통령에 당선되었지만, 조봉암 역시 만만치 않은 득표율을 보였다. 한편, 부통령 후보로는 야당의 장면 후보가 당선되어 이승만 정부는 위기감을 느끼게 되었다.

오답피하기

ㄱ. 발췌 개헌 직후 치른 선거는 제2·3대 정·부통령 선거이다.

ㄹ. 제4대 부통령 선거의 당선자는 야당 후보인 장면이었다.

05 4·19 혁명
정답: ⑤

제시된 자료의 어린 학생 김주열을 통해 4·19 혁명과 관련 있음을 알 수 있다. 4·19 혁명은 3·15 부정 선거에 대한 전국민적인 저항 운동이었다. 1960년 3월 15일 정·부통령 선거에서 여당 후보를 위해 4할 사전 투표, 3인조 공개 투표 등이 자행되었고, 이에 항의하는 마산 시민들의 시위가 전개되었다. 이후 마산 시위 도중 실종된 김주열 학생의 시신이 마산 앞바다에서 떠오르면서 시민들의 저항은 전국적으로 확대되었다.

오답피하기

ㄱ. 4·19 혁명은 1960년에 전개되었다.

ㄴ. 5·18 민주화 운동은 1980년 광주에서 전개되었다.

06 진보당 사건
정답: ④

제시된 자료의 혁신 정치, 평화적 방식에 의한 조국 통일 등을 통해 1957년 창당된 진보당의 강령임을 알 수 있다. 진보당 창당의 핵심 인물은 조봉암이었고, 그는 1956년의 대통령 선거에 출마하여 많은 득표를 하며 돌풍을 일으킨 바가 있다. 이승만 정부는 강력한 경쟁자로 떠오른 조봉암을 간첩죄와 국가 보안법 혐의로 체포하였다. 조봉암은 사형 판결을 받고 이듬해 처형당하였다.

오답피하기

① 기묘사화는 조선 시대 중종 때 개혁 정치를 추진하던 조광조와 사림 세력이 처형되거나 중앙 정계에서 쫓겨난 사건이다.

② 3·1 운동은 일제 강점기인 1919년에 전개되었다.

③ 유교 정치의 구현은 고려와 조선 시대에 이루어졌다.

⑤ 물산 장려 운동은 1920년 8월 평양에서 조만식 등이 중심이 되어 시작되었고, 이후 각 단체의 대표가 모여 조선 물산 장려회를 조직하고 운동을 확산시켜 나갔다.

07 장면 내각
정답: ④

제시된 자료의 경제 개발 5개년 계획 수립, 지방 자치제 시행, 부정 선거 관련자 처벌에 소극적 등을 통해 (가) 내각은 장면 내각임을 알 수 있다. 4·19 혁명 이후 수립된 과도 정부는 내각 책임제와 양원제 국회를 특징으로 하는 개헌을 단행하였다. 민주당은 새 헌법에 따라 시행된 국회 의원 선거에서 압승을 거두었고, 국회는 윤보선을 대통령으로 선출하였고, 장면은 국무총리로서 내각을 이끌었다.

오답피하기

ㄱ. 4·19 혁명을 초래한 건 이승만 정부였다.

ㄷ. 발췌 개헌 이후 치러진 선거로 이승만이 제2대 대통령으로 당선되었다.

08 5·16 군사 정변
정답: ③

제시된 자료의 반공을 국시의 제일로 삼고, 언제든지 정권을 이양하고 본연의 임무로 복귀 등을 통해 5·16 군사 정변 당시 군사 혁명 위원회의 이름으로 발표된 이른바 혁명 공약임을 알 수 있다. 군사 혁명 위원회는 이후 국가 재건 최고 회의로 재편되었다. 장면 내각을 무너뜨린 정변을 주도한 박정희는 민정 이양을 약속한 혁명 공약과 달리 제5대 대통령 선거에 출마하여 당선되었다.

오답피하기

3·15 부정 선거는 1960년 3월, 이승만 대통령 하야는 1960년 4월, 장면 내각 성립은 1960년 10월, 한·일 협정 체결은 1965년, 유신 헌법 제정은 1972년, 12·12 사태는 1979년이다.

09 한·일 협정

정답: ③

제시된 자료의 대한민국과 일본국, 양국 관계의 정상화 등을 통해 한·일 협정의 내용임을 알 수 있다. 경제 개발에 필요한 자금 확보가 필요했던 박정희 정부는 서둘러 일본과의 국교 정상화를 추진했는데 일본의 식민 지배에 대한 사과와 배상이 담기지 않은 협정 추진에 야당과 대학생들의 반발이 거셌다. 국민들은 범국민적인 정권 퇴진 운동(6·3 시위)을 전개하였고, 정부는 비상계엄령을 선포한 가운데 한·일 협정을 체결하였다.

오답피하기

① 정전 협정 체결 직후 한·미 상호 방위 조약이 체결되었다.

② 한·일 협정은 박정희 정부 시절에 체결되었다.

④ 대한민국 임시 정부 수립은 1919년의 일이다.

⑤ 4·19 혁명은 이승만 정부 때에 발생하였다.

10 유신 헌법

정답: ⑤

제시된 자료의 통일 주체 국민 회의, 긴급 조치 등을 통해 유신 헌법의 주요 내용임을 알 수 있다. 유신 헌법에서 대통령 선출 방식은 직선제에서 간선제로 바뀌었다. 대통령의 선출 권한은 통일 주체 국민 회의에 부여되었다.

오답피하기

① 유신 헌법에서 대통령은 국민의 기본권을 제한하는 긴급 조치를 내릴 수 있었다.

② 유신 헌법에서 대통령은 국회 의원의 3분의 1을 사실상 임명할 수 있었고 국회 해산권도 가졌다.

③ 7·4 남북 공동 성명 발표 이후 유신 헌법이 제정되었다.

④ 양원제 국회와 내각 책임제는 4·19 혁명 직후 개정된 헌법에 규정되었다.

11 서울의 봄

정답: ③

제시된 자료의 (가)는 1979년 10월 26일 발생한 사건이고, (나)는 1980년 5월 17일 발생한 일이다. (가)와 (나) 시기 사이에 당시 국무 총리였던 최규하가 통일 주체 국민 회의에서 제10대 대통령으로 선출되었지만 주요 결정은 군부가 주도하였고, 1979년 12월 12일 전두환을 중심으로 한 신군부 세력이 계엄 사령관을 체포하는 쿠데타가 발생하였다. 한편 김영삼, 김대중 등 유력 정치인들이 새 정부 수립을 준비하였고, 정치범 석방, 해직 교수 복직, 제적 학생 복교 등의 조치도 시행되었다. 그리고 신학기가 시작되면서 대학을 중심으로 '서울의 봄'이라 불리는 대규모 민주화 시위가 일어났다.

오답피하기

③ 국가 보위 비상 대책 위원회는 신군부 세력이 5·18 민주화 운동을 진압한 뒤 조직하였다.

12 5·18 민주화 운동

정답: ④

제시된 자료의 공수 부대 투입, 발포 명령 등을 통해 광주 시민의 궐기문임을 알 수 있다. 5월 17일 신군부가 계엄령을 확대하고 난 다음 날인 5월 18일, 전남대 정문에서 학생들과 계엄군 간에 충돌이 빚어졌다. 계엄군의 과잉 진압에 분노한 시민들이 합류하면서 시위가 확대되었다. 계엄군이 시민들을 향해 총격을 가하자 시민들은 이에 대응하여 시민군을 조직하였다.

오답피하기

① 고종의 죽음이 기폭제의 역할을 한 운동은 3·1 운동이다.

② 대한민국 임시 정부는 3·1 운동을 계기로 세워졌다.

③ 일제 강점기에 신간회는 광주 학생 운동이 발생하자 진상 조사단을 파견하였다.

⑤ 한·일 국교 회담을 비판하며 정권 퇴진을 요구한 운동은 6·3 시위이다.

13 4·19 혁명

제시된 자료는 4·19 혁명 시기에 발표된 대학교수단의 시국 선언문이다. 마산, 서울, 기타 각지의 학생 데모, 부정 선거 등을 통해 해당 시기와 관련된 것임을 알 수 있다. 4·19 혁명은 3·15 부정 선거에서 비롯되었다. 3·15 부정 선거는 제4·대 정·부통령 선거에서 이승만 정부가 집권당인 자유당 후보를 당선시키기 위해 공권력을 총동원해 일으킨 대대적인 부정 행위였다. 부정 선거에 반대하는 시위가 격화되자, 정부는 비상계엄을 선포하고 군대를 동원하였다. 민주당은 국회 소집을 요구하였고, 대학교수들도 시국 선언문을 발표하여 대통령을 비롯한 책임자의 사퇴와 재선거 실시를 주장하였다. 결국 이승만 대통령은 하야 성명을 발표하고 하와이로 망명하였다.

모범답안 (1) 4·19 혁명은 3·15 부정 선거에 대한 전국민적 저항 운동이었으며, 그 결과 개정된 헌법은 내각 책임제와 양원제 국회를 채택하였다.

채점 기준

상	4·19 혁명의 원인, 개정 헌법의 핵심 내용을 모두 서술한 경우
중	4·19 혁명의 원인과 개정 헌법의 핵심 내용 중 한 가지만 서술한 경우
하	4·19 혁명의 원인과 개정 헌법의 핵심 내용 중 한 가지도 서술하지 못한 경우

14 YH 무역 사건의 영향

제시된 자료는 가발 수출, 여성 노동자, 신민당 등을 통해 YH 무역 사건과 관련된 것임을 알 수 있다. 1979년 8월, YH 무역 노동자들이 부당한 공장 폐쇄에 맞서 생존권 보장을 요구하여 야당인 신민당 당사에서 농성을 벌였다. 경찰이 이를 강제 해산하는 과정에서 노동자 1명이 사망하고 야당 의원과 기자도 부상을 입었다. 이에 신민당 총재 김영삼이 강하게 정부를 비판하자 여당은 김영삼을 국회에서 제명하였다. 이 사건은 경찰의 강제 진압으로 끝났지만, 대규모 유신 반대 시위인 부·마 민주화 운동의 계기가 되었다.

모범답안 YH 무역 사건은 대규모 유신 반대 시위인 부·마 민주화 운동이 일어나는 계기가 되었다. 결국 1979년 10월 26일 박정희 대통령이 피살되는 10·26 사태가 발생하면서 유신 체제가 사실상 무너졌다.

채점 기준

상	부·마 민주화 운동과 10·26 사태를 모두 서술한 경우
중	부·마 민주화 운동만 서술한 경우
하	10·26 사태만 서술한 경우

15 국가 재건 최고 회의와 국가 보위 비상 대책 위원회

제시된 자료는 군부의 권력 장악 과정에서 만들어진 초헌법적 기구를 비교하고 있다. 1961년 5·16 군사 정변을 일으킨 박정희 등 일부 군인은 정권에 비상계엄을 선포한 후 국가 재건 최고 회의를 설치하여 정권을 장악하고 군정을 실시하였다. 1980년 신군부 세력은 5·18 민주화 운동을 무력으로 억누르고 국가 보위 비상 대책 위원회를 구성하여 정권을 장악하였다.

❺ 경제 성장과 사회 · 문화의 변화

개념 체크

154쪽 **01** (1) × (2) × **02** (1) 베트남 (2) 재벌 (3) 저임금 · 저곡가 정책
03 (1)―ⓒ, (2)―ⓐ, (3)―ⓑ

155쪽 **01** (1) × (2) ○ **02** (1) 저곡가 (2) 전태일 (3) 한류 **03** (1)―ⓒ, (2)―ⓑ, (3)―ⓐ

문제 유형 익히기 ──────── 156~157쪽

01 ③ **02** ① **03** ④ **04** ⑤ **05** ① **06** ③ **07** ⑤ **08** 해설
참조 **09** 해설 참조 **10** 해설 참조

01 경제 개발 5개년 계획의 추진 정답: ③

제시된 자료의 (가)는 1953년 체결된 한 · 미 상호 방위 조약의 주요 조항이고, (나)는 1966년 작성된 브라운 각서의 핵심 내용이다. (가)와 (나)는 모두 대한민국과 미국 사이에 체결 또는 작성된 것이다.

오답피하기
① 3저 호황이 지속된 시기는 1980년대 중후반이다.
② 제2차 석유 파동은 (나) 시기 이후인 1978년에 발생하였다.
④ 반도체와 자동차 분야가 크게 성장하는 시기는 1980년대 이후의 일이다.
⑤ 대한민국이 경제 협력 개발 기구(OECD)에 가입한 시기는 1996년이다.

02 경제 개발 5개년 계획 자금 확보 정답: ①

박정희 정부는 장면 내각의 경제 개발 계획을 수정하여 1962년부터 경제 개발 5개년 계획을 추진하였다. 경제 개발에 필요한 자금은 외국에서 빌리거나 수출 자유 지역을 설정하여 외국인의 직접 투자를 유도하였다. 또한 경제 개발에 필요한 자금을 확보한다는 명분으로 베트남 파병을 결정하고 한 · 일 협정을 체결하였다.

오답피하기
ㄷ. 박정희 정부 시기에 노동조합의 결성은 어려움을 겪었다.
ㄹ. 미국의 원조 경제에 의존한 시기는 이승만 정부 때이다.

03 제1, 2차 경제 개발 계획 정답: ④

제시된 자료의 그래프는 1962년부터 1971년까지의 경제 성장률을 보여 주고 있다. 이 시기는 박정희 정부가 제1, 2차 경제 개발 5개년 계획을 추진하던 시기였다. 새마을 운동은 1970년부터 시작되었고, 전태일이 분신한 사건 역시 1970년에 발생하였다.

오답피하기
ㄱ. 진보당 사건은 1958년에 발생하였으므로 그래프의 시기 이전의 일이다.
ㄷ. 신군부가 삼청 교육대를 운영한 시기는 1980년~1981년이다.

04 전태일 사건과 정치적 변동 정답: ⑤

1960년대에 추진된 제1 · 2차 경제 개발 5개년 계획은 섬유 산업 등 경공업 중심으로 추진되었고, 노동자들의 장시간, 저임금 노동에 의존하였다. 대표적인 의류 생산 단지인 서울 평화 시장 재단사였던 전태일은 장시간 노동에 시달리는 10대 어린 여공들의 현실을 접하고 난 뒤 「근로 기준법」의 준수를 요구하였다. 결국, 1970년 11월 13일 근로 기준법 화형식 시위 도중 분신하였다.

05 노동자 대투쟁 정답: ①

제시된 자료의 울산에서 시작, 노동조합 결성과 활동 보장, 대기업 생산직 노동자들 중심 등을 통해 1987년에 발생한 노동자 대투쟁임을 알 수 있다. 노동자 대투쟁은 1987년의 6월 민주 항쟁이 끝난 직후 7월에서 9월 사이에 집중적으로 발생하였다.

오답피하기
② 도시 빈민들의 생존권 투쟁의 대표적 사례는 광주 대단지 사건이다.
③ 제2차 석유 파동은 1978년에 발생하였다.
④ 농촌 지역의 소득 격차 문제는 새마을 운동 추진의 배경이 되었다.
⑤ 전태일 분신 사건은 1970년에 일어났다.

06 새마을 운동 정답: ③

제시된 자료의 저곡가 정책, 농촌 인구의 감소, 농촌 문제의 해결 등을 통해 밑줄 친 '이 운동'은 새마을 운동임을 알 수 있다. 박정희 정부는 1970년부터 도시와 농촌의 균형 있는 발전을 목표로 근면, 자조, 협동을 구호로 새마을 운동을 추진하였다. 새마을 운동은 농촌 생활 환경 개선과 소득 증대에 일정한 성과를 올렸다. 한편 추진 과정에서 정부가 농촌 사회를 통제하고 유신 체제를 정당화하는 데 이용하였다는 평가도 받고 있다.

오답피하기
③ 우리나라가 맺은 최초의 자유 무역 협정은 미국과 체결한 한 · 미 자유 무역 협정이다.

07 제3, 4차 경제 개발 5개년 계획 정답: ⑤

제3차 경제 개발 5개년 계획은 1972년부터 1976년까지, 제4차 경제 개발 5개년 계획은 1977년부터 1981년까지 추진되었다. 제3 · 4차 경제 개발 5개년 계획은 중화학 공업 및 자본 집약적 산업 중심의 성장 전략을 추구하였다. 지속적인 성장 정책으로 1977년 수출액 100억 달러를 달성하기도 하였다. 그러나 석유 원료에 의존하는 중화학 공업은 특히 제2차 석유 파동으로 위기를 겪었고, 1980년에는 경제 개발 계획 시작 이후 처음으로 마이너스 성장률을 기록하기도 하였다.

오답피하기
① 3저 호황의 시기는 1980년대 중후반이다.
② 브라운 각서는 1966년에 작성되었다.
③ 경공업 중심의 경제 정책은 제1, 2차 경제 개발 계획 때 추진되었다.
④ 원조 물품을 바탕으로 삼백 산업이 발달한 시기는 1950년대이다.

08 도시화의 문제점

제시된 자료는 급격한 경제 성장 과정에서 발생한 도시 빈민 문제를 다루고 있다. 도시 빈민들은 도시 계획에 따라 변두리로 내몰리면서 생존권을 위협받기도 하였는데, 광주 대단지 사건은 빈민 문제의 심각성을 알려 주는 대표적인 사례이다.

모범답안 대표적인 사례는 1971년 광주 대단지 사건이다.

09 3저 호황의 의미

3저 호황이란 국제 경기가 저유가, 저금리, 저달러 상태로 돌아서면서 물가가 안정되고 경제 활동의 유리한 환경을 일컫는다. 1978년 제2차 석유 파동으로 시련을 겪던 한국 경제는 1980년대 중반 이후 3저 호황으로 점차 회복되었다. 저달러 현상은 한국 상품을 더욱 싼 가격에 수출할 수 있게 해 주었고, 저유가는 상품 제조 원가의 절감을, 저금리는 민간의 투자 촉진 등을 가져왔다.

| 모범답안 | 3저 호황이란 저달러·저유가·저금리를 일컫는데, 저달러 현상은 한국 상품을 더욱 싼 가격에 수출할 수 있게 하였고, 저유가는 상품 제조 원가의 절감을, 저금리는 민간의 투자 촉진 등을 가져왔다.

채점 기준	
상	저달러·저유가·저금리를 모두 쓰고, 각각의 현상이 호황에 영향을 준 이유가 무엇인지 서술한 경우
중	저달러·저유가·저금리를 모두 쓰고, 3저 중 두 가지만 호황에 영향을 준 이유를 서술한 경우
하	저달러·저유가·저금리를 모두 쓰고, 3저 중 한 가지만 호황에 영향을 준 이유를 서술한 경우

10 경제 개발 계획의 추진과 산업 구조의 변화

제시된 자료를 보면, 1954년에는 1차 산업으로 불리는 농림·어업 분야가 차지하는 비중이 50%에 가까웠지만, 경제 개발 5개년 계획이 본격적으로 추진된 이후 급격히 줄어들어 1990년대에는 그 비중이 줄어드는 것을 확인할 수 있다. 반면 2차 산업인 광공업, 3차 산업인 서비스업은 증가하는 것을 확인할 수 있다. 이러한 산업 구조의 변화는 도시화를 빠르게 진행시켰다. 또한 도시화가 진전될수록 가족 형태는 대가족에서 핵가족으로 바뀌었고, 아파트 중심의 주거 문화가 자리잡았다. 뿐만 아니라 일자리와 주택 부족, 열악한 주거 환경, 교통 문제 등 각종 사회 문제가 발생하기도 하였다.

| 모범답안 | 1960년대 이후 1차 산업의 비중은 급격히 줄어들고, 2·3차 산업의 비중은 그와 반대로 늘어났음을 확인할 수 있다. 그 원인은 1962년부터 시작된 경제 개발 5개년 계획의 추진 때문이다. 산업 구조의 빠른 변화는 급속한 도시화로 이어졌다.

채점 기준	
상	산업 구조 변화의 특징, 원인, 사회에 미친 영향을 모두 서술한 경우
중	산업 구조 변화의 특징, 원인, 사회에 미친 영향 중 두 가지만 정확히 서술한 경우
하	산업 구조 변화의 특징, 원인, 사회에 미친 영향을 중 한 가지만 정확히 서술한 경우

 ❻ 6월 민주 항쟁과 민주주의의 발전

개념 체크
158쪽 01 (1) × (2) ○ 02 (1) 4·13 호헌 조치 (2) 이한열 (3) 민주헌법 쟁취 국민운동 본부 03 (1)—ⓒ, (2)—ⓐ, (3)—ⓑ
159쪽 01 (1) × (2) ○ 02 (1) 국가 인권 (2) 아시아·태평양 경제 협력체(APEC) 정상, G20 정상 (3) 전두환, 노태우 03 (1)—ⓐ, (2)—ⓒ, (3)—ⓑ

문제 유형 익히기 ────── 160~161쪽

01 ⑤ 02 ③ 03 ⑤ 04 ③ 05 ① 06 ④ 07 대통령 직선제 개헌 8 (1) ⓐ 박종철 ⓒ 4·13 호헌 조치 ⓒ 이한열 (2) 6·29 민주화 선언 9 (1) 해설 참조 (2) 해설 참조

01 6·29 민주화 선언 정답: ⑤

제시된 자료의 1987, 대통령 직선제 개헌, 평화적 정권 이양, 지방 자치 시행 등을 통해 6·29 민주화 선언의 주요 내용임을 알 수 있다. 전두환 정부는 4·13 호헌 조치를 통해 대통령 간접 선거를 고수하려 했으나, 국민들은 6월 민주 항쟁으로 대통령 직선제 개헌을 강력히 요구하였다. 이에 당시 여당 대통령 후보였던 노태우는 1987년 6월 29일 대통령 직선제 개헌 등 시민들의 요구를 수용한다는 성명을 발표하였다. 이를 6·29 민주화 선언이라 부른다.

| 오답피하기 |
① 5·16 군사 정변은 1961년에 일어났다.
② 4·19 혁명은 1960년에 발생했다.
③ 5·10 총선거는 1948년에 시행되었다.
④ 6·3 시위는 1964년에 전개되었다.

02 6월 민주 항쟁의 전개 정답: ③

제시된 자료는 6·10 국민 대회 선언문이다. (가)의 '우리'는 6·10 국민 대회를 기획한 민주헌법쟁취국민운동본부를 가리키며, (나) '젊은이'는 경찰의 고문으로 숨진 박종철이다. (다)의 '현 정권'은 전두환 정권이며, (라)의 '4·13 폭거'는 기존 헌법을 유지한 채 선거를 치르겠다는 4·13 호헌 조치를 뜻한다.

| 오답피하기 |
ㄱ. 3·15 부정 선거는 4·19 혁명의 계기가 되었다.
ㄹ. 양원제 국회와 내각 책임제는 4·19 혁명의 결과 개정되었다.

03 금융 실명제 실시 정답: ⑤

제시된 자료의 금융 실명 거래, 긴급 재정 명령 등을 통해 김영삼 정부 시기에 시행된 금융 실명제와 관련된 것임을 알 수 있다. 김영삼 정부는 다양한 분야에서 개혁 정치를 추진하였다. 경제적으로는 금융 실명제 실시가 대표적이고, 정치적으로는 지방 자치제의 전면 실시, 5·18 특별법 제정, 고위 공직자 재산 등록 등의 업적을 남겼다.

| 오답피하기 |
① 중국과의 수교는 노태우 정부 시기에 이루어졌다.
② 프로 야구 출범은 전두환 정부 시기의 일이다.
③ 국민 참여 재판은 노무현 정부 때 도입되었다.
④ 국가 인권 위원회 신설은 김대중 정부 시기에 이루어졌다.

04 노태우 정부의 북방 외교 정답: ③

제시된 자료의 소련과 국교, 동유럽 국가들과 외교 관계 수립, 중국과 무역 대표부 교환 설치 등을 통해 노태우 정부 시기와 관련되어 있음을 알 수 있다. 노태우 정부는 1988년 개최된 서울 올림픽 대회를 성공적으로 치렀고, 이를 바탕으로 적극적인 북방 외교 정책을 추진하였다. 그 결과 소련 및 동구권 사회주의 국가들과 수교를 하였고, 중국과도 무역 대표부 설치에 이어 공식적인 외교 관계를 수립하였다(1992). 또한 북한과의 관계 개선에도 나서 남북한이 동시에 유엔에 가입하였고, 상대방의 체제를 존중한다는 내용의 남북 기본 합의서를 채택하였다(1991).

| 오답피하기 |
ㄱ. 3당 합당은 1990년에 이루어졌다.
ㄹ. 6·29 민주화 선언은 1987년에 발표되었다.

05 김대중 정부

정답: ①

제시된 자료의 처음으로 정권 교체, 국민의 정부 등을 통해 김대중 정부와 관련된 것임을 알 수 있다. 김대중 정부의 등장은 대한민국 정부 수립 이래 평화적인 방법으로 여당과 야당의 정권 교체가 이루어졌다는 역사적 의미를 지니고 있다. 국민의 정부를 표방한 김대중 정부는 국민 기초 생활 보장법을 제정하여 복지 국가의 기초를 다지고, 이 여성부 및 국가 인권 위원회 등을 신설하였다. 외국 자본 유치, 기업 구조 조정과 부실 기업 등을 추진하여 2001년에는 외환 위기를 극복하였다.

오답피하기

② 기초 연금제는 박근혜 정부 시기에 시작되었다.
③ G20 정상 회의는 이명박 정부 시기에 개최되었다.
④ 5·18 민주화 운동 청문회는 노태우 정부 시기에 열렸다.
⑤ 고위 공직자 재산 등록제가 최초로 시행된 시기는 김영삼 정부 때이다.

06 김영삼 정부의 역사 바로 세우기

정답: ④

제시된 자료의 거창 사건, 집단 학살 등을 통해 6·25 전쟁 중인 1951년에 발생한 거창 사건과 관련된 글임을 알 수 있다. 따라서 밑줄 친 시점은 1996년이다. 이 시기는 김영삼 정부가 역사 바로 세우기라는 표어 아래 5·18 특별법 제정, 전두환·노태우 전직 대통령 구속, 거창 사건 희생자 명예 회복 등을 추진했던 때이다. 3당 합당은 노태우 정부 시기에 이루어졌고, 외환 위기는 김영상 정부 말기에 일어났으므로 정답은 (라)이다.

07 6월 민주 항쟁의 배경

제시된 자료는 6월 민주 항쟁의 배경을 다루고 있다. 전두환은 1980년 헌법 개정을 통해 대통령에 당선되었다. 당시의 헌법은 대통령 선거인단에 의한 간접 선거로 대통령을 뽑게 하였다. 그러나 민주화 운동을 주도하던 이들은 대통령 직선제 개헌을 요구하였다. 그러나 전두환 대통령은 당시 헌법에 규정된 대통령 간선제를 고수하겠다는 4·13 호헌 조치를 발표하였다.

08 6월 민주 항쟁의 전개 과정

제시된 자료는 6월 민주 항쟁의 전개 과정에서 발생한 주요 사건을 날짜별로 표기하고 있다. 1월 14일 대학생 박종철이 경찰의 고문으로 사망하였고, 4월 13일 전두환 대통령이 4·13 호헌 조치를 발표하였다. 6월 10일은 여당이 대통령 후보를 지명하는 날이었고, 민주 헌법 쟁취 국민운동 본부는 같은 날 국민 대회를 열기로 하였다. 바로 전날인 6월 9일 이한열이 최루탄에 피격당하는 일이 발생하였다. 이후 전국 각지에서 매일 시위가 벌어졌고, 결국 6월 29일 여당 대통령 후보인 노태우가 6·29 민주화 선언을 발표하였다.

09 1987년 헌법 개정

제시된 자료는 1987년에 개정된 헌법 중 대통령 선출과 관련된 조항이다. 6월 민주 항쟁에서 국민들은 대통령 직선제 개헌을 강력하게 요구하였고, 여당의 대통령 후보였던 노태우는 6·29 민주화 선언으로 시민들의 요구를 수용하였다. 그 결과 헌법 개정이 이루어졌다. 개정된 헌법에서 대통령 임기는 5년 단임으로 제한되었다. 이는 이승만, 박정희 대통령의 사례에서 확인이 되듯이, 임기 4년에 중임을 허용할 경우 헌법 개정을 통한 장기 집권 시도가 가능할 것이라는 우려 때문이었다.

모범답안 (1) 6월 민주 항쟁을 통해 시민들은 대통령 직선제 개헌을 요구하였고, 노태우는 6·29 민주화 선언을 통해 시민들의 요구를 수용하였다.
(2) 헌법 개정을 통한 장기 집권을 방지하기 위해 중임을 허용하지 않고, 5년 단임으로 대통령의 임기를 제한하였다.

채점 기준

상	헌법 개정이 이루어지게 된 계기와 임기 규정의 역사적 의미를 모두 서술한 경우
중	헌법 개정이 이루어지게 된 계기와 임기 규정의 역사적 의미 중 한 가지만 서술한 경우
하	헌법 개정이 이루어지게 된 계기와 임기 규정의 역사적 의미 중 한 가지도 서술하지 못한 경우

❼ 외환 위기와 사회·경제적 변화

개념 체크

162쪽 01 (1) × (2) × 02 (1) 신자유주의 (2) 금 (3) 경제 협력 개발 기구(OECD) 03 (1)—ⓒ, (2)—ⓛ, (3)—ⓐ
163쪽 01 (1) × (2) × 02 (1) 비정규 (2) 양극화 (3) 다문화 03 (1)—ⓐ, (2)—ⓛ, (3)—ⓒ

문제 유형 익히기 ──────────── 164~165쪽

01 ⑤ 02 ③ 03 ④ 04 ④ 05 ② 06 ③ 07 ④ 08 해설 참조 09 해설 참조 10 (1) 외환 위기 (2) 해설 참조

01 국민 기초 생활 보장법

정답: ⑤

제시된 자료의 최저 생활 보장, 자활을 조성, 수급권자 등을 통해 국민 기초 생활 보장법의 내용임을 알 수 있다. 김대중 정부는 외환 위기를 극복하기 위해 대기업과 금융 기관들을 대상으로 강도 높은 구조 조정을 추진하고, 국민 기초 생활 보장법을 시행하여(1999) 복지 국가의 기초를 다졌다. 따라서 국민 기초 생활 보장법이 마련된 시기는 외환 위기 발생 이후인 (마) 시기에 해당한다.

오답피하기

6·3 시위는 1964년, 10·26 사태는 1979년, 6·29 민주화 선언은 1987년, 5·18 특별법 제정은 1995년, 외환 위기는 1997년, 한·미 FTA 체결은 2007년이다.

02 외환 위기의 발생

정답: ③

제시된 자료의 외환 시장에서의 어려움, 국제 통화 기금(IMF)에 유동성 조절 자금 지원해 줄 것을 요청, 외화 조달 등을 통해 1997년의 외환 위기와 관련된 것임을 알 수 있다. 이 시기 국제 금융 기구의 요구에 따라 이자 제한법이 폐지되었고, 기업을 대상으로 구조 조정을 추진하면서 실업자가 대량으로 발생했고, 비정규직이 급격히 증가하면서 사회 구성원 간의 경제적 불평등이 심화되었다.

오답피하기

③ 광주 대단지 사건은 1971년에 발생하였다.

03 김영삼 정부의 정책

정답: ④

제시된 자료의 1993년 출범, 신자유주의 정책 등을 통해 (가) 정부는 김영삼 정부임을 알 수 있다. 김영삼 정부는 30년 만에 등장한 문민정부로서 각종 개혁 정책을 추진하였는데, 경제적으로 금융 실명제를 단행하였고, 정치적으로는 자치 단체장 선거를 실시하여 지방 자치제를 전면적으로 시행하였다. 김영삼 정부는 1997년 말 국제 통화 기금(IMF)에 구제 요청을 요청하여 긴급 자금을 지원받았다.

오답피하기

ㄱ. 기초 연금제는 박근혜 정부 시기에 시행하였다.

ㄷ. 야간 통행 금지 해제는 전두환 정부 시기에 이루어졌다.

04 경제 협력 개발 기구(OECD) 가입

정답: ⑤

김영삼 정부는 세계화를 내세우며 기업 규제 완화, 시장 개방 확대에 박차를 가하였고, 1996년에는 경제 협력 개발 기구(OECD)에 가입하는 등 신자유주의 정책을 본격화하였다.

05 다문화 사회로의 변화

정답: ②

제시된 자료의 기사는 우리나라 국적 취득자가 10만 명을 돌파한 사실을 다루며 다문화 사회를 논하고 있다. 우리나라는 다인종·다국적 출신의 이주 노동자, 이주 여성, 북한 이탈 주민이 증가함에 따라 다문화 사회에 진입하였다. 문화 사회로의 변모에 어울리는 자세는 상대적으로 소수인 외국인들의 문화를 존중하고, 그들의 한국 사회 적응 노력을 지원하는 일일 것이다.

오답피하기

② 배타적 국가주의 교육을 강화하거나 단일 민족으로서의 감수성을 회복하는 일은 다문화적 감수성을 키우는 데 도움이 되지 않는다.

06 김대중 정부의 정책

정답: ③

제시된 자료의 외환 위기 극복, 금 모으기 운동 등을 통해 (가) 정부는 김대중 정부임을 알 수 있다. 김대중 정부는 외환 위기 극복을 위한 다양한 노력을 통해 국제 통화 기금의 지원금을 예정보다 3년이 빠른 2001년에 모두 상환하였다. 또한 최초로 남북 정상 회담을 개최하여 남북 관계에 새로운 이정표를 세웠다. 과거사 청산을 위해 특별법을 제정하여 제주 4·3 사건에 대해 진상을 조사하였고, 국가 인권 위원회를 신설하여 국민의 인권을 보호하고자 하였다.

오답피하기

ㄱ. 5·18 특별법 제정은 김영삼 정부 시기의 일이다.

ㄹ. 7·14 남북 공동 성명 발표는 박정희 정부 시기의 일이다.

07 외환 위기와 국민 기초 생활 보장법 시행

정답: ④

제시된 자료의 (가)는 경제 협력 개발 기구(OECD) 가입에 대한 국회 비준안 통과를 보도한 신문 기사이고, (나)는 한·미 자유 무역 협정(한·미 FTA) 체결에 대한 국회 비준안 통과를 보도한 신문 기사이다. 경제 협력 개발 기구 가입은 1996년에 이루어졌고, 한·미 자유 무역 협정은 체결이 2007년에, 비준안 통과가 2011년에 이루어졌다. 두 시기 사이에 이루어진 일은 국제 통화 기금에 긴급 구제 요청(1997), 국민 기초 생활 보장법 시행(1999)이다.

오답피하기

ㄱ. 경제 개발 5개년 계획은 1962년부터 1981년까지 추진되었다.

ㄷ. 북방 외교는 1980년대 후반부터 추진된 외교 정책이다.

08 국민 기초 생활 보장법

제시된 자료의 외환 위기 발생 이후, 빈부 격차 완화, 최저 생계비에 미치지 못하는 국민에게 기본적인 생활 보장 등을 통해 밑줄 친 '이 제도'는 국민 기초 생활 보장법임을 알 수 있다.

모범답안 국민 기초 생활 보장법이다. 외환 위기 발생 이후 심화되고 있는 빈부 격차를 완화하기 위해 이 법을 제정하여 시행하고 있다.

채점 기준	
상	명칭, 제정 배경, 목적을 모두 서술한 경우
중	명칭, 제정 배경, 목적 중 두 가지만 서술한 경우
하	명칭, 제정 배경, 목적 중 한 가지만 서술한 경우

09 사회 양극화

제시된 자료의 '사회 계층이 양극단으로 쏠리는'을 통해 빈칸에 들어갈 용어는 '양극화'임을 알 수 있다. 대한민국은 외환 위기 이후 실업이 늘어나고 소득 격차는 더욱 벌어졌다. 대기업과 중소기업 간의 임금 차이가 더욱 커지면서 소득의 양극화도 심화되었다. 특히 소득 및 자산의 격차는 교육의 기회와 문화 경험의 격차를 일으키고, 계층의 대물림으로 이어질 가능성이 높다. 이러한 문제점을 극복하기 위해서는 소득 재분배 및 사회 복지 제도 보완과 같은 경제 민주화 정책의 추진이 필요하다.

모범답안 양극화, 사회 양극화는 사회 통합을 어렵게 만든다. 또한 소득 및 자산의 격차는 교육 기회와 문화 경험의 차이로 이어지고, 이는 계층의 대물림으로 이어지면서 사회적 갈등을 증폭시키게 된다. 이를 극복하기 위해서는 법적·제도적 정비가 필요하다. 특히 소득 재분배 및 사회 복지 제도 보완과 같은 경제 민주화 정책이 필요하다.

채점 기준	
상	사회 양극화의 용어, 양극화가 초래할 문제점, 해결 방안을 모두 서술한 경우
중	사회 양극화의 용어, 양극화가 초래할 문제점, 해결 방안 중 두 가지만 서술한 경우
하	사회 양극화의 용어, 양극화가 초래할 문제점, 해결 방안 중 한 가지만 서술한 경우

10 세계화 정책과 다국적 기업

제시된 자료는 공통적으로 외환 위기 이후 국내의 우량 기업들이 외국 자본에 흡수 병합되었던 사례를 다루고 있다. 그리고 한 국가의 경계를 벗어나 다양한 국적의 자본과 노동을 집적시켜 활동하는 기업들을 다국적 기업이라 부른다.

모범답안 (2) 다국적 기업의 양면성, 다국적 기업으로부터 투자를 받은 국가는 경제 성장에 필요한 자본과 기술을 확보할 수 있기에 국가 경쟁력을 높일 수 있는 기회를 가질 수 있다. 그러나 다국적 기업은 이윤 창출이 목적이므로 투자 수용국의 경제 상황을 크게 고려하지 않는 단점을 지니고 있다.

채점 기준	
상	다국적 기업의 양면성, 다국적 기업 긍정적 측면, 다국적 기업의 부정적 측면을 모두 서술한 경우
중	다국적 기업의 양면성, 다국적 기업 긍정적 측면, 다국적 기업의 부정적 측면 중 두 가지만 서술한 경우
하	다국적 기업의 양면성, 다국적 기업 긍정적 측면, 다국적 기업의 부정적 측면 중 한 가지만 서술한 경우

❽ 남북 화해와 동아시아 평화를 위한 노력

개념 체크

166쪽 01 (1) ◯ (2) ◯ 02 (1) 주체사상 (2) 핵 (3) 김신조 03 (1)—㉠, (2)—㉢, (3)—㉡

167쪽 01 (1) × (2) ◯ 02 (1) 닉슨 (2) 남북 조절 위원회 (3) 남북 기본 합의서 03 (1)—㉢, (2)—㉠, (3)—㉡

문제 유형 익히기 ───────── 168~169쪽

01 ③ 02 ③ 03 ③ 04 ④ 05 ⑤ 06 ④ 07 ③ 08 쿠릴 열도, 센카쿠 열도(댜오위다오 및 부속 도서) 09 자주, 평화, 민족 대단결이다. 10 (1) 김대중, 김정일 (2) 해설 참조

01 북한의 주체사상
정답: ③

제시된 자료의 1950년대 후반, 중국과 소련이 대립, 독재 체제 확립 등을 통해 (가) 사상은 북한의 주체사상임을 알 수 있다. 주체사상의 명분은 모든 분야에서 주체적이고 자주적인 태도를 강조하는 것이지만, 김일성 지배 체제에 비판적인 세력을 제거하고 북한 주민을 통제하는 데 이용되었다. 주체사상은 북한이 1972년 채택한 사회주의 헌법에 통치 이념으로 공식화되었다.

오답피하기

③ 군대의 선도적 역할을 강조하는 것은 선군 정치이다.

02 3대에 걸친 독재 권력 세습
정답: ③

제시된 자료는 김정일의 권력 승계 과정에서 나타나는 특징을 서술하고 있다. 김정일 체제는 김일성이 태어난 해를 주체 연호로 제정하고, 김일성의 생일을 태양절로 이름짓기도 하였다. 또한 군대를 우선시하는 선군 정치를 내세워 대내외적 위기 상황을 돌파하고자 하였다.

오답피하기

ㄱ. 합영법은 외국인 투자를 유치하기 위한 북한의 법령으로 우상화의 정의에 부합하지 않는다.

ㄹ. 선군(先軍)은 군대를 앞에 세운다는 한자의 조어이다.

03 북한의 체제 위기
정답: ③

북한은 생산 활동의 제약과 비효율성, 뒤떨어진 기술 수준 등으로 경제가 점점 어려워지다가 1980년대 말 이후 사회주의 진영의 붕괴로 에너지의 공급과 식량 지원이 끊기면서 막대한 타격을 입고 체제 위기를 겪었다.

오답피하기

① 주체 사상은 1950년대 후반부터 등장하였다.

② 사회주의 헌법은 1972년에 채택되었다.

④ 북한은 세계 무역 기구(WTO) 회원국이 아니다.

⑤ 7·4 남북 공동 성명 이후 남북 조절 위원회가 설치되었다.

04 유신 헌법과 사회주의 헌법
정답: ④

제시된 자료의 (가)는 통일 주체 국민 회의 등을 통해 유신 헌법의 주요 내용임을 알 수 있고, (나)는 조선 민주주의 인민 공화국, 주석 등을 통해 북한이 제정한 사회주의 헌법임을 알 수 있다. (가)와 (나)는 공교롭게도 7·4 남북 공동 성명을 발표한 직후 제정되었다. 남북한 모두 통일을 추진한다는 명분 아래 유신 헌법과 사회주의 헌법을 제정하여 7·4 남북 공동 성명을 독재 체제 강화에 활용하였다는 비판을 받았다. 유신 헌법에서 통일 주체 국민 회의는 대통령을 선출하는 권한을 부여받았다.

오답피하기

ㄱ. (가)는 유신 헌법이다.

ㄷ. 사회주의 헌법은 1972년 김일성 집권 시기에 만들어졌다. 김일성은 1994년에 사망하였다.

05 남북 정상 회담
정답: ⑤

제시된 자료의 (가)는 제2차 남북 정상 회담의 결과 발표된 10·4 남북 공동 선언의 주요 내용이고, (나)는 제3차 남북 정상 회담의 결과 발표된 판문점 공동 선언의 주요 내용이다. 두 선언 모두 남북 정상 간 회담의 결과 발표되었다는 공통점이 있다.

오답피하기

① 김대중 정부 시기에 발표된 선언은 6·15 남북 선언이다.

② 남과 북이 통일 원칙에 최초로 합의한 때는 1972년의 7·4 남북 공동 선언에서이다.

③ 7·4 남북 공동 선언은 닉슨 독트린의 영향으로 추진되었다.

④ 7·4 남북 공동 선언의 결과 남북 조절 위원회가 설치되었다.

06 남북 화해와 통일의 노력
정답: ④

제시된 자료의 (가)는 1972년 서울과 평양에서 동시에 발표된 7·4 남북 공동 성명의 주요 내용이고, (나)는 1991년 국제 연합에 남북한이 동시에 가입하고 곧이어 채택한 남북 기본 합의서의 주요 내용이다.

오답피하기

ㄱ. 10·4 남북 공동 선언은 제2차 남북 정상 회담의 결과 발표되었다.

ㄷ. 남북 기본 합의서는 남과 북의 고위급 관료 간 회의 결과 채택되었다.

07 남북 조절 위원회 설치
정답: ③

남북 조절 위원회는 7·4 남북 공동 선언의 내용을 이행하기 위해 설치되었다.

오답피하기

① 개성 공단 건설의 실현은 노무현 정부 때 이루어졌으므로 (나) 채택 이후의 일이다.

② 연평도 포격 사건은 이명박 정부 때 일어난 북한의 도발 공격이므로 (나) 채택 이후의 일이다.

④ 6·15 남북 공동 선언은 김대중 정부 때 이루어졌으므로 (나) 채택 이후의 일이다.

⑤ 북한이 핵 확산 금지 조약에서 탈퇴한 시점은 (나) 채택 이후의 일이다.

08 동아시아의 다양한 갈등

쿠릴 열도는 러시아와 일본 간의 분쟁 지역이고, 센카쿠 열도(댜오위다오 및 부속 도서)는 중국과 일본 간의 분쟁 지역이다.

09 7·4 남북 공동 성명

7·4 남북 공동 성명을 통해 남과 북은 분단 이후 처음으로 통일과 관련한 성명을 발표하였고, 통일의 3대 원칙에 합의하였다.

모범답안 남과 북은 자주, 평화, 민족 대단결이라는 통일 3대 원칙을 공식화하였다.

채점 기준	
상	통일 원칙 세 가지를 모두 서술한 경우
중	통일 원칙 중 두 가지만 서술한 경우
하	통일 원칙 중 한 가지만 서술한 경우

10 제1차 남북 정상 회담

김대중 정부는 2000년 분단 이후 처음으로 북한의 지도자(김정일)를 만나 남북 정상 간 회담을 하였다. 정상 회담 결과 발표된 6·15 남북 공동 선언에 따라 이산가족의 방문이 재개되고 끊어진 경의선과 동해선 철도가 연결되었다.

모범답안 (2) 6·15 남북 공동 선언이며, 이를 통해 이산가족의 방문이 재개되고, 경의선·동해선 철도가 연결되었다.

채점 기준	
상	6·15 남북 공동 선언의 명칭과 교류 사례 두 가지를 모두 서술한 경우
중	6·15 남북 공동 선언의 명칭은 썼으나 교류 사례는 한 가지만 서술한 경우
하	6·15 남북 공동 선언의 명칭만 쓴 경우

 기출 지문 활용하기 170~171쪽

| 01 ④ | 02 ③ | 03 해설 참조 | 04 ① | 05 ③ | 06 해설 참조 |
| 07 ② | 08 ② | 09 해설 참조 | 10 ⑤ | 11 ③ | 12 해설 참조 |

01 5·0 총선거 정답: ④

제시된 자료의 유엔 소총회, 5월 10일 등을 통해 밑줄 친 '총선거'는 5·10 총선거임을 알 수 있다. 5·10 총선거는 1948년에 실시되었으므로, 8·15 광복(1945년)과 6·25 전쟁 발발(1950년) 사이의 일이다.

오답피하기

갑신정변은 1884년, 대한 제국 수립은 1897년, 국권 피탈은 1910년, 4·19 혁명은 1960년이다.

02 5·10 총선거 정답: ③

5·10 총선거는 대통령이 아닌 국회 의원을 선출하는 선거였다. 선출된 국회 의원들이 헌법을 제정하고, 초대 대통령 및 부통령을 뽑기도 하였다.

03 5·10 총선거 실시의 과정

모범답안 제2차 세계 대전이 끝난 뒤 열린 모스크바 3국 외상 회의에서 조선에 민주주의 임시 정부를 수립하고, 미·소 공동 위원회를 개최하고, 5년 기한의 신탁 통치를 실시하기로 결정하였다. 신탁 통치 결정에 주목한 이들(우익)은 반탁 운동에 매진하였고, 정부 수립에 초점을 맞춘 이들(좌익)은 총체적 지지를 선택하였다. 좌우익의 대립 속에 미·소 공동 위원회는 결렬되고 미국은 국제 연합에 한반도 문제를 맡겼다. 국제 연합은 남북한 총선거에 의한 정부 수립 방안을 결정했고, 소련은 이에 반대하였다. 국제 연합은 다시 회의를 열어 남한 지역에서의 총선거를 결정하였다. 총선거가 분단으로 이어질 것이라 우려하였던 김구, 김규식 등은 남북 협상에 참여하였고, 제주

지역에서는 단독 정부 수립에 반대하는 이들이 무장 봉기하며 제주 4·3 사건이 확대되기도 하였다. 그러나 총선거는 무난히 치러졌고, 제주 2곳을 제외한 198명의 국회 의원이 선출되었다.

채점 기준	
상	제시된 핵심 용어 다섯 가지를 모두 활용하여 서술한 경우
중	제시된 핵심 용어 세 가지를 활용하여 서술한 경우
하	제시된 핵심 용어 두 가지를 활용하여 서술한 경우

04 4·19 혁명 정답: ①

제시된 자료의 대학 교수단, 이승만 대통령 등을 통해 1960년 3·15 부정 선거에 항의하여 발생한 4·19 혁명임을 알 수 있다.

오답피하기

② 신군부 세력에 반대하여 일어난 사건은 5·18 민주화 운동이다.

③ 대통령 직선제 개헌은 6월 민주 항쟁의 성과이다.

④ 조선 형평사가 주도한 운동은 형평 운동이다.

⑤ 급진 개화파는 갑신정변을 일으켰다.

05 4·19 혁명의 발생 시기 정답: ③

4·19 혁명은 1960년에 발생하였으므로 정전 협정 체결(1953)과 5·16 군사 정변(1961) 시기 사이다.

06 4·19 혁명의 결과

모범답안 허정 과도 내각에서의 개헌 결과 내각 책임제와 양원제 국회가 채택되었다.

채점 기준	
상	개헌, 내각 책임제, 양원제 국회 모두 서술한 경우
중	개헌, 내각 책임제, 양원제 국회 중 두 가지만 서술한 경우
하	개헌, 내각 책임제, 양원제 국회 중 한 가지만 서술한 경우

07 농지 개혁법 정답: ②

제시된 자료의 제헌 국회가 농민을 위한 조치, 3정보 초과 농지 등을 통해 농지 개혁법의 주요 내용임을 알 수 있다.

오답피하기

① 방곡령은 개항기에 일부 지방관들이 조·일 통상 장정에 근거해 곡물 가격의 급등에 대응하기 위해 내렸다.

③ 식량 배급제는 일제 강점기 말기인 전시 동원 체제 시기에 실시되었다.

④ 경제 개발 5개년 계획은 1962년~1981년 사이에 추진되었다.

⑤ 대한 제국 칙령 제41호는 독도가 대한 제국의 영토임을 분명히 하였다.

08 제헌 국회 정답: ②

5·10 총선거의 결과 구성된 제헌 국회는 대다수 한국인이 요구하는 개혁 과제를 실행시키기 위하여 농지 개혁법과 함께 반민족 행위 처벌법을 제정하였다.

오답피하기

① 양원제 국회는 장면 내각에서 운영되었다.

③ 3·1 만세 운동 결과 상해에서 구성된 건 대한민국 임시 정부이다.

④ 4·19 혁명 이후 실시된 선거를 통해 양원제 국회와 내각 책임제의 정부가 운영되었다.

⑤ 대통령 직선제를 골자로 하는 헌법 개정은 6월 민주 항쟁의 결과 이루어졌다.

09 농지 개혁법의 결과

모범답안 농지 개혁법의 제정은 소작농보다 자작농이 전체 농가에서 차지하는 비율을 훨씬 증가시켰고, 이를 통해 지주 계급이 소멸하여 토지 소유 불균등으로 인한 사회적 갈등이 상당 부분 해소되었다.

채점 기준

상	토지 소유자의 분포 변화와 사회·경제적 의미를 모두 정확히 서술한 경우
중	토지 소유자의 분포 변화와 사회·경제적 의미 중 한 가지만 정확히 서술한 경우
하	토지 소유자의 분포 변화와 사회·경제적 의미를 모두 부정확히 서술한 경우

10 6월 민주 항쟁   정답: ⑤

제시된 자료의 박종철, 어느 대학생의 최루탄 피격, 6·29 민주화 선언 등을 통해 6월 민주 항쟁을 설명하고 있음을 알 수 있다.

오답피하기

① '광주에서 계엄군 철수'는 5·18 민주화 운동에서 시민들이 요구하였다.
② '3·5 부정 선거 책임자 처벌'은 4·19 혁명에서 시민들이 요구하였다.
③ '굴욕적인 한·일 협정 체결 반대'는 6·3 시위에서 시민들이 요구하였다.
④ '유신 헌법 철폐와 민주 헌정 회복'은 개헌 청원 100만 명 서명 운동, 3·1 민주 구국 선언, 서울의 봄 등에서 요구되었다.

11 6월 민주 항쟁의 발생 시기   정답: ③

6월 민주 항쟁(1987)은 7·4 남북 공동 성명 발표(1972) 시기와 남북 기본 합의서 채택(1991) 시기 사이에 발생하였다.

12 6월 민주 항쟁의 결과

모범답안 어느 대학생은 이한열이다. 개정된 헌법에는 대통령 직선제 선출, 헌법 재판소 설치 등의 내용이 담겨 있다.

채점 기준

상	대학생 이름, 개정 헌법의 주요 내용을 두 가지 이상 서술한 경우
중	대학생 이름, 개정 헌법의 주요 내용을 한 가지만 서술한 경우
하	대학생 이름만 쓴 경우

 대주제 마무리하기   172~174쪽

| 01 ④ | 02 ④ | 03 ⑤ | 04 ⑤ | 05 ③ | 06 ③ | 07 ⑤ | 08 ④ |
| 09 ② | 10 ③ | 11 ④ | 12 해설 참조 | 13 해설 참조 | | | |

01 38도선의 분할   정답: ④

제시된 자료는 미군정청의 기본 정책을 알 수 있는 맥아더 사령관의 포고령이다. 이 문서는 미군정청이 38도선 이남 지역에 설치될 무렵인 1945년 9월 9일 발표되었다.

오답피하기

① 3선 개헌은 1969년 국회에서 통과되었다.
② 4·13 호헌 조치는 1987년 내려졌다.

③ 북한 인민군의 전면적 남침은 1950년 6월의 일이다.
⑤ 신군부의 비상계엄 전국 확대는 1980년 5월 17일의 일이다.

02 미·소 공동 위원회   정답: ④

제시된 자료는 모스크바 3국 외상 회의의 주요 내용 중 일부이다. 이 회의에서는 조선에 민주주의 임시 정부 수립, 미·소 공동 위원회 설치, 최대 5년 기한의 신탁 통치 실시 등이 결정되었다.

오답피하기

① 건국 준비 위원회가 바뀐 이름이다.
② 제1차 미·소 공동 위원회가 결렬되고 조직되었다.
③ 7·4 남북 공동 성명의 결과 설치되었다.
⑤ 신군부가 5·18 민주화 운동을 진압한 뒤 설치하였다.

03 김구의 활약   정답: ⑤

제시된 자료의 통일된 조국, 단독 정부를 세우는 데는 협력하지 아니하겠다 등을 통해 밑줄 친 '나'는 김구임을 알 수 있다. 김구는 일찍이 대한민국 임시 정부에서 주석을 역임하였으며, 광복 이후 반탁 운동을 주도하기도 하였고, 5·10 총선거가 결정될 무렵 통일 정부 수립을 위한 남북 협상을 제안하였다.

오답피하기

ㄱ. 조선 공산당은 박헌영 등이 결성하였다.
ㄴ. 4·19 혁명으로 하야한 대통령은 이승만이다.

04 제주 4·3 사건   정답: ⑤

제시된 자료의 진상 규명, 1948년 4월 3일, 제주도에서 발생한 무력 충돌 등을 통해 (가) 사건은 제주 4·3 사건임을 알 수 있다. 자료는 희생자들의 명예 회복을 위해 제정된 제주 4·3 특별법이다. 제주 4·3 사건으로 인해 5·10 총선거에서 두 곳의 제주 선거가 무효화되었다.

오답피하기

ㄱ. 4·19 혁명을 가리킨다.
ㄴ. 6·3 시위를 가리킨다.

05 6·25 전쟁   정답: ③

제시된 자료의 (가)는 애치슨 선언이고, (나)는 이승만 대통령이 6·25 전쟁의 효율적인 수행을 위해 유엔군 사령관에게 작전권을 넘겨주는 편지글이다. (가)는 1950년 1월에 발표되었고, (나)는 유엔군 파병 직후인 1950년 7월에 작성되었다. (가)와 (나) 시기 사이에 북한군은 서울을 점령하고 빠른 속도로 남하하였다.

오답피하기

① 1953년 7월 27일로 (나) 이후의 일이다.
② 1950년 9월의 일로 (나) 이후의 일이다. .
④ 1950년 10월의 일로 (나) 이후의 일이다.
⑤ 1950년 10월 1일로 (나) 이후의 일이다.

06 농지 개혁법   정답: ③

제시된 자료는 1948년 농지 개혁법이 제정되고 난 이후 자작지 면적이 늘고, 소작지 면적이 줄어들며, 토지 소유의 불균등 문제가 개선되어가는 과정을 잘 보여 주고 있다.

오답피하기

ㄴ. 농지 개혁법 제정으로 빈익빈 부익부 현상이 완화되었다.
ㄷ. 농지 개혁법은 유상 매입, 유산 분배의 원칙 아래 진행되었다.

07 발췌 개헌과 사사오입 개헌 정답: ⑤

제시된 자료의 (가)는 발췌 개헌(1952년)이고, (나)는 사사오입 개헌(1954년)으로 이승만 정부의 장기 집권에 기여하였다는 공통점이 있다.

오답피하기

① 발췌 개헌은 4·19 혁명 이전에 통과되었다.
② 사사오입 논리로 통과된 헌법 내용은 (나)이다.
③ 6·25 전쟁 중에 개정된 헌법 조항은 (가)이다.
④ 발췌 개헌이라 불리는 헌법의 핵심 조항은 (가)이다.

08 유신 헌법 제정 배경 정답: ④

제시된 자료는 박정희 정부가 대통령 간선제를 핵심으로 유신 헌법 제정을 추진한 배경을 잘 보여 주고 있다. 3선 개헌을 통과시킨 박정희는 정작 1971년의 대통령 선거에서 야당 후보인 김대중에게 어렵게 승리하여 차후 직선제 선거를 통한 대통령 당선을 장담하기 어려운 상황에 놓이게 되었다.

09 브라운 각서 정답: ②

제시된 자료는 한국군의 현대화 계획, 베트남에 주둔한 한국군, 미국의 군사 원조 등을 통해 브라운 각서임을 알 수 있다. 1966년에 작성된 브라운 각서는 한국의 베트남 파병에 대한 보상 조치로 미국이 제공할 군사·경제 원조의 내용을 담고 있다. 이 각서가 작성될 무렵 대한민국은 경제 개발 5개년 계획을 추진하고 있었다. 이 시기에 섬유·가발·식료품·합판·신발 등 가공품을 제작하여 수출하였다. 이에 노동 집약적인 경공업이 발전하였고, 경제 성장에 필요한 토대가 마련되었다.

오답피하기

ㄴ. 국제 통화 기금에 긴급 구제 금융을 요청한 것은 1997년이다.
ㄹ. 제2차 석유 파동으로 마이너스 경제 성장률을 기록한 것은 1980년이다.
ㅁ. 미국의 잉여 농산물을 바탕으로 삼백 산업이 발달한 것은 1950년대이다.

10 유신 헌법 시대 파악 정답: ③

제시된 자료는 통일 주체 국민 회의 등을 통해 유신 헌법의 주요 내용임을 알 수 있다. 유신 헌법은 1972년 10월 대통령 특별 선언에 따라 개정되었고, 1980년 신군부에 의해 헌법이 개정될 때까지 적용되었다. 개헌 청원 100만 명 서명 운동은 1973년에, 부·마 민주화 운동은 1979년에 발생하였다.

오답피하기

ㄴ. 7·4 남북 공동 성명은 유신 헌법 제정 전에 발표되었다.
ㄷ. 제1차 경제 개발 계획은 1962년~1966년 사이에 추진되었다.

11 김영삼 정부 정답: ④

제시된 자료의 국제 통화 기금 자금 지원 등을 통해 김영삼 정부 시기였던 1997년 외환 위기 당시의 상황임을 알 수 있다. 김영삼 정부는 세계화 정책을 추진하며 경제 협력 개발 기구(OECD)에 가입하였다.

오답피하기

① 남북 기본 합의서는 노태우 정부 시기에 채택되었다.
② 반민족 행위 처벌법은 이승만 정부 시기에 제정되었다.
③ 제주 4·3 사건 특별법은 김대중 정부 시기에 제정되었다.
⑤ 제2차 경제 개발 5개년 계획은 박정희 정부 시기에 추진되었다.

12 제헌 국회

제헌 국회는 5·10 총선거의 결과 구성되었다. 제헌 국회는 헌법을 제정하여 공포한 뒤 헌법 규정에 따라 대통령과 부통령을 선출하여 대한민국 정부를 출범시켰다. 이후 식민지 잔재 청산 노력을 위해 반민족 행위 처벌법과 농지 개혁법을 제정하였다.

모범답안 이 국회는 제헌 국회이며, 주요 입법 활동으로는 반민족 행위 처벌법 제정과 농지 개혁법 제정이 있다. 반민족 행위 처벌법을 근거로 반민특위가 조직되어 활동하였지만 이승만 정부의 공개적 반대로 몇 개월도 지나지 않아 해체되었다. 농지 개혁법 제정의 결과 3정보를 초과하는 농지를 정부가 매입하여 농민들에게 대가를 받고 분배하였다. 그 결과 지주 계급이 소멸하고 대다수 농민은 자신의 토지를 소유하게 되었다.

채점 기준

상	입법 활동 두 가지와 그 의미를 모두 서술한 경우
중	입법 활동 한 가지와 그 의미를 서술한 경우
하	입법 활동과 그 의미를 모두 서술하지 못한 경우

13 6·29 민주화 선언

제시된 자료의 대통령 직선제 개헌, 선거법 개정, 지방 자치 실현 등을 통해 6·29 민주화 선언임을 알 수 있다. 이 선언은 당시 여당 대통령 후보인 노태우가 6월 민주 항쟁의 요구 사항을 수용하여 발표한 것이다.

모범답안 6·29 민주화 선언이다. 이 선언은 6월 민주 항쟁 당시 시민들의 요구를 수용한 내용이다. 시민들이 대통령 직선제 개헌안을 강력히 요구하기 시작할 무렵 박종철이 경찰의 고문으로 숨지는 사건이 발생하였다. 이런 상황에서 정부는 사건을 은폐하고, 4·13 호헌 조치를 통해 간선제 방식으로 대통령을 선출하겠다고 발표하였다. 시민들은 1987년 6월 10일 여당의 대통령 후보 지명 당일 대규모 국민 대회를 개최하였다. 바로 전날 대학생 이한열이 최루탄에 피격당하는 일이 발생하였다. 이후 전국 각지에서 계속 매일 시위가 일어난 끝에 6·29 민주화 선언이 발표되었다.

채점 기준

상	6·29 민주화 선언의 명칭과 전개 과정의 주요 사건을 서술한 경우
중	6·29 민주화 선언의 명칭을 썼지만, 전개 과정의 주요 사건을 누락한 경우
하	6·29 민주화 선언의 명칭만 쓴 경우

 비판적 사고 기르기 175쪽

(가)는 두 인물의 경제 개발에 대한 상반된 인식을 보여 준다. 첫 번째 제시문의 내용은 청계천에 즐비했던 피복 공장의 재단사로 근무했던 전태일의 눈에 비친 현실이다. 그럭저럭 생계가 가능했던 자신과 달리 시다공(재단사 등의 일을 돕는 노동자를 부르는 일본식 표현)들은 장시간 저임금의 열악한 노동 환경에 놓여 있었다. 보편적인 양심의 잣대로 보아도 묵과할 수 없는 일인데, 최소한의 인간적 삶을 보장하기 위해 제정된 근로 기준법의 보호를 받지 못하는 현실이 그에겐 괴로웠다. 제시문만으로 경제 개발에 대한 그의 거시적 인식을 확인하긴 힘들다. 다만 그에게는 공장 내부의 구체적인 인간들이 겪는 현실이 중요하였다.

두 번째 제시문은 1973년에 쓰인 박정희의 시정 연설문이다. 이 글이 쓰일 무렵엔 제3차 경제 개발 5개년 계획이 추진되어 본격적으로 중화학 공업이 육성되고 있었던 시기였다. 대통령은 조강 생산 능력의 증가, 선박 수출량의 증가, 대규모 공장의 등장 등을 긍정적으로 바라보고 있다. 즉, 공장 내부보다 외부적인 숫자로 표현되는 각종 지표의 증가가 그에게는 중요하였다. 국가 차원에서 생산량의 증가는 곧 국부의 증가를 의미하며, 국부의 증가는 곧 개별 노동자에게 돌아가는 혜택의 증대를 의미했기 때문이다. 따라서, 공장 내부의 현실은 언젠가는 교정되는 일이며 지금은 참고 견디어야 할 고통일 뿐이다.

(나)는 50년 동안 대한민국이 겪은 사회 경제적 변화를 숫자로 정리한 통계 자료이다. 경제 개발 계획의 지속적인 추진으로 대한민국은 세계에서 유례를 찾기 힘든 높은 경제 성장률을 기록하게 되었다. 국내 총소득, 1인당 국민 총소득, 수출 규모는 수만 배에 이를 정도로 높은 증가세를 보였다. 그러나 경제 성장은 반드시 사회의 변화를 동반한다. 경제 성장은 곧 유기적인 연대망의 사회가 해체된다는 뜻이기도 하다. 외적인 풍요가 거듭될수록 사회는 파편화되고 개인주의적인 문화가 팽배하게 된다. 개인적인 문화의 팽배는 곧 실적과 능력으로 타인에게 인정받는 경쟁적인 사회의 등장을 뜻하며 정신적인 상처를 받고 자살하는 이들도 많아지게 된다.

01 모범답안 전태일, 박정희이다. 박정희는 경제 개발 계획을 도입하여 추진한 최종 결정권자이고, 전태일은 경제 개발 계획이 진행되던 시기에 한국 제일의 수출품이었던 피복 제조 공장에서 일하던 노동자이다. 최종 결정권자로서 박정희에게는 국가의 부를 최대한 증진하는 것이 중요하고, 국가의 입장에서는 우선 성장이 필요하다. 따라서 구체적인 공장의 노동 현실은 거쳐야 할 일종의 성장통이다. 반면, 전태일에게는 전체적인 경제 개발 계획을 조망할 거시적인 안목은 없다. 다만 그에게 중요한 건 외부적인 성장 지표가 아니라 대면하고 있는 노동자들의 인간다운 삶이다. 장시간 저임금의 열악한 노동 현실을 겪고 있는 대부분의 시다공들을 위해 근로 기준법의 혜택이 조금이라도 돌아가기를 바라는 것은 그 때문이다.

채점 기준 **❶** ~ **❸** 항목 당 각 2점
❶ 인물의 이름을 정확히 쓴 경우
❷ 논제의 요구 사항을 충실히 반영하여 서술한 경우
❸ 주장의 근거가 명확하고, 단락과 문장을 유기적으로 서술한 경우

02 모범답안 자료의 지표는 1950년대부터 현 시기(2014년)의 각종 통계 자료를 동원하여 비교하고 있다. 우선 뚜렷하게 드러난 것은 외형적으로 높은 경제 성장률을 기록하였다는 점이다. 국내 총생산, 1인당 국민 총소득, 수출 규모가 3만 배 가까이 늘어났다. 반면 사회적 지표라 할 수 있는 소득 불평등과 자살률 역시 반비례하여 늘어나고 있다. 이는 경제와 사회가 상호 유기적인 관계를 맺고 있다는 점을 보여 주고 있다. 전체적인 부의 크기는 늘어났지만, 성장의 과실은 평등하게 분배되지 않아 소득 불평등이 확대되었다. 소득 불평등의 증가는 생산에 기여한 개인의 능력에 따른 분배 원칙 때문이다. 하지만 개인의 능력은 때로는 교육·문화적 격차에 따른 부의 대물림의 결과이기도 하기에 사회적 통합을 위한 분배 정책이 필요한 시점이다.

채점 기준 **❶** ~ **❸** 항목 당 각 2점
❶ 통계적 변화를 경제적 지표와 사회적 지표로 정확히 나누어 서술한 경우
❷ 경제 성장과 사회적 변화의 관계를 정확히 서술한 경우
❸ 주장의 근거가 명확하고, 단락과 문장을 유기적으로 서술한 경우

고등학교 **한국사**

평가문제집

정답과 해설